編著 添田啓子
鈴木千衣
三宅玉恵
田村佳士枝

看護実践のための根拠がわかる

小児看護技術

第3版

Evidence-Based Practice

メヂカルフレンド社

本書デジタルコンテンツの利用方法

本書のデジタルコンテンツは、専用Webサイト「mee connect」上で無料でご利用いただけます。

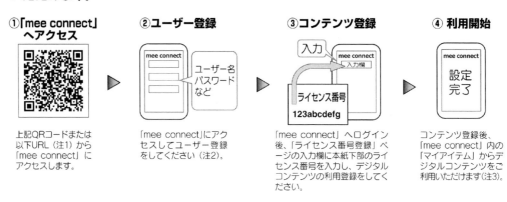

① 「mee connect」へアクセス
上記QRコードまたは以下URL（注1）から「mee connect」にアクセスします。

② ユーザー登録
「mee connect」にアクセスしてユーザー登録をしてください（注2）。

③ コンテンツ登録
「mee connect」へログイン後、「ライセンス番号登録」ページの入力欄に本紙下部のライセンス番号を入力し、デジタルコンテンツの利用登録をしてください。

④ 利用開始
コンテンツ登録後、「mee connect」内の「マイアイテム」からデジタルコンテンツをご利用いただけます（注3）。

注1：https://www.medical-friend.co.jp/websystem/01.html
注2：「mee connect」のユーザー登録がお済みの方は、②の手順は不要です。
注3：デジタルコンテンツは一度コンテンツ登録をすれば、以後ライセンス番号を入力せずにご利用いただけます。

ライセンス番号　　e016 0304 zmh8ka

※コンテンツ登録ができないなど、デジタルコンテンツに関するお困りごとがございましたら、「mee connect」内の「お問い合わせ」ページ、もしくはdigital@medical-friend.co.jpまでご連絡ください。

序

　近年，小児医療は飛躍的発展を遂げてきました。医療の進歩に伴い，障害や疾患をもって成育していく子どもも増加し，看護師は高度な知識や技術を用いて，多様な場でより複雑で困難な課題を抱えた子どもと家族を支援することが求められています。一方で，少子化が進み，地域や施設によっては小児病棟が閉鎖され混合病棟が増加し，入院している子どもの生活の質が低下せざるを得ない状況も生じています。現在は，小児医療・看護の質の維持・向上において困難な時期にあるといえるでしょう。小児看護の対象はすべての子どもと，その子どもを支える家族です。子どもがより健康に成長・発達していけるよう，子どもと家族の力を引き出し支援していくことが看護師の役割です。小児医療に携わる者は，困難な状況にあっても，一人ひとりが看護師の役割を自覚して，よりよい看護を提供していく努力が求められます。

　加えて，新型コロナウイルス感染症（COVID-19）世界的流行（パンデミック）の影響は大きく，医療現場だけでなく小児看護の教育方法も大きく変更を迫られました。学生が臨地実習で子どもとかかわりながら看護を行う機会が制限され，子どもへの看護を具体的にイメージして検討することが難しくなっています。遠隔授業を工夫する必要も生じ，各教育課程の教員が教材や教育方法の工夫をするなど，努力を重ねています。

　本書は，2016年に刊行された『根拠がわかる小児看護技術』第2版をもとに，第3版として新たな知見を加え，学生にとってイメージすることが難しい子どもとのかかわりや小児看護技術を動画で確認できるようにしました。動画は，「看護技術の実際」の見出し項目の傍にQRコードを配置してアクセスできるようにし，学生が記述を読んで，すぐに自分のスマートフォンなどで子どもへの技術のイメージを確認できるようにしました。また，小児看護のアセスメントの項を新たに加え，子どもを尊重し子どもと家族の力を引き出しながら看護技術が適用できるよう解説しました。手技としての看護技術の習得を目指すのではなく，子どもへの看護として留意点と根拠を示すなど，理解しやすい内容と簡潔でわかりやすい表現を心がけました。根拠に裏づけられた実践的な技術を身につけることを目指すという点は第1版（小野正子，草場ヒフミ編）から継承しています。

　また，専門看護師や認定看護師など臨床の第一線で活躍する看護師の方々にも執筆いただき，最新の実践的な知見を反映させた内容となっています。本書は，看護学生を主な対象としていますが，子どもの看護に携わる看護師にも技術の習得や見直しに，ご活用いただけることと思っております。

　最後に，動画のモデルを努めてくださった子どもたちやご家族を含め，本書の作成にかかわってくださったすべての方に心より感謝を申し上げます。

2022年12月
添田啓子・鈴木千衣・三宅玉恵・田村佳士枝

本書の特長と使い方 — よりよい学習のために —

「学習目標」
各節の冒頭に，学習目標を提示しています。何を学ぶのか確認しましょう。

移動（動く）

学習目標
- 小児の動く機能の発達と起こりうる事故について理解する。
- 小児の発達段階や状態に応じた安全な移動方法の選択ができる。
- 小児の移動の基本的な援助技術を習得する。

動く機能の発達

小児の「動く」機能の発達は筋・骨格の発育に加え，神経線維の髄鞘化やシナプス形成など脳神経系の成熟と関連している。新生児期の運動は原始反射が主である。その後脊髄・橋と神経の成熟が進むとともに，原始反射は徐々に抑制され消失し，原始反射が関与していた運動について随意運動がみられるようになる。乳児期には中脳の成熟により姿勢反射が出現し，姿勢の保持や粗大運動の発達が進んでいく[1)2)3)]。特に脳神経系の発達が著しい乳幼児期に著しく「動く」機能が発達し，周囲への関心と自立した動く方法を獲得することで活動範囲が拡大していく（表4-1）。

一般的な動く機能の獲得通過時期は"ねがえり"は6〜7か月，"つたい歩き"は11か月，"ひとり歩き"は1歳2〜3か月の子どもがそれぞれできるようになる[4)]。ひとり歩きをはじめたばかりの子どもの姿勢は両手を上に上げて両足は外側に開き身体をひねるように足を出期には個…は下がり足を前に出して歩くようになる。1歳半頃には歩く姿勢が安定し，要がある。…うになる[2)3)]。しかし，子どものもつ疾患や障害の影響により獲得の時…とやすでに獲得した機能も制限される状況があることを考慮する必要がある。

2 小児にとっ　動の意義

乳幼児期の…て移動は発達のために重要である。自身の活動範囲を拡げ基本的生活習慣や…で自律性や自主性を獲得する[5)]ことや，新しい刺激を求める探索行…を示す[6)]など発達につながる重要な行為となる。抱っこなどの移動方…密着をとおした安心感から児の精神的安寧を図ることにもつながる。また…なると遊びや運動，学校生活を行ううえでも必要な行為となる。自力で…どもにとって発達・生活上，移動の援助は重要である。

看護技術習得に不可欠な知識！
具体的な看護技術を見る前に，技術習得のために必要な知識を解説しています。技術を用いる際の基盤となるので，しっかり理解しましょう。

個別性を考えた看護技術を

実際に小児に対して技術を実施する場合には，本書で示している基本形をベースに，小児それぞれの個別性を考えて応用することが必要です。

応用できるようになるには，"なぜそうするのか？"といった根拠や留意点までをきちんと学び，基本形を確実に理解・習得することが第一歩です。

「看護技術の実際」
各節で習得してほしい看護技術の実際を,順を追って提示しています。正確な技術の習得には,本書で示している基本形を繰り返し練習し,頭とからだで覚えるよう意識してください。

看護技術の実際

（横抱き,縦抱き）

- ●目　的：(1) 自力で移動が難しい児をベッド上から移動する
  (2) 抱っこによる身体的密着を通した安心感から児の精神的安寧を図る
- ●適　応：(横抱き) 定頸するまでの児, (縦抱き) 定頸後の児
- ●必要物品：

方　法	留意点と根拠
1 抱っこの準備	❶ベッド柵を下げた状…と転落…それがあるため子どもか…
…頭部下から差し入れ,後頸部を軽く持ち…(➡❷)	❷定頸前…
…から腰部を抱え支える	

動画を観ることができる！

看護技術の「目的」
何を目指してこの技術を用いるのかを端的に示しています。

看護技術の「適応」
この技術が,どんな状態の小児に用いられるのかを示しています。

「方法」に対する「留意点と根拠」が見やすい！
表形式で,左欄には順を追った技術の実施方法を,右欄にはそれに対応する留意点と根拠を明示しています。表形式だから左右の欄を見比べやすく,また対応する箇所には番号（❶など）をふっているので,方法に対する根拠がすぐにわかるようになっています。

方　法	留意点と根拠

図4-1 子どもの後頭部から腰部を抱え支える

4 子どもの殿部と腰背部を支える
3で子どもの頭を肘窩部へ乗せて空いた利き手は子どもの股の間と殿部の下から差し入れ殿部と腰背部を支える

5 子どもを横に抱き上げる

わかりやすい写真がたくさん！
写真を中心に,イラストや表などがもりだくさんで,イメージしやすくなっています。

文　献
1) 内山聖：標準小児科学,標準小児科学,第8版,医学書院,2013.
2) 小林京子・高橋孝…　　　　　　　　　　　　　　　　　　　　　社, 2019.
3) 越智隆弘・菊池臣…enburg,…　　　　　　　　　　　医事出版社, 2009.
4) Frankenburg…ソン, E…　　　　　　　　　　　1973.
　エリクソン…　消費者庁：平…
　〈https://www.…paper_126.html〉(アクセ

「文献」
引用・参考文献を提示しています。必要に応じてこれらの文献にもあたり,さらに学習を深めましょう。

動画の視聴法　How to watch videos

本書では，主要な看護技術の手順を動画で提供しています。ぜひご活用ください。

動画の視聴方法

　動画は，専用Webサイト「mee connect」上で，ユーザー登録をしてライセンス番号を入力することでご利用いただけます。登録の詳しい方法およびライセンス番号は，巻頭（「序」の前のページ）にある「本書デジタルコンテンツの利用方法」をご覧ください。
　動画で観ることのできる看護技術には，紙面中にQRコードがついています。
　「mee connect」へのユーザー登録・ライセンス番号入力後に，お手持ちのスマートフォン等でQRコードを読み取ると，個別の動画にアクセスできます。
　また，下記URLにアクセスするか下のQRコードから動画の一覧ページをご覧いただくことができます。

https://www.medical-friend.co.jp/douga_ab/mc/konkyo/shouni/03/konkyo_shouni03.html

ご注意

- 動画は無料で視聴することができますが，視聴にかかる通信料は利用者のご負担となります。
- 本コンテンツを無断で複写，複製，転載またはインターネットで公開することを禁じます。

特別付録　看護技術「手順シート」

　本書では，主要な看護技術の一連の流れをA4サイズの用紙1枚に簡略にまとめた「手順シート」を提供しています。演習や実習で看護技術を実施する際に手順を確認するのに役立ちます。
　「手順シート」のご利用にも，専用Webサイト「mee connect」へのユーザー登録とライセンス番号の入力が必要となります（動画のご利用のために登録済みの場合は不要です）。

【「手順シート」ダウンロード用サイト】
https://www.medical-friend.co.jp/douga_ab/mc/konkyo/shouni/03/konkyo_shouni03_ps.html

動画一覧 video list

第 II 章 小児看護技術の基本

病院における小児とのコミュニケーション技術	24
治療などで活動が制限されている小児の遊びへの援助	29
プレパレーションの実際	42

第 III 章 小児の状態把握のための看護技術

身長測定	79	体温測定	97
体重測定	81	脈拍・心拍測定	99
頭囲と大泉門の測定	83	呼吸測定	100
胸囲測定	85	血圧測定	101
腹囲測定	86		

第 IV 章 日常生活援助にかかわる看護技術

沐浴	110	おむつ交換	143
全身清拭・洗髪	113	抱っこ（横抱き，縦抱き）	151
陰部・殿部洗浄	115	移動・移乗の介助（ベビーカー）	154
授乳の援助	134	衣服の交換	184

第 V 章 検査・処置・治療に伴う看護技術

採尿（採尿バッグを用いる方法）	210	ストーマ装具の交換	373
経口与薬	254	小児・乳児の胸骨圧迫	394
末梢静脈内持続点滴	269	バッグバルブマスク（BVM）による人工呼吸	396
経鼻経管栄養法	289	閉鎖式保育器収容中の新生児の体重測定	414
口腔・鼻腔吸引	316		

■ 編　集

添田　啓子	元埼玉県立大学保健医療福祉学部
鈴木　千衣	佐久大学看護学部
三宅　玉恵	元宮崎県立看護大学看護学部
田村佳士枝	埼玉県立大学保健医療福祉学部

■ 執筆者（執筆順）

添田　啓子	元埼玉県立大学保健医療福祉学部
三宅　玉恵	元宮崎県立看護大学看護学部
鈴木　千衣	佐久大学看護学部
松森　直美	県立広島大学保健福祉学部
辻本　健	埼玉県立大学保健医療福祉学部
平田　美佳	順天堂大学医療看護学部
田村佳士枝	埼玉県立大学保健医療福祉学部
櫻井　育穂	埼玉県立大学保健医療福祉学部
西田みゆき	順天堂大学保健看護学部
瀧田　浩平	埼玉県立大学保健医療福祉学部
豊田ゆかり	愛媛県立医療技術大学保健科学部
福地麻貴子	埼玉県立小児医療センター看護部
横山　由美	自治医科大学看護学部
野間口千香穂	宮崎大学医学部看護学科
加賀田真寿美	佐久総合病院佐久医療センター看護部
萩原　綾子	神奈川県立こども医療センター看護局
近藤美和子	埼玉県立小児医療センター看護部
濱田　米紀	兵庫県立淡路医療センター看護部
平林　優子	信州大学医学部保健学科
来生奈巳子	国立看護大学校
関根　弘子	秀明大学看護学部
竹之内直子	元神奈川県立こども医療センター
倉田　慶子	順天堂大学医療看護学部
杉浦　太一	人間環境大学看護学部
根岸　歳美	埼玉県立小児医療センター看護部
小笠原真織	長野県立こども病院看護部
森山　由紀	長野県立こども病院看護部
石井　由美	千葉大学医学部附属病院アレルギーセンター
望月　浩江	埼玉県立大学保健医療福祉学部
細井　千晴	埼玉県立小児医療センター看護部
佐藤　貴之	埼玉県立小児医療センター看護部
田﨑　麻衣	埼玉県立小児医療センター看護部
円谷　恭子	埼玉県立小児医療センター看護部
杉山　美峰	埼玉県立小児医療センター看護部

目次 contents

第Ⅰ章　小児看護の実践に向けて　　1

❶ 小児看護の目的と小児看護技術　（添田啓子・三宅玉恵）　　2

- ❶ 小児看護の対象と目的 …………… 2
  - 1）小児看護の対象の特性 …………… 2
  - 2）小児看護の目的 …………… 4
  - 3）実践に向けた小児看護の視点 …………… 5
- ❷ 小児看護技術の特徴 …………… 6
  - 1）看護技術とは …………… 6
  - 2）小児看護技術の特徴 …………… 7

❷ 小児看護の看護過程とアセスメント　（添田啓子）　　10

- ❶ 小児看護の看護過程 …………… 10
- ❷ 小児看護に必要なアセスメント …………… 11
  - 1）"こどもセルフケア看護理論"における看護 …………… 11
  - 2）小児看護におけるアセスメント …………… 11

第Ⅱ章　小児看護技術の基本　　19

❶ コミュニケーション技術　（鈴木千衣）　　20

- ❶ コミュニケーションとは …………… 20
- ❷ 乳児のコミュニケーション能力 …………… 21
- ❸ 小児看護における小児のコミュニケーションの問題 …………… 21
- ❹ 小児とのコミュニケーションのとり方 …………… 22

🌱 看護技術の実際　　22
- Ⓐ 発達段階別の小児の特徴の理解とコミュニケーション技術 …………… 22
- Ⓑ 病院における小児とのコミュニケーション技術 …………… 24

❷ 遊びの援助技術　（鈴木千衣）　　26

- ❶ 小児看護における遊びの意味と重要性 …………… 26
  - 1）遊びとは …………… 26
  - 2）病院で遊びを必要とする理由 …………… 26
- ❷ 遊びの環境調整 …………… 27
  - 1）遊びの場づくり（場所，時間） …………… 27
  - 2）人づくり，システムづくり …………… 28

🌱 看護技術の実際　　29
- Ⓐ 治療などで活動が制限されている小児の遊びへの援助 …………… 29
  - 1）遊びの提供 …………… 29
  - 2）治療状況別の遊びへの援助 …………… 30
- Ⓑ 疼痛緩和のための遊びへの援助 …………… 31

❸ 小児のプレパレーション　（松森直美）　33

- **① 心理的準備としてのプレパレーション** …… 33
  - 1）医療を受ける小児への心理的な侵襲 …… 33
  - 2）心理的準備としてのプレパレーションの導入 …… 33
  - 3）プレパレーションの目的 …… 34
- **② プレパレーションの倫理的な意義** …… 35
  - 1）小児の権利を守る法律の制定 …… 35
  - 2）未成年者に対するインフォームドアセント …… 35
  - 3）倫理的な実践としてのプレパレーションの普及 …… 35
- **③ 小児と家族へのプレパレーションの方法** …… 37
  - 1）小児の理解や反応に影響を与える要素についてアセスメントする …… 37
  - 2）医療処置に関する情報を小児にわかりやすく伝える …… 37
  - 3）恐怖心を和らげる工夫をする …… 38
  - 4）気をそらす，注意転換法（ディストラクション）を取り入れる …… 39
  - 5）親の協力を得る …… 39
  - 6）小児の頑張りを認める・褒める …… 40
  - 7）検査・処置後の小児と家族の様子を把握する …… 41
  - 8）プレパレーションの実践を振り返る …… 41
  - 9）年齢別の発達の特徴とプレパレーションの実際 …… 42

❹ 医療安全・事故防止　（辻本　健）　45

- **① 医療安全** …… 45
  - 1）医療事故と医療安全 …… 45
  - 2）看護師の責務 …… 46
- **② ヒューマンエラーの発生状況と種類** …… 46
  - 1）ヒューマンエラー …… 46
  - 2）ミスの種類 …… 47
  - 3）実施者の意識状態に影響を受ける医療事故 …… 47
  - 4）小児医療の場で起こる医療事故の特徴 …… 48
- **③ 事故防止対策：ヒューマンエラーへの対策** …… 50
  - 1）事故予防 …… 50
  - 2）インシデント報告・分析 …… 54
  - 3）教　育 …… 54

❺ 病児を抱える家族に対する援助　（三宅玉恵）　56

- **① 養育期にある家族の特徴と課題** …… 56
- **② 病児を抱える家族の特徴** …… 57
  - 1）家族の心配・不安・負担 …… 58
  - 2）病児を抱える家族の特徴 …… 58
  - 3）きょうだいへの影響 …… 58
- **③ 家族像の形成と援助の方向性** …… 58
- **④ 病児を抱える家族に対する援助** …… 59
  - 1）家族への援助 …… 59
  - 2）きょうだいへの援助 …… 60

第Ⅲ章　小児の状態把握のための看護技術　63

❶ 観　察　（平田美佳）　64

- **① 小児の「見た目」の重症感の観察** …… 64
- **② 小児アセスメントトライアングル（PAT）** …… 64
  - 1）外　観 …… 65
  - 2）呼吸状態 …… 66
  - 3）皮膚への循環 …… 66

- ③ 小児の健康状態の観察に必要な5つの基本技術 …… 66
  - 1) 問　診 …… 66
  - 2) 視　診 …… 67
  - 3) 触　診 …… 67
  - 4) 打　診 …… 68
  - 5) 聴　診 …… 68
  - 6) 小児の健康状態の観察に必要な6つ目の技術 …… 68
- ④ 小児の「痛み」のアセスメントに必要な技術 …… 68
- 🌱 看護技術の実際 …… 69
  - A 全身の観察 …… 69

2 身体各部の測定　（平田美佳） …… 73

- ① 身体測定の意義 …… 73
- ② 小児の形態的な成長・発達の特徴 …… 73
  - 1) 身　長 …… 73
  - 2) 体　重 …… 73
  - 3) 頭囲と大泉門・小泉門 …… 74
  - 4) 胸　囲 …… 74
  - 5) 腹　囲 …… 74
- ③ 発育・栄養状態の評価方法 …… 75
  - 1) 身体各部のバランスによる評価 …… 75
  - 2) 標準値（パーセンタイル値）との比較による評価 …… 75
  - 3) BMI（body mass index）・BMIパーセンタイル曲線による評価 …… 75
  - 4) 肥満度 …… 76
- ④ 小児の身体測定の原則 …… 78
- 🌱 看護技術の実際 …… 79
  - A 身長測定 …… 79
  - B 体重測定 …… 81
  - C 頭囲と大泉門の測定 …… 83
  - D 胸囲測定 …… 85
  - E 腹囲測定 …… 86

3 バイタルサインの見方　（平田美佳） …… 88

- ① バイタルサイン測定の意義 …… 88
- ② 小児のバイタルサインの特徴と測定時の注意点 …… 88
  - 1) 小児のバイタルサインの特徴 …… 88
  - 2) 測定時の注意点 …… 88
- ③ 体　温 …… 89
  - 1) 小児の体温の特徴 …… 89
  - 2) 体温の測定部位 …… 89
  - 3) 体温計の種類 …… 90
  - 4) 正常な体温 …… 90
  - 5) 体温の異常 …… 91
  - 6) 熱型と関連する疾患 …… 91
- ④ 脈拍・心拍 …… 92
  - 1) 小児の脈拍・心拍の特徴 …… 92
  - 2) 脈拍・心拍の測定方法と測定部位 …… 92
  - 3) 正常な脈拍・心拍数 …… 93
  - 4) 脈拍・心拍の異常 …… 93
- ⑤ 呼　吸 …… 93
  - 1) 小児の呼吸の特徴 …… 93
  - 2) 呼吸の測定方法 …… 93
  - 3) 正常な呼吸数 …… 93
  - 4) 異常呼吸と呼吸音の異常 …… 94
- ⑥ 血　圧 …… 95
  - 1) 小児の血圧の特徴 …… 95
  - 2) 血圧の測定部位 …… 95
  - 3) 血圧の測定器具と測定方法 …… 95
  - 4) マンシェットの選択 …… 96
  - 5) 正常な血圧 …… 96
  - 🌱 6) 血圧の異常 …… 96
- 看護技術の実際 …… 97
  - A 体温測定 …… 97
  - B 脈拍測定・心拍測定 …… 99
  - C 呼吸測定 …… 100
  - D 血圧測定 …… 101

第Ⅳ章 日常生活援助にかかわる看護技術　　105

❶ 清　潔　（田村佳士枝）　　106

- ❶ 小児の皮膚の構造と機能 …………… 106
- ❷ 小児の皮膚トラブル ………………… 106
- ❸ スキンケアの効果と影響 …………… 107
  - 1）洗浄剤 …………………………… 107
  - 2）保湿剤 …………………………… 107
- ❹ 小児の歯の特徴 ……………………… 107
- ❺ 小児の清潔ケア ……………………… 107
  - 1）全身状態の把握，アセスメント … 108
  - 2）小児への説明 …………………… 108
  - 3）環境整備，物品の準備 ………… 109
- 🌱 看護技術の実際 ……………………… 109
  - A 入浴，シャワー浴 ……………… 109
  - B 沐　浴 …………………………… 110
  - C 全身清拭・洗髪 ………………… 113
  - D 陰部洗浄・殿部洗浄 …………… 115
  - E 手浴，足浴 ……………………… 116
  - F 口腔ケア ………………………… 117

❷ 栄養摂取　（櫻井育穂）　　120

- ❶ 栄養摂取の意義 ……………………… 120
- ❷ 小児の栄養摂取の特徴 ……………… 120
  - 1）食事摂取基準 …………………… 120
- ❸ 乳幼児期の栄養摂取の特徴と支援 … 122
  - 1）栄養摂取に関する機能の発達 … 124
  - 2）授乳期の栄養摂取の特徴と支援 … 124
  - 3）離乳期の栄養摂取の特徴と支援 … 127
  - 4）幼児期の栄養摂取の特徴と支援 … 129
- ❹ 学童・思春期の栄養の特徴と支援 … 131
  - 1）栄養・食生活の問題 …………… 131
  - 2）食育による支援 ………………… 131
- 🌱 看護技術の実際 ……………………… 133
  - A 調　乳 …………………………… 133
  - B 授乳の援助 ……………………… 134

❸ 排　泄　（西田みゆき）　　136

- ❶ 小児の成長・発達と排泄 …………… 136
  - 1）排尿にかかわる発達 …………… 136
  - 2）排便にかかわる発達 …………… 137
  - 3）排泄にかかわる問題 …………… 138
- ❷ 排泄の自立とトイレットトレーニング … 139
  - 1）ステップ1：排尿の間隔をつかむ … 140
  - 2）ステップ2：おまるやトイレへ誘導する … 142
  - 3）ステップ3：昼間のおむつをはずす … 142
  - 4）ステップ4：自分から予告できる … 142
  - 5）ステップ5：後始末が自分でできる … 142
- ❸ 入院している小児の排泄行動自立への援助 … 142
- 🌱 看護技術の実際 ……………………… 143
  - A おむつ交換 ……………………… 143
  - B おまるによる援助 ……………… 145
  - C 排泄行動の自立への援助
    （トイレットトレーニング）…… 147

❹ 移動（動く）　（瀧田浩平）　　149

- ❶ 小児の動く機能の発達 ……………… 149
- ❷ 小児にとっての移動の意義 ………… 149
- ❸ 動くに伴い起こりうる事故 ………… 150
- ❹ 小児の移動方法 ……………………… 150
- 🌱 看護技術の実際 ……………………… 151
  - A 抱っこ（横抱き，縦抱き）…… 151
    - 1）横抱き ………………………… 151
    - 2）縦抱き ………………………… 152
  - B 移動の介助（一人歩き）……… 154
  - C 移動・移乗の介助（ベビーカー，車椅子）… 154
    - 1）ベビーカー …………………… 154
    - 2）車椅子 ………………………… 156

❺ 睡　眠　（豊田ゆかり） — 158

❶小児の睡眠の重要性……………158
　1）脳の働きを保つ……………158
　2）成長ホルモンの分泌を促す……………158
　3）自律神経機能を整える……………158
　4）回復を促進する……………159
❷成長と睡眠の変化……………159
❸睡眠をコントロールする2つの法則……………160
❹良好な睡眠のための生活習慣……………161
　1）寝るときは部屋を暗くする……………161
　2）睡眠前からブルーライトを浴びない環境をつくる……………162
　3）昼間に活動する……………163
　4）朝日を浴びる……………163
　5）規則的に食事をする……………163
　6）昼寝は午後の早い時間にする……………163
❺入院中に起こりやすい睡眠リズムの乱れに関係する要因……………163
　1）検査のために使用する鎮静薬・睡眠薬の影響……163
　2）抗てんかん薬内服の影響……………163
　3）痛み，不安，恐怖による入眠困難……………164
看護技術の実際　164
　A 睡眠への援助……………164

❻ 感染予防　（福地麻貴子） — 166

❶感染とは……………166
❷感染予防における小児の特徴……………166
❸感染経路と主な病原微生物……………166
　1）接触感染……………167
　2）飛沫感染……………167
　3）空気感染……………167
❹標準予防策……………167
　1）手指衛生……………168
　2）個人防護具……………168
❺小児医療における感染予防策の実際……………169
　1）感染経路別の予防策の意義とその方法……169
　2）小児科外来における感染予防策……………171
　3）小児科病棟における感染予防策……………171
❻隔離が必要な小児のケア……………172
　1）隔離の目的……………172
　2）隔離が必要な小児への援助……………172
　3）隔離が必要な小児をもつ家族への支援……173
看護技術の実際　173
　A 手指衛生……………173
　　1）流水と石けんによる手洗い……………173
　　2）速乾性擦式消毒薬による手指消毒……………174
　B 個人防護具の着脱……………175

❼ 衣生活　（横山由美） — 179

❶小児のからだと衣服の作用……………179
　1）体温調節……………179
　2）水分代謝……………179
　3）皮膚の特徴……………179
❷衣服素材の特徴……………180
　1）保温性……………180
　2）吸湿性（保湿性）……………181
❸小児の運動機能の発達と着脱行動，衣服の選択……………181
　1）乳児の衣服の選び方……………181
　2）幼児の衣服の選び方……………182
看護技術の実際　184
　A 衣服の交換……………184

❽ 環境の調整　（野間口千香穂） — 186

❶小児のための環境調整の必要性……………186
❷入院による影響……………187
❸体調を整え，病気の回復を助ける環境……………187
　1）室内の温度・湿度……………187
　2）明るさ……………187
　3）音……………188

4）にお　い……………………………188
4 入院生活への適応を助け，成長・発達に適した
　　環境……………………………………………188
　　1）病室や病棟の生活空間………………188
　　2）遊　　び………………………………189
5 小児のセルフケアを支援する環境……………190
6 家族のニーズに応じた環境……………………190

🌱 看護技術の実際　　　　　　　　　　　　191
　A 生活空間における環境調整………………191
　　1）温度・湿度，照度（明るさ），音，においの調整…191
　　2）病室・処置室の環境の調整…………192
　B 遊びの環境調整……………………………193
　C 学習の環境調整……………………………194
　D セルフケアを促進できる発達段階に応じた環境調整…195

第V章　検査・処置・治療に伴う看護技術　　197

❶ 検体採取　（加賀田真寿美）　　　　　　　　　　198

1 小児の検体採取…………………………………198
2 採　血…………………………………………199
　　1）採血の種類……………………………199
　　2）採血部位………………………………199
　　3）採血時の小児の体勢…………………200
3 採　尿…………………………………………201
　　1）尿検査の目的…………………………201
　　2）採尿方法………………………………201
　　3）尿の観察………………………………202
　　4）排尿が自立していない小児の採尿
　　　　（採尿バッグ貼付時）のタイミング………202
4 採　便…………………………………………203
　　1）糞便検査の目的………………………203
　　2）糞便検査の種類………………………203
　　3）便の観察………………………………203
　　4）採便方法とポイント…………………204
5 鼻咽頭の検体採取………………………………205
　　1）鼻咽頭分泌物の検査目的……………205
　　2）鼻咽頭分泌物の検体採取の種類……205
　　3）鼻咽頭分泌物の検体採取のポイント……206

🌱 看護技術の実際　　　　　　　　　　　　206
　A 静脈血採血法………………………………206
　B 毛細血管採血法（ヒールカット採血）………208
　C 採尿（採尿バッグを用いる方法）………210
　D 採　便………………………………………212
　E 鼻咽頭の検体採取…………………………212

❷ 導　尿　（萩原綾子）　　　　　　　　　　　　214

1 導尿とは…………………………………………214
2 小児における導尿の目的と適応………………214
　　1）小児における排尿機能の発達………215
　　2）小児の排泄障害………………………215
3 導尿の種類と特徴………………………………216
　　1）膀胱留置カテーテル法………………216
　　2）間欠的導尿法…………………………216

🌱 看護技術の実際　　　　　　　　　　　　216
　A 膀胱留置カテーテル法……………………216
　B 無菌的間欠導尿……………………………219
　C 清潔間欠自己導尿の援助…………………220

❸ 浣　腸　（近藤美和子）　　　　　　　　　　　　221

1 浣腸とは…………………………………………221
2 グリセリン浣腸…………………………………221
　　1）禁　忌…………………………………221
　　2）グリセリン浣腸による苦痛…………222
　　3）グリセリン浣腸液の濃度と量………222
　　4）カテーテル挿入の長さとネラトンカテーテル
　　　　使用時のサイズ………………………222

🌱 看護技術の実際　　　　　　　　　　　　222
　A グリセリン浣腸……………………………222

❹ 穿　　刺（骨髄穿刺，腰椎穿刺） （濱田米紀） ―― 227

1 骨髄穿刺 …………………………………227
2 腰椎穿刺 …………………………………227
3 骨髄穿刺，腰椎穿刺を受ける小児へのケアの
　ポイント …………………………………229
　　1）プレパレーションの充実 …………229
　　2）安全・確実な体位の固定 …………229
　　3）鎮静・鎮痛薬の適切な使用と管理 ……230
🌱 看護技術の実際　　　　　　　　　　230

Ⓐ 骨髄穿刺 ………………………………230
　　1）検査前の準備 ………………………231
　　2）検　査　中 …………………………232
　　3）検　査　後 …………………………233
Ⓑ 腰椎穿刺 ………………………………233
　　1）検査前の準備 ………………………234
　　2）検　査　中 …………………………234
　　3）検　査　後 …………………………235

❺ 安全・安静確保の技術（運動抑制・固定の技術） （平林優子） ―― 237

1 安全・安静確保と運動抑制・固定 ……237
2 運動抑制・固定と子どもの人権 ………238
3 運動抑制・固定の目的 …………………238
4 安全な運動抑制・固定のための支援 …239
　　1）運動抑制・固定の必要性のアセスメント …239
　　2）小児・家族への説明 ………………239

　　3）自己決定と対処能力を引き出す支援 ……240
　　4）二次的障害の予防 …………………241
　　5）ストレスの緩和と環境整備 ………241
5 運動抑制・固定方法 ……………………242
🌱 看護技術の実際　　　　　　　　　　244
Ⓐ 安静ジャケットを用いた運動抑制 ……244

❻ 与　　薬 （来生奈巳子） ―― 248

1 小児の薬物動態の特徴 …………………248
　　1）吸　　収 ……………………………248
　　2）分　　布 ……………………………248
　　3）代　　謝 ……………………………249
　　4）排　　泄 ……………………………249
2 薬用量の決定 ……………………………249
3 薬剤の形状と特徴 ………………………249
4 小児の注射の特徴と留意点 ……………251
5 小児の与薬の特徴 ………………………252
　　1）小児の与薬の難しさ ………………252

　　2）発達段階別の特徴 …………………253
🌱 看護技術の実際　　　　　　　　　　254
Ⓐ 経口与薬 ………………………………254
Ⓑ 点　　眼 ………………………………256
Ⓒ 点　　鼻 ………………………………257
Ⓓ 点　　耳 ………………………………258
Ⓔ 坐　　薬 ………………………………259
Ⓕ 注射（皮内注射・皮下注射・筋肉内注射）……261
Ⓖ 外用薬の塗布 …………………………264

❼ 輸　　液 （関根弘子） ―― 265

1 輸液の目的と適応 ………………………265
2 小児の輸液療法に必要な形態的・機能的特徴 …265
3 小児の輸液管理の特徴 …………………266
　　1）輸　液　量 …………………………266
　　2）輸液速度の設定 ……………………266
4 輸液による生活の制限を最小限にする看護 …267
　　1）小児と家族への説明 ………………267
　　2）日常生活援助 ………………………268

🌱 看護技術の実際　　　　　　　　　　269
Ⓐ 末梢静脈内持続点滴 …………………269
　　1）点滴ラインの挿入前 ………………270
　　2）挿　入　時 …………………………271
　　3）点　滴　中 …………………………273
　　4）終　了　時 …………………………276
Ⓑ 中心静脈ポート（central venous port：CVポート）
　を用いた中心静脈栄養 …………………277

1）輸液ラインの接続……………………278
　　2）点滴中（刺入部の観察）……………279
　　3）終 了 時…………………………………280

8 輸　　血　（竹之内直子） ——————————— 281

❶輸血の目的………………………………281
❷輸血の種類と特徴………………………281
❸輸血に関する有害事象…………………281
　　1）輸血に関連したインシデント………283
　　2）輸血製剤に関連した副作用…………284
🌱看護技術の実際……………………………284
　　Ⓐ輸　　血………………………………284

9 経管栄養　（倉田慶子） ——————————— 287

❶経管栄養とは……………………………287
❷経管栄養法の種類………………………287
　　1）経鼻経管栄養法（胃管，腸管）……287
　　2）経瘻孔法（胃瘻，腸瘻）……………287
❸栄養剤の種類と特徴……………………289
　　1）半消化態栄養剤………………………289
　　2）消化態栄養剤…………………………289
　　3）成分栄養剤……………………………289
🌱看護技術の実際……………………………289
　　Ⓐ経鼻経管栄養法………………………289
　　　1）経鼻胃管法…………………………290
　　　2）経鼻腸管法…………………………293
　　Ⓑ経瘻孔法………………………………294

10 吸　　入　（杉浦太一） ——————————— 296

❶吸入療法とは……………………………296
❷吸入機器の種類と吸入できる薬剤の特徴……296
　　1）ジェット式（コンプレッサー式）ネブライザー……296
　　2）超音波式ネブライザー………………296
　　3）メッシュ式ネブライザー……………296
　　4）定量吸入器（metered dose inhaler：MDI）……………………………298
❸小児の成長・発達と吸入方法…………298
　　1）成長・発達のアセスメント…………298
　　2）家族の理解力と価値観のアセスメント……299
　　3）吸入の介助が必要な小児への吸入……299
　　4）ステロイド薬吸入のうがいの必要性……299
🌱看護技術の実際……………………………300
　　Ⓐジェット式（コンプレッサー式）ネブライザー……300
　　Ⓑメッシュ式ネブライザー……………301
　　Ⓒ加圧噴霧式定量吸入器（pMDI）……302
　　Ⓓドライパウダー吸入器（DPI）………303

11 吸　　引　（根岸歳美） ——————————— 305

❶小児の気道の特徴………………………305
❷吸引の目的，種類………………………305
❸吸引の適応………………………………306
❹小児の吸引における留意点……………306
　　1）小児・家族への説明…………………306
　　2）吸引のタイミングと実施時間………307
　　3）吸引カテーテルの選択………………307
　　4）吸引圧，吸引時間……………………307
　　5）吸引カテーテル挿入の長さ…………308
　　6）吸引による状態変化への注意………308
　　7）安全の確保……………………………308
　　8）感染の防御……………………………308
❺吸引器の種類……………………………309
　　1）中央配管式吸引器……………………309
　　2）ポータブル式吸引器…………………309
🌱看護技術の実際……………………………309

Ⓐ 気管吸引 …………………………… 309
　　　1）吸引前の準備 …………………… 309
　　　2）開放式気管吸引 ………………… 311
　　　3）閉鎖式気管吸引 ………………… 314
　　Ⓑ 口腔・鼻腔吸引 …………………… 316

⑫ 酸素療法　（小笠原真織） ──────────── 320

❶ 酸素療法の適応 ……………………… 320
❷ 酸素投与器具の種類・特徴 ………… 321
　1）低流量システム …………………… 321
　2）高流量システム …………………… 323
❸ 加湿の必要性と注意点 ……………… 324
❹ 酸素療法の合併症 …………………… 324
　1）CO_2ナルコーシス ………………… 324
　2）酸素中毒 …………………………… 325
　3）先天性心疾患児の循環不全 ……… 325
❺ 看護のポイント ……………………… 325
　1）酸素療法中の小児の観察ポイント … 325
　2）安全・確実な酸素投与のポイント … 325
　3）小児と家族の苦痛・不安の軽減 … 326
🌱 看護技術の実際　　　　　　　　　　327
　　Ⓐ 鼻カニューレ・酸素マスクによる酸素投与 …… 327

⑬ 人工呼吸療法　（森山由紀） ──────────── 330

❶ 呼吸不全と人工呼吸法の適応 ……… 330
❷ 気道確保 ……………………………… 331
　1）気管挿管 …………………………… 331
　2）気管切開 …………………………… 332
❸ 気道のケア …………………………… 333
　1）気管吸引 …………………………… 333
　2）呼吸理学療法 ……………………… 333
❹ 人工呼吸器からのウィーニング …… 334
　1）ウィーニングの条件 ……………… 334
　2）ウィーニングの方法 ……………… 335
❺ 非侵襲的陽圧換気（NPPV） ………… 335
❻ 在宅人工呼吸療法 …………………… 336
**❼ 人工呼吸療法を受ける小児と家族に対する
　 看護援助** ……………………………… 336
　1）人工呼吸器の適切な管理 ………… 337
　2）呼吸状態の観察とアセスメント … 338
　3）人工呼吸器関連肺炎（VAP）の予防 … 338
　4）日常生活のケア …………………… 339
　5）家族に対する援助 ………………… 339
🌱 看護技術の実際　　　　　　　　　　340
　　Ⓐ 気管カニューレの交換 …………… 340
　　Ⓑ 挿管中の口腔ケア ………………… 341

⑭ 罨　　法　（石井由美） ──────────── 343

❶ 罨法の意義 …………………………… 343
❷ 罨法の種類と効果 …………………… 343
　1）温罨法 ……………………………… 343
　2）冷罨法 ……………………………… 344
❸ 小児の体温調節機能 ………………… 345
❹ 小児に罨法を行ううえでの注意点 … 345
🌱 看護技術の実際　　　　　　　　　　346
　　Ⓐ 温罨法 ……………………………… 346
　　Ⓑ 冷罨法 ……………………………… 348

⑮ ギ　プ　ス　（望月浩江） ──────────── 350

❶ ギプス固定の目的 …………………… 350
❷ ギプス固定の種類 …………………… 350
　1）ギプスシーネ，ギプスシャーレ … 351
　2）ギプス ……………………………… 351
❸ ギプス固定時の看護 ………………… 352
❹ ギプス固定中の看護 ………………… 352

- 1）固定の維持 …………………… 352
- 2）安全への配慮 ………………… 353
- 3）日常生活援助 ………………… 353
- ❺ギプス固定中の二次障害の予防と観察の ポイント ………………………………… 353
  - 1）循環障害 ……………………… 353
  - 2）神経障害 ……………………… 354
  - 3）皮膚障害と褥瘡 ……………… 354
- 4）その他 ………………………… 354
- ❻家庭でのケア，退院後の生活への支援 …355
  - 1）ギプスによる二次障害とその観察方法 …355
  - 2）ギプスの取り扱いと安全面への配慮 ……355
  - 3）日常生活援助 ………………… 355
- ❼ギプスカット時の看護 ………………… 355
- 🌱看護技術の実際 …………………………… 355
  - Ⓐギプス巻き時の介助 ……………… 355

⑯ 牽　引　（田村佳士枝） ──── 358

- ❶牽引療法とは ……………………………… 358
- ❷小児の骨の特徴 …………………………… 358
- ❸小児の牽引療法 …………………………… 359
  - 1）牽引の目的 ……………………… 359
  - 2）牽引方法 ………………………… 359
  - 3）牽引療法により起こりやすい二次障害 …361
- ❹牽引中の患児の看護 ……………………… 361
  - 1）牽引による患児と家族への影響 ……… 361
  - 2）看護のポイント ………………… 362
- 🌱看護技術の実際 …………………………… 364
  - Ⓐ直達牽引の介助 …………………… 364
  - Ⓑ介達牽引（スピードトラック牽引，絆創膏牽引） の介助 ………………………………… 365

⑰ ストーマケア　（西田みゆき） ──── 367

- ❶小児期にストーマを造設する疾患 …………367
- ❷小児のストーマケアの特徴 ……………… 367
  - 1）小児の発達段階によるストーマケア …367
  - 2）合併症への対応 ……………… 368
- ❸ストーマケアの実際 ……………………… 369
  - 1）消化管ストーマの種類 ……… 369
  - 2）ストーマ装具の種類 ………… 369
- 3）面板の交換時期 ……………… 370
- 4）ストーマ周囲のスキンケア ……371
- 5）ストーマ袋内の便の除去 …… 371
- ❹退院指導 …………………………………… 372
- 🌱看護技術の実際 …………………………… 373
  - Ⓐストーマ装具の交換 ……………… 373

⑱ 救急蘇生法　（細井千晴・佐藤貴之） ──── 377

- ❶救急蘇生法とは …………………………… 377
- ❷救命の連鎖 ………………………………… 377
  - 1）心停止の予防 ………………… 377
  - 2）早期認識と通報 ……………… 378
  - 3）一次救命処置 ………………… 378
  - 4）二次救命処置と心拍再開後の集中治療 …378
- ❸小児の死亡原因と心停止の予防 ………… 379
- ❹呼吸障害とショック ……………………… 379
  - 1）恒常性と代償機序 …………… 380
  - 2）呼吸障害（呼吸窮迫，呼吸不全）……… 380
  - 3）呼吸障害のタイプ分類 ……… 381
- 4）ショック ……………………… 382
- 5）ショックのタイプ分類 ……… 384
- ❺小児の緊急時の評価方法 ………………… 384
  - 1）初期評価（外観，呼吸仕事量，循環）…384
  - 2）一次評価の方法 ……………… 385
  - 3）評価 − 判定 − 介入のサイクル … 387
- ❻小児一次救命処置 ………………………… 387
  - 1）PBLSアルゴリズム ………… 388
  - 2）小児・乳児の気道異物による窒息解除 （気道異物除去法）…………………… 390
- ❼小児二次救命処置（PALS）……………… 391

- 1）気道確保と呼吸管理 ……………………391
- 2）薬剤投与 …………………………………392
- 3）除細動 ……………………………………392
- 🌱 看護技術の実際　　　　　　　　　　394
  - A 小児・乳児の胸骨圧迫 ……………………394
  - B バッグバルブマスク（BVM）による人工呼吸…396
  - C 口腔エアウェイの挿入 ……………………397
  - D 鼻咽頭エアウェイの挿入 …………………398

⑲ モニタリング （田﨑麻衣） ——————————— 400

- ❶ 小児看護におけるモニタリングの意義・目的 …400
- ❷ 心電図モニター ………………………………400
- ❸ パルスオキシメーター ………………………402
- 🌱 看護技術の実際　　　　　　　　　　402
  - A 心電図モニター ……………………………402
  - B パルスオキシメーター ……………………404

⑳ 特殊な保育環境（保育器） （円谷恭子・杉山美峰） ——————————— 407

- ❶ 保育器収容の意義と適応 ………………………407
- ❷ 低出生体重児の特徴 ……………………………407
  - 1）体温調節機能の未熟 ……………………407
  - 2）免疫能・抗体生産能の低下 ……………409
  - 3）ガス交換障害 ……………………………409
  - 4）その他の特徴 ……………………………409
- ❸ 保育器の機能と使用方法 ………………………409
  - 1）保育器の機能・種類・しくみ・特徴 ……409
  - 2）閉鎖型保育器の一般的な使用方法 ………409
- ❹ 閉鎖型保育器内での看護援助 …………………412
  - 1）バイタルサインの測定 …………………412
  - 2）身体の測定 ………………………………412
  - 3）身体の清潔 ………………………………412
  - 4）授乳 ………………………………………412
  - 5）ポジショニング …………………………412
  - 6）環境調整 …………………………………413
  - 7）感染防止 …………………………………413
- ❺ 新生児用ベッド（コット）への移床 …………413
- 🌱 看護技術の実際　　　　　　　　　　414
  - A 閉鎖式保育器収容中の新生児の体重測定 ……414

索　引 ………………………………………419

第 I 章

小児看護の実践に向けて

1 小児看護の目的と小児看護技術

学習目標
- 小児看護の対象の特性を理解する。
- 小児看護の目的を理解する。
- 実践に向けた小児看護の視点を理解する。
- 小児看護技術の特徴を理解する。

1 小児看護の対象と目的

1）小児看護の対象の特性

近年，医療の進歩により胎児診断や出生前の胎児への治療が行われるようになり，それに伴い家族への看護が行われるようになった。したがって，小児看護の対象は胎児期から15歳または18歳くらいまでと変化してきている。子どもは，胎児期，出生後，新生児期から乳児期，幼児期，学童期，思春期，青年期と，身体も心も目覚ましい成長・発達を続ける。その一方で，様々な面が発達途上であり，成長・発達に伴い，生活のなかで経験を積みながら能力を獲得する。たとえば，乳児は，はじめは乳汁を飲むことでしか栄養を摂取できないが，発達とともに離乳食として様々な食物を食べ，栄養を消化・吸収することができるようになる。また，乳幼児は免疫機能が獲得途上であるため感染症にかかりやすいが，感染症にかかることで免疫力を獲得していく。

さらに，子どもは運動や認知機能を獲得途上であるため，様々な危険から自分で身を守ることは難しい。乳児のベッド内での窒息，幼児に多い道路への飛び出しによる交通事故など，子どもの発達状況により危険な状況は異なる。認知の発達に合わせて，身の回りの危険から身を守ることを体験的に学ばせることが必要であり，こうした体験と学びをとおして自分の身を守ることを獲得していく。

子どもはコミュニケーション能力の獲得途上にある。乳児は，はじめ泣くことで自分の欲求を伝える。子どもは，要求にこたえてくれる大人がいることで，発声や言葉と言葉の意味を獲得していく。乳児期の発達課題[1]として基本的信頼があるが，乳児は泣くことで空腹を訴え，それにタイミングよく愛情に満ちた声かけでこたえ授乳をするなど，子どもと相互作用をする大人がいることで子どもは求めれば得られるという体験を重ね，養育者と相互に愛着を形成し，安心と信頼を築いていくことができる。

エリクソン（Erikson EH）は子どもの時期の発達課題として，基本的信頼，自律性，主導性（積極性），勤勉感，アイデンティティの確立を挙げている。子どもは，これらを獲得し

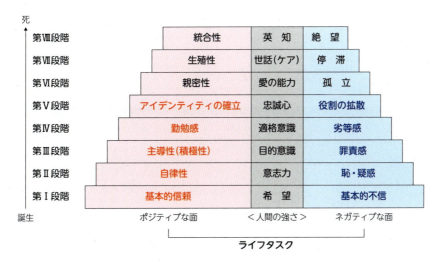

図1-1 人間の発達段階とライフタスクおよび人間の強さ
エヴァンズ, RI著, 岡堂哲雄・中園正身訳:エリクソンは語る―アイデンティティの心理学, 新曜社, 1981, p.157.より転載

ていくことで健康なパーソナリティをもって生涯をとおして成長していくことができる（図1-1）[2][3]。

子どもの日常生活にかかわる行動と能力の発達について，オレム（Orem DE）は「子どもは発達するにつれ，セルフケアを含む様々な形の意図的行動に携わるための基本的能力と資質を発達させる」[4]と述べている。セルフケアとは，「人が生命，健康，および安寧を維持するために，自分自身で意図的に行う行動である」[5]。セルフケアには生命の存続，成長・発達のために必要な空気，水，食物を摂取したり，健康を維持するための排泄や清潔行為，睡眠や活動，危険を予防する行為，持病のコントロールに必要な服薬なども含まれる。片田らは，オレムセルフケア理論をもとに，子どものセルフケアを「生きていくために子ども自身が意図的に遂行しなければならない，人間の調整機能を発達させる中で身につける能力と行動を含めた自発的行為である」[6]と定義した。子どもは出生後，初めは生まれながらに備わっている生きる力により行動する。その後，子どもは成長・発達するなかで学び，子どもの行動は意図性をもつ自発性のある行為へと発達する。子どもはセルフケアを，成長・発達とともに学習し，獲得する。

子どもは，周囲の大人のかかわりと注意深い世話によって日々の生活を送り，こうした体験を通じてセルフケア能力を一つひとつ自分のものとして獲得していく。周囲の大人は，子どもの成長・発達に応じて，さらなる自立に向けて力を伸ばすよう養育していくことが必要となる。これらのケアは，主に子どもを養育する立場にある親や家族が行う。子どもの発達に伴いセルフケア能力は発達し，親または養育者が子どものセルフケアを補完する割合は少なくなっていく[6]（図1-2）。しかし，親も初めから親として十分に子どもの世話をするための知識や力をもっているわけではなく，子どもへのケア能力を獲得していくことが必要となる。

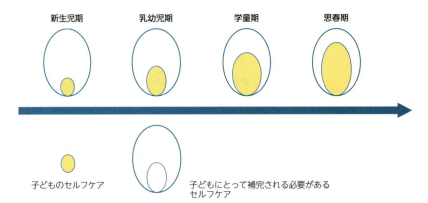

図1-2 成長発達に伴う子どものセルフケアの発達と子どもにとって補完される必要があるセルフケア

及川郁子・他：こどものセルフケア能力とその発達，片田範子編，こどもセルフケア看護理論，医学書院，2019，p.48．より転載（一部改変）

2）小児看護の目的

　ナイチンゲール（Nightingale F）は，看護を「新鮮な空気（換気），陽光，暖かさ，清潔さ，静かさなどを適切に整え，これらを活かして用いること，食事内容を適切に選択し適切に与えること，こういったことのすべてを患者の生命力の消耗を最小にするように整える」[7]ことと定義し，健康を守る看護もこれと同様に，生命力を高めるように自然の力，すなわち自然治癒力を発揮できるよう環境を整えることと述べている[8]。

　"こどもセルフケア看護理論"では，看護を「子どもに必要なセルフケア」と比較して，「子どものセルフケア」「子どものセルフケアを補完する親または養育者のケア」が不足している場合，現在および将来の子どもの健康・発達を回復・促進させ，安心を持続させるために子どものセルフケアを補う。また，看護は子どもの健康状態に合わせて，子どもが獲得すべきセルフケア能力を獲得・開発することを支援し，さらに親または養育者が子どものセルフケアを補完するケア能力を獲得・開発することを支援すると述べている[9]（図1-3）。

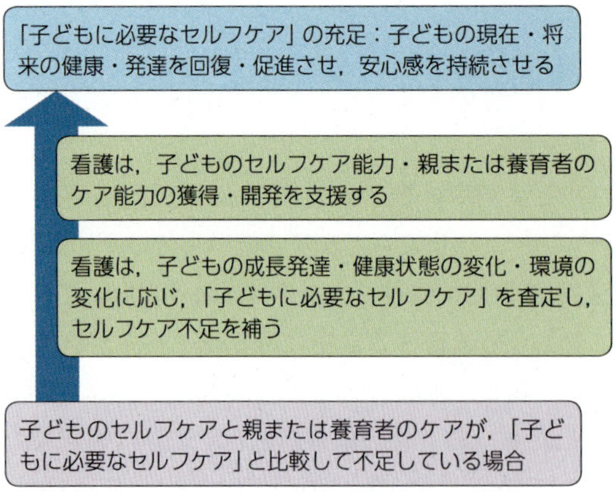

図1-3 こどもセルフケア看護理論における看護

添田啓子：こどもセルフケア理論における看護実践の構造と内容，片田範子編，こどもセルフケア看護理論，医学書院，2019，p76．より転載

小児看護では，対象が子どもであることから重視すべき点がある。以下にそのポイントを挙げる。

・小児期は成長・発達とともに心身や生活が大きく変化していくため，子どもの成長・発達段階に応じ，子どもが本来もつ自然治癒力を発揮しやすいように環境を整え，健康の保持・増進，疾病の予防，回復，苦痛の緩和を行う。子どもの発達段階に合わせて，子どもができるだけ状況を理解し，安心を維持して回復が進むように，消耗を少なくすることが重要である。

・現在の発達段階に応じたケアだけでなく，将来に向けて成長・発達を促し，その人らしく健全に生きることができるよう自立に向けて支援していく。

・子どもの身体機能，精神機能，セルフケア能力は，子どもが家族に育まれ生活していくなかで経験・学習し獲得していく。これらの能力は，その後の人生で健康を維持し，健全な生涯をまっとうするための基盤となる。小児期に，将来も健康を維持・発展していけるようセルフケア能力を獲得できるように支援する。

・子どもの生活は子どもだけでは成り立たない。子どもの生活を支えることは，一義的には親や家族の役割である。しかし，初めて子どもをもった親は，初めから子どもの健康や発達についての知識，子どもの生活を支え整える力（ケア能力）をもっているわけではない。親や家族に必要な知識・情報を提供し，ケア能力を獲得し，子どもの生活過程を整えられるように支援していく。

・子どもは，自分の権利を主張したり，自分自身を守ることができないため，周囲の大人が子どもにとって最善のことがなされるように，子どもに代わって子どもの権利を守らなければならない。子どもが治療や検査を受ける場合，親または子どもの養育に責任をもつ大人が，子どもに代わって治療の価値を判断し承諾する。しかし，場合によっては，子どもにとっての価値と親にとっての価値が対立することもある。小児看護に携わる看護師は，子どもの立場に立って，その子どもにとっての最善を判断し，子どもの権利を守ることが必要になる。

　以上から，小児看護の目的は「小児の成長・発達段階に応じ，小児が本来もつ自然治癒力を発揮しやすい環境を整え，小児と家族の力を引き出して，健康の保持・増進，疾病の予防・回復，苦痛の緩和を行い，将来に向けてその人らしく生きることができるよう身体的・精神的・社会的に支援する」ことである。

3）実践に向けた小児看護の視点

　看護の目的を達成するためには，生命を守り（安全），日常生活を支え（安楽），その人を尊重しながら（自立），人々のもてる力を最大限に活用している状態（健康）の実現を図る必要があり，安全・安楽・自立のいずれが脅かされても生命力は消耗し，健康のレベルが下がってしまう[10]。また，看護の視点をもった観察技術で援助の必要性をとらえて予測し，コミュニケーション技術で人との関係を成立させ，互いに心を伝え合うことが必要である。

　次に述べる看護の視点をもって観察することで看護の必要性を発見することが容易になる。看護の視点とは，①命が脅かされていないか，②命を脅かす危険性はないか，③自力で生活できないことはないか，④より安楽な生活をつくり出すことはできないか，⑤不安

定な様子はないか，⑥生き生きした様子があるか，である。

　小児看護の目的に合わせて，前述した看護の視点を小児看護において検討してみよう。以下の下線部が小児看護として追加した内容である。①命が脅かされていないか，②命を脅かす危険性はないか，③<u>成長・発達に遅れはないか</u>，④<u>成長・発達をさらに遅らせる要素はないか（親と子のかかわり方も含む）</u>，⑤<u>一般的な発達段階の子どもに比べて，生活上難しいことはないか</u>，⑥<u>親が行う子どものケアで補えていないことはないか</u>，⑦より安楽な生活をつくり出すことはできないか，⑧不安定な様子はないか，⑨生き生きした様子（<u>遊びや学習ができる状態</u>）があるか。基本的な内容は変わらないが，子どもの成長・発達，子どもと家族との力を分けてとらえること，子どもと家族とのかかわりをとらえることなどが含まれる。

2　小児看護技術の特徴

1）看護技術とは

　日本看護科学学会看護学学術用語検討委員会は，看護技術を表1-1[11]のように定義している。看護技術とは，安全・安楽を保証しつつ，目的をもって根拠に基づいて，個別なその時々の状況に応じて相互作用を通じて提供される技である。

　看護技術をその性質から分類すると，主に「対人関係の技術」「看護過程を展開する技術」「生活援助技術」「診療に伴う援助技術」に分類できる。これらの技術の構造はそれぞれに異なっているので，根拠を踏まえながら，それぞれ別々に意識的に取り組むことが技術習得のポイントである。

　「対人関係の技術」と「看護過程を展開する技術」については，看護師が対象の状況を広くとらえ，看護上の判断をしたうえで対応していく。これらの看護技術の習得には，看護上の判断基準をもつことが重要である。「生活援助技術」と「診療に伴う援助技術」は，生活様式の変化や医療産業の進歩によって物品が開発されていくため，時代を反映する技術といえる。これらの技術を習得するには，まず基本技術として，対象の置かれた状況のなかでどのような目的をもって行う行為なのかを明らかにしたうえで繰り返し行うことがポイントとなる。臨床現場では，これらの技術を立体的に組み立てて活用している[12]。

　本書では，対人関係の技術を含む看護場面に共通な基本技術については主に第Ⅱ章と第Ⅲ章で，生活援助技術については第Ⅳ章で，診療に伴う援助技術については第Ⅴ章で述べている。

表1-1　看護技術 nursing art

看護技術とは，看護の問題を解決するために，看護の対象となる人々の安全・安楽を保証しながら，看護の専門的知識に基づいて提供される技であり，またその体系をさす。看護技術は，目的と根拠をもって提供されるものであり，根拠に基づく専門的知識は熟練・修練により獲得され，伝達される。また，看護技術は，個別性をもった人間対人間の関わりの中で用いられるものであり，そのときの状況（context）の中で創造的に提供される。

日本看護科学学会看護学学術用語検討委員会第9・10期委員会：看護学を構成する重要な用語集，日本看護科学学会，2011, p.8.より転載

2）小児看護技術の特徴

本書では，小児看護技術を「個別性をもった子どもと看護師相互のかかわりのなかで，看護として目的をもって提供される行為であり，専門的知識を基盤として判断され，かつ，創造的な要素も含めた意図的行為」と定義する。

薄井[13]は，看護技術について，看護の目的と行為を切り離さず対象に働きかけて対象を変えようとする技術としてとらえることが重要だと述べている。さらに，その質的な分析から看護技術を，「実体に働きかける技術」「認識そのものに働きかける技術」「看護過程を展開する技術」に分け，「実体に働きかける技術」と「認識そのものに働きかける技術」は，「看護過程を展開する技術」に包含されていると記述している（図1-4）。小児看護技術の特徴を，薄井の看護技術の質的分類（「看護過程を展開する技術」「実体に働きかける技術」「認識そのものに働きかける技術」図1-4）[14]をもとに考えてみよう。

小児看護の対象は，子どもとその子どもを養育している家族・親である。看護師は，小児看護の目的を遂行するために，まずは「子どもの実体に働きかける技術」と「子どもの認識そのものに働きかける技術」を用いる。次に親にも「認識そのものに働きかける技術」と「実体に働きかける技術」を用いて働きかける。さらに親が子どもに働きかける様子や子どもが親にかかわる様子をとらえて，「看護過程を展開する技術」につなげる。子どもの生活を支えているのは親であるため，より良い健康増進に向けて子どもの生活が整うようにするには，親の認識を読み取り「認識そのものに働きかける技術」を使って，親が子どもをケアする力を高める働きかけが必要になる（図1-5）。小児看護技術では，子どもと親の双方に働きかけていく点が大きな特徴といえる。

子どもは発達段階により身体的にも心理的にも大きく条件が異なり，生活が変わってくる。子どもに対して「実体に働きかける技術」を適用するには，その子どもの成長・発達状況やその子どもに合わせた働きかけやケアの方法が必要になる。入浴（沐浴）を例にとって考えてみよう。子どもを消耗させずに安全を確保して，安楽に身体の清潔を保つために入

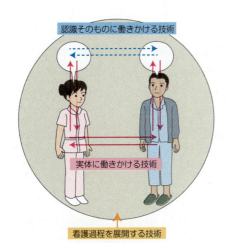

図1-4 看護技術の質的分類
薄井坦子：科学的看護論，第3版〈新装版〉，日本看護協会出版会，2014，p.65．より転載（一部改変）

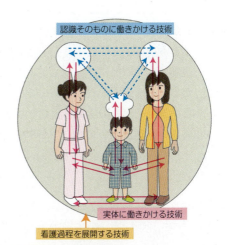

図1-5 小児看護技術
薄井坦子：科学的看護論，第3版〈新装版〉，日本看護協会出版会，2014，p.65．を参考に作成

浴させる場面で考える。まずは子どもの身体の構造と機能の特徴をとらえて技術のポイントを明らかにする。

　首の座っていない新生児〜3か月までの子どもは，神経損傷を避けるためにしっかりと頭と首を支え，刺激で反射が起きるため，驚かせないよう沐浴布をかけて，快感覚を得られるように優しく言葉をかけ，沐浴をさせる。

　乳児期後期の子どもは，首が座り，意図的に自分で手足を動かすことができるようになる。身体の動きは大きくなるが，沐浴槽の中で自力で安定して安全を確保することはできない。そのため，子どもを座らせ肩関節など大きな関節をしっかりと支えて動きを安定させ，優しく声をかけて安心させながら沐浴をさせる。

　幼児期前期の子どもは，人見知りが強く，知らない人の言葉はなかなか理解できず，慣れない環境では泣いてしまうため，できれば家族と共に沐浴を行うか，少し慣れてもらってから行う。

　幼児期後期では，普段と同じ方法で入浴を行う場合は，必要性がわかるように話をし，手助けをすることで，自分で入浴することができる。さらに，自分で入浴できたことをほめることで，子どもが自信をつけ，生活習慣の獲得につながっていく。

　このように発達段階に合わせた働きかけが必要になるため，根拠となる知識，発達段階に合わせた手技のイメージをもって子どもとかかわっていく。

　「認識そのものに働きかける技術」については，子どもの認知の発達や言語の発達に合わせて，その子どもの状況や認識をとらえながら働きかけることが重要になる。子どもは状況を認識できなかったり，幼児では置かれた状況のなかから直感的に自分の注目した特徴のみを認識していたりする。また，言語発達の未熟さにより自分の苦痛などを伝えることができず，泣いたり，顔をしかめるなどのわずかな表現のみの場合も多い。看護師はわずかな表現から子どもの認識の発達や現在体験していることを推測し，観察し，確認する。たとえば，3歳の手術直後の子どもがわずかに首を振って酸素マスクを嫌がるそぶりを見せた場合，「マスクがうっとうしいのかな？　○ちゃん。これはおいしい空気ですよ。スーハーってしていてね。元気になるからね」と子どもにわかりやすい言葉でゆっくり優しく声をかけて，子どもにしてほしい行為を示して子どもの認識に働きかける。働きかけた後の子どもの様子を観察する。子どもは深呼吸をし，安心してまた眠りにつく。それにより看護師は自分の推測が合っていること，自分の働きかけで子どもの認識を整えることができたことを確認する。このように，子どもの表現がわずかであっても，観察からその子どもの状況と子どもの認識を推測しながら読み取り，確認する。そのうえで，子どもの認知や言語の発達に合わせて，わかりやすい言葉で子どもの力を高めるように働きかける技術も小児看護技術の特徴といえる。

文　献

1) Erikson EH著, 小此木啓吾訳編：自我同一性―アイデンティティとライフ・サイクル〈人間科学叢書〉, 誠信書房, 1973, p.61.
2) 前掲書1), p.51-53.
3) エヴァンズ RI著, 岡堂哲雄・中園正身訳：エリクソンは語る―アイデンティティの心理学, 新曜社, 1981, p.156-157.
4) オレム DE著, 小野寺杜紀訳：オレム看護論―看護実践における基本概念, 第4版, 医学書院, 2005, p.214.

5）前掲書4）
6）片田範子編：こどもセルフケア看護理論，医学書院，2019，p.48.
7）Nightingale F著，湯槇ます・薄井坦子・小玉香津子・他訳：看護覚え書―看護であること 看護でないこと，改訳第7版，現代社，2011，p.14.
8）Nightingale F，湯槇ます監，薄井坦子・小玉香津子・田村真・他編訳：病人の看護と健康を守る看護，ナイチンゲール著作集，第2巻，現代社，1974，p.132.
9）前掲書6），p.76-77.
10）薄井坦子監：Module方式による看護方法実習書―千葉大学看護学部基礎看護学講座，改訂版，現代社，1990，p.2-4，5.
11）日本看護科学学会看護学学術用語検討委員会第9・10期委員会：看護学を構成する重要な用語集，日本看護科学学会，2011，p.8.
〈http://jans.umin.ac.jp/iinkai/yougo/pdf/terms.pdf〉（アクセス日：2022/8/29）
12）前掲書10）
13）薄井坦子：科学的看護論，第3版〈新装版〉，日本看護協会出版会，2014，p.63-66.
14）前掲書13），p.65.

2 小児看護の看護過程とアセスメント

学習目標
● 小児看護の看護過程（問題解決方法）の特徴を理解する。
● 小児看護のアセスメントを理解する。

　前節で述べたように，薄井[1]は，看護技術について，看護の目的と行為を切り離さず対象に働きかけて対象を変えようとする技術としてとらえることが重要だと述べている。さらに，その質的な分析から看護技術を，［実体に働きかける技術］［認識そのものに働きかける技術］［看護過程を展開する技術］に分け，［実体に働きかける技術］と［認識そのものに働きかける技術］は，［看護過程を展開する技術］に包含されていると記述している。つまり，看護過程を展開することで，看護の目的と行為を切り離さず対象に働きかける看護技術として成立する。

　本書では，小児看護技術を「個別性をもった子どもと看護師相互のかかわりのなかで，看護として目的をもって提供される行為であり，専門的知識を基盤として判断され，かつ，創造的な要素も含めた意図的行為」と定義した[2]。個別性をもった子どもに，目的をもって看護を提供するには，専門的な知識を基盤とした判断つまりアセスメントが重要となる。

　本節では，小児看護に必要な看護過程とアセスメントについて述べる。

1 小児看護の看護過程

　小児看護の目的に向けて，子どもと家族を支援する思考過程が看護過程である。小児看護における看護過程の基本的なプロセスは，情報収集，アセスメント，計画立案，実施，評価であり，一般的な成人を対象とした看護過程と同じである。小児看護では，プロセスのどの段階においても，その子どもの成長・発達の段階に合わせて，子どものより良い健康に向け生活と環境を整え，子どもと家族の力を補い，引き出すことが重要である。子どもの成長・発達，健康，生活，家族を統合的にとらえ，看護の必要性と方向性を判断し，看護計画を考え，実施し，評価する。

　看護過程のなかのアセスメントは，患者および家族，ケア環境などの状況を査定する過程をさしている。看護過程におけるアセスメントは，情報の収集・分析・集約・解釈のプロセスであり，看護の対象となる人々に最適な看護を提供するうえで重要な段階である[3]。小児看護では，その子どもに必要なケアが成長・発達の段階によって変わっていく。今，この子どもはどの発達段階にあり，そのためにこのケアが必要であり，次のステップに向けて必要なことは何かなどについて情報を収集し，専門的な知識をもとにアセスメントする

ことが求められる。

小児看護に必要なアセスメント

ここではオレムセルフケア理論[4]を基盤とした"こどもセルフケア看護理論"[5]をもとに小児看護のアセスメントについて記述する。

1）"こどもセルフケア看護理論"における看護

"こどもセルフケア看護理論"では，看護は，「子どもに必要なセルフケア」と比較して，「子どものセルフケア」「子どものセルフケアを補完する親のケア」が不足している場合，現在および将来の子どもの健康・発達を回復・促進させ，安心を持続させるために，「子どものセルフケア」を補うことである。また，看護は，子どもの健康状態に合わせて，子どもが獲得すべきセルフケア能力を獲得・開発することを支援し，さらに親が子どものセルフケアを補完するケア能力を獲得・開発することを支援することである[6]。

看護の必要性を査定するには，「子どもに必要なセルフケア」「子どものセルフケア能力とセルフケア行動」「親のケア能力」について情報を収集しアセスメントする。子どもの発達段階や健康状態によって「子どもに必要なセルフケア」が変化する。この変化する「子どもに必要なセルフケア」，子どものセルフケア能力と行動をとらえることが重要である。さらに，親が，子どもの成長・発達，健康状態の変化に伴って「子どもに必要なセルフケア」を満たすケアを適切に行えているかとらえることも重要である。

2）小児看護におけるアセスメント[7]

小児看護におけるアセスメント（図2-1）[8]は，
① 「子どもに必要なセルフケア」を明らかにする。
② 子どものセルフケア能力と可能な行動を明らかにする。
③ 子どものセルフケアを補完する親のケア能力を明らかにする。
④ セルフケアの不足は，①「子どもに必要なセルフケア」から，②子どものセルフケア能力と可能な行動，③子どものセルフケアを補完する親のケア能力と可能な行為を引くと，セルフケアの不足部分が明らかになる。つまりセルフケア不足が，看護として行う必要があるケアとなる。

①〜④を踏まえたアセスメントの枠組みを表2-1[9]に示す。

上記の①②③は，基本的条件づけ要因により影響を受ける。そのため，アセスメントする際は，基本的条件づけ要因とその影響についても考慮して査定することが必要になる。基本的条件づけ要因[10]とは，年齢，性，発達状態，健康状態，社会文化的指向，ヘルスケアシステム要因，家族システム要因，規則的な活動を含む生活パターン，環境要因，資源の利用可能性と適切性である。これらは一般的に，基礎情報として収集される項目である。

以下にアセスメントでとらえる要素について，記述する。

（1）「子どもに必要なセルフケア」[11]

「子どもに必要なセルフケア」は，子どもに現在必要で，将来必要なことが予測されるセ

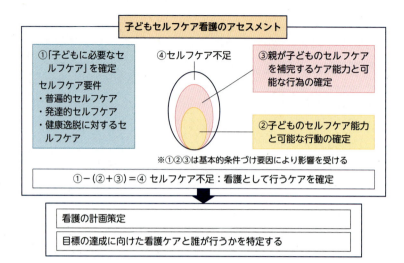

図2-1 子どもセルフケア看護のアセスメント

添田啓子：こどもへの看護支援，片田範子編，こどもセルフケア看護理論，医学書院，2019, p.84. より転載（一部改変）

ルフケア要件（ニーズとセルフケア行動）のすべての和である。「子どもに必要なセルフケア」には，セルフケア要件として，【普遍的セルフケア要件】【発達的セルフケア要件】【健康逸脱に対するセルフケア要件】が含まれる。

　普遍的セルフケア要件は，すべての人間が健全に生きるために共通して必要なニーズとニーズを満たす行動である。子どもは，生理機能，身体・運動機能，精神機能などが発達途上であることから，必要なニーズとニーズを満たす行動も成長・発達によって変化する。「子どもに必要なセルフケア」が満たされることにより，子どもの生命過程の維持と正常な機能の増進，正常な成長・発達と成熟の保持，疾病・損傷の予防とコントロール，治癒・安心が促進される。

　普遍的セルフケア要件には，以下①〜⑧の項目が含まれる。項目ごとに特定の普遍的なニーズと必要なケアがあり，「子どもに必要なセルケア」を項目ごとにアセスメントする。
① 十分な空気摂取の維持
② 十分な水分摂取の維持
③ 十分な食物（栄養）摂取の維持
④ 排泄過程と排泄物に関するケアの提供（清潔の維持を含む）
⑤ 活動と休息のバランスの維持
⑥ 孤独と社会的相互作用のバランスの維持
⑦ 人間の生命・機能・安寧に対する危険の予防
⑧ 正常性の促進（人間の正常でありたいという欲求に応じた機能の維持と発達の促進，社会集団のなかでの機能の維持・発達の促進）

　発達的セルフケア要件は，子どもが発達の原則に沿って発達することを維持促進するために，身体的・精神的成長・発達の維持と促進する環境条件の提供に必要なニーズとそれを満たす行動である。発達的セルフケア要件のアセスメントは，子どもの現在の成長・発

表2-1 アセスメント枠組み　方向性（　　　　　　　　　）

> 看護として何を目指したアセスメントなのかを明確にする。
> 例：退院に向けて日常生活の調整をする，急性期の回復に向けて（手術を乗り越えるために）日常生活の支援をする

> 縦の項目を満たすためのセルフケア行動と能力〔身体の生理機能，運動機能，認知機能，心理状態など〕
> ＊その子に必要な情報を記載

	「子どもに必要なセルフケア」 子どものセルフケア能力 ・セルフケア要件を満たす力 ・セルフケアを行う力 ・セルフケアの限界	親・養育者のケア能力 ・子どものセルフケア要件を満たす力 ・ケアを行う力 ・ケアの限界	セルフケア不足：看護として行うケアアセスメント
【普遍的セルフケア】			
①十分な空気の摂取の維持（循環・体温の維持を含む） 十分な空気の摂取ができているのか。血液循環を保てているのか	子どもの呼吸する能力・循環動態を保つ能力をアセスメントする（呼吸状態を表現する力も含む） ・子どもの呼吸・循環状態（数・深さ・リズム・呼吸音・喘鳴の有無・脈圧・血圧・酸素飽和度・異常呼吸音・胸郭の動きなど） ・呼吸の方法（自分でできるのか，十分な空気摂取のための介助の程度，呼吸器の装着，酸素投与の有無など） ・呼吸苦の表現の仕方	それぞれの項目についての親・養育者のケア能力と可能な行為 ・子どもの状態の把握や理解の程度 ・それぞれの項目について子どもに必要なケアの理解と実施状況 ・子どものセルフケア能力を高めるためのケアの理解と実施状況	それぞれの項目について，その子どもの最適な機能，健康，安寧を達成・維持・促進するために充足されなければならない基本的ニーズ，そのための能力，行為をアセスメントする 親や援助者が子どもの必要性に合わせてケアが提供できているか，できていなければどのようなケアが必要であるのか
②十分な水分摂取の維持 十分な水分が摂取できているか	子どもの水分摂取の能力をアセスメントする ・水分摂取量・注入量・尿量・皮膚の乾燥状態・水分摂取の方法（経管栄養・静脈内点滴など医療デバイスを用いた支援も含む）・水分がほしいことの表現方法・水分摂取のための介助の程度・水分摂取の必要性の理解		
③十分な食物（栄養）摂取の維持 十分な食事摂取が維持できているのか	子どもの食物（栄養）を摂取する能力をアセスメントする ・食事摂取量・食事内容（形態・種類・注入内容と量など経管栄養・静脈内点滴など医療デバイスを用いた支援も含む）・栄養バランス ・栄養摂取機能（嚥下・摂食・消化・吸収），食欲の有無・空腹感の有無（空腹時啼泣）・体重減少の有無・空腹の表現の仕方 ・十分な食事が自分で摂取できるか・食事摂取の介助の程度		
④排泄過程と排泄物に関するケアの提供（清潔ケアを含む） 排泄過程の調整や管理，排泄物の処理や排泄後の清潔保持，全身の清潔の維持ができているか	子どもの排泄（尿・便）に関する能力，全身の清潔の維持についての能力をアセスメントする ・排泄に関連した正常な機能とその過程，その調節と管理。排泄の方法・排泄の表現方法・行える排泄行動・排泄のために必要な介助の程度・排泄の場・尿量・尿比重・排便回数・排便の状況（頻度，性状） ・清潔行動に対する理解度・能力・介助の程度・清潔ケアの方法・清潔状態		
⑤活動と休息のバランスの維持 活動と休息のバランスが維持できているか	子どもの活動する能力，休息する能力とそのバランスを維持する能力をアセスメントする ・活動の欲求，身体機能として行える活動・活動の意思の伝え方・活動のための準備能力・活動の程度と範囲・活動に伴う疲労状態・自分で休息ができるか・休息したい意思を伝えることができるか・休息のための準備ができるか・睡眠時間・睡眠の深さやパターン・不眠の訴えの有無		
⑥孤独と社会的相互作用のバランスの維持 他者とかかわりあう欲求，能力，行為と個人の自律性のバランスが維持できているか	子どもの他者とかかわる能力と一人で自立していられる能力，他者とのかかわりと一人でいるバランスを維持する能力をアセスメントする ・社会生活への参加の状況（幼稚園や保育園の通園・学校への通学）・他児と話したり遊ぶ状況・他者との関係性・家族メンバーとの関係性（愛着形成を含む）・一人でいることができるか		

表2-1 アセスメント枠組み（つづき）

	「子どもに必要なセルフケア」 子どものセルフケア能力 ・セルフケア要件を満たす力 ・セルフケアを行う力 ・セルフケアの限界	親・養育者のケア能力 ・子どものセルフケア要件を満たす力 ・ケアを行う力 ・ケアの限界	セルフケア不足：看護として行うケアアセスメント
⑦人間の生命・機能・安寧に対する危険の予防 危険を排除するため状況をコントロールする欲求，能力や行為はどうか	子どもの危険を予防し・回避する能力をアセスメントする ・生命への危険の状況・生命の危険や機能の支障を認知，伝える方法・予防方法・回避する方法・どのように対処できるか（危険，不快なことを予測して認知できるか，予防・回避方法がわかるか，行動がとれるか，誰かに支援を求めることができるか） ・安心に対する危険・危険を伝える方法・予防方法・安心できる状況を確保するために対処する方法		
⑧正常性の促進 正常でありたいという欲求，そのための行為，正常からの逸脱を突き止め，それに対処すること，より発達するための欲求や行為をしているか（自己概念，ボディイメージ含む）	子どもの正常な状態を維持・促進する能力をアセスメントする（自己概念，ボディイメージ，正常に発達するための要求も含む） ・正常からはずれていることに気づく能力，表現する能力，対処能力 ・自分の希望や自己実現の達成に対する意思を伝える能力・自分の希望や自己実現の達成のための対処能力 ・社会集団への参加での学びや活動に問題はないか		
【発達的セルフケア】 成長・発達の原則に沿って発達する能力があるか，成長・発達を促進する環境の提供ができているか	子どもの成長・発達する能力をアセスメントする ・現在の成長・発達状態とその評価，環境からの刺激，他者のかかわりに対する子どもの反応，子どもの成長・発達に対する要求 成長・発達状態とその評価する項目 〈身体の成長〉 〈生理機能〉 〈運動機能〉 〈言語発達〉〈認知発達〉 〈心理・社会的発達〉 〈日常生活習慣〉		
【健康逸脱に対するセルフケア】 病気や障害をもって，医学的な診断や治療をすることで生じた状況や問題にケアができているか	子どもの病気や障害の状況，病気や障害による身体機能，治療の状況と治療の影響に対し，どのように理解し受け止めて取り組んでいるか，治療・処置への協力・参加状況など，病気や障害など健康逸脱に対する子どものセルフケア能力をアセスメントする ・病気や障害の状況，病気障害による身体機能・治療の状況と治療の影響・病気や障害への理解度や取り組み状況・治療，処置への協力，参加状況（服薬や採血，検査度をどのようにできるか）・周囲への影響		

こどもセルフケア看護理論を活用した看護過程展開ガイドブック，R3.11　改定版，p19-20．より引用（一部改変）
独立行政法人埼玉県立病院機構埼玉県立小児医療センター看護部，埼玉県立大学小児看護学領域，2022.3．
非売品，日本学術振興会科学研究費助成事業助成　基盤研究C　2019-2021（課題番号19K11086）

　　達状態（身体，精神（認知を含む），社会性，生活能力）を事実に基づき評価し，将来の必要性も予測し，成長・発達を促進するニーズとニーズを満たす行動を確定する。
　健康逸脱に対するセルフケア要件は，病気・障害・検査・治療などにより，身体的・精神的な構造と機能，健康状態に変化が生じたとき生命や安心を維持し正常性を回復するためのニーズとそれを満たす行動である。健康逸脱に対するセルフケア要件のアセスメントは，子どもの病気・障害の状態と，入院・検査・治療の状況に基づき，それを子どもが理

解し受け入れること，病気・障害の状態に合わせて，生命や安心を維持し，健康を回復するための子どものニーズとセルフケア行動を明らかにする。

（2）子どものセルフケア能力と可能な行動[12]

セルフケア能力には，①セルフケア要件を満たす力と，②セルフケアを行う力，③セルフケアの限界の3つの側面がある。

①セルフケア要件を満たす力

これは「子どもに必要なセルフケア」の要件の各カテゴリーのニーズを満たす力である（表2-1参照）。たとえば普遍的なセルフケア要件の「十分な食物（栄養）摂取の維持」を満たすには，食べ物を選び，スプーンで口に運び，咀嚼，嚥下，消化する能力や行動が必要である。セルフケア要件を満たす力のアセスメントは，子どものセルフケア能力と行動が発達途上であることを踏まえて，子どもの現在のセルフケア能力と可能な行動を明確にする。セルフケア要件のカテゴリーの項目ごとに系統的に査定する。

セルフケア能力の発達は，セルフケア要件を満たす力が先行して発達していくため，学童前期くらいまでの子どもでは，セルフケア要件を満たす力のアセスメントが中心となる。

②セルフケアを行う力

これは，自分でセルフケアを行う力で，a. 基本となる人間の能力と資質を基盤として，b. セルフケアの実行を可能にする力の構成要素，c. セルフケアを意図的に行う力から構成される（表2-2[13]）。セルフケアを行う力は，自分でセルフケアを意図的に行う力であり，認知発達が必要となる。そのため，一般的には学童後期にならないと獲得することが難しい。

表2-2 セルフケアを行う力

a．基本となる人間の能力と資質

①感覚，知覚，記憶，方向づけ能力と資質
②思考し実行する能力
③目標追及に影響を及ぼす資質
④方向づけ能力と資質

b．セルフケアの実行を可能にする力の構成要素

①必要な注意を払う能力
②身体のエネルギーを制御して使う能力
③身体をコントロールする能力
④セルフケアに向けた動機づけ
⑤セルフケアについての知識を獲得し，記憶し，実施する能力
⑥セルフケアを行うための認知・知覚・コミュニケーション・対人技能
⑦意思決定し実行する能力
⑧セルフケアについて推論する能力
⑨前後のセルフケア行為を関連づける能力
⑩セルフケアを生活に合わせて行う能力

c．セルフケアを意図的に行う力

①知識を獲得する力
②判断し意思決定をする力
③セルフケアを継続的に実施する力

添田啓子：こどもへの看護支援，片岡範子編，こどもセルフケア看護理論，医学書院，2019, p.92-93. を参考に作成

しかし，幼児期には手洗いや歯磨き，排泄と排泄の後始末など，日常生活に必要なセルフケア行動を学習し獲得していくように，子どもの発達段階と理解に合わせて支援を継続して行っていけば獲得可能な行動もある。セルフケアを行う力のアセスメントは，子どもに獲得してほしいセルフケア能力・行動について，現在子どもの発達状況と学習・獲得状況を明らかにし，能力の発達状況に合わせた支援について検討する。

③セルフケアの限界

　本来子どもがもっているセルフケア能力を，子どもの病気や障害，受けている治療，置かれている環境などの条件により制限され，セルフケア行動ができないことである。たとえば，下肢骨折で床上安静が必要な学童は，自分で歩行して洗面することができないなどセルフケア行動が制限される。

　子どものセルフケア能力と可能な行動を確定するアセスメントは，子どもの能力と行動が発達途上であることを踏まえて，上記3つの視点を合わせてアセスメントを行う。発達の順序を考慮すると，まず①セルフケア要件を満たす力，次に②子どもに獲得してほしいセルフケア行動に焦点を当ててセルフケアを行う力を，③セルフケアの限界は，①②と並行してアセスメントする。

(3) 親が子どもをケアする力のアセスメント[15]

　親が子どもをケアする能力と行為のアセスメントは，①親が子どものセルフケア要件を満たす力，②親が子どものケアを行う力，③親のケアの限界，の3つの視点を合わせて行う。

①親が子どものセルフケア要件を満たす力

　親が子どものセルフケア要件を満たす力は，子どものニーズを満たす親の力をセルフケア要件のカテゴリーごとに情報をとらえて，下記の視点でアセスメントする。

・子どものニーズを読み取ることができているか。
・子どものニーズを充足するケア能力と行為を獲得できているか。
・子どもの能力と行動に合わせてセルフケアを補完するケアを提供できているか。

　親も初めから子どものケアができるわけではない。子どものニーズや子どもの力を読み取り，子どものニーズを充足するために必要なことやケア方策について，知識や経験的な学習が必要となる。

・普遍的セルフケア要件：「子どもに必要なセルフケア」の普遍的セルフケア要件のカテゴリーごとに子どものニーズを満たす親のケア能力をアセスメントする。
・発達的セルフケア要件：子どもの成長・発達を促進する親のケア能力をアセスメントする。
・健康逸脱に対するセルフケア要件：子どもの病気や障害の状況，病気や障害による身体機能・治療と治療の影響に対し，親がどのように理解し，受け止めて取り組んでいるか，治療・処置への協力・参加状況など，病気や障害など健康逸脱に対する子どもへのケア能力をアセスメントする。

②親が子どものケアを行う力

　親が子どものケアを行う力は，親が子どものケアを意図的に行う力をとらえてアセスメントする。これは親が獲得することが必要なケア能力に焦点を当ててアセスメントを行う。

親が子どものケアを行う力は，子どものセルフケアを行う力と同様に，a. 基本となる人間の能力と資質，b. ケアの実行を可能にする力の構成要素，c. ケアを意図的に行う力の3段階で構成される。

③ケアの限界

ケアの限界は，親のケアの実行を制限している状況と要因についてアセスメントする。ケアの限界は，知ることの限界，判断と意思決定の限界，ケアを行うことの限界があり，様々な要因がある。たとえば，知ることの限界は，子どもが障害をもって生まれ，親は子どもの状態や必要なケアがわからないなど，初めて生じまだ認識されていないために起こる限界である。限界は，それがどのような限界かを見極めることが必要である。限界を起こしている要因によって必要な支援が異なる。ケアの限界は，子どものセルフケアを補完する親のケア不足に直接影響する。

親のケア能力のアセスメントは，まず①子どものセルフケア要件を満たす力，次に②子どもへのケア能力を獲得することが必要な場合，子どものケアを行う力を確定する。③ケアの限界は，①②と並行してアセスメントする。ケアの限界がある場合，まず限界の要因に対して支援をすることが必要である。

親は始めからケア能力をもっているのではなく，子どものセルフケア能力と同様に，学習し，能力を開発することが必要である。親のケア能力の開発を支援することも看護の役割である。特に子どもが病気や障害をもって生まれた場合や，成長・発達途上で障害や病気を発症した場合，親がケア能力を獲得できるように支援する。そのためには，親が子どもとの愛着を形成し，子どもの病気や障害を受容し，子どもに必要なセルフケアの知識を獲得する。さらに，ケアについて判断・意思決定ができ，実際に継続したケアを行えるように，看護師の適切なアセスメントと継続した支援，ケア能力の開発が必要となる。

文 献

1) 薄井坦子：科学的看護論，第3版〈新装版〉，日本看護協会出版会，2014，p.63-66.
2) 三宅玉恵，添田啓子：第Ⅰ章②小児看護の実践に向けての考え方，添田啓子他編，看護実践のための根拠がわかる小児看護技術，第2版，メヂカルフレンド社，2016，p.5.
3) 看護科学学会学術用語検討委員会，アセスメント，/看護科学学会学術用語検討委員会看護学を構成する重要な用語集〈https://scientific-nursing-terminology.org/terms/assessment〉（アクセス日：2022/8/26）
4) オレム DE著／小野寺杜紀訳：オレム看護論 看護実践における基本概念，第4版，医学書院，2001/2005.
5) 片田範子編：こどもセルフケア看護理論，医学書院，2019.
6) 添田啓子：こどもへの看護支援，片田範子編，こどもセルフケア看護理論，医学書院，2019，p.76.
7) 前掲書6），p.84-85.
8) 前掲書6），p.84.
9) 独立行政法人埼玉県立病院機構埼玉県立小児医療センター看護部・埼玉県立大学小児看護学領域：こどもセルフケア看護理論を活用した看護過程展開ガイドブック，2022.3，p.19-20　非売品.
10) 沼口知恵子：こどものセルフケアにおける基本的条件づけ要因，こどものセルフケア，片田範子編，こどもセルフケア看護理論，医学書院，2019，p.39-45.
11) 前掲書6），p.86-87.
12) 前掲書6），p.88-100.
13) Gast HL, Denyes MJ, Campbell JC, et.al：Self-care agency conceptualizations and operationalizations, *Advances in Nursing Science*, 12(1)：27, 1989.
14) 前掲書6），2019, p.93.
15) 前掲書6），p.100-110.

第 II 章

小児看護技術の基本

1 コミュニケーション技術

学習目標
- コミュニケーションの意味を理解する。
- 各発達段階にある小児のコミュニケーションの特徴を理解する。
- 小児看護における小児とのコミュニケーション技術を理解する

1 コミュニケーションとは

　コミュニケーション（communication）の語源をたどると，"commune" には「人と人が深く交わる，親しくする」という意味があり[1]，動詞の "communicate" はラテン語の「共有する」という意味につながる[2]。つまり，コミュニケーションとは「人と人とが深く交わり，互いの意味や感情を共有する」ということになる。これは，必ずしも言葉が必要ということではない。たとえば，1, 2歳児が砂場で遊んでいる姿を観察してみよう（図1-1）。言葉の獲得がまだ十分でない小児は，言葉を交わすことはほとんどなく，それぞれが自分の好きなことに夢中になっている。彼らは場を共にし，「面白い」「楽しい」など，様々な感情を共有している。そういう意味で，こうした場面もコミュニケーションが成立しているといえるだろう。

　コミュニケーションは，言語的コミュニケーションと非言語的コミュニケーションに分けられる。

　言語的コミュニケーションは，会話などの言葉を介したコミュニケーションである。小児

図1-1　砂場で遊ぶ子どもたち

の精神発達において，言葉は認識・思考の手段であり，行動調整機能の役割を担っている。人は何かを考えるときに言葉を用いており，小児期においては独り言として言葉を発しながら考えている。また，人はかけ声をかけながら行動することがあるが，このように言葉には自分の行動をコントロールする機能がある。

非言語的コミュニケーションには，表情やしぐさ，視線，タッチング，対人距離などがある。これらは，場合によっては言葉と同等あるいはそれ以上に様々な情報を伝えることができ，特に言葉の獲得途上にある小児とのコミュニケーションにおいてその役割は大きい。

いずれの場合も，小児の行動や反応に注目し小児がそのとき伝えようとしている意味や感情を共有する努力をしながら，コミュニケーションをとることが重要である。

  乳児のコミュニケーション能力

小児は，生まれながらにしてコミュニケーションをする力をもっている。乳児の"泣く"という行為は，周りの大人（特に養護者）の注意を引きつける刺激となり，繰り返される授乳－哺乳行動は母子のコミュニケーションの場となる（図1-2）。生後数日で，母親の声かけに新生児が四肢の動きでこたえるという反応（エントレインメント，相互同期性）が観察される[3]。すなわち，新生児期にコミュニケーションの原型となる行動がすでに備わっているのである。日々の周囲の大人の声かけや非言語的なかかわりをとおして，乳児は物事の意味や感情を理解し，やがて言葉を獲得し，コミュニケーション能力を育んでいくのである。

発達途上にある乳児のコミュニケーション能力を育てるのは，周りの大人にかかっている。乳児からの反応を，いかに受け止め，返せるかが重要である。

  小児看護における小児のコミュニケーションの問題

小児は，家族との日々の生活のなかで，言語的および非言語的に意味や感情の共有を繰り返しながら，日常生活における様々な物事を理解していく。しかし，病院における小児

図1-2　授乳

（外来受診や入院している小児）は，なじみのない人に取り囲まれた見慣れない世界に置かれ，家族と引き離されたり，家族自身が入院や治療に戸惑ったりしているため，これまでと同様なコミュニケーションがとれなくなる。

家族以外の第三者は，小児が築いてきたコミュニケーションの状況を知らず，また病児は反応が乏しいこともあり，発する言葉や表情，身ぶりの意味を理解することは困難となる。

 ## 4 小児とのコミュニケーションのとり方

コミュニケーションは，①送り手，②メッセージ，③受け手，④フィードバック，⑤状況の5つの要素で構成される。送り手となる小児の伝える能力，受け手となる小児の解釈能力をきちんとアセスメントしながら，コミュニケーションを図る必要がある。

受け手である看護師は，送り手である小児のサイン（言葉，行動，表情などのすべてで表現されるもの）から，状況（どんなことがなされていたのか，場所，時間，その場にいる人との関係性など）を踏まえて，小児のメッセージを探り，フィードバックしていく。

また，送り手である看護師は，小児の認知的発達を考慮して，自分のメッセージを小児が理解できるサインを使って伝える。そして，伝えたメッセージを小児がきちんと理解しているのかを，言葉や行動（フィードバック）から確認していく。

 # 看護技術の実際

A 発達段階別の小児の特徴の理解とコミュニケーション技術

方法	留意点と根拠
1　乳児のコミュニケーション 　1）乳児の発するサイン（泣く，笑う，喃語）を受け止め，言葉かけやタッチングを用いてコミュニケーションをとる 　2）乳児の視線や指さし（サイン）に注目しながら子どもの気持ち（メッセージ）を察し，言葉をかけていく	●乳児は，大人との相互作用をとおして，周りの事柄の意味を理解し始める。この時期は，乳児のサインからメッセージを大人が受け止め，乳児に伝わるサインで返せるかが重要である。そして，日々の丁寧な非言語的なコミュニケーションの繰り返しが，乳児のコミュニケーション力を育てるのに必要となる ●「乳児は，言葉がわからないから……」，「説明してもわからないから……」ではなく，相互作用のなかで，伝えるものの大きさを自覚することが重要である ●10か月ごろから，乳児には「指さし（図1-3）」といわれる行為がみられるようになる。この「指さし」には，「あれとって」，「あれは何？」といった乳児の思いが込められた行動であり，周りの大人がそれにこたえることで乳児は，言葉を内在化させていく

方　法	留意点と根拠

図1-3　指さし

2 幼児のコミュニケーション 　1）幼児の言いたいこと（言葉の意味）を理解する 　（1）幼児の表情，しぐさ，行動を観察して，本人の言っている言葉と合わせて理解する 　（2）家族からの情報を得ながら，普段の幼児の表現を理解する	● ピアジェはこの時期（2〜7歳）を，前操作時期としている。この時期に先立って，1歳半くらいから，目の前にないものを思い描くことができるようになり（内的表象の発達），前操作時期には，それを伝えるサインとしての言葉が獲得される。しかし，言葉の意味は様々な経験をとおしてゆっくり小児に同化されていく（図1-4） ● 2〜4歳は，前概念的段階であり，この時期の小児の言葉や意味を支えているのは「前概念」である。したがって，大人と同じ意味で使っていないことも多い 　例：窓から見えて動いているものをすべて「ブーブー」と呼ぶ ● 4〜7歳は直感的段階であり，この時期の小児の判断は知覚的に目立つ特徴に左右される

図1-4　幼児の言葉「わんわん」

2）やってはいけないことを伝えるより，幼児がとるべき行動を言葉で示す	● 1・2歳ごろの小児の言葉は行動の触発機能があり，「おもちゃちょうだい」，「おもちゃとってきて」といった大人の言葉で行動するようになる。抑制機能を含めた調整機能が高まるのは4歳以上である。したがって，「○○しよう」といった小児がとるべき行動を言葉で示すことで，小児自身が，自分がどうしていたらいいのかを理解し，行動がとりやすくなる
3 学童のコミュニケーション 　1）小児に何か説明する際には，イメージしやすい絵などを用いたり，小児の身近なものなどを例に出したりして具体的に説明する 　2）小学校高学年には，実物を使って説明する	● ピアジェは，7・8〜11歳を具体的操作時期とし，具体的な事物を扱っている場合に限り，論理的な思考ができてくると述べており，自分の体験や実際の事物から思考できるようになる

方　法	留意点と根拠
3）小児の具体的なイメージを探りながら小児のメッセージを解釈しつつ，説明する	●幼児期においては，主に日常生活のなかで，周りの親しい人との相互作用のなかで，言葉を覚えコミュニケーションする。しかし，小学校に入学すると，日常生活から離れた事象についても学び，それについて言葉を用いてコミュニケーションするということを習得する。したがって，必ずしも正しい言葉の意味を理解して使っているとは限らない ●高学年になると科学的な思考が高まる。それに伴って，紙芝居や絵本よりも実物を好むようになる ●小児に説明した際，小児が「大丈夫」と答えても，必ずしもその説明を理解し，説明者と同じイメージをとらえて，答えたとは限らない。小児は小児なりのやり方（状況）をイメージしながら，「大丈夫」といっているのである。受け手の大人が小児と同じ状況をイメージできていないこともある
4　思春期のコミュニケーション 1）幼児と同じような態度でなく，発達に応じた言葉づかいで話す 2）診察場面などで家族と一緒にいる場合でも，できるだけ，小児本人に語りかける 3）日頃から小児に関心を向け，言葉がけなどを行って，小児との信頼関係をつくっておく。小児との会話においては，時間をかけて反応を引き出していくことが大事である。コミュニケーション時のプライバシーへの配慮も必要である	●この時期は，二次性徴の出現が始まり，身体的には成熟に近づく，また，認知的にはピアジェのいう形式的操作時期（11歳〜）であり，大人と同じように演繹的な思考も可能となり，抽象的な思考ができるようになり，親から自立し始める時期である。したがって，小児本人の意思をきちんと確認していくことが大事である。また，セルフケアを育むためには，小児本人とコミュニケーションするという態度を示して話しかけていく。しかし小児は，家族の前では本音を語るとは限らないことも考慮し，表情や行動などを観察し，アセスメントする ●思春期に入ると，小児は周りの目を気にし，周りからどう思われるのかを気にかけるようになる。さらに大人との心理的距離感も増して，なかなか自分の思いを表現しなくなる傾向がある

B 病院における小児とのコミュニケーション技術

方　法	留意点と根拠
1　小児の緊張をとき，話しやすい雰囲気をつくる 1）小児が話しやすい場所や時間を選択する（➡❶） 2）家族の緊張をとき，小児に安心感を与える（➡❷） 3）小児の愛称を聞き，呼ばれたいと思う呼び名で呼ぶ（➡❸） 4）「遊び」を取り入れながら，コミュニケーションを図る（➡❹）	❶状況（場所，時間，雰囲気など）がコミュニケーションに影響する ❷家族も医療者への対応に緊張している。家族の緊張は，小児に伝わり医療者のアプローチに警戒心を与えることになる ●小児と家族が一緒にいる場面では家族に話しかけることが多くなるが，小児にも話しかけ，医療者に少しでも慣れてもらおうとする態度が家族に安心感を与える ●小児に話しかけるときは，安心感を与えるように笑顔や柔らかい表情で少し声のトーンを高く柔らかくして話しかける ❸小児が普段呼ばれている愛称で呼ぶのも親近感を与える効果がある。小学生以上になれば，本人に何と呼ぶのがよいのか聞いて，その呼び方で声をかける ❹バイタルサイン測定時などは，小児の好みの玩具などを使って遊びながら行うと，緊張がとけて測定しやすくなる。例：「お胸の音を聞かせてね」「もしもししようね」

方法	留意点と根拠
5）小児の視界に入って声をかける（➡❺）	❺小児の視野は大人の視野に比べると狭く，6歳児で左右90度，上下70度といわれる。見えないところから声をかけると，小児に不安感を与える。特に臥床している場合は，小児の視界に入って声をかける
6）小児の目の高さに自分の目の高さを合わせて話しかける（➡❻）	❻小児の身長が医療者より低い場合，あるいは小児がベッドに腰かけていたり臥床している場合，医療者が立った状態で話しかけると威圧感を与える
2　小児が反応しやすい話し方をする 1）静かに落ちついて話をする（➡❼）	❼小児にとって病院は不慣れな場所であり，見慣れない医療者に対して緊張もしている。さらに，病院で行われることは小児にとって新しい体験であり，聞きなれない医療用語が多く，理解するのに時間がかかる
2）具体的なイメージがもてるように，順序よく少しずつ話していく	●抽象的な言葉ではなく，できるだけ具体的に小児が意味をとらえやすいように話をする。小児が理解したかどうか反応を見きわめながら少しずつ話を進める。例：酸素吸入について「おいしい空気だよ。スーハーしてね。元気になるよ」
3）肯定的な話し方をする	●「しちゃダメ」「これはいけない」といった否定的な言い回しは極力避ける。「こうしたら○○できるよ」「こうしたらいいね」といった行為を含んだ肯定的な言い回しをする
4）正直に話をする（➡❽）	❽基本的に小児に嘘をつかない。本当のことを話すことで，泣いたりがっかりさせたりすることもあるが，嘘をつくと小児からの信頼を失う。小児にとってつらい話をする場合は，なぜそれが必要か理由をわかるように伝えるとともに小児が頑張れるように援助することを示す。例：「痛いときは，お薬を使って痛くないようにするから，教えてね」
5）小児の答えやすい質問をする	●小学校低学年くらいまでは，自分の思いを上手に表現するのは難しい。「そのときどんなふうに感じた？」と，単刀直入に小児の気持ちを聞いても答えられないことが多い。小児の具体的な体験を聞きながら，その時々の思いを聞いていくと答えやすくなる
6）答えるのに，あるいは反応するために十分な時間を与える（➡❾）	❾小児は，自分の考えや思いを表現するのに時間がかかる。十分な時間を与えて，小児が回答するのを待つ
3　小児からのメッセージを理解する 1）家族から情報を得る（➡❿）	❿言葉を覚え始めた1，2歳頃は，その家族のなかで使われている言葉が大きく影響し，第三者にはなかなか理解できない。家族から小児の言葉の意味の情報を得る
2）小児が発したメッセージ（言葉，表情，動作，行動）から，その発せられた状況を踏まえ，意味を探っていく	●小児の行動の意味を，状況を踏まえながら観察していくと，小児のメッセージが見えてくることがある。たとえば，幼児が急に自分で「ズボンを脱ぐ」という行動をし，履かせてもすぐに脱いでしまい，おむつを見たら排尿があった。「ズボンを脱ぐ」はその子にとって「おしっこをしたよ」というメッセージであることがわかった例である

文献

1）汐見稔幸：子どものコミュニケーション力を育てる－乳幼児期に大切な大人とのかかわり，小児看護，33（13）：1736-1740，2010.
2）諏訪茂樹：対人援助のためのコミュニケーション，小児看護，33（13）：1741-1746，2010.
3）山内光哉：発達心理学 上 周産・新生児・乳児・幼児・児童期，第2版，ナカニシヤ出版，1998.
4）中野綾美編：小児看護学② 小児看護技術〈ナーシング・グラフィカ〉，第6版，メディカ出版，2019.
5）岡本夏木：子どもとことば，岩波新書，岩波書店，1982.
6）村井潤一編：発達の理論をきずく〈別冊発達4〉，ミネルヴァ書房，1986，p.128-161.
7）波多野完治編：ピアジェの発達心理学，国土社，1965.

2 遊びの援助技術

学習目標
- 小児看護における遊びの重要性が説明できる。
- 遊びに適した環境づくりができる。
- 治療中の小児の遊びが工夫できる。
- 痛みのある小児の遊びの意味を理解し，適した遊び方を提供できる。

1 小児看護における遊びの意味と重要性

1）遊びとは

　遊びとは，小児が自発的に行う快感情を伴う活動である。また，遊びは小児にとって周りの世界を知る手がかりであり，小児の生活そのものといえる。生後間もなくから繰り返される遊びは，小児の成長・発達に伴って形を変え様々なバリエーションを生み出していく。遊びをとおして小児は周りとかかわり，生きる力や生きるすべを学んでいく。健康であろうと病気をもっていようと，遊びは小児の成長にとって不可欠なものである。

2）病院で遊びを必要とする理由
（1）病児にとっての遊びの意味（入院児，外来受診児）

　遊びは小児にとって様々な意味をもっているが，それに加えて，入院中の小児には気分転換や，問題や不安の表出などの重要な役割をもっている（表2-1）[1]。小児はたとえ入院中であろうと，その制限された環境のなかで日々成長・発達していく。したがって，短期間の入院であっても，1日1日が小児にとって貴重な時間であり，そのなかでどのような環境を与えられるかが，その後の小児の成長・発達に大きく影響する。

　病院は，小児にとって見慣れない人や物ばかりであり，行われる治療や検査，処置は苦痛を伴うストレスフルな体験となる。この非日常的な体験のなかで，遊びが小児に日常性を取り戻させたり，様々な問題や不安を表出したり解決を図るなどの助けとなるのである。

表2-1　病院における遊びの機能

- 気分転換をさせる：子どもの気持ちを，周囲で起こっていることから引き離すための単純な活動
- 遊びをとおして問題や不安を表出する
- 生活の日常的な側面を取り戻す
- 遊びをとおして理解力が高められ，病院で行われることを知り，恐れを人に伝えることができる

Müller DJ 著，梶山祥子・鈴木敦子訳：病める子どもの心と看護，医学書院，1988，p.155. より転載

看護師は小児にとっての"遊び"の重要性を認識していても、検査や処置を優先し遊びは後回しにしがちである。遊びを後回しにしたことの影響は、すぐには現れてこないため、適切にその因果関係を評価することは難しい。

遊びをケアの一つと位置づけ、個々の小児の遊びの必要性をアセスメントし、保育士やボランティアなどと連携して遊びを支援していくことが必要である。

（2）家族・医療者における遊びの意味

遊びは小児のためだけでなく、家族や医療者にとっても重要なものである。

病児の家族は、病気の重症度にかかわらず、自分の子どもが病気になったことへの自責の念を抱き無力感を感じている。そんな家族にとって、小児の緊張をとき、楽しさを提供できる遊びは喜びとなる。遊びは小児の精神的な援助となり、家族自身の精神的な安定にもつながるといえる。

また、遊びは医療者にとってもメリットがある。ユニフォームを着た見慣れない大人は、それだけで小児に不安や緊張感を与える。さらに、小児が体験したことのない、時には痛みを伴う検査や処置をすることで、その思いは恐怖に変わる。そんな小児に医療者が近づき、話しかけようとしても、小児は身を固くして、家族の後ろに隠れてしまう。そのようなとき、小児の好む玩具を持って近づくと、最初は緊張していても、少しずつ近寄ってくれることがある。さらに遊びを進めていくと、小児の緊張が和らぎ、自ら言葉を発してくれるようになる。このように、遊びは、小児とのコミュニケーション手段の1つとなる。

また、言葉で自分の考えや思いを十分に伝えることが難しい小児は、遊びのなかでいろいろな思いを表現することがある。たとえば、小児が採血時の医師や看護師の口真似をして病院ごっこをすることがあるが、それによって小児が採血をどのようにとらえているのかがわかることがある。このように、小児と一緒に遊びながら、観察をとおして小児の気持ちを把握することができる。

2 遊びの環境調整

本来、小児とは自発的に遊びをつくり出すものである。大人が「〇〇遊びをしよう！」と準備していっても、こちらの意図とは異なる遊びを小児が展開していく場合もある。かつては、遊び道具がなくても、どんな場所でも、小児は自由な発想で自分たちの遊びをつくり出し楽しんでいた。しかし、近年は三間（時間、空間、仲間）の減少、ゲームの普及により、そうした自由な発想での遊びを楽しむ小児の姿は減ってきている。

また、病院は治療を優先しており、治療や検査・処置は、小児に多くの制限を強いるものであるため、小児が自発的に遊びをつくり出すのは難しい環境である。病院という特殊な環境においても、小児が自発的に遊べるような環境づくりが必要となってくる。

1）遊びの場づくり（場所，時間）

まず、小児が安心して危険なく遊べる場所が必要である。病棟にプレイルーム（図2-1）や病棟の一角にプレイコーナーを設置し、絵本や玩具を置いて自由に遊べるようにする。こうしたプレイルームやプレイコーナーが常設できない場合は、時間を決めて場を設けると

図2-1　プレイルーム

図2-2　クリスマス会

いう工夫もできる。

　病院では，検査や処置という小児にとって"嫌な"ことが行われ，小児は不安を抱えて生活している。したがって，「ここなら安心して遊べる」と小児が思える空間が必要である。小児の生活空間であるベッドや病室，そして遊び空間であるプレイルームやプレイコーナーでは"嫌な"ことはしないということが大切である。

　また，小児科の病棟では，節分，桃の節句，子どもの日，七夕，夏まつり，クリスマス会など（図2-2），季節ごとに様々な行事を行っている。小児の病棟が成人患者との混合病棟となっている病院では，少数の小児のための遊び場を設けたり行事を開くことは難しい場合もある。しかし，ベッドの周りを小児のための空間らしく，小児の好きなものや季節の行事の飾りを付けたり，小児の好きな玩具を持ってきてもらい，それを使って遊びを提供するなどの工夫は可能である。

2）人づくり，システムづくり

　小児にとって病院は非日常的な場所である。そこで，小児にとって身近な存在である保

育士や学校の教師の役割が重要になってくる。わが国では，入院している小児への保育の重要性が早くから認識されており，50年以上前に小児科病棟への保育士の導入が始まっている。しかしながら，実際の臨床の場ではなかなか導入が進まない状況が続いていた。

そんななか，1990年代の終わりには欧米で資格を取ったチャイルドライフスペシャリストやクリニカルプレイスペシャリストなどが活動を始めている。さらに2002年に，病棟保育士の配置による診療報酬加算が認められ，2007年には医療保育士制度がスタートし，医療保育士が誕生した。その後，そうした専門家たちが小児の専門病院や大学病院の小児科病棟を中心に増加してきている。

一方，小児科病棟の混合化が進むなかでは，こうした専門家を導入することは難しくなっている。看護師一人ひとりが遊びの重要性と必要性を理解し，業務のなかで"遊び"を小児に提供できるか病棟全体で検討し，その仕組みをつくっていくこと（システムづくり）が求められる。

看護技術の実際

A 治療などで活動が制限されている小児の遊びへの援助

1）遊びの提供

	方　法	留意点と根拠
1	**小児の成長・発達段階と好みから遊びを考える** 1）小児の成長・発達段階を考慮して遊びを考える（➡❶）（表2-2） 2）家族から小児が日頃好んで行っている遊びの情報を得る	❶成長・発達によって，小児の遊びは異なってくる

表2-2	遊びの発達
感覚運動遊び	感覚機能や運動機能を働かせることを喜ぶ遊びで，乳児期を中心に1歳半頃までみられる。乳児初期の発声の遊びや，乳児期の終わり頃からみられる入浴時の水遊びなどがこれにあたる
象徴遊び	物を何かに見立てて遊ぶ，食べるふりをして遊ぶ，ある役割になり切って遊ぶこと（ごっこ遊び）などが含まれる。目の前にないものを再現する表象機能，あるものを他のもので表す象徴機能のあらわれで，1歳半頃から始まり，3～4歳で最も盛んになる
受容遊び	話を聞いたり，ビデオを見たりする，受け身的な遊びであり，幼児から学童期以降まで長期にわたってみられる
構成遊び	積み木などを使って何かを作ったり，絵を書いたりする創造的な遊びである。2歳頃にあらわれ，幼児後期以降に盛んになる

奈良間美保・丸光恵・堀妙子・他：小児看護学概論 小児臨床看護総論，小児看護学①〈系統看護学講座 専門分野Ⅱ〉，第14版，医学書院，2020, p.107. より転載

2	**周りの小児とのつながりをつくる（➡❷）** 1）牽引中など，ベッド上安静の場合は，他児と一緒に遊んだり学習したりする時間を設ける 2）ICTを活用して，院外のきょうだいや友達と交流を図る	❷同年代の小児同士の相互作用は，小児の発達に大きく影響する ●小児の病状や治療状況によって他児との交流が難しいこともあるが，できるだけ周りの小児とかかわりがもてるよう，時間と空間を工夫する

方　法	留意点と根拠
3　"遊び"をアセスメントし担当を明確にする 　1）遊びをアセスメントする 　2）看護師の担当を明確にする	●小児の遊びの必要性や家族の状況を踏まえ，誰がどのようにかかわることが可能かをアセスメントする。遊びが必要な小児に対しては，看護ケアとして時間を設けてかかわる ●看護師がすべての小児に平等に遊びを提供するのは難しい。プレイルームで自ら遊べる小児は，保育士や家族，ボランティアに任せ，看護師は保育士やボランティアでは介入が難しい安静が必要な小児に対する遊びを担当する
4　ケアのなかに遊びを取り入れる 　1）清拭時に，小児の好きな音楽をかけ，歌を歌いながら行う 　2）入浴介助中に，浴槽にアヒルの玩具を浮かべたり，人形と一緒にお風呂に入って，ごっこ遊びをする（図2-3）	●小児とまとまった遊びの時間を共有することが難しい場合，ケアの時間をとおして遊びを提供する

図2-3 遊びを取り入れたケアの様子

5　家族と共に遊びを考える 　1）家族の状況をアセスメントする（→❸） 　2）家族に遊びの提供を任せっきりにしないで，協力して遊びを提供する	●小児の好きな遊びを理解しているのは家族である。家族から情報を得て，遊びを提供する ❸小児との遊び方がわからない家族や小児の状態（安静など）のため対応に苦慮している家族もいる。また，家族自身，慣れない入院生活によって身体的・精神的に疲労している場合などがあり，なかなか小児と遊ぶことができないこともある
6　自由な発想で医療者も楽しんで取り組む（→❹）	❹米国で，ハロウィンに大人も小児も仮装する光景に出会ったことがある。病院のメッセンジャーの女性がミツバチに仮装して荷物を抱えて歩き回り，病院の売店では，店員が熊の着ぐるみを着て出迎える。病棟では，動物の耳をつけた医師が小児の診察をしている。小児の顔も大人たちの顔も笑顔である。このように「病院は治療する場所」という枠をはずして，自由な発想で「楽しい場所・時間」づくりに取り組むのも大事なことである

2）治療状況別の遊びへの援助

●目　　的：治療による制限は必要最低限にとどめ，可能な限り小児の成長・発達に応じた行動ができるように工夫・配慮する

方　法	留意点と根拠
1　治療で安静が必要な患児への援助 　1）動けないことでストレスがたまっている場合は，ストレスを発散できるよう攻撃的な遊びを取り入れる 　遊びの例：積み木を積んで崩す，モグラたたきゲーム，紙をちぎって遊ぶ 　2）気分転換のため，病室外でのベッド上の遊びを提供する 　遊びの例：粘土遊び，ボール転がし，車椅子・ストレッチャーなどで散歩，ベッドをプレイルームに移動する	●けがなどがないように注意する ●患児の倦怠感や顔色などを観察して，疲れさせないように気をつける ●患部の安静は守れるように配慮する ●他児の安全についても気をつける
2　24時間持続点滴をしている患児への援助 　1）患児が片手でもできる遊びを工夫する 　遊びの例：お絵かき，絵本を読む，読書，他児とゲーム 　2）ベッド上の安静が不要な場合は，場所を変えて遊びを提供する 　遊びの例：プレイルームでの遊び，病棟外への散歩	●片手が不自由でも，ほかは動かせるので，いろいろな遊びに参加できる ●点滴スタンドの転倒や点滴の事故抜去がないように工夫と注意が必要である
3　隔離をされている患児への援助 　1）患児が親しみやすい環境をつくる（➡❶） 　環境整備の例：好きなアニメキャラクターなどの絵を飾る，好きな音楽を流す 　2）遊びの時間を設ける 　遊びの例：壁に模造紙を貼って「落書き大会」，魚釣り，ICTを活用しての他児との交流 　3）ケアに遊びを取り入れる	❶他児との交流が制限され，医療者との交流も少なくなりがちである。また，家族や医療者がマスクやエプロンをつけているため，視覚的な刺激も減少する。患児の楽しみを増やすような工夫が必要である
4　牽引やギプスをしている患児への援助 　1）仰臥位の患児が楽しめる環境をつくる 　環境整備の例：天井に好きな絵を貼る 　2）用具を選択し遊びを工夫する 　遊びの例：読書，お絵かき，紙芝居，他児とのゲーム，歌をうたう，絵本の読み聞かせ（図2-4），ギプスの場合は車椅子などで散歩	●仰臥位でも本が読める，絵が描けるなどの用具を選択する ●遊びに夢中になって良肢位が保てなくならないよう注意する ●ギプスの重さでバランスを崩しやすい。身体の動きを伴う遊びは転倒の危険があるので工夫と注意が必要である

図2-4　絵本の読み聞かせ

B　疼痛緩和のための遊びへの援助

●目　　的：疼痛緩和では薬物療法が第一選択となるが，小児の場合，疼痛の閾値を上げるために非薬物的な方法が有効な場合もあるため，患児に合った方法を検討する

	方　法	留意点と根拠
1	気分転換 遊びの例：好きな音楽を聴く，DVDをみる，絵本を読む	
2	リラクセーション 遊びの例：シャボン玉を吹く，風船を膨らませる，風車を吹く	
3	検査や処置に伴う痛みの緩和 遊びの例：場の緊張をとくように好きな音楽を流す，好きなぬいぐるみや玩具で遊ぶ	
4	ディストラクション（注意転換法） 遊びの例：玩具や癒しボトル（ペットボトルに液体とビー玉やビーズ，細かく切ったセロハンなどを入れたもの）を使った遊び	●医療者の手技を一つひとつ注目しながら処置を受けたいと考える小児の場合，ディストラクションは逆効果となる．小児それぞれの対処方法を理解したうえで，支援を考える

文　献

1) Müller DJ著，梶山祥子・鈴木敦子訳：病める子どもの心と看護，医学書院，1988，p.155．
2) 奈良間美保・丸光恵・堀妙子・他：小児看護学概論 小児臨床看護総論，小児看護学①〈系統看護学講座 専門分野Ⅱ〉，第14版，医学書院，2020．p.107．
3) 江本リナ：病院における保育をめぐる現状と課題，小児看護，32(8)：1020-1023，2009．
4) 片田範子・他：小児看護ケアの実態と小児看護リエゾンシステムの開発，平成2・3・4年度 科学研究費補助金（一般研究B）研究成果報告書，1993．p.27．
5) WHO編，片田範子監訳：がんをもつ子どもの痛みからの解放とパリアティブ・ケア，日本看護協会出版会，2000．
6) 近田敬子：全体性への接近－発動性と遊びに焦点をあてての考察，日本看護科学会誌，11(2)：17-23，1991．
7) 小園千夏：子どもと医療者を癒すプレパレーション－ディストラクション(気晴らし)ツール－癒しボトル，小児看護，30(13)：1810-1813，2007．

3 小児のプレパレーション

学習目標
- 小児のプレパレーションの目的を理解する。
- プレパレーションの心理的な意義を理解する。
- プレパレーションの倫理的な意義を理解する。
- プレパレーションの方法を理解する。

1 心理的準備としてのプレパレーション

1）医療を受ける小児への心理的な侵襲

　プレパレーション（preparation）は prepare の名詞形で，「準備，心構え，覚悟」という意味があり，心理的なケアの1つである「心理的準備（psychological preparation）」として用いられている。1930年代の，医療を受ける小児への心理的な侵襲に関する欧米の研究に端を発する。当時の医師は，疾患や治療による小児への心理的な影響について，小児の認知的な発達段階によっては，アニミズム（自然界のすべてに聖霊が宿るとする聖霊信仰）などの魔術的思考（自然現象や人間の世界の出来事を支配するのは神や霊などの超自然的存在であるという考え方）の影響を受けて，病気の原因が自分の身近な生活のなかにいる恐ろしい生き物（小人や動物など）や，自分がした悪いことへの罰であると誤解し，罪悪感を抱いたり，死への恐怖によって混乱したりすると述べている[1]。

　また，小児は，入院し痛みを伴う検査や手術などの治療を受けることによって様々なストレスを経験する。見知らぬ人や見慣れない機器に囲まれた場所で親との分離や信頼できる人がいない孤独感や不安，手術や注射など身体的な苦痛や不快，脅威を感じる。どんな制限があるか，どんなことが起こるかわからない不確かさによって小児自身の能力や自制心が及ばない状況下に置かれ，自分でコントロールすることができない大きな危機に直面する。このストレス体験から，心理的な動揺や自尊心を下げるような有害な反応が引き起こされ，入院中のみならず退院後もこの影響がしばらく続き，慢性疾患をもつ小児の場合は成人に達するまで持続する場合があることが指摘されている。1966年には小児の退院後の行動を調査する質問紙が作成され，入院した小児の親を対象に調査が行われた。その結果，入院による小児への影響は，退行現象，分離不安，睡眠障害，食行動障害，攻撃性の5つに分類された[2]。

2）心理的準備としてのプレパレーションの導入

　1936年，米国の医師ビバリー（Beverly BI）は，治療や処置を受ける小児の不安や恐怖感

がその後の情緒発達に影響を及ぼすとし，それらを緩和する心理的準備としてプレパレーションの導入を推奨した。このときすでに，訓練を受けた医師，看護師による術前の手術室の見学，これから手術を受ける小児が手術を無事に終えた小児と一緒に遊び自信をもつこと，同じ看護師が遊びをとおしてかかわり安心感をもつことなどの具体的なプレパレーションの実践例が紹介されている[3]。以後，治療や検査によるストレスから短期的，長期的に生じる心理的な悪影響を予防することや最小限にするための方策としてプレパレーションが行われ始めた。

1940〜1950年代には小児に対する看護実践が見直され，親が制限なく面会できるようになり，小児のケアに参加するようになった。

3）プレパレーションの目的

ヴァーノン（Vernon DTA）ら[4]は，1950年代に行われていたプレパレーションの取り組みが，①小児と家族に事実に関する情報を提供する，②感情の表出を促す，③医療スタッフとの信頼関係を構築する，の3要素に向けられていることに注目した（表3-1）。特に，入院時よりも退院後の小児の混乱を軽減し，退院後によりよい影響をもたらす効果があることを示唆している[5]。

ヴィジンテイナー（Visintainer M）ら[6]は，社会的相互作用論をもとに，医療や看護行為を行う際に小児と親に対して心理的な準備と支持的なかかわりを組み合わせて行うことを計画し，この実践を行った場合と行わなかった場合を比較した。その結果，行った場合の親は治療や看護が小児に役立つものであると満足感を得ることができ，小児は精神的な動揺やストレスが少なかったと報告された。このことは，単に「わからせること」や「根拠を示す」ことだけではなく，独自の存在として小児と親に真に関心を寄せる支持的なケアを行い，小児と親の積極的な医療への参加や出来事を統制する感覚をもつことを目的とした実践が重要であることを示している[6]。

米国小児科学会（American Academy of Pediatrics）は，1971年に小児の入院によるストレスを最小限にし，成長・発達を促すための介入プログラム（チャイルドライフプログラム）の必要性を強調し，1979年にチャイルドライフ活動研究方針書を発表した[5]。1980年代以降，数々のプレパレーションの効果を示す調査結果が報告され，入院前のホスピタルツアー（病院見学），録音テープやビデオ，パンフレット，絵本，人形，描画法などを用いた心理的準備の方法がプレパレーションプログラムとして欧米の看護分野に導入され発展した[2]。

表3-1 プレパレーションの目的（ヴァーノン）

①小児と家族に事実に関する情報を提供する
②感情の表出を促す
③医療スタッフとの信頼関係を構築する

2 プレパレーションの倫理的な意義

1) 小児の権利を守る法律の制定

英国で1959年に病院における小児の福祉に関する答申書，The Welfare of Children in Hospital（プラットレポート）が出され，これがもととなって1984年にNAWCH（National Association for the Welfare of Children in Hospital，現Action for Sick Children）の「入院している子どもの権利に関する十か条の憲章」が制定された。1982年には世界保健機関（WHO）が「病院における子どもの看護の勧告」，病院のこどもヨーロッパ協会（European Association for Children in Hospital：EACH）が「病院のこども憲章（EACH憲章）」を提唱した。1989年に「児童の権利条約」が第44回国連総会で採択された。これを機に病院において小児の権利をいかに守りながら医療を提供していくかが考えられ，小児は年齢や理解度に応じた説明を受ける権利を有し，身体的・情緒的ストレスを軽減するような方策が講じられることが推奨されるようになった。

2) 未成年者に対するインフォームドアセント

米国小児科学会生命倫理委員会は，1995年「小児医療におけるインフォームドコンセント，親による承認，アセント」を発表した。アセントを「患者の理解と反応に影響する要因を評価し，ケアを快く受け入れるようにするために，小児が自分の状態を理解することを支援し，診断と治療により予想できることを伝えること」と定義し，すべての医療職による小児の意思決定への参加と議論が最高のアセントの様相であるとした[7]。

インフォームドアセントは，成人に対するインフォームドコンセントと同様に「説明と同意」と訳すことができるが，18歳未満の未成年者を対象として用いられ，法的効力はない。したがって，「説明と納得」との訳が望ましいといわれている[8]。アセントは小児に意思決定過程への参加を促すためのプロセスモデルであるとされ，表3-2に示すステップが必要とされている[9]。

3) 倫理的な実践としてのプレパレーションの普及

1990年代，日本医師会のインフォームドコンセントに関する報告を機に患者の知る権利を尊重した医療が普及し，1994年に日本が批准した「児童の権利に関する条約」の第13条「小児の発達に応じた相応の説明を受けることの保障」を医療のなかでどのように遵守できるかという議論が深められてきた[10]。1990年代の終わりには，小児の権利を守るための方法と

表3-2　未成年者に対するインフォームドアセント

①小児が発達に応じて自分の状態を認識できるように支援する
②診断と治療に関して何を期待するかを小児に伝える
③小児の理解を評価する
④小児の反応に影響を与える要因（過度の圧力など）を評価する
⑤小児がケアを受け入れる意思の表明を求める

してスウェーデンで行われていたプレイセラピーの一部であるプレパレーションが小児へのインフォームドコンセントをさす言葉として紹介された[11]。

　1999年，日本看護協会における「小児看護領域の看護業務基準」のなかで，小児と養育者には，検査・治療・病状・処置などについて適時に説明をし，納得・了解・理解が得られるように努め，その際には発達に応じたわかりやすい言葉や絵を用いて説明することの必要性が提唱された。2005年，「小児看護領域で特に留意すべき子どもの権利と必要な看護行為」として，表3-3 の9項目が発表された[12]。2009年には2010（平成22）年度看護師国家試験の出題基準が改訂され，小児看護学では，小児の人権に配慮した病院環境の整備や，プレパレーションをとおしてインフォームドアセントについて理解することが重要であると示さ

表3-3　小児看護領域で特に留意すべき子どもの権利と必要な看護行為

①小児にわかりやすく説明し同意を得る努力をする
②最小限の侵襲となるよう努力する
③プライバシーを保護する
④抑制や拘束をされないで安全に医療や看護を受ける
　（抑制や拘束をする場合は最小限にとどめ，小児と保護者に十分説明する）
⑤小児の意見の表明，表現の自由を保証する
⑥家族からの分離を禁止する
⑦教育・遊びの機会を保証する
⑧保護者から適切な保護と援助を受ける
⑨平等な医療を受ける権利をもつ

表3-4　小児看護の日常的な臨床場面での倫理的課題に関する行動指針

〈子どもに対する具体的な取り組み〉

①発達段階や病気や障がいに応じて子どもの思いや考えを十分に聴き，子どもを大切にします
②効果的なコミュニケーションをはかり，信頼関係を確立します
③子どもが理解し納得できるように十分に説明します
④医療者だけで考えるのではなく，子どもと一緒に取り組みます
⑤子どもが自分の意見を表明することや，意思決定するプロセスを支援します
⑥子どもの日常生活に関心をもち，しっかりと観察します。気になったことはそのままにせずに子どもに確認する，もしくは観察を継続し，必要な対応を考えます
⑦子どもが家族に気を遣い，本心を話すことができない状況もあるため，どうすることがよいのかを子どもと十分に話し合い，子どもの気持ちを尊重しながら，子どもの最善の利益を保障できる方法を検討します
⑧子どもとの約束を守ります
⑨子どもの安全を保障します

〈家族に対する具体的な取り組み〉

①病気の子どもを育てる家族への影響を理解しながら，思いや考えを十分に聴き，家族を大切にします
②家族との効果的なコミュニケーションをはかり，信頼関係を確立します
③子どもの病気や治療などを理解し意思決定できるように，家族に十分に情報提供を行います
④医療者だけで考えるのではなく，家族と一緒に取り組みます
⑤家族の思いを受け止めながら，意思決定するプロセスを支援します
⑥各々の家族がおかれている状況の違いを理解し，共感的に関わるように努めます
⑦子どもと家族が，お互いの思いや考えを理解し合い，納得できる選択が行えるように調整します。子どもが家族に気を遣い，本心を話すことができない状況もあることを家族に伝え，子どもにどのように関わるとよいのかを一緒に考えます
⑧家族の体調や疲労に配慮し，基本的欲求を満たす支援ができるように努めます

日本小児看護学会倫理委員会：改訂版 小児看護の日常的な臨床場面での倫理的課題に関する指針，日本小児看護学会，2022，p.2-3. より転載

れた[13]。日本小児看護学会（2010）は「小児看護の日常的な臨床場面での倫理的課題に関する指針」において，子どもと家族への具体的な取り組みの行動指針を示している[14]。その改訂版を表3-4[15]に示す。2000年以降，これらの取り組みは倫理的な看護実践の方法の1つであるプレパレーションとして徐々に病棟での実践に取り入れられ普及している。

3 小児と家族へのプレパレーションの方法

看護実践で行う小児と家族へのプレパレーションの主な方法について以下に述べる。

1）小児の理解や反応に影響を与える要素についてアセスメントする

処置やケアの実施前に，担当する看護師であることを小児の目線で伝え自己紹介する。その際に実施前の小児の様子や表情，これから受ける処置やケアについての理解度や医療者に対する反応を把握し，距離感を縮める工夫を行うことが導入として重要な点である。たとえば，指人形や折り紙を用いて担当であることを伝え挨拶をすると，乳幼児の気持ちがほぐれ，親近感をもって接することができる（図3-1）。

また，小児が受ける検査や処置について小児は説明を受けているか，今までの経験の有無や痛みに対する対処様式はどのようなものかなどを親や小児自身に確認することによって，次に行う検査や処置の内容や方法をどのように伝えるかを考えることができる。

2）医療処置に関する情報を小児にわかりやすく伝える

小児が医療の意思決定過程に参加できること，対処能力を発揮できることを目的として，小児の年齢に応じてわかりやすく真実を伝えることが重要である。実施前に小児が伝えられたことと受けた処置やケアが一致しているか否かは，医療者をはじめとする周囲の大人との信頼関係や，小児自身が対処能力を発揮できるという自信や自尊心をもつことに影響する。また，いつ痛みのある処置が行われるかがわからない不確かな状況下でいつもおびえている消極的で無気力な精神状態が続くことがないよう，入院生活を安心して過ごし，退院後の生活や情緒的な発達への悪影響を最小限にすることが重要である。

わかりやすく伝える方法を考えた場合，相手が自分に対してどう思っているのかを判断する決定要因は，相手の表情が半分以上，声の調子が4割，発言内容はわずかに1割に満たないといわれている[16)17)]。このことは，顔の表情や声の調子（声の大きさ，声の高さ，話の速度，イントネーションなど）といった視聴覚に訴えるものが人に影響しやすいことを表している。また，小児同士の会話は，大人同士の会話よりもペースがゆっくりしていることにも留意したい[18)]。

具体的な方法として，小児にわかりやすい言葉に置き換えて伝える，擬音やジェスチャーを加えてゆっくりとした口調で伝える，人形やぬいぐるみ，紙芝居，絵本，パンフレット，医療模型，実際の医療器具や電子メディア，映像，音などを用いることが有効である（図3-2，3-3）。口頭で伝える場合の例として，内服のことを「バイ菌をやっつけるためのお薬だから，ちゃんと飲もうね」と小児と同じ目の高さでゆっくりとした口調で伝える。血圧測定の際には，「シュポシュポするよ」と腕にマンシェットを巻くジェスチャーを見せ

図3-1 折り紙で挨拶する

図3-2 手洗いの指導用パンフレットと歯みがき指導用の手作り人形

図3-3 説明用パンフレット

ながら伝えたり，薬液吸入を「モクモクしよう」などと表現したり，小児にとってイメージしやすい表現で受ける検査や処置について伝える工夫ができるとよい。

　全身麻酔で手術を受ける小児のなかには，「眠っている間に終わるよ」とだけ伝えると眠ることを「死」ととらえ眠りから覚めない恐怖心を抱く場合がある。そのため，「眠っている間に終わって，目が覚めたらお父さんやお母さんが待っている病室に戻ってくるよ」というように，終わった後は病室に戻って回復できることまでを伝えることが重要である。また，扁桃腺切除術などを受ける場合も「～を切る」といった表現をすると恐怖心を増強させる場合がある。そのため，「腫れているところをとる」や「のどを治してもらう」など表現を工夫して伝えることが望ましい。

3）恐怖心を和らげる工夫をする

　医療施設に対する小児の恐怖心を緩和するために，心地よい快適な環境（アメニティ）を整えることも重要である。たとえば，病院内の壁を装飾することやパステルカラーのカーテン，座り心地のよい待合のソファ，木製素材を使用した床頭台やロッカー，動物やアニメキャラクターのグッズ，受診や入院生活のなかでよくある質問にわかりやすくこたえたパ

ンフレットやポスターなど，小児の好みや親が安心感をもつことができるような病院環境を整えることが望ましい（第Ⅳ章8「環境の調整」p.187参照）。

　入院前のホスピタルツアーや事前に手術室などを見学する，直接担当する医療者と顔見知りになっておく，手術や処置が無事に終了した小児と一緒に遊ぶことなどは，小児の恐怖心を緩和し対処能力を高めることにつながる。また，検査や処置の前後に，医療模型や医療玩具などを使いながら小児が医療者役を演じることで，いつも受け身ばかりで自分では思うようにならない緊張感や恐怖心を能動的な行為で解放したり，誤解を解いたりすることができる。

　痛みや侵襲のある処置を行う場合は，安心して休養できる場所である病室はできるだけ避け，処置室で行う。処置室にお気に入りの玩具やぬいぐるみ，お守りや安心感を得る物（移行対象となるタオルや毛布など）を持参することも効果的である。ただし，強く印象に残るキャラクターデザインの物を処置室の装飾に使用する場合は，痛みや不快な経験とともに小児の記憶に残る可能性があり，そのキャラクターを見ると泣いたり，恐怖心を感じたりする場合もあるので気をつける。

4）気をそらす，注意転換法（ディストラクション）を取り入れる

　痛みや侵襲の大きい処置の際には，感覚的な機能に働きかける注意転換法（ディストラクション）が有効である。薬物的な介入もあるが，ディストラクションは簡単で効果的な技法で小児の注意を不快な刺激からそらすことができる。ただし，医療の意思決定に小児が参加することや処置に集中したい状況を妨げないこと，小児の認知能力や好み，性格に十分注意する。

　ディストラクションには多様な技術と方法があり，能動的ディストラクション（ゲーム，電子メディア，呼吸法，イメージ・リラックス法）と受動的ディストラクション（音楽，テレビの視聴）に分類される。

　能動的なディストラクションは，情報の判断力や理解力が高く，機器の操作が可能な学齢以上の小児に適しており，様々な感覚に作用する効果がある。たとえば，注射や採血を受けている小児が電子メディアを操作して音や映像を変化させる画面を視聴するような相互作用のある機器を使用することによって，小児のストレスや不安が軽減したとの報告がある。

　受動的なディストラクションは，医療者や親が機器を操作する場合が多いため，学齢期に満たない乳幼児にも適している。たとえば，がらがらと音が鳴るような玩具を振ったり，小児が好む癒し効果のある音楽や映像を流すことで気を紛らわせたりリラックスさせたりする。さらに，キラキラ光るものや色彩の鮮やかな玩具，お気に入りのぬいぐるみや人形など目を引く物を小児に見せて気をそらすことによって，恐怖心や痛みの感覚を和らげる効果がある[19]。

5）親の協力を得る

　小児に医療処置の情報を伝える際に，親が小児の医療処置についてどのように理解しているか，今までに小児が痛みのある処置にどのような反応をして親がどのように対応して

きたか，親がどのような情報を小児に伝えているかなどについて情報を得る。小児の医療処置に関する親の理解度によっては，医療処置の内容や方法と注意事項などに関する補足説明を行う。そのうえであらためて医療者が小児にどのような情報を提供する必要があるか，それにはどのような意義があるのかを親に伝え，可能なかぎり親と情報を共有したうえで小児への情報提供を行う。

　小児に情報を提供する場合は，親の同席を促すことによって，小児だけでなく親の理解も促されることや安心感を得ることができる。

　小児や親の要望，状況によって処置中に親が同席し協力を得ることが可能であれば，親に小児の手を握ってもらったり，親の膝の上に小児が座って処置を受けたりすることは小児が安心して力を発揮することにつながる。検査・処置室に親が同席するか否かについては，関係する医療者を含めて状況を判断し，小児と親の意向を聞いたうえで同席を決定する。積極的に同席し医療処置に協力や参加をしたい親もいれば，親自身の医療経験や対処力から小児の処置場面への同席を望まない親もいることに理解を示すことが重要である。

　検査・処置室に親が同席しない場合は，その間の待機場所や所要時間の目安を伝え，検査や処置が予定時間よりも長引く場合はできるだけ親に途中経過や今後の見通しを伝え，親に安心感をもたらすことや親自身の対処力を高めるように働きかける。

　検査や処置が終了した後は，待機していた親の気持ちをねぎらう。その後に，検査や処置による2次的な症状の予防あるいは副作用，副反応などの早期発見と早期対応ができるように，小児の検査・処置後の観察点，控えたほうがよい行動や食事，その制限が必要な期間と対処法などを親に伝え理解と協力を得る。小児の検査や処置中の様子を親に伝えて，親からも小児が頑張ったことを認める声かけや褒めることを促す。そのことが，親と小児の信頼関係を増し，小児の情緒的な安寧と自信をもたらし自発性を育むことにつながる。

6）小児の頑張りを認める・褒める

　検査や処置が終わったことを小児に伝え，頑張ったことを認めて褒める。その際に，医療者の期待する小児の行動でない場合も，その小児なりに努力した点や，以前の処置のときよりもできるようになったところを見つけて褒めることが次の医療行動への自発性や自信に結びつくことになる。

　脳科学の知見によると，褒められたときの感覚や音，形，感触などを大脳辺縁系の扁桃体が「快」として判断すると脳内をドーパミンが流れ快感（報酬）が生じる。このときの快感を求める欲求が「意欲」や「動機」のもととなり「積極性」の誘因になる。ドーパミンは快感を得たときにしか流れないのではなく，快感を予測しただけで放出され，やる気を促し集中力を持続させるといわれている。逆に，扁桃体が経験したことを「不快」と判断した場合は，ノルアドレナリンが脳内に放出され，危機に対処する戦闘態勢をとらせる。生体のあらゆるストレスに対応するために放出されるノルアドレナリンは，慢性的にストレスがあると枯渇し，「緊張」から心身症を発症したり，不安から「逃避」や「反抗」を誘導したりする。最終的に「うつ状態」までに至った場合は意欲が低下し，思考や行動が鈍化することが懸念されている[20)21)]。したがって，小児が痛みのある処置を乗り越えた経験を「快」としてとらえることができるように，できたことを見つけて認め，褒めることが重要である。

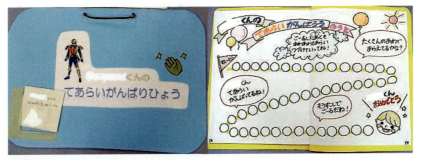

図3-4　がんばり表

具体的な方法として，次のような例がある。
- 「自分で処置室に来れたね」「よく頑張ったね」「泣いても動かなかったから早く終わったね」などと声をかける。
- ご褒美のシールや手作りのメダル，表彰状など形として残るものを渡すことは，小児自身の努力が目で見てわかり，他者と共有できるものとして伝わりやすい。
- 継続的に治療や処置を行う場合は，がんばり表などで褒めることを繰り返し，やる気が継続できるようにする（図3-4）。

7）検査・処置後の小児と家族の様子を把握する

　検査や処置を受ける前だけでなく，終わった後の小児と家族の言動や小児の遊びの様子を把握しアセスメントすることが，次の医療処置を受ける際の看護実践につながる。処置直後の小児の様子や家族の反応はどうだったかを観察し，小児に対して処置前に行った情報提供は処置中の小児の対処力を引き出すためにどのように影響したのかを評価する。このことは，次の医療処置の援助に対する有用な情報となる。

　小児の情緒発達への悪影響を最小限にすることを考慮すれば，検査や処置における目の前の小児の反応だけでなく，入院生活全般や退院後の外来受診時の小児と家族に関する継続的な情報収集とアセスメントが重要である。小児の発達や生活，医療行動にどのような影響を与えたか，短期的な影響よりも長期的な影響を把握する視点をもって実施することがプレパレーション本来の目的を達成することになる。

8）プレパレーションの実践を振り返る

　プレパレーションを実践した後に，前述のヴァーノンら[4]が提示した3要素や，アセントの4つの要素，小児看護領域で特に留意すべき子どもの権利と必要な看護行為として示された9項目などに照らし合わせてプレパレーションの実践を振り返り，小児の最善の利益となる実践となっているかを評価する（表3-1〜3-3参照）。

　時には，知る権利を尊重する倫理的な意義と，真実を知ることによる不安や恐怖感という心理的な影響とで価値が対立し，ジレンマが生じる場面もある。小児が泣いたり暴れたりしたことを単に失敗ととらえるのではなく，その言動の要因や改善点は何かを多面的に考えることが倫理的な実践として求められる姿勢である。

たとえば，手作りしたパンフレットを小児に見せて説明した直後の効果だけでなく，全体の流れのなかで小児や家族の様子にも目を向けて，小児の反応に影響した説明以外の要素を見落としていないかを考えてみる。小児に説明した効果を性急に求めすぎるあまり，小児が泣いたことによって医療者の失敗感だけが残り，感情の表出ができたととらえることや長期的な評価の視点をもつまでに思いが至らないことがある。また，処置の際の抑制について，「事前または事後に」小児と親に説明することができたか振り返り，次に生かすことが必要である。親が「処置のことを子どもに言わないでほしい」ということに対して小児の自尊心を守り，大人との信頼関係を保つために真実を伝えることが重要だということを親に伝えることや，今後どう対応したらよいかなどについて多職種，施設間で考えることが望まれる。目新しい道具や方法を取り入れる前に，治療や処置の過程で小児が医療に参加できる努力をしているか，何が足りないのかについて今の実践を振り返ることが重要である。

情報提供や説明が形だけのものでなく，発達や個別性を考慮した支持的なケアを伴った実践となっているか，実践前から実践後のプロセスをとおしたかかわりを振り返り議論することが看護の質を維持あるいは高めることになる。

9）年齢別の発達の特徴とプレパレーションの実際

（1）0～2歳

対象を感覚と運動を通じて認知し，次第に行為の及ぼす働きに気がつき意図的な働きかけができるようになる[22]。

1歳では，「バイバイ」「おいで」「ねんね」など，身振りを交えた一語文で意図を理解することができる。医療処置については親への説明が中心となるが，小児には理解度に応じて恐怖心を軽減するような物や感覚に訴える音の鳴る物，光沢や色彩のカラフルな玩具，お気に入りのぬいぐるみなどを使う。

1～2歳では，ごっこ遊び，絵本，キャラクターが描かれたポスターなどを用いてこれから起こる事象のイメージを伝えて心理的準備を行う（図3-5）。

図3-5 感覚遊びの玩具，お気に入りの人形，布絵本

(2) 2～7歳

何かを別の物に見立てて表現する象徴作用，空想や魔術的思考が現れる．思考は自分中心で他人の立場や見方を理解することは難しいが，3歳では，長短，高低，大小がわかり，3～4歳で3～5までの数や左右がわかる．5～6歳では，なぞなぞ，絵本の意味を理解して読むことや，今日の曜日がわかるようになる[23]．折り紙，キャラクターグッズなどを使って小児の目線で自己紹介し，親近感をもってもらうことが導入として効果的である．親からの情報や遊びのなかで小児にどれくらいの情報が必要か把握し，イメージが伝えられるような簡単でわかりやすい物（医療模型や玩具）を使用して一緒に遊ぶとよい．双六などのゲーム，紙芝居，絵本，パンフレット，医療模型，癒しグッズやお守り，動画やDVDなどの映像，ご褒美シール，がんばり表などを用いる．

(3) 7～12歳

自分中心の思考から脱し，論理的推論や同じ大きさのものは形を変えても元に戻せば同じであるという可逆的操作が可能になる．7歳で日付や時計の針の位置を正しく理解し，漫画を自分で理解して読むことができる[23]．

絵本，パンフレット，人体模型，人形，動画や写真，電子メディアなどの映像などを用いて小児に対して具体的な処置場面や状況を視覚的に示すことや，時計を示して処置の時刻を伝える．医療者のユニフォームを着用したり医療機器の玩具を使ったりして医療者役を演じてみるなど，役割の転換による緊張感の緩和を試みることも効果的である．状況をコントロールできたという効力感を獲得できるように，できることはやってもらうよう働きかけ，できたことを見つけて褒めることが自信につながる．

(4) 12～14歳

「もし～ならば，～であるだろう」といった仮説や演繹的思考，物事を何かにたとえる形式的・抽象的な思考が可能になる．仲間集団やリーダーシップのあるモデルから影響を受ける．自分が何者なのかを模索し，将来の目標や自己実現のための指針を見つけることができるようになる[22]．

本人の理解度や希望に応じて動画やスライド，電子メディアなどの映像，パンフレット，本などを用いて詳細に説明する．親の同席を嫌がる場合や痛みへの恐怖心を表情や言動で訴えない場合もあるため，痛みや恐怖心が表出できる場や方法の提供（描画法，交換日記など）の工夫が必要となる．

小児の性格や状況によっては，医療場面において泣いたり怖がったりという実際の年齢よりも稚拙な感情表現をする場合があるが，固定観念でとらえるのではなく，思いを受け止めながら感情表出を促す支持的なかかわりをベースにした心理的準備が重要である．

文献

1) Forsyth D：Psychological effects of bodily illness in children, *Lancet*, 224：15-18, 1934.
2) O'Conner-Von S：Preparing children for surgery—an integrative research review, *Association of periOperative Registered Nurses (AORN) Journal*, 71 (2)：334-343, 2000.
3) Beverly BI：The effect of illness upon emotional development, *Journal of Pediatrics*, 8 (5)：533-543, 1936.
4) Vernon DTA, Foley JM, Sipowicz RR, et al：The psychological responses of children to hospitalization and illness：A review of the literature, Charles C Thomas, 1965.

5) Thompson RH, Stanford G著, 小林登監, 野村みどり監訳：病院におけるチャイルドライフ-小児の心を支える"遊び"プログラム, 中央法規出版, 2000.
6) Visintainer MA, Wolfer JA：Psychological preparation for surgery pediatric patients：the effects on children's and parents' stress responses and adjustment, *Pediatrics*, 56 (2)：187-202, 1975.
7) Informed consent, parental permission, and assent in pediatric practice. Committee on Bioethics, American Academy of Pediatrics, *Pediatrics*, 95 (2)：314-317, 1995.
8) 片田範子：インフォームド・アセントとは-小児医療現場における「説明と同意」の現状と課題, 保険診療, 59 (1)：81-84, 2004.
9) Unguru YT：Informed consent and assent in pediatrics, Diekema DS, Leuthner SR, Vizcarrondo FF, eds, Academy of Pediatrics Bioethics Resident Curriculum：Case-based teaching guides, The American Academy of Pediatrics Committee on Bioethics and Section on Bioethics, 2017, p.17-31.
10) 後藤弘子：医療における子どもの権利-「児童の権利に関する条約」の意味するもの, 日本小児看護研究学会誌, 4 (2)：7-12, 1995.
11) 木内妙子・大西文子：スウェーデンにおけるプレイセラピーの実際, 小児看護, 21 (3)：382-387, 1998.
12) 日本看護協会編：日本看護協会看護業務基準集2005年, 日本看護協会出版会, 2005, p.30-40.
13) 高橋ゆかり編著, 益子直紀著：出題傾向がみえる小児看護学-2013年看護師国家試験対策, ピラールプレス, 2012.
14) 日本小児看護学会倫理委員会：小児看護の日常的な臨床場面での倫理的課題に関する指針, 日本小児看護学会, 2010, p.2-3.
15) 日本小児看護学会倫理委員会：改訂版 小児看護の日常的な臨床場面での倫理的課題に関する指針, 日本小児看護学会, 2022, p.2-3.
16) 大坊郁夫：対人的コミュニケーション, 末永俊郎・安藤清志編, 現代社会心理学, 東京大学出版会, 1998, p.75-88.
17) 齊藤勇：非言語的・言語的コミュニケーション, イラストレート 人間関係の心理学, 誠信書房, 2000, p.37-52.
18) Garvey C著, 柏木恵子・日笠摩子共訳：子どもの会話-おしゃべりにみるこころの世界, サイエンス社, 1987, p.62-72.
19) Koller D, Goldman RD：Distraction techniques for children undergoing procedures：a critical review of pediatric research, *Journal of Pediatric Nursing*, 27 (6)：652-681, 2012.
20) 早川文雄：軽度発達障害児の対応-脳からみたこころ, 日本小児科医会会報, 43：179-182, 2012.
21) 山本千紗子：乳幼児に話しかけること・褒めることの大切さ-子育て支援のためのエビデンスを求めて, 上武大学看護学部紀要, 5 (1)：19-25, 2009.
22) 山内光哉：発達心理学 上 周産・新生児・乳児・幼児・児童期, 第2版, ナカニシヤ出版, 1998, p.4-23.
23) 津守真・磯部景子：乳幼児精神発達診断法-3才～7才まで, 大日本図書, 1988, p.121-141.

4 医療安全・事故防止

学習目標
- 医療安全の概要を理解する。
- 看護における安全を守る意義を理解する。
- ヒューマンエラーのメカニズムを理解する。
- 医療事故の要因を理解する。
- 小児の有害事象の予防とその対策を考えることができる。

1 医療安全

1）医療事故と医療安全

　医療事故とは，「医療に関わる場所で医療の全過程において発生する人身事故一切を包含し，医療従事者が被害者である場合や廊下で転倒した場合なども含む」[1]と定義されている。この定義では医療行為の有無にかかわらず，身体的・精神的苦痛も含み，患者のみならず医療者自身の針刺し事故なども含んでいる。このような医療事故を可能な限り防止し，安全で質の高い医療を提供するための取り組みが医療安全である。

　日本における医療安全対策への取り組みは，良質かつ適切な医療を効率的に提供する体制の確保や国民の健康の保持に寄与することを目的として1948年に医療法が制定された。医療法第6条の12には，病院等の管理者は，厚生労働省令で定めるところにより，医療の安全を確保するための指針の策定，従業者に対する研修の実施，その他の当該病院などにおける医療の安全を確保するための措置を講じなければならないとされている。

　近年の医療安全対策として，2002年の医療法第6条の12の医療法施行規則第1条の11（一部，略）において，病院および患者を入院されるための施設を有する診療所（有床診療所）への医療安全管理体制の整備を行うことの法的な義務づけがなされた。

　医療安全管理体制整備の具体的な内容は，①医療機関における安全対策，②医療品・医療用具などにかかわる安全性の向上，③医療安全に関する教育研修，④医療安全を推進するための環境整備である。

　2006年の第5次医療法改正では，新たな院内感染対策，医療品・医療機器についての安全管理責任者の配置など，きめ細かな対策が盛り込まれた。さらに2014年の第6次医療法改正では，医療事故調査制度が法制化された。この制度は，医療事故の原因究明・分析に基づく再発防止のために，すべての医療機関において事故調査の実施を義務づけるとともに，事故の発生時には遅滞なく医療事故調査・支援センターに報告することを求めている。

　医療機関が医療安全対策への積極的な取り組みを行い，安全を確保する体制が目に見え

る形で評価されることで，わが国の医療安全の体制整備がさらに進んできている。

2）看護師の責務

看護職は専門職としての教育を修了し，国家資格を取得する。そして，法的な権限を付与され，医療機関内および地域医療において中心的な役割を果たし，日々，人々の健康の保持・増進，疾病の予防，早期回復に努めている。看護職による安全な看護の提供については，「看護職の倫理綱領」（日本看護協会，2021）[2]において下記のように記述されている。

「看護職は，免許によって看護を実践する権限を与えられた者であり，その社会的責務を果たすため，看護の実践にあたっては，人々の生きる権利，尊厳を保つ権利，敬意のこもった看護を受ける権利，平等な看護を受ける権利などの人権を尊重することが求められる」

看護職の倫理綱領の条文6では，「看護職は，対象となる人々に不利益や危害が生じているときは，人々を保護し安全を確保する」と示されている。看護職は診療の補助行為として医師から指示された内容であっても，実施する看護師が知識と技術に基づいた適切な判断を行い医師に指摘することにより，事故を未然に防止することができる。また，条文7では，「看護職は，自己の責任と能力を的確に把握し，実施した看護について個人としての責任をもつ」と示されている。看護職は関連する法令を遵守し，自己の責任と能力の範囲内で看護を実践する。また，自己の能力を超えた看護が求められる場合には，支援や指導を自ら得たり，業務の変更を求めたりして，安全で質の高い看護を提供するよう努める。

法的な責任として，注意業務違反や過失の程度により①民法上の責任，②刑事上の責任，③行政処分にて責任を問われることがある。また所属組織の規定に沿って懲戒処分を受けることがある。

看護職となる学生は，医療職の一員として基本的な倫理観はもとより，医療安全に関する知識や技術を積極的に修得することが大切である。そして，看護職は組織の一員として医療安全に積極的に取り組み，看護の対象となる子どもが安全に過ごせるように努力することが責務である。

医療職が，事故の当事者となる重大な医療事故の多くは，薬剤や治療・処置などの間違いで起きている[3]。人は，日常生活でもしばしば間違いをおかすが，小児医療の現場ではわずかな間違いでも，子どもの障害につながりかねない。まず，人はなぜ間違いをおかすのかを理解したうえで，医療安全に関する知識や技術を学び，主体的に安全を守る術(すべ)を修得していく必要がある。

ヒューマンエラーの発生状況と種類

1）ヒューマンエラー

人間がおかす間違いを，学問的にはヒューマンエラー（human error）という。ヒューマンエラーの定義は様々である[4][5]が，医療現場にあてはめると，看護業務上要求されている行為から逸脱した行為，つまり，間違いや不適切な行為をし，するべき行為を忘れるなどを意味する。ヒューマンエラーは，脳の情報処理過程のどこかでミスが発生し，逸脱し

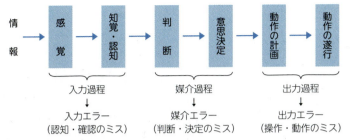

図4-1 人間の情報処理過程とエラー分類
芳賀 繁：失敗のメカニズム―忘れ物から巨大事故まで，角川ソフィア文庫，2003, p.49. より転載

た行為となったものである。エラーは脳の情報処理過程におけるミスで発生する。そのプロセスを図4-1[6]に示す。人間は，目や耳などの感覚器から入ってきた情報のうち，必要な情報を選択して「それが○○である」と知覚・認知し，蓄えられた知識や経験の記憶をもとにその状況や意味を判断し，何をどのようにするべきかを意思決定し，四肢に命じて（計画）動作を遂行させる。エラーとは，この情報処理のどこかでミスが発生し，逸脱した行為となったものである。

2）ミスの種類

　情報を感覚・認知する過程でのミスとしては見間違い，聞き間違いが代表的である。次に情報からその状況で何が要求されているかを正しく判断するためには知識や経験を必要とするが，知識や経験が不足していれば判断・決定のミスが起きる。特に新人看護職は，この過程のミスによるヒューマンエラーが多い。また，経験豊富であっても，一度に多くの情報を処理しなければならない状況では，人間の処理能力の限界から認知・判断のミスが起きやすい。その他，チームメンバー間で必要な情報が的確に伝達・共有されていなかったことが，認知・判断ミスにつながることもある。的確な判断・決定に基づいて，運動中枢から四肢に動作を命じたにもかかわらず，動作の途中で行動のミスが起きることもある[7]。

3）実施者の意識状態に影響を受ける医療事故

　脳での情報処理は，そのときの意識状態によって影響を受ける。たとえば，十分な睡眠をとり元気な状態と，疲労や睡眠不足の状態のときでは，勉強をする際の集中力が違うことは誰でも経験する。なぜ，このような差が生じるのか。
　橋本[8]は，脳波などの大脳生理学の研究をもとに，人間の意識状態を0～Ⅳの5つの「フェーズ」に分類し，それぞれの注意の作用と生理的状態，および人間の信頼性を明らかにしている（図4-2）。最も明断な意識状態はフェーズⅢで，このときの人間の信頼性は0.999999であり，すべての業務をする際，フェーズⅢであればほとんど問題は起こらない。しかし，このフェーズⅢの意識状態を維持するには，脳は多大なエネルギーを必要とする。そのため，通常わずか数十分しか持続できず，すぐにその下のフェーズⅡの意識に移行していく。フェーズⅡはリラックスした正常な状態であり，注意の作用は受動的であり，馴れ

フェーズ	意識のモード	注意の作用	生理的状況	信頼性
0	無意識，失神	ゼロ	睡眠，脳発作	ゼロ
I	低下，意識ボケ	注意ははたらかず	疲労，単調，居眠り，酒に酔う	0.9以下
II	正常－リラックス	受動的，心の内方に向かう	安静起居・休息時，定例作業時	0.99～0.99999
III	正常－明晰	能動的，前向き注意野も広い	積極活動時	0.999999
IV	緊張－興奮	一点に固着，判断停止	緊張防衛反応，慌て→パニック	0.9以下

図4-2 意識フェーズと人間の信頼性

橋本邦衛：安全人間工学，中央労働災害防止協会，1988，p.93-94. より転載（一部改変）

ている日常業務はほとんどこの意識状態である。

　日常の業務は，フェーズⅡとⅢの意識状態で行き来し，もし子どもの急変などで過度の緊張にさらされるとフェーズⅣに移行することもある。こうした意識状態の変動は避けられないことから，人間は注意力を常に最良の状態に保ち続けることはできない。

　しかし，業務のどこに子どもの傷害につながる危険があるかを認識できれば，危険を認識した時点で意識状態をフェーズⅡからフェーズⅢへ移行することは容易である。

　医療・看護技術，使用する薬剤や機器，子どもの背景にも間違いや不適切な行為によって事故に発展しうる様々な危険がある。看護の医療安全の学習の第1歩は，ヒューマンエラー，ミスの種類，実施者の意識状態に影響を受ける医療事故などの医療現場の様々な危険を，自分の行動と関連づけて認識することである。さらに，医療事故が子どもにどれほど重大な結果をもたらすかについて理解することである。

4）小児医療の場で起こる医療事故の特徴

　日本医療機能評価機構が行う医療事故情報収集等事業の2022年の年報[9]によると，640の医療機関から25,699件の報告があった。その事故の概要は，多い順に「薬剤」「療養上の世話」「ドレーン・チューブ」「その他」「検査」である。医療事故の当事者の職種は，看護師の22,951件と最も多く，次いで医師が1,702件となっている。

　医療事故報告の診療科別の小児科領域での医療事故発生頻度は，小児科は37診療科全体の9番目であり，小児科領域での医療事故発生頻度は高いといえる。小児科領域で医療事故が多い理由として，子どもを対象とした医療の特殊性と子どもの発達上の特性が影響していることが考えられる（表4-1）。小児病棟では，持続点滴患者が多く，薬剤量も微量であることから，輸液ポンプ・シリンジポンプの使用頻度が高く，小児の病状や治療に応じた細かな輸液内容，輸液速度の変更指示が多い。このため小児病棟での「注射・内服」に関する医療事故として，輸液速度の変更に伴う輸液速度の設定誤りが多い。他には，薬剤量の誤りや，mg，mL，バイアルなど単位の誤り，輸液ルートの接続部が緩むまたは，はずれる，

表4-1　小児医療の場で起こる医療事故の例

輸液速度の設定誤り	医師から輸液ポンプの速度変更の指示があったが，ダブルチェックせずに行い輸液速度を間違えて設定した
内服薬投与の失念	赤ちゃんの沐浴後に内服させる予定であったが，時間がずれ込み内服薬の投与の失念をした
輸液ライン指示外抜去	看護師がベッドサイドで輸液ラインが抜けていることに気づいた。患児自身で引きちぎったと思われる固定用テープとシーネが近くに落ちていた
気管カニューレの抜去	ベッド上で心肺停止の状態で発見された。気管カニューレの固定紐がゆるんでおり，カニューレが抜去された状態であった
誤飲による窒息	ベッド上で遊んでいた2歳児が意識を失い，倒れてしまった。原因は看護師がベッド上に落とした三方活栓を誤飲し，気道閉塞となった
ベッドからの転落	ベッド柵を下したまま，床頭台の洋服を取ろうとして離れた瞬間，患児がベッドから転落した
病室内を走り転倒	入院初日，クロックスを履いて病室内を走り回り，つまずいた瞬間転倒してしまった
（家族との面会中の事故）絶飲食中の水分摂取	術後30分で患児が目を覚まし，患児から「水分がほしい」と言われた親は2時間水分を与えてはいけないことはわかっていたが，かわいそうで，水分を与えた。水分摂取直後嘔吐し，ナースコールで判明した

　輸液ルートの自己抜去などがあげられる。内服薬では，「子どもに内服を任せたが確実に内服できていなかった」「沐浴や授乳の時間がずれ込み，投与の失念」「配薬した際に親と子どもがともに寝ていて声がかけられなかった」「シロップ剤をジュースと思って大量に飲んでしまった」「坐薬を食べてしまった」「大人に比べ種類が多く，指示を見落とし配薬し忘れた」ことなどがある。また，子どもは自己管理能力が発達途上のため，家族が内服薬を投与することもあり，面会交替時の伝達不足や理解不足などによる「無投与」事例も少なからず存在する。

　注射・内服の医療事故は，注射・内服の使用目的の理解不足，適切な使用量の把握不足，病室への訪問不足，複雑な投与量の計算や薬剤の準備（希釈など），子どもに飲みやすくするために粉砕や水溶きなどの投与方法の変更，家族との連携不足などによるものと考えられる。

　また，患者・家族の特性として，小児は好奇心が強く，判断力や物事の認知が発達途上である。乳幼児や学童は，自分の身体状況や治療上の制約・活動範囲を理解して安全を確保することは難しい。たとえば，輸液ラインの自己抜去，NGチューブや気管カニューレの抜去など医療デバイスの自己抜去，ベッドや処置台からの転倒・転落，術後の麻酔覚醒時やベッド上安静が続くとふらつきによる転倒・転落などの危険性がある。その他，小さなおもちゃや処置後などベッド上に忘れやすい医療器具（三方活栓のふた，アルコール綿花，注射針，注射器，テープ，絆創膏，点滴キャップなど）などを口に入れて誤飲・窒息事故が起こる場合もある。

　家族との面会中に，ベッド柵の上げ忘れや一瞬目を離した際の事故発生，手術・検査処置前後の絶飲食の間違えなど，医療者が十分注意し，家族に入院中の注意点を入院時，入院中に適宜伝えるなど連携していく必要がある。こうした患児の要因が存在することを常に念頭に置き，患児・家族の状態を把握し事故の危険性を予測することが事故の発生を予

防することになる。

　また，術後，点滴チューブ類挿入中の安全を確保するため，状況に応じて安全帯を使用することもある。行動抑制・安全帯の使用は，運動障害や良肢位が保てないことの原因ともなり発達を阻害することもある。子どもの行動制限をどこまでするのか，安全を確保しつつ，遊びを取り入れるにはどうしたらよいか，適切に判断していく必要がある。

　その他，小児医療の場で起こる医療事故の特徴として，施設の物理的環境や療養環境の整備の問題といった環境要因がある。施設の物理的環境に関しては建物の構造上の問題であり，個人での改善は望めないと思われがちである。しかし，大人には何の問題も生じない設備・環境であっても，小児には危険が多く存在することを知っておく必要がある。たとえば，階段の柵の幅や広くは開かない設計の窓など，大人にとって安全と思われる隙間であっても，小児が頭や首を挟んでしまう事故は，医療施設のみならず様々な施設で報告されている。小児にとって危険な物理的環境が周辺に存在しないか確認し，事故の予防策を講じることは，安全な入院生活を提供する第一歩である。さらに，日々の療養環境の整備においても，転落や転倒を引き起こすような要因は数多くある。一般にベッドのサイドテーブルやキャスター，ギャッチアップハンドルが病室を歩行する子どもの障害になることや，ぬれた床面などが子どもの転倒を引き起こすことは知られている。小児の認知力や活動性を踏まえた環境整備が事故の予防には重要である。

　小児病棟の安全対策は，個々の患者の成長・発達段階や個別性を把握すること，治療過程を理解し医師と共にチーム医療を実践していくことが必要であり，確かな知識や判断能力，看護技術が求められている。

3　事故防止対策：ヒューマンエラーへの対策

　ヒューマンエラーは，人間を取り巻くいくつかの要素の影響を受け，それらに上手に対応できないときに発生するといわれている。ヒューマンエラーへの対策を示し，小児の医療安全対策での活用を事故予防，インシデント報告・分析，教育に分けて検討する。

1）事故予防
（1）環境面の改善
　ベッドを使用する際の留意点[10]（表4-2）といった対策は，傷害予防対策としてある程度有効ではあるが完全ではない。医療従事者の注意力や努力は，そのときの体調やこなさなければならない業務の量や時間といった物事のなかで変化するものであり，事故予防対策として常に同じ質を期待できない。医療従事者の注意力や労力にかかわらず，最も効果が高く確実であるのは，環境の構造そのものを変えることである。たとえば，トイレや病棟・病室内に死角になる場所がないか，病棟の出入りやトイレのドアは指をはさまない構造となっているか，設置されているテーブルやカウンターの下面に鋭利な角がないか，面会者用の椅子や折りたたみ式バギーは指をはさまない構造であるか，電動ベッドのリモコンや患児の手の届く範囲にある医療機器にキーロックシステムが採用されているかなどを確認し，病院の備品であれば計画的に入れ替えていくことを検討する。さらに，患児が療養環

表4-2 ベッドを使用する際の留意点（環境整備）

方法	留意点と根拠
1 **5S** ①整理：ベッド上，床頭台など不要なものは片づけ，点滴などある場合は適切な長さや絡みなどがないか確認する  ②整頓：使っていないおもちゃやDVDは床頭台に入れる，使用していない医療機材は片づける，医療器材などは子どもに見えないよう工夫する  ③清掃：ベッド上・ベッド周囲を清掃して，ごみ・汚れのない状態にする ④清潔：整理，整頓，清掃ができているかチェックし，清潔な状態を維持する（できたねシールなどの活用）  ⑤しつけ：病院でのルールを守ってもらうよう伝える（ベッド上での過ごし方，就寝時間，食事時間と方法など）	●ベッド上におもちゃや着替え，タオルなどが散乱していると，踏み台にして転倒・転落の危険となる。さらに小さいおもちゃなど誤飲の危険につながる ●子どもが周囲の医療器材に興味を示して触ったり，引っ張ったりすると，設定や点滴のルートにテンションがかかり事故抜去のリスクとなる ●床がぬれていると，滑りやすく転倒の危険となる。清潔ケアなど水を使った後は，特に注意する ●ベッド周囲やおもちゃは常に清潔を保ち，床に落とした場合は洗う，消毒するなどして感染症に留意する ●子どもの発達段階に合わせて，本人ができることは自分で行えるように配慮し，できたねシールなどを活用し自立が支援できるように工夫する ●入院生活は活動や生活範囲が制限されるが，最大限子どもの発達段階や入院前の生活状況に合わせて，遊びや学習をベッド上で継続できるよう支援する
2 **ベッドストッパーが固定されているか確認する**  ベッド静止時は，ストッパーをロック	●ベッド静止時は，ストッパーをロックする。➡子どもが動いた際など転倒・転落や頭部打撲など危険がある

Ⅱ-4 医療安全・事故防止

方　法	留意点と根拠
3　ベッド柵を下げる 	●ベッド柵を上げ下げする際は，目と手を離さない。➡目を離した瞬間に子どもが転倒・転落する可能性が高い ●ロックを解除し，レバーを引いたまま，ベッド柵をベッドの最上段のツメよりも上に持ち上げ，ベッド柵を静かに下げる。➡ベッド柵には固定用のツメがあるため，レバーを引かないと下まで下げられない ●大人がそばにおらず，子どもがベッド内で1人でいるときは，必ずベッド柵を1番上まで上げてレバーをロックしておく
4　ベッド柵を上げる 	●子どもの手や足がベッド周囲に挟まっていないことを確認し，最上段まで静かに上げる ●レバーを戻し，ロックする。➡固定が不十分だとベッド柵がはずれ，子どもの転倒・転落につながるので注意する

境下で使用する玩具や衣類，ベッド，電気製品が，安全に配慮して設計・製造されたものであるのか，また安全基準を満たしているか定期的に確認し，5S*を徹底する。

＊5Sとは，職場環境の改善だけでなく，業務効率や安全性の向上につながる目的がある。5つのSは①整理，②整頓，③清掃，④清潔，⑤しつけの頭文字のSである。医療事故の一部は，環境が整備されていないために発生している。間違った薬を取り出してしまう，定位置がきちんと決められていない，ラベルが見づらいのも5Sがなされていない。5Sはすぐ身につくものではない。学生のうちから5Sを身につけ取り組むことで環境面から医療事故を予防し，子どもの安全を守っていくことが重要である。

（2）チェックシートの活用による有害事象対策と家族参画（ICT活用）

小児の成長・発達や身体機能などを考慮して作成した転倒・転落アセスメントシート（表4-3）[11]や，入院時の感染症チェックシートなどは，どの子どもにも共通して使用でき，確認漏れがなくなるので積極的に活用する。また，患者誤認を防ぐため，バーコードなどのITを用いた自動認識機器（図4-3）による患者認証を導入する病院も増えている。入院時には，家族から普段の小児の行動や性格について話を聞きながら一緒にチェックシートを使用し，ベッド柵の操作や患者認証のルールについても患児と家族に情報を提供し，医療安全に対する理解と協力が得られるように働きかける[12]。

表4-3 転倒・転落アセスメントシート（例）

	アセスメント項目		入院時 月　日	月　日	月　日
患児の特徴	年　齢	①未就学児			
	既往歴	②過去，入院中に転倒・転落したことがある			
		③視力障害，聴力障害，四肢麻痺がある			
	環境などの変化	④病状やADLが急速に回復，または悪化している時期である			
		⑤リハビリテーション訓練中である			
	行　動	⑥必要時にナースコールを押さないで行動しがちである			
患児の状態	身体機能	⑦足腰や筋力が弱くなっている			
		⑧自立歩行できるがふらつきがある			
		⑨支えがなければ立位が不安定である			
		⑩寝たきりの状態だが，ベッド上で体動ができる			
	認知機能	⑪理解力，判断力が低い			
	活動状況	⑫点滴をしている			
		⑬車椅子，杖，歩行器，手すりを使用している			
		⑭移動，排泄に介助が必要である			
	薬剤の使用	⑮睡眠薬，鎮静薬を使用している			
		⑯麻薬を使用中である			
		⑰向精神薬，抗不安薬を使用中である			
		⑱筋弛緩薬を使用中である			

入院時に初回の評価を行い，入院中の行動を観察しながら数日内に再評価を行う。転倒・転落時や状態変化時には再評価を行う。患児の特徴については，家族から情報収集を行いながら一緒にチェックするとよい。

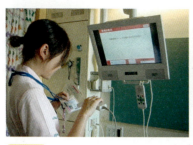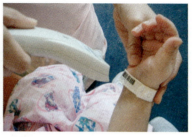

図4-3　ITを使用したリストバンドによる患者認証

2）インシデント報告・分析

　勤務中，実習中に事故を起こした，あるいは重大事故だけでなく，軽微な事故あるいはヒヤリ・ハット（患者に被害を及ぼすことはなかったが，日常の現場で，「ヒヤリ」としたり，「ハッ」とした経験を有する事例）したときには，速やかにチームメンバー，指導者，教員に報告する。速やかな報告は患者への被害を最小限にするだけでなく，事故報告は医療者の責務である。口頭での一報の後，書式を用いて事故報告書を作成する。事故報告は，事故を振り返り再発防止に役立てることや看護を学ぶ後輩たちが安全に実習を行うために役立つ重要な資料であり，その報告書をインシデントレポートという。インシデントレポートには，報告年月日，発生年月日，患者氏名，関与者・報告者，職種・経験年数（学年），傷害レベル，事象内容，処置・対応，事故が起きた原因，再発防止のためにどうしたらよいかの対策などを作成する[13]。インシデントレポートは当事者だけでなく発見者も提出することが可能であり，提出先は医療安全管理部門や委員会，教員などで，個別の事故を分析し，集計することで事故防止に役立っている。

　「インシデントはなぜ起きたか」あるいは「何が問題だったか」を検討すると，いくつかの原因や問題点があがる。そして，それらの原因や問題点自体に対して「なぜそうなったか」を考えるとさらに背後要因がいくつか見つかることがある。このなぜを分析し続けることで根本的な原因にたどり着き，確実な事故防止対策がとれる考え方がRCA（root cause analysis：根本原因分析）[14]である。現在広く使われているRCAの代表的なものに米国退役軍人病院で使用されているVA（veterans affairs）-RCAやMedical-SAFER（Systematic Approach For Error Reduction）などがある。

3）教　　育
（1）チーム医療と医療安全

　近年の医学・医療技術は急速に高度化し，専門分化が進んでいる。また，日本の人口構造や疾病構造も急速に変化しており，社会の医療に対するニーズが複雑・多様化している。これらの変化に対応するためには，多職種の医療専門職がチームを組んで協働するチーム医療の推進が欠かせない。

　チームで作業することで生じる事故の要因としては，役割分担の不明確さ，責任の所在の曖昧さ，方針の不統一，思い違いや伝達の誤り，事故検出機能の低下などがある。これらの要因への対応は，各専門職がその職務を遂行するうえで必要となる専門的な知識や技

術を習得するだけでは難しく，teamSTEPPS™（Team Strategies and Tools to Enhance Performance and Patient Safety）[15]が，チームパフォーマンスを高めて医療の質や安全性を向上させることを目的として，米国国防総省と医療品質研究調査機構（Agency for Healthcare Research And Quality：AHRQ）が共同で開発し提案された。良好なチームワークを形成して医療事故を減少させる行動ツールである。teamSTEPPS™は，①チーム体制を整える，②リーダーシップを発揮する，③コミュニケーションを推進する，④状況をモニターする，⑤相互に支援する，5つの活用方法を説明している。

teamSTEPPS™は新しい取り組みだが，医療現場で急速に普及している。このように新しい医療安全対策の動きを積極的に取り入れ，医療安全の向上が求められている。

文 献

1) 厚生労働省：医療安全推進総合対策－医療事故を未然に防止するために，医療安全対策検討会議報告書，2002. 〈https://www.mhlw.go.jp/content/10800000/000907975.pdf〉（アクセス日：2022/7/10）
2) 日本看護協会：看護職の倫理綱領. 〈https://www.nurse.or.jp/home/publication/pdf/rinri/code_of_ethics.pdf〉（アクセス日：2022/6/1）
3) 日本医療機能評価機構：医療事故情報収集等事業，2020年年報，2020，p.29. 〈https://www.med-safe.jp/pdf/year_report_2020.pdf〉（アクセス日：2022/6/20）
4) ジェームズ・リーズン著，高野研一・佐相邦英訳：組織事故―起こるべくして起こる事故からの脱出，日科技連出版社，1999.
5) コーン LT・他編，米国医療の質委員会/医学研究所著，医学ジャーナリスト協会訳：人は誰でも間違える―より安全な医療システムを目指して，日本評論社，2000.
6) 芳賀繁：失敗のメカニズム―忘れ物から巨大事故まで，角川ソフィア文庫，2003，p.49.
7) 川村治子：看護の統合と実践[2]医療安全（系統看護学講座 統合分野），第4版，医学書院，2018，p.2.
8) 橋本邦衛：安全人間工学，中央労働災害防止協会，p.93-94，1988.
9) 日本医療機能評価機構：医療事故情報収集等事業，2020年年報，2020. 〈https://www.med-safe.jp/pdf/year_report_2020.pdf〉（アクセス日：2022/6/20）
10) 浅野みどり：根拠と事故防止からみた 小児看護技術，第3版，医学書院，2020，p.46-47.
11) 西海真理：医療安全対策，添田啓子・他編著，看護実践のための根拠がわかる 小児看護技術，第2版，メヂカルフレンド社，2017，p.44.
12) 前掲書11），p.43.
13) 小林美亜：医療安全（Basic & Practice看護学テキスト統合と実践），改訂第2版，学研メディカル秀潤社，2018，p.47.
14) 松下由美子・他編：医療安全（ナーシング・グラフィカ―看護の統合と実践(2)），第4版，メディカ出版，2021，p.95-96.
15) 前掲書14），p.117-123.

5 病児を抱える家族に対する援助

学習目標
- 看護の立場から家族をとらえ，援助の意義を理解する。
- 養育期にある家族の特徴と課題を理解する。
- 病児を抱える家族の特徴と課題を理解する。
- 病児を抱える家族がより健康的な生活ができるよう援助の方向性を考えることができる。

　人間は家族のなかに生まれ，家族を基盤として社会に通用する生活習慣を身につける。人の健康状態は，家族の健康状態や暮らしぶり，居住する地域の健康に関する社会システムの影響を受けながら，24時間の生活の繰り返しによって定まっていく[1]。小児は成長と発達の途上にあり，家族から受ける影響も大きい。また，家族は，小児の健康課題の予防・回復，健康保持・増進に重要な役割を果たしている存在でもある。家族を小児の背景としてとらえるのではなく，家族全体の健康を整え，家族自身がもてる力を発揮できるよう支援することが，小児が生涯を通じて，より健康に生活することにつながる。

1 養育期にある家族の特徴と課題

　表5-1[2]にあるように，家族には，ライフサイクルをとおして，各期の発達段階と発達課題がある。養育期にある家族は，小児の発達段階に応じて異なる発達課題をもっている。家族の発達段階をとらえることで，家族に起こりうる問題を予測し対応を考えることができる。

　両親はそれぞれに親役割，夫婦役割，親子関係の調整を担うことになる。子どもは家族によって育まれる存在であると同時に，家族，親を育む存在でもある。家族は自分の発達課題に加え，子どもの社会化に対する役割を担いながら，子どもの自立に向けた支援を行い，一般的には子どもが巣立つという過程をたどる。

　子どもをもつ家族の発達段階と発達課題をとらえ，家族が発達課題を達成することが家族への援助の目標ともなりうる。

　現在，18歳未満の6人に1人が貧困だといわれている[3]。たとえば，生活保護世帯は一般世帯と比べて，小児虐待のリスクが高く，その予後も悪い。まずは経済的状況を把握し，貧困により小児の心身の健康が損なわれることがないように，社会資源活用などを調整することも大切な看護の役割である。

表5-1 家族の発達段階と発達課題

家族の発達段階	発達課題
1段階：家族の誕生	・お互いに満足できる結婚生活の確立 ・親族ネットワークとの調和 ・家族計画
2段階：出産家族	・個人，夫婦，親としての感情や考えを内包した創造的なコミュニケーションパターンの再確立 ・拡大家族や友人との関係の再調整
3段階：学童前期の子どもをもつ家族	・子どもの社会化 ・親子関係の変化への適応と調整
4段階：学童期の子どもをもつ家族	・子どもが学業に励むようにすること ・円満な夫婦関係を維持すること ・子離れを学ぶこと
5段階：10代の子どもをもつ家族	・自立・責任・制御の変化と子どもの自立への援助 ・老いた親の世話の始まり
6段階：新たな出発の時期にある家族	・子どもとの心理的絆を保ちながら巣立ち後の変化への適応，生活の再構築 ・夫，妻の年老いた病気の両親を援助すること
7段階：中年期の家族	・健康的な環境を整える ・年老いた両親や子どもとの間に満足のいく有意義な関係の維持 ・夫婦関係を強固なものにすること
8段階：退職後の高齢者家族	・満足できる生活状態を維持すること ・減少した収入での生活に適応していくこと ・夫婦関係の維持や配偶者の喪失に適応すること ・家族の絆を統合させたものとして維持 ・加齢化のなかで自分自身の存在の意味を見いだすこと

中野綾美編：ナーシンググラフィカ 小児看護学① 小児の発達と看護，メディカ出版，2019，p.72．を参考に作成

2 病児を抱える家族の特徴

　少子化・核家族化の進行により，約8割の母親は子育てに自信がもてず，なかでも，乳児の母親は子どもの体調不良時に困難を感じていることが報告されている。女性の社会進出，離婚率の増加によるひとり親の増加など，母親への負担は増加する一方である。また，父親がひとり親の場合の負担も大きく，最近，その支援の必要性が取り上げられるようになった。

　さらに入院期間の短縮により，医療的ケアを必要とする状態での退院が増加している。これらから，親のケア能力および小児のセルフケア能力を高めることが必要であり，看護師が親のケア能力獲得を支援することが重要な役割となる。子どもが病気になると，家族は危機的状況に直面する。特に，核家族，ひとり親の場合，病児を抱える家族の負担はさらに大きくなる。一方で，危機的状況により，家族がそれぞれの役割を見直し，きずなを強くする機会となる一面ももっている。両方の視点をもったうえで，かかわっていく必要がある。

1）家族の心配・不安・負担

子どもが病気になると多くの家族が予後や病状を心配したり，子どものつらい様子に心を痛めたり，病気による成長・発達への影響に不安を抱いたりする[4]。子どものそばを離れられずトイレに行くことさえできない，家のことが気になるが数時間の外出ができないなどで，付き添いを苦痛と感じている家族が少なくないなど[5]，付き添いによる負担は大きい。

2）病児を抱える家族の特徴

慢性疾患の病児をもつ母親は家族の健康に関心が高く，子どもの自立を望み，子育てへの関心も高く，熱心に家事・育児に取り組むことが多いといわれている[6]。そのため，母親は自分の生活が犠牲になっていると感じている場合もある。通常，母親は子どもを受け止め，子どもを中心とした態度を示すが，負担が増大すると責任を回避するようになり，病児のパーソナリティに影響を与えることもある[7]。

母親は病気であるわが子を過保護に育ててしまったことを自覚し，子どもの自立を望み，将来を心配しながらも，子どもの反応が心配で病気のことを話せなかったりする[8]。

母親から子ども，つまり「家族によるケア」から「子ども自身のセルフケア」への移行は，思春期の時期であることが多いため困難となることもある。

3）きょうだいへの影響

子どもの発病や入院によって，きょうだいの生活は変化する。祖父母にあずけられる，転居・転校する，母親と過ごす時間が減少するなどである。食事，睡眠，入浴，遊びなどの日常生活も変化し，きょうだいの心身に様々な影響を及ぼす。その影響にはプラスとマイナスのものがある。プラスのものでは，きょうだいに「思いやりができた」「優しくなった」といった変化がある。一方で，母親の意識が病児に集中し，入院の付き添いなどで一緒にいる時間がなくなることが病児のきょうだいの精神的ストレスとなり，情緒不安定，不登校，退行現象などといった問題が起きる危険性を秘めている[9]。

3 家族像の形成と援助の方向性

援助を考えるうえで，病児をもつ家族の特徴および家族の抱えている課題をとらえることが重要である。家族の健康にかかわる事実（身体・精神の状態，社会関係，これまでの生活のあり方）から，家族員個々または家族全体の発達課題（表5-1参照）と対応能力をとらえ，家族の特徴を描き，課題をとらえていく。そこから家族の対応能力が発揮され，よりよい状態に整うことができるよう援助の方向性を描き，そこに向かって具体的な方法を考えて実行していく。

家族の対応能力は，家族構成や職業，健康状態，生活習慣などの構造的側面と，家族の関係性，それぞれの役割，価値観，社会性といった機能的側面からとらえていく。過去，どのように対処してきたのか，現在，どのように対応しようとしているのか，「適応」といえる段階にあるのかなどもみていく（表5-2）[10]。

また，居住する地域の健康に関する社会システムも把握し，活用できるよう援助する。

表5-2 家族像を形成するための情報収集の内容

健康問題の全体像	健康障害の種類（診断名など），現在の患者の日常生活力（生命維持力，ADL，セルフケア能力，社会生活能力），医師の治療方針，予後・将来の予測，家族内の役割を今度も遂行できる可能性，経済的負担
家族の対応能力	A. 構造的側面： 家族構成（家族成員の性，年齢，同居・別居の別，居住地），家族成員の年齢，職業，家族成員の健康状態（体力，治療中の疾患），経済的状態，生活習慣（生活リズム，食生活，余暇や趣味，飲酒，喫煙），ケア技術を習得する力，住宅環境（間取り，広さ，設備），地域環境（交通の便，保健福祉サービスの発達状況，地域の価値観） B. 機能的側面： 家族内の情緒的関係（愛着・反発，関心・無関心），コミュニケーション（会話の量，明瞭性，共感性，スキンシップ，ユーモア），役割構造（役割分担の現状，家族内の協力や柔軟性），意思決定能力とスタイル（家族内のルールの存在・柔軟性，キーパーソン），家族の価値観（生活信条，信仰），社会性（社会的関心度，情報収集能力，外部社会との対話能力）
家族の発達課題（育児，子どもの自立，老後の生活設計など）	
過去の対処経験（育児，家族成員の罹患，介護経験，家族成員の死など）	
家族の対応状況	患者・家族成員のセルフケア状況，健康問題に対する認識，対処意欲，情緒反応（不安，動揺，ストレス反応），認知的努力，意見調整，役割の獲得や役割分担の調整，生活上の調整，情報の収集，社会資源の活用
家族の適応状況	家族成員の心身の健康状態の変化，家族の日常生活上の変化，家族内の関係性の変化

鈴木和子・渡辺裕子・佐藤律子：家族看護学－理論と実践，第5版，日本看護協会出版会，2019，p.64．より転載

4 病児を抱える家族に対する援助

1）家族への援助

　病児を抱える家族に対して，看護師は家族全体に働きかけることと，時には社会の力を活用することによって，家族と共に危機を回避するよう援助していく。また，看護師がかかわる機会をチャンスとして，それまでの生活習慣などを振り返り，より健康な状態に導くためにどのように家族全体の生活を整えるかを共に考え，対応していくことが望まれる。

　健康障害の段階によっても家族の思いは異なる。生命の危機的状況の有無，急性期または慢性期といった病気のステージ，疾患・障害の将来への影響などを考慮しながらかかわっていく。

　家族と専門職である看護師が力を合わせることは，病児にとって最もよいケアを提供するうえで有効な方略となる。家族に病児にとっての存在価値を伝える，家族の主観的な体験に看護師が近づき安心感をもたらす，病状を説明し自分の意見を伝える，家族の気持ちに寄り添いながら共にケアを行う，病児にとってのよりよいケアを家族と共に考え対応していくことなどが大切なことである[11]。

　表5-3[12]は病児と生活する家族の適応課題である。看護師は，家族のそれぞれの状況に

表5-3 病児と生活する家族の適応課題

- 病状と病児の受容
- 病児の治療とケアへの参加
- 病児の療養生活への適応
- 病児の正常な発達課題の達成
- 家族メンバー，および家族ユニットの発達課題の達成
- 病気に伴うストレスと危機への対処
- 家族メンバーの感情処理
- 家族生活（日課・役割・機能）の再編成と統合
- 病児の状態に関する他者への教育
- 対処資源の拡大と支援システムの確立

村田恵子：病気と共に生きる家族，及川郁子監，村田恵子編著，病いと共に生きる子どもの看護〈新版小児看護叢書2〉，メヂカルフレンド社，2005，p.60．より転載

合わせ，時期に応じて焦点を当てる課題を変えるなどして，家族が課題に対応していくことができるよう援助する役割を担っている。

家族が看護師に何を求めているかを知り，かかわっていくことも重要である。病状を説明したり，家族が不在時に病児のそばにいてその様子を後で知らせたりすることで家族に安心感をもたらすようにする。また，家族は看護師が忙しいと思い遠慮することがあるため，こまめな訪室や声かけといった看護師側からアプローチしていく[13]。

2）きょうだいへの援助

まずは，きょうだいの状況を把握したうえで，家族がきょうだいに目を向けることができるよう家族へのケアを行うことが必要である。10歳未満のきょうだいには，物事に消極的になるなどのマイナスの影響が出やすいといわれており，注意してみていく必要がある。さらに，10歳未満のきょうだいは，病児の病気について十分な説明を受けていない場合が多く，その場合，マイナスの影響が出やすい[14]。医療者が家族と共に，病児はなぜ病院に行かなくてはいけないか，親はいつ帰って来るかなどきょうだいにわかるよう具体的に説明することが好ましい。中学生のきょうだいは病児の退院後に影響が出るとの報告もあり，その後の外来などによるフォローが必要である。

きょうだいの病児への面会や病児とかかわる時間がもてるよう配慮し，家族関係が維持できるように支援する。また，看護師だけでなく，多職種の医療スタッフ，保育士，学校教諭などと連携をとりながら支援していく。

一番大切なことは家族の思いに寄り添うことである。親やきょうだいなどに心のこもった関心を寄せ，思いを確かめ，受け止め，病児の健康課題の解決のためにどのような方法があるのかを共に考えて対応していくことである。

文献

1）薄井坦子：ナースが視る病気－看護のための疾病論，講談社，1994，p.8．
2）中野綾美編：ナーシンググラフィカ 小児看護学① 小児の発達と看護，メディカ出版，2019，p.72．
3）厚生労働省：平成25年国民生活基礎調査の概況，各種世帯の所得等の状況．

〈http：//www.mhlw.go.jp/toukei/saikin/hw/k-tyosa/k-tyosa13/dl/03.pdf〉（アクセス日：2022/7/26）
4）筒井真優美：小児看護をめぐる親の意識と実態，小児看護，16（8）：1012-1016，1993．
5）川下恵理香・神崎ひとみ・徳永美紀：入院している子供に付き添う母親への援助，佐世保市立総合病院紀要，35：71-73，2009．
6）松岡真里・丸光惠・武田淳子・他：気管支喘息患児の親のライフスタイルに関する研究，千葉大学看護学部紀要，20：59-68，1998．
7）小林八代枝：親の接する態度が慢性疾患児のパーソナリティに及ぼす要因分析－慢性疾患児と対照児の比較，小児保健研究，69（2）：278-286，2010．
8）仁尾かおり・藤原千恵子：先天性心疾患をもつ思春期の子どもの母親の思いと配慮，日本小児看護学会誌，13（2）：26-32，2004．
9）長友久苗・中村美保子・夏伐憲子：小児がん患児のきょうだいへの看護介入の検討－絵本を用いた関わりを通して，日本看護学会論文集 小児看護，41：72-75，2010．
10）鈴木和子・渡辺裕子・佐藤律子：家族看護学－理論と実践，第5版，日本看護協会出版会，2019，p.64．
11）中野綾美：パートナーシップ形成に向けての家族の医療への参画－協働への支援，家族看護：4（1），25-29，2006．
12）村田恵子：病児と共に生きる家族，及川郁子監，村田恵子編著，新版小児看護叢書2 病いと共に生きる子どもの看護，メヂカルフレンド社，2005，p.60．
13）中野綾美：子どもの治療・看護に参画する家族の医療者への期待－看護者への期待と医師への期待の比較，高知女子大学看護学会誌，25（1）：24-32，2000．
14）小澤美和・泉真由子・森本克・他：小児がん患児のきょうだいにおける心理的問題の検討，日本小児科学会雑誌，111（7）：847-854，2007．

小児の状態把握のための看護技術

1 観　　察

学習目標
- 小児の健康状態の観察の意義を理解する。
- 小児の健康状態の観察に必要な技術を理解し，実践できる。
- 観察したことを総合的にアセスメントし，看護ケアに役立てることができる。

1 小児の「見た目」の重症感の観察

　小児の具合が悪くなり救急外来などを受診した場合，また急に病状が変化した場合，まずはその緊急度を判断し，医療的な介入の必要性の有無や内容を決定する。小児は幼少であればあるほど，自分の症状や苦痛を言葉で伝えられない。特に乳児は，啼泣や不機嫌といった表現方法しかもっていないので，表現されていることの意味を理解しなければならない。

　採血や画像検査などは診断に有用であるが，結果が出るまでに時間がかかるため，緊急度の判断としてすぐには利用できない。そこで，小児の「見た目」の重症感の観察とバイタルサインの測定などが有用となる（本章3「バイタルサインの見方」p.88参照）。

　見た目の重症感の評価で「良好」と判断された場合は緊急の介入は必要ないが，病気の程度や経過，方針を決定するために，丁寧に問診と身体的観察を行っていく。

2 小児アセスメントトライアングル（PAT）

　小児アセスメントトライアングル（pediatric assessment triangle：PAT）とは，「外観（appearance）」「呼吸状態（work of breathing）」「皮膚への循環（circulation to skin）」の3つの要素を用いた小児の初期評価法で（図1-1）[1]，すべての発達段階の小児の初期評価に用いることができる。

　利点は，モニター機器を使用せず，視診と聴診のみのため1分程度の短時間で評価できることで，バイタル

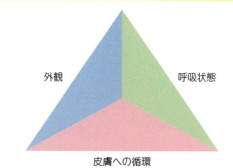

図1-1 小児アセスメントトライアングル（PAT）

Gausche-Hill M, Fuchs S, Yamamoto L, eds：APLS: the pediatric emergency medicine resource, 4th ed, American academy of pediatrics and American college of emergency physicians, 2004.

サインが正常であることよりも優先される。もう一つの利点として、小児にとって苦痛を伴う機器類を装着しないため、小児を泣かせずに評価できることである。小児の場合、泣くことによりバイタルサインなどが大きく変動するため、正確な測定値が得られなくなる点を回避できる。

1) 外　観

外観の変化は「小児に何かが起きている」ことを示している。意識レベル、顔色、視線、筋緊張は、換気、酸素化、脳血流、身体のホメオスタシスの適切性と中枢神経機能などを反映している。また、泣き方や話し方などの変化も異常を示している。そのため、外観に何らかのよくない変化が観察される小児には、すぐに介入が必要と判断できる。

表1-1[2)]に観察すべき外観のチェックポイント（TICLS）、表1-2に短時間で意識レベルを評価できるAVPU評価スケールを示す。このスケールで「U」の場合は生命または四肢、臓器の危急的な状態で、ただちに診療・加療を要する。また、「V」「P」でも危急的な状態に陥る可能性が高く、原則として15分以内に対応する必要がある。

表1-1　外観のチェックポイント（TICLS）

評価項目	ポイント
Tone（筋緊張）	・動いているか ・診察に対して抵抗しているか ・筋緊張はよいか ・元気はあるか ・ぐったりしていないか
Interactiveness（周囲への反応）	・人・物・音で容易に気をそらすことができるか、興味を引いているか ・おもちゃやペンライトに手を伸ばして遊ぶか ・家族を認識しているか ・周囲に関心をもっているか
Consolability（精神的安定）	・保護者があやすことで落ち着きを取り戻すか ・優しく接することで啼泣や興奮が落ち着くか
Look/Gaze（視線・注視）	・開眼しているか ・視線が合うか、定まっているか ・眼に生気がなくぼんやりとしていないか
Speech/Cry（会話・啼泣）	・泣き声や会話が力強く、自発的であるか ・弱く、こもった、かすれた声ではないか

Gausche-Hill M, Fuchs S, ヤマモトローレン著, 吉田一郎監訳：APLS小児救急学習用テキスト, 診断と治療社, 2006, p.18-48. を参考に作成

表1-2　AVPU評価スケール

A（Alert）	覚醒している	重症度低
V（Voice）	呼びかけに反応する	
P（Pain）	痛み刺激に反応する	
U（Unresponsive）	痛み刺激にも反応しない	重症度高

表1-3 異常呼吸音と異常をもたらしている部位

異常呼吸音	特徴	部位
吸気性喘鳴	あらく甲高い吸気音	上気道閉塞
呻吟	呼気性の短い低音	肺胞を開くために声門を閉じることによる下気道と肺胞のガス交換の低下を示唆
ゴロゴロ音	うがいのような音	中下咽頭の液体成分・異物による部分狭窄
呼気性喘鳴	主に呼気時の高調な音	咽頭またはそれより末梢の気管・気管支の狭窄
いびき様の音	いびきのような音	中下咽頭の軟部組織による部分狭窄
嗄声	上気道閉塞による異常発声	声帯の直上，喉頭の狭窄

American Heart Association：PALS Pediatric advanced life support provider manual，2005.

2）呼吸状態

聴診器なしで聴こえる異常気道音を注意深く聴き，体位や姿勢の変化，呼吸努力の有無，呼吸数を注意深く観察する。異常呼吸音は，種類によって呼吸状態に異常をもたらしている部位を予測することができる。表1-3[3)]に異常呼吸音の例を示す。

姿勢の異常は，喉頭蓋炎などの高度の上気道閉塞でみられるスニフィングポジションや，三脚位（呼吸補助筋を用いるため仰臥位になれず，前傾し伸ばした腕でからだを支える姿勢）などがある。

鼻翼呼吸や肋骨下，肋骨間，胸骨上下の陥没呼吸などの努力呼吸も，重症な呼吸困難を反映する徴候なのでよく観察する。

3）皮膚への循環

皮膚の状態は，小児の循環動態を評価するうえで重要な指標である。心拍出量が減少すると，皮膚を含めた非重要臓器への灌流を維持させるため，皮膚蒼白やまだらな斑状皮疹，チアノーゼが出現する。毛細血管再充満時間（capillary refill time：CRT）も循環動態の評価に特異度が高く，2秒以上の場合は，脱水，ショック，低体温などが考えられ，直ちに治療が必要だと判断される。

3 小児の健康状態の観察に必要な5つの基本技術

小児の健康状態の観察には，問診，視診，触診，打診，聴診の5つの基本的な技術と，身体計測，バイタルサインの測定など，数値で表すことのできる測定技術が必要である（身体計測とバイタルサインの測定は，本章2「身体各部の測定」p.73参照）。

1）問診

問診では，小児や親との会話によって身体のどの部分にいつからどの程度の変調をきたしているのか，その変調が生活や成長・発達にどのような影響を与えているのかを聴取し，処置の必要性の有無を判断する手がかりとする。救急外来受診時や緊急入院が必要な場合

は，時間が限られているので，見た目の観察による判断に基づき，手早く情報を得る。比較的時間がある場合や，長期的に何らかの問題につながる可能性があると考えられる場合は，症状だけでなく，成長・発達面，生活面，心理社会面などの情報を丁寧に聴取する。

2）視　診

視診では，看護師の目をツールとして，小児の全身を注意深く観察する。同時に，耳や鼻も使って，身体の変調の有無を確認する。表1-4に視診にて「見る」ポイントを示す。

3）触　診

触診では，看護師の手をツールとして，触ることで小児の身体の形態や機能を診察する。触診の際は，小児に不安や恐怖を与えないよう，小児の了解を得てから行う。温めた手で，優しく語りかけながら進めていき，痛みのある部位は最後に触診する。表1-5に触診にて「触れる」ポイントを，表1-6[4]に触診の種類と方法を示す。

表1-4　視診のポイント

- 観察部位の大きさ，色（変色の有無や変化），形（変形の有無や変化）
左右の対称性，位置（異常の有無や変化），動き（動作，歩行，反射など）
新しく出現した症状の有無（発疹，陥没，隆起，浮腫など）
分泌物（有無，程度，性状），におい
- 表情，姿勢，反応

表1-5　触診のポイント

- 観察部位の大きさ，硬さ（程度や変化），触れるものの位置
温度（温かいか冷たいか，その変化），湿度（湿っているか乾燥しているか，その変化），張りの有無と程度，動き（振動の有無と程度，その変化）
痛み（有無や程度）
- 触れているときの表情，姿勢の変化や反応

表1-6　触診の種類と方法

触診名	手の触れ方	使用する手の部位	触診（部位）の例
表面触診（軽い触診）	軽く当てる	指　先	脈拍
	皮膚の表面をゆるやかに走らせる	指1～3本	脊柱彎曲
		手指か手掌	皮膚の発疹，凹凸，硬さ，乾燥，湿潤の程度，皮膚温の変化
	皮膚表面に密着させる	指掌か手掌	小振動，音声伝達，波動
浅部触診	軽く押すようにして，1回ずつ手を放しながら触れる	指　腹	リンパ節，甲状腺浮腫，皮下気腫
		手　指	深部触診の前
深部触診	浅部触診より力を加えながら触れる	手　指	腹部，肝臓，脾臓，腎臓

小野田千枝子監，土井まつ子・椙山委都子・仲井美由紀編：こどものフィジカル・アセスメント，金原出版，2001，p.11．より転載（一部改変）

4）打　　診

打診では，看護師の手または器具をツールとして，小児の身体の一部をたたき，その音や振動から臓器や内部組織の状態，大きさ，位置を推測する。打診は，視診や触診の結果から必要と判断した際に行う。腹部の打診は，腹痛，便秘，下痢などの症状があるなどの異常がある場合に行う。打診音は，空気を含んでいる部位ほど強く，低く聴こえる。

5）聴　　診

聴診では，聴診器をツールとして，小児の身体の内部の音を聴く。聴診では，呼吸音，心音，腸音，血管雑音などを聴くことができる。聴診で音の有無，音の長さや質を聴き取ることはできても，正常と異常を聴き分けるには，熟練した聴き取り技術が必要である。

聴診器のチェストピースには膜型とベル型がある。膜型は体壁にぴったりと押し付けると高音が聴きやすく，呼吸音，腸蠕動，正常な心音，血圧測定時の聴診に使用する。ベル型は軽く当てるだけで低音が聴きやすく，異常心音の聴診に使用する。

6）小児の健康状態の観察に必要な6つ目の技術

1）～5）で基本的な5つの技術を述べたが，単なる観察技術のみならず，小児の不安や警戒心，親の心配などに配慮したコミュニケーション技術，落ち着いて話ができるよう，プライバシーに配慮した環境づくりも，小児看護においては重要な技術といえる。

緊急時は切迫した状況であり時間が限られているが，小児や親の不安はより強く，痛みなどの不快症状を伴っていることが多い。緊急であっても，看護師は落ち着いた温かみのある態度で，小児や親の気持ちに配慮した看護を提供しながら，観察を進めていかなければならない。

4 小児の「痛み」のアセスメントに必要な技術

どのような病状や状況にあっても，必ず観察すべきことは，「痛み」である。国際疼痛学会は，「痛みとは，実際の組織損傷もしくは組織損傷が起こりうる状態に付随する，あるいはそれに似た，感覚かつ情動の不快な体験」[5]と定義している。痛みは常に主観的な症状であり，小児が「痛い」と言ったときには必ず存在している。しかし，小児はその痛みを言葉でうまく説明することができないので，看護師の観察力とアセスメント能力が必要である。

小児の痛みのアセスメントツールのゴールドスタンダードとして，自己申告スケールがある。図1-2に小児によく使用される自己申告スケールを示す。自己申告スケールでのスコアリングは，看護師と小児との信頼関係がなかったり，小児が使い方をうまく理解できていなかったり，痛みが強すぎる場合などは，痛みの程度が把握できないばかりか，小児に苦痛を与えることがある。その際は，表1-7に示すような小児の表情や姿勢，活動性や泣き方などの観察による行動スケールを用いる。スケールがうまく使用できない場合でも，小児が痛いのか痛くないのか，強い痛みなのか弱い痛みなのか，それによって生活がどのように変化しているかを観察と問診によりアセスメントし，痛みを緩和するためのケアを提供する。

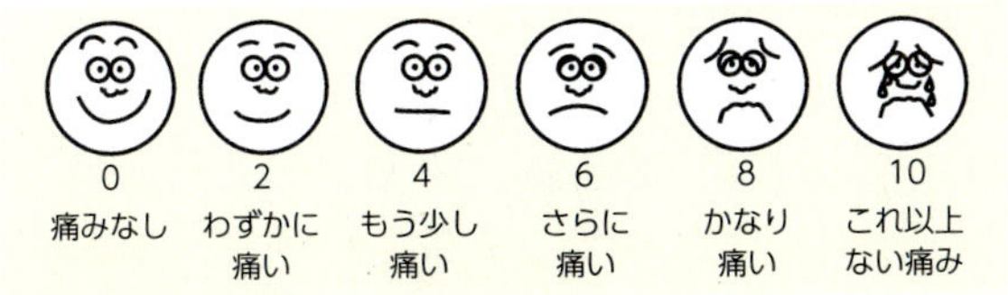

Wong-Baker FACES® Pain Rating Scale

視覚アナログ尺度(Visual Analogue Scale：VAS)

数値的評価スケール(Numerical Rating Scale：NRS)

図1-2 痛みの自己申告スケール

表1-7 痛みの行動スケール（FLACCスケール）

クライテリア	スコア0	スコア1	スコア2
表情 (Face)	表情の異常なし，または笑顔	時々顔をゆがめる，しかめっ面をする，視線が合わない，関心を示さない	頻回またはずっと下顎を震わせている，歯を食いしばる
足の動き (Legs)	正常な姿勢でいる，リラックスしている	落ち着かない，じっとしていない，緊張している	蹴る，足を抱え込む
活動性 (Activity)	おとなしく横になっている，正常な姿勢でいる，容易に動くことができる	身もだえしている，前後に体を動かす，緊張している	反り返る，硬直，けいれんしている
泣き方 (Cry)	泣いていない（起きているか眠っているかにかかわらず）	うめき声またはしくしく泣いている，時々苦痛を訴える	泣き続けている，悲鳴，むせび泣いている，頻回に苦痛を訴える
あやしやすさ (Consolability)	満足している，リラックスしている	触れてあげたり，抱きしめてあげたり，話しかけることで気を紛らわせ安心する	あやせない，苦痛を取り除けない

Merkel SI, Voepel-Lewis T, Shayevitz JR, et al：The FLACC：a behavioral scale for scoring postoperative pain in young children, *Pediatr Nurs*, 23：293-297, 1997. より引用

看護技術の実際

A 全身の観察

● 目　的：(1) 小児の健康状態を評価し，成長・発達の偏りや疾病を早期発見する
　　　　　(2) 疾病や成長・発達の経過観察・治療効果を判定する

（3）小児が体験している苦痛をできる限り早く緩和する

- 適　　応：定期健診，外来受診，入院時や治療・療養過程にある小児
- 必要物品：聴診器，メモ用紙，筆記用具，おもちゃ（必要時）

	方　法	留意点と根拠
1	環境を整え，小児と家族をその場へ呼び入れ（または訪室し），自己紹介する 1）室温は25℃程度にする（➡❶） 2）聴診器と看護師の手を温めておく（➡❷）	●プライバシーに配慮して環境を整える ❶衣類を脱がせることがあるため ❷冷たい聴診器や手は，小児を驚かせ，苦痛を与える
2	小児の見た目の重症度を観察する 〈小児の具合が非常に悪く救急外来を受診した場合や，病状が急激に悪くなっている場合〉 小児の見た目の重症感を観察し，緊急の医療処置が必要かどうか判断する 〈緊急の医療処置が必要な場合〉 緊急時の対応を行う 〈緊急の医療処置が必要ではない場合〉 小児と家族の訴えを聞きながら，以下の情報を集める 1）いつからその症状が始まったか 2）その症状の出現はどのようなときに起こったか 3）その症状によって小児の機嫌はどのように変化したか（しているか） 4）その症状による痛みはあるのか 5）その症状により小児の生活にどのような変化があるか ・食事：食欲，食事摂取量や内容，水分摂取量や内容 ・排泄：尿の回数，尿の色・性状・におい，便の回数，便の色・性状・におい，嘔吐の有無とその回数，吐物の色・性状・におい ・睡眠：睡眠パターンや時間，睡眠の状態（良眠できているか否か） ・社会的な活動：園や学校への出欠状況，遊びや学習の内容やそのときの様子，園や学校での人間関係 6）バイタルサインの変動はあるか（バイタルサインの測定に関しては本章3「バイタルサインの見方」p.88参照）	●小児と対面し緊急の対応が必要な場合は，1分以内に見た目の重症感を判断し，ただちに適切な医療介入ができる場所へ移動し，医療スタッフを集める ●急激に進行してきた症状なのか，徐々に時間をかけて進行してきた症状なのか確認する ●症状の増減に関連しているエピソードの有無を確認する ●小児の苦痛の程度を把握する（図1-2参照）
3	その過程で必要な部位について，問診・観察する（「方法4〜10」に準じる）	●観察には，視診，触診，打診，聴診などの技術を用いるが，小児や家族を緊張させたり不快にさせたりしないように，コミュニケーションをとりながら，問診で得られた情報から必要と判断された部位をより細かく観察していく
4	眼の観察 1）眼瞼の発赤・腫脹・疼痛・浮腫・腫瘤の有無（➡❸），眼瞼下垂の有無（➡❹） 2）睫毛の方向（➡❺） 3）眼球結膜の発赤・充血の有無，眼の瘙痒感の有無，眼脂の有無（➡❻） 4）物の見方（眼を細めたり上目づかいで見ていないか，異常に近づいて見ていないか，物を見るときに眼が寄ったり横や上にずれたりしていないか）（➡❼） 5）視力や眼の異常に関する生活上のエピソード（➡❽）	❸感染や炎症の徴候やその他の疾患の症状であることも多い ❹筋肉や神経の異常の可能性がある ❺睫毛が内側に向かって生えているのは内反症である ❻感染や炎症のサインなのか，他の理由で小児が眼をこすりすぎたためなのかアセスメントが必要である ❼ものの見えにくさや見方の異常がある場合は，屈折異常や外眼筋の異常などが疑われるため精密検査をする ❽テレビや携帯ゲーム，スマートフォンやタブレットなどを長時間見る，暗い場所で本を読むなどの生活習慣は，小児の眼の正常な働き，成長・発達を妨げる可能性がある

方法	留意点と根拠
5 耳の観察 1) 耳の位置 (➡❾) 2) 耳の疼痛の有無 (耳をしきりに触る，耳に手を当てて泣くなどの行動) (➡❿) 3) 耳からの分泌物の有無とその量・色 (➡⓫) 4) 音の聴こえ方 (呼びかけや音に対する反応，言葉の遅れなど) (➡⓬) 5) 耳垢の有無や外耳の発赤，傷の有無 6) 聴力の異常に関する生活上のエピソードについて (➡⓭，⓮)	❾耳の位置が低い場合は，知的発達の遅れや腎臓の先天異常を伴っていることがある ❿耳の痛みや違和感は，耳垢がたまっている，内耳・中耳の感染の徴候の可能性がある ⓫耳からの分泌物は，外耳・中耳の感染，外耳の傷の徴候の可能性がある ⓬聴力異常がある場合は，聴覚神経の異常や (片方の場合は) 感染，その他の疾患の徴候の可能性がある ●耳鏡を用いての観察は，トレーニングを受けた看護師か医師が行う ⓭聴力障害は，言葉の発達に大きく影響するため，早期の聴力異常の発見は小児のその後の発達に大きな意義がある ⓮耳掃除をどのように行っているか確認することで，外耳道の傷や感染の原因がわかる
6 鼻と副鼻腔の観察 1) 鼻の形や位置，対称性 (➡⓯) 2) 痛みの有無 (小児の眉間に触れ痛みを確認する) (➡⓰) 3) 鼻汁の有無とその量や色 (➡⓱) 4) 鼻血の有無 5) 呼吸の仕方 (➡⓲) 6) 頭痛の有無 (➡⓳)	⓯鼻の形はほぼ左右対称であり，大きさの異常や形の異常は，何らかの先天性の疾患の徴候が考えられる ⓰眉間の痛みは，副鼻腔の炎症の徴候が考えられる ⓱鼻汁が黄色や緑色の場合は，炎症の可能性がある。水っぽい透明な鼻水はアレルギー性の可能性がある ⓲鼻水により鼻腔が閉塞している場合は，口呼吸をしている ⓳副鼻腔の炎症は頭痛の原因となることもある
7 口腔の観察 1) 口唇の色，乾燥・発赤・亀裂の有無 (➡⓴) 2) できものの有無 (➡㉑) 3) 口臭の有無 4) 口腔粘膜・舌・歯肉・咽頭の色・乾燥・粘膜障害の有無，唾液の量 (➡㉒) 5) 扁桃腺の大きさ・色，滲出液の有無 6) う歯の有無 7) 咀嚼・嚥下時の疼痛の有無と程度 (➡㉓) 8) 食に関する生活上のエピソード	⓴口唇の色は通常はピンク色で，異常な紅色や亀裂は川崎病や感染症の徴候が考えられる。蒼白色の場合は貧血，青紫色の場合は呼吸・循環器系の異常を示す徴候である。口唇の乾燥は脱水の徴候である ㉑口唇や口の周りの水疱は口唇ヘルペスであることが多い ㉒口腔内の乾燥は脱水の徴候である。イチゴ舌は川崎病や溶血性レンサ球菌感染症の徴候である ㉓疼痛により水分や栄養分が摂取できない場合は，脱水，栄養状態低下の原因となるので，早めの対処が必要である
8 皮膚の観察 1) 皮膚の色，温度，湿潤，緊張度 (ツルゴール) (➡㉔) 2) 発赤・発疹の有無，滲出液の有無 (➡㉕) 3) 打撲・擦過傷の有無と程度 (➡㉖) 4) 出血斑・出血点の有無と程度 (➡㉗) 5) 異常な皮膚病変の有無と程度 (カフェオレ斑や血管腫など)	㉔緊張度の低い皮膚は，脱水や筋疾患による緊張低下などが考えられる ㉕感染症やアレルギー有無を確認するため ㉖ひどい場合や傷の状態と家族の説明が食い違っている場合などは，虐待を疑う必要がある ㉗ひどい場合は，出血傾向の可能性がある

方 法	留意点と根拠
9　胸部の観察 　1）小児の主観的な息苦しさや呼吸のしづらさ 　2）胸郭の形，左右対称性（呼吸による胸部の動きの対称性，呼吸の型） 　3）呼吸の型，深さ，呼吸数，呼気と吸気のリズム（異常呼吸音については**表1-3**参照） 　4）咳嗽の有無と種類（乾性咳嗽か湿性咳嗽か）（→㉘） 　5）咳嗽と一緒に痰が出るか，出る場合は痰の色，量，におい，粘稠度 　6）気管や左右の肺野の音を聴診し，空気の入り方や貯留物の有無を確認する	●主観的な苦しさがある場合は酸素飽和度を速やかに測定し，低い場合は医師の指示を得て酸素吸入を開始，体位調整を行い，呼吸苦を緩和する ㉘咳嗽は呼吸器疾患の徴候であることが多い
10　腹部の観察 　1）小児の主観的な腹痛や排泄（排尿，排便）のしにくさ 　2）食欲や悪心・嘔吐の有無と程度 　3）視診による腹部の左右対称性，腹部の膨満・腫瘤の有無 　4）触診による腹部膨満・ガス・便・腫瘤の有無，圧痛の有無 　5）聴診による腸蠕動音 　6）**図1-3**のように腹部を4分割してすべての部位の蠕動音を聴く 右上腹部　左上腹部 右下腹部　左下腹部 **図1-3**　腹部聴診の部位と名称	●腸蠕動は不規則に聴かれるので，蠕動音が聴こえない場合すぐに消失していると判断せず，5分程度聴診する ●高音で頻回の腸蠕動亢進音は，下痢，胃腸炎，消化管閉塞などが考えられる ●腸蠕動音の消失は，麻痺性イレウスなどが疑われる
11　観察の終了を小児と家族に告げ，観察したことを記録する	

小児の訴え（家族からの情報）や症状，すでに診断がついている場合は病状の経過に応じて必要な観察部位を選択し，効果的に行える順番で観察を進める

文　献

1) Gausche-Hill M, Fuchs S, Yamamoto L, eds：APLS：the pediatric emergency medicine resource, 4th ed, American academy of pediatrics and American college of emergency physicians, 2004.
2) Gausche-Hill M, Fuchs S, ヤマモトローレン著，吉田一郎監訳：APLS小児救急学習用テキスト，診断と治療社，2006.
3) American Heart Association：PALS Pediatric advanced life support provider manual, 2005.
4) 小野田千枝子監，土井まつ子・椙山委都子・仲井美由紀編：こどものフィジカル・アセスメント，金原出版，2001, p.11.
5) International Association for the Pain．IASP Announces Revised Definition of Pain
　〈https://www.iasp-pain.org/publications/iasp-news/iasp-announces-revised-definition-of-pain/?ItemNumber=10475〉（アクセス日：2022/8/3）
6) 川真田樹人責任編集，森田潔監，廣田和美・横山正尚編集委員：麻酔科医のための周術期間の疼痛管理－新戦略に基づく麻酔・周術期医学，中山書店，2014, p.158.
7) 伊原崇晃：早期認識－見た目とバイタルサインからわかること，小児科診療，76(5)：699-706, 2013.
8) 村田祐二：小児救急患者のバイタルサインのとり方・見方，エマージェンシー・ケア，26(1)：19-23, 2013.

2 身体各部の測定

学習目標
- 小児の身体各部の測定の意義を理解する。
- 小児の発達段階に応じた測定器具の選択，測定方法を理解し，安全・安楽に配慮した正確な測定が実施できる。
- 測定値を小児の発達段階や病状に応じて総合的にアセスメントし，看護ケアに役立てることができる。

1 身体測定の意義

　小児はめざましい成長と発達の過程にある。成長（growth）とは，身長や体重などのように計測が可能な形態的な変化・増大を指し，発達（development）とは，身体的，知的，心理社会的な機能が分化し，互いに関連しながら全体として質的な変化を遂げる過程を指す。成長・発達には，遺伝的因子や環境因子など，様々な因子が関与している。
　身体測定には以下の意義がある。
・小児の成長の指標として，発育状態や栄養状態を把握する。
・疾患による変化や異常を早期発見する。
・疾患の治療の過程では，輸液量・薬剤投与量を算定する。

2 小児の形態的な成長・発達の特徴

1）身　　長
　出生時の身長の中央値は男児49.0cm，女児48.5cm[1]である。乳幼児期の身長の増加は著しく，1歳で出生時身長の約1.5倍，4歳半〜5歳で約2倍となる。また，男女共に学童期の後半から思春期に身長の第2発育急進期があり，その時期にも急速に身長が伸びる。

2）体　　重
　出生時の体重の中央値は男児3.0kg，女児2.94kg[1]である。新生児は，生後3〜5日の間に生理的体重減少によって，一時的に体重が5〜6％減少し，生後7〜10日頃に出生時の体重に戻る。乳児期の体重増加は著しく，生後3〜4か月で出生時体重の約2倍，1歳で約3倍となる。
　乳児は健康であれば，表2-1に示すように，日ごとに体重の増加がみられる。そのため，

表2-1 乳児の1日当たりの体重増加の目安

月齢	1～3か月	3～6か月	6～9か月	9～12か月
1日の体重増加量（g）	25～30	20～25	15～20	10～15

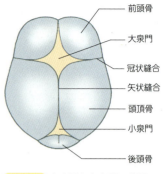

図2-1 大泉門と小泉門の位置

哺乳困難や食欲不振，下痢・嘔吐，脱水などがある場合や，未熟児・新生児は，毎日測定して評価するのが望ましい。

3）頭囲と大泉門・小泉門

　出生時の頭囲の中央値は男児33.5cm，女児33.0cm[1]である。乳児期の頭囲の増加も著しく，生後半年で約42cmに，1年で約45～46cmになる。出生時は頭囲が胸囲より大きいが，生後1年で胸囲が頭囲を上回るようになる。

　乳児には，図2-1のように，大泉門と小泉門という頭蓋骨の接合部に間隙がみられる。大泉門は生後9～10か月まで次第に大きくなり，以降縮小し1歳6か月頃に閉鎖する。小泉門は生後3か月頃に閉鎖する。大泉門の大きさや閉鎖時期は，乳児の健康状態を判断するうえで重要で，閉鎖が早すぎる場合は小頭症，遅い場合は水頭症や骨の発育不全，閉じたものが再び開いた場合は脳腫瘍などを疑う。また，膨隆している場合は髄膜炎や脳炎，脳腫瘍に伴う頭蓋内圧の亢進，陥没は脱水症などが疑われる。

4）胸　　囲

　出生時の胸囲の中央値は男児32.0cm，女児31.6cm[1]で，生後半年で約43～44cmに，1年で約45～46cmになる。乳児の胸郭は円柱状で前後径と左右径はほぼ等しいが，次第に左右径が大きくなっていく。

5）腹　　囲

　通常の健診などで腹囲の測定は行わないが，腹囲の増大が予測される病状や，小児メタボリックシンドロームの判定基準としても用いられている。メタボリックシンドロームと判定されるのは，中学生80cm以上，小学生75cm以上，もしくは「腹囲（cm）÷身長（cm）＝0.5以上」である[2]。

3 発育・栄養状態の評価方法

身体測定においては，測定時での小児の状態が数値で示される。看護援助においては，その値をどのように評価するかが重要である。いくつかの評価方法や指標について以下に紹介する。

1）身体各部のバランスによる評価

小児の発育を評価する視点として，頭部と身長のバランスを観察することも重要である。通常のバランスを表2-2に示す。低年齢の小児は身長に対して頭部が大きいため，転倒しやすく，頭部に外傷を負いやすい。

2）標準値（パーセンタイル値）との比較による評価

パーセンタイル値とは，測定値の統計的分布のうえで，小さいほうから数えて何％目の値がどれくらいかをみる統計的表示法である。

乳幼児の体重，身長，頭囲，胸囲の標準値は，厚生労働省が10年ごとに実施する乳幼児身体発育調査の結果をもとに定められている。2010年の調査結果をもとに作成され，母子健康手帳に示されている乳幼児身体発育曲線を図2-2に示す。男女別，発達段階別（乳児：0～12か月，幼児：1～6歳），部位別（体重，身長，頭囲，胸囲：本書では体重，身長のみ抜粋）がある。この発育曲線の特徴は，各年齢で評価の対象となる小児の身長や体重が，全体のなかでどこに位置するかという目安がわかることである。中央値は50パーセンタイル値として示され，10パーセンタイルから90パーセンタイルまでは発育上問題なしと判定される。評価基準を表2-3に示す。

3）BMI（body mass index）・BMIパーセンタイル曲線による評価

BMIは，体重（kg）÷身長（m）^{2} で計算されカウプ指数ともいわれ，小児保健でよく用いられる指数である。しかし，乳幼児期のBMIは，年齢に伴ってダイナミックに推移するため，同じ評価基準で子どもの体格を正確に評価することは難しい。たとえば，計算されたBMIが18の場合，3か月では標準であっても，5歳児では肥満気味になる。表2-4[3)]に乳幼児のBMIによる評価基準の目安を示す。

乳幼児の体格の判定には，図2-3[4)]に示した性別，年齢ごとのBMIパーセンタイル値をも

表2-2 小児の発達段階別の頭部と身長のバランスの目安

新生児	4頭身（全身長が頭部の4倍）
1～2歳	5頭身（全身長が頭部の5倍）
6歳	6頭身（全身長が頭部の6倍）
12～15歳	7頭身（全身長が頭部の7倍）

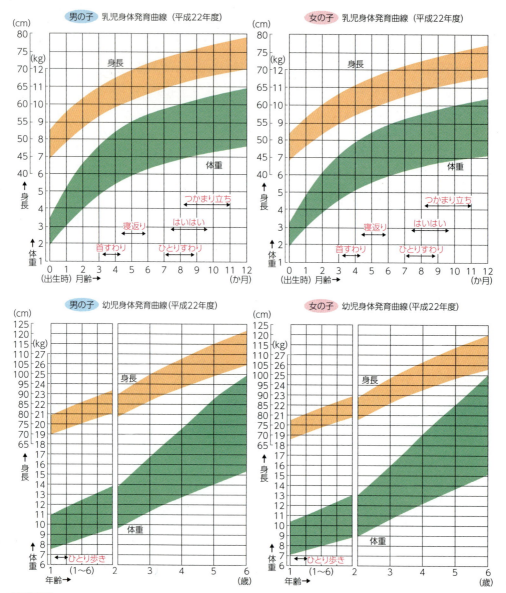

図2-2 乳幼児の身体発育曲線（身長と体重）（平成22年度）

母子健康手帳．より引用

とに作成されたBMIパーセンタイル曲線を用いる。2歳以降では，BMIパーセンタイル値が85.0-94.5パーセンタイルの場合を過体重，95パーセンタイル以上を肥満と判定する[5]。

4）肥満度

　肥満度とは，標準体重に対して実測体重が何パーセントの増減にあたるかを示す指数で，以下の計算式で算出される。この肥満度法は乳児の判定には使用しない。

肥満度＝｛(実測体重(kg)－標準体重(kg))÷標準体重(kg)｝×100％

表2-3 パーセンタイル値による評価

3パーセンタイル未満	精密検査が必要
10パーセンタイル未満	経過観察が必要
50パーセンタイル値	中央値
90パーセンタイルを超える	経過観察が必要
97パーセンタイルを超える	精密検査が必要

表2-4 乳幼児のBMIによる評価の目安

年齢	BMI 標準の範囲の目安
乳児（3か月以降）	16－18
満1歳	15.5－17.5
満1歳6か月	15－17
満2歳	15－16.5
満3歳	14.5－16.5
満4歳	14.5－16.5
満5歳	14.5－15

今村栄一・巷野悟郎編著：新・小児保健，第11版，診断と治療社，2007, p.47. を参考に作成

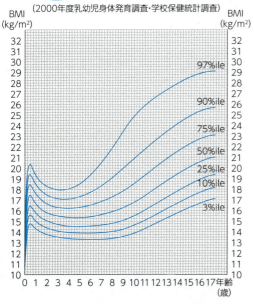
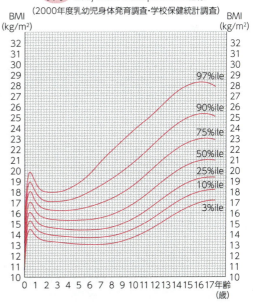

図2-3 Body Mass Index percentile曲線

著作権：一般社団法人 日本小児内分泌学会，著者：加藤則子，瀧本秀美，須藤紀子 Clin Pediatr Endocrinol, 20：47-49, 2011. より転載

　標準体重は性別，年齢別，身長別に設定されている。図2-4のような記録用紙は母子健康手帳にも入っており，このグラフに身長と体重の実測値をプロットすることで肥満度が判定できる。表2-5[7)]に肥満度による評価基準の目安を示す。

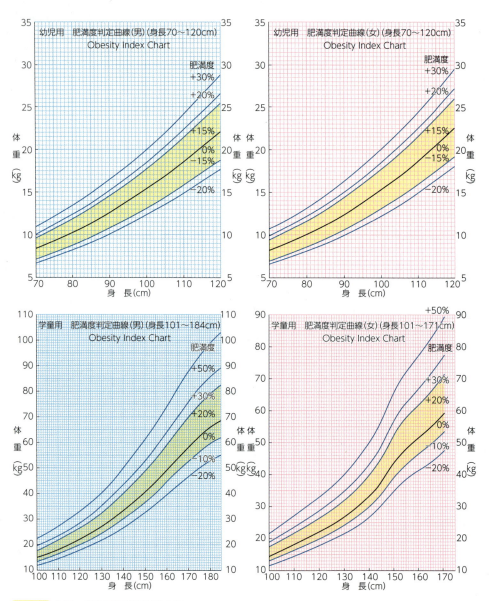

図2-4　幼児・学童用肥満度判定曲線

著作権：一般社団法人　日本小児内分泌学会，著者：伊藤善也，藤枝憲二，奥野晃正，*Clin Pediatr Endocrinol*，25：77-82，2016．より転載

4　小児の身体測定の原則

身体各部の測定の基本原則を以下にあげる。
・測定する小児の発達段階や病状，目的に応じた測定器具や測定方法を選択する。
・測定時の小児の測定条件，測定部位，測定器具を一定にする。
・小児の安全・安楽に十分に配慮した適切な手順・手技で行う。

表2-5 肥満度の評価基準（幼児，学童）

幼児

肥満度	発育状態
＋30％以上	太りすぎ
＋20〜＋30％	やや太りすぎ
＋15〜＋20％	太りぎみ
＋15〜－15％	標準
－15〜－20％	やせ
－20％以下	やせすぎ

学童

肥満度	判定
＋50％以上	高度肥満
＋30〜＋50％	中等度肥満
＋20〜＋30％	軽度肥満
－10〜＋20％	標準

日本小児医療保健協議会 栄養委員会 小児肥満小委員会：幼児肥満ガイド, 2019. より転載〈http://www.jpeds.or.jp/uploads/files/2019youji_himan_G_ALL.pdf〉（アクセス日：2022/8/3）

- 測定に関して，小児と家族に十分に説明し，小児の苦痛を最小限にし，必要であれば家族と共に行ったり，玩具を用いたディストラクションを行う。
- プライバシーを守り，保温に十分注意する。
- 測定後すぐに測定値を前回の値と比較し，小児の状態をアセスメントする。

看護技術の実際

A 身長測定

- 目　　的：（1）小児の成長・発達および栄養状態を評価する
　　　　　（2）疾病や低身長などの異常を早期発見し，また治療効果を判定する
　　　　　（3）薬剤投与量の決定に必要な体表面積を算出する
- 適　　応：定期健診，病気や障害のための入院時や治療・療養過程にある小児
- 必要物品：身長計（発達段階に応じたもの），ディスポーザブルシーツまたはタオル，（立位や仰臥位が困難な場合）メジャー，メモ用紙，筆記用具，おもちゃ（必要時）

方　法	留意点と根拠
1　測定の準備をする 　1）前回の測定値をメモする 　2）発達段階などに応じた身長計を選択し点検する 　3）身長計（乳児用身長計の場合）にディスポーザブルシーツかタオルを敷く（➡❶） 　4）測定の環境を整える	● 安定した立位のとれない乳幼児は乳児用身長計，それ以上は一般身長計を用いる。立位や仰臥位のとれない小児や関節の変形や拘縮のある小児はメジャーを使用する ❶ 身長計は他の小児と共用するので感染予防のため ● 測定場所は，スクリーンやカーテンを用いてプライバシーを保護する。低身長の小児などは測定値を気にすることもあるので，測定値を大きな声で伝えないなど配慮する

方法	留意点と根拠
2　小児と家族に測定の目的と方法を説明し，準備ができたら測定場所に連れて行く	●発達段階に応じてわかりやすく説明し，必要に応じて家族の協力を得る（➡❷） ❷年少児はこれから何をされるのか理解・納得していないと，不安や恐怖を感じて姿勢を保持できず，正確に測定できなくなる
3　小児の準備を行う 　1）髪型を整える 　2）靴下や履き物を脱がせて裸足にする 　3）乳児で身長の次に体重を測定する場合は，室温を調整し裸にする	●頭頂部や後頭部で髪を結んでいる場合はほどく
4　身長を測定する 〈乳児用身長計を使用する場合（0～2歳くらいまでの乳幼児）〉 　1）乳児用身長計の固定板側に乳幼児の頭部がくるように仰臥位に寝かせる 　2）測定者の1人が乳幼児の目と耳孔を結んだ線が垂直になるように頭頂部を固定板に密着させ，動かないように脚を支える（図2-4）	●硬い板の上に寝かされることは苦痛を伴うため，乳幼児が嫌がって動くことを予測し，台から転落しないように配慮する。特に寝返りができるようになった乳幼児には注意する ●乳児用身長計を使用する場合は，測定は2名で行う

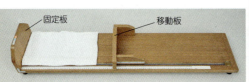

図2-4　乳児の身長測定

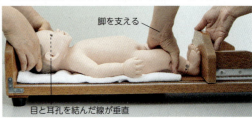

目と耳孔を結んだ線が垂直

3）もう1人の測定者が乳幼児の膝を支えて下肢を伸展させ，足底に直角に移動板を移動させて測定値を読む	●乳幼児は足を伸展することに苦痛を感じるため，下肢を伸展させると同時に移動板を移動させて，すばやく測定する ●乳幼児の苦痛を最小限にするため，可能であれば親に同席してもらい，声かけやおもちゃでのディストラクションを行う
4）測定が終了したら，抱き起こして終了を告げる。家族が同席している場合は，家族のもとに戻し，測定値を伝える 〈一般身長計を使用する場合（安定した立位のとれる幼児以上の小児）〉 　1）身長計の足踏み台の上に立たせ，足先を30～40度開いてもらう 　2）尺柱に踵部，殿部，背部，後頭部をつけ，耳眼水平位（眼窩下縁と外耳孔上縁を結ぶ線を水平にした位置）をとる（図2-5）	

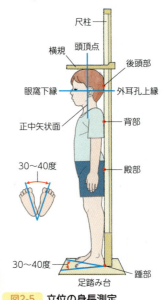

図2-5　立位の身長測定

方　法	留意点と根拠
3）肩の力を抜いて腕を自然にたらし，大腿側面につける	●「気をつけの姿勢であごを引く」と説明し，理解できない場合やうまく姿勢がとれない場合は測定者が支えて調整する ●嫌がる場合は，適切な姿勢が保持できるように前方からおもちゃなどを使用してディストラクションを行う
4）横規を頭頂部に静かにおろし，目盛りを測定者の目の高さと水平にして測定値を読む 5）測定が終了したら横規を上げ，小児と家族に終了を告げ，測定値を伝える 〈メジャーを使用する場合〉 1）ベッドに小児を寝かせたまま，図2-6のように全身を6つの部分に分けて，メジャーで測定する 2）測定が終了したら，小児と家族に終了を告げ，測定値を伝える	

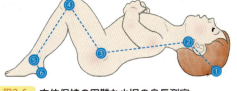

①頭頂（正中線上における最高点）
②乳様突起（耳介の後方下で明確に視・触察できる）
③大転子（大腿外側部で一番突出した部位）
④膝関節外側中央点（膝関節の運動中心点）
⑤外果
⑥足底点（踵部）

図2-6　立位保持の困難な小児の身長測定

5	測定値を記録し評価する	●単位はcmで，小数点第1位まで記録する ●前回の測定値との差も記録する ●測定値の評価は体重の測定値も併せて行う

B 体重測定

- **目　的**：（1）小児の成長・発達および栄養状態を評価する
  - （2）疾病や異常の早期発見や，浮腫や脱水などの病状経過を把握する
  - （3）必要栄養所要量，水分量，薬剤投与量を算出する
- **適　応**：定期健診，病気や障害のための入院時や治療・療養過程にある小児
- **必要物品**：体重計（発達段階や病状に応じたもの），ディスポーザブルシーツまたはタオル，メモ用紙，筆記用具，おもちゃ（必要時）

	方　法	留意点と根拠
1	測定の準備をする 1）前回の測定値をメモする	●健診などの場合を除き，定期的に測定する場合は毎回同じ条件で測定し，原則として食事・授乳・入浴・運動前とする（➡❶） ❶体重は，食事・授乳・入浴・運動によって変動する ●ギプス，シーネ，ガーゼなどの付属物がある場合は，測定条件として記録しておく。可能であれば，付属物の重さをあらかじめ測定しておく
	2）発達段階などに応じた体重計を選択・点検し，適切な場所に設置する	●安定した立位のとれない乳幼児は乳児用体重計（図2-7a），それ以上は一般体重計を用いる。立位のとれない年長児は，寝たまま測定できるもの（図2-7b）や車椅子に乗ったまま測定できるものを選択する ●体重計の水平器を確認し，水平器の気泡が中央にくるように体重計の4か所の調整脚を回して調整する（図2-8）

方　法	留意点と根拠
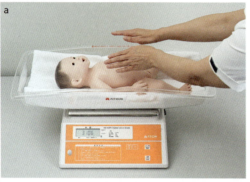 乳児用体重計 **図2-7** 乳幼児用体重計 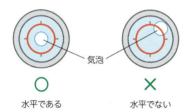 **図2-8** 水平器を真上から見た状態 　3）測定の環境を整える	●体重計は固くてがたつきのない水平な台の上に設置する（➡❷） 　❷弾力性のある台や，へこみやすいものの上に設置すると，正確な値が得られない 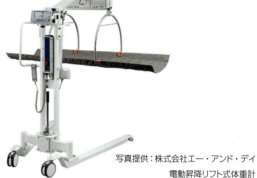 写真提供：株式会社エー・アンド・デイ 電動昇降リフト式体重計 ●乳児は裸で測定するので，測定場所の室温は25℃程度とする（➡❸❹） 　❸小児は成人に比べ体重が少ないことに加え，脱水や栄養摂取量の不足が体重に出やすいため，衣服やおむつの量を差し引いて，正確な値を得る必要がある 　❹新生児や乳幼児は体温調節機能が未熟であり，外気温に影響されやすいため室温には十分留意する ●測定場所は，スクリーンやカーテンを用いてプライバシーを保護する
2　小児と家族に測定の目的と方法を説明し，準備ができたら測定場所に連れて行く	●発達段階に応じてわかりやすく説明し，必要に応じて家族の協力を得る（➡❺） 　❺年少児はこれから何をされるのか理解・納得していないと，不安や恐怖を感じて姿勢を保持できず，正確に測定できなくなる
3　体重を測定する 　〈乳児用体重計の場合〉 　1）体重計の上にディスポーザブルシーツかタオルを敷き（➡❻），体重計の表示を「0」に合わせる 　2）衣服やおむつを脱がせ，体重計の上に静かに寝かせるか，おすわりをさせる（図2-7a参照）	●❻身長計は共用するので感染予防のため ●座位で測定する場合は，事前に座位をしっかりと保持できるかアセスメントしておく（➡❼） 　❼座位が不安定な場合は転落のリスクが高くなるので，座位では行わない

方法	留意点と根拠
3）測定値が安定したら測定値を読む	●測定中は，不安のために泣いたり動いたりすることを予測し，転落予防としていつでも乳幼児を支えられるように，測定者の手を常に乳児のからだの上に差し出しておく（図2-7a参照） ●嫌がって体重計の上で動く場合などは，前方（座位の場合）または上方（仰臥位の場合）からおもちゃなどでディストラクションを行う ●どうしても測定値が安定しない場合は，体動が少ない時点での測定値をすばやく読み取る
4）乳児を抱き上げ，家族に終了を告げ，測定値を伝える	●誤差がないように，前回の測定値と比較する
5）衣服を整える	
6）ディスポーザブルシーツやタオルを取り除き，体重計を消毒綿で拭く	
〈一般体重計の場合〉	
1）履き物と（必要時は）衣服を脱いでもらい，体重計の中央に静かに乗ってもらう	
2）測定値が安定したら測定値を読む	●誤差がないように，前回の測定値と比較する
3）小児と家族に終了を告げ，測定値を伝える	
4）小児の履き物と衣服の着用を援助する	
4 測定値を記録し評価する	●単位はkgで小数点第1位まで記録する（乳児の場合，単位はg） ●前回の測定値との差も記録する ●シーネ，ギプス，ガーゼなどを使用している小児は，その重さを差し引いた値を記録する ●測定値の評価は身長の測定値も併せて行う

C 頭囲と大泉門の測定

- 目　　的：（1）頭蓋骨の発育状態を評価する
  - （2）脱水症の有無や程度を把握する
  - （3）頭囲が変化する疾患（水頭症や脳腫瘍など）を疑う場合，その増減によって病状の変化を把握する
- 適　　応：定期健診，水頭症や小頭症，脳腫瘍などの疾患で定期的な増減を把握する必要のある小児
- 必要物品：メジャー，ノギス（大泉門測定時），メモ用紙，筆記用具，おもちゃ（必要時）

	方法	留意点と根拠
1	測定の準備をし，前回の測定値をメモする	
2	小児と家族に測定の目的と方法を説明する	●発達段階に応じてわかりやすく説明し，必要に応じて家族の協力を得る（→❶） ❶年少児はこれから何をされるのか理解・納得していないと，不安や恐怖を感じて姿勢を保持できず，正確に測定できなくなる
3	小児の姿勢を整える 臥位で測定するときは仰臥位で，それ以外は座位または立位とする	

方　法	留意点と根拠
4　頭囲を測定する 　1）メジャーを後頭結節（後頭の最も突出した部分），前頭結節（眉間の中央部分）を通るように巻き，頭部周囲に密着させる（図2-9） 　2）目盛りを読み，前回の値と比較する 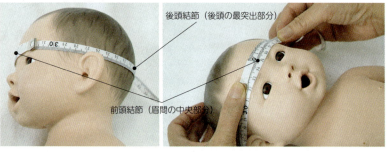 図2-9　頭囲の測定	●体動が激しい場合は，測定は2名で行い，1人は小児の頭が動かないように支える
5　頭の形，乳児の場合は大泉門の大きさと膨隆・陥没の有無を観察する	●大泉門に触れるときは，骨縁を示指と中指の腹で圧力をかけないようにやさしく触診する（図2-10） 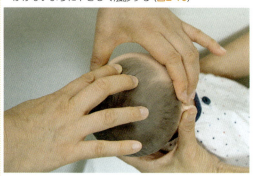 図2-10　大泉門の触診
6　必要時，大泉門を測定する 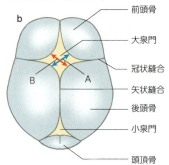 図2-11　ノギスを用いた大泉門の測定	●ノギスを用いて測定する（図2-11a）。大泉門の菱形の中点を結ぶ線の2方向の長さを測定し，測定値は（A＋B）÷2の値で示す（図2-11b）
7　小児と家族に測定の終了を伝える	
8　測定値を記録し評価する	●単位はcmで，小数点第1位まで記録する ●前回の測定値との差も記録する

D 胸囲測定

- 目　的：頭囲と比較しながら小児の成長・発達および栄養状態を評価する
- 適　応：定期健診，病気や障害のための入院時や治療・療養過程にある小児
- 必要物品：メジャー，メモ用紙，筆記用具，おもちゃ（必要時）

	方　法	留意点と根拠
1	測定の準備をし，前回の測定値をメモする	●上半身を露出するので，スクリーンやカーテンを用いてプライバシーを保護する
2	小児と家族に測定の目的と方法を説明する	●発達段階に応じてわかりやすく説明し，必要に応じて家族の協力を得る（➡❶） ❶年少児はこれから何をされるのか理解・納得していないと，不安や恐怖を感じて姿勢を保持できず，正確に測定できなくなる
3	小児の上半身の衣服を脱がせる，またはゆるめる	●特に年長女子の場合は羞恥心に配慮し，胸部を開けた状態や衣服をゆるめてもらうだけでもよい
4	小児の姿勢を整える 乳児は仰臥位，立位保持ができる幼児・学童以上は立位とする	●仰臥位の場合，両上肢は自然に伸ばし，メジャーが通る程度に脇を開く ●立位の場合，両上肢は体側に沿うように自然にたらす
5	胸囲を測定する 1）メジャーを背面は肩甲骨下角の直下，前面は乳頭直下部を通るようにして巻き，体表に密着させ1周する（図2-12） 2）自然の呼吸状態で，呼気と吸気の中間で目盛りを読む	●乳頭が膨隆している年長女子は，乳頭の位置とは関係なく，肩甲骨下角の直下を基準として，胸部周囲を水平に1周する ●泣いているときは，正確な測定値が得られないので避ける ●小児の状況に応じて，プレパレーションを実施するなどして不安や恐怖を和らげる ●誤差がないように前回の測定値と比較する

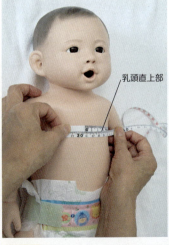 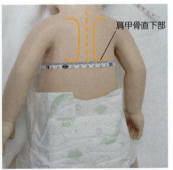

図2-12　胸囲の測定（右は背面の肩甲骨直下部）

6	小児と家族に測定の終了を告げ，測定値を伝える	
7	胸囲測定と同時に，胸部の異常や呼吸状態を観察する	

	方　法	留意点と根拠
8	メジャーをはずし，衣服を整える	●仰臥位の場合は，からだを少し浮かせてメジャーを引き抜く（➡❷） ❷強く引き抜くと，摩擦熱が生じて小児に苦痛を与えたり皮膚を傷つけたりする
9	測定値を記録し評価する	●単位はcmで，小数点第1位まで記録する ●前回の測定値との差も記録する

E 腹囲測定

- 目　　的：（1）小児の成長・発達および栄養状態を評価する
           （2）腹水，腹部腫瘍，浮腫などの病状の変化や治療効果を把握する
- 適　　応：腹囲の増大が予測される病状で定期的な評価が必要な小児
- 必要物品：メジャー，油性マーカー（必要時），メモ用紙，筆記用具，おもちゃ（必要時）

	方　法	留意点と根拠
1	測定の準備をし，前回の測定値をメモする	●腹部を露出するので，スクリーンやカーテンを用いてプライバシーを保護する
2	小児と家族に測定の目的と方法を説明する	●発達段階に応じてわかりやすく説明し，必要に応じて家族の協力を得る（➡❶） ❶年少児はこれから何をされるのか理解・納得していないと，不安や恐怖を感じて姿勢を保持できず，正確に測定できなくなる
3	小児に仰臥位で足を伸展した姿勢をとってもらい，お腹を露出する	
4	腹囲を測定する 1）メジャーを臍を通る腹周囲の体表に密着して1周し目盛りを読む（図2-13） 2）症状のある場合は，最大腹囲（腹部の最大部）も1周して目盛りを読む 臍部 ベッド面に対してメジャーが垂直になるようにする 図2-13　腹囲の測定	●目盛りは，呼気時または呼気終了時に読む ●誤差や症状の急激な変化を把握するために，前回の測定値と比較する ●症状の変化を把握するため，最大の測定部位にマーカーで印を付けておくことがある。その場合は，小児と家族に説明し，承諾を得てから行う
5	小児と家族に測定の終了を告げ，測定値を伝える	
6	腹囲測定と同時に，腹部ガス貯留の有無や腹部の皮膚を観察する	

	方　法	留意点と根拠
7	メジャーをはずし，衣服を整える	●仰臥位の場合は，からだを少し浮かせてメジャーを引き抜く（→❷） ❷強く引き抜くと，摩擦熱が生じて小児に苦痛を与えたり皮膚を傷つけたりする。特に浮腫を生じている場合は，皮膚が脆弱になっていることが多いので注意する
8	測定値を記録し評価する	●単位はcmで，測定値は小数点第1位まで記録する ●前回の測定値との差も記録する

文献

1) 厚生労働省：平成22年乳幼児身体発育調査の概況について，調査の結果.
〈https://www.mhlw.go.jp/stf/houdou/0000042861.html〉（アクセス日：2022/8/3）
2) 大関武彦：小児肥満の成因・病態および診断基準，日本臨牀，71 (2)：303-309，2013.
3) 今村栄一・巷野悟郎編著：新・小児保健，第11版，診断と治療社，2007，p.47.
4) 日本小児内分泌学会：BMIパーセンタイル曲線.
〈http://jspe.umin.jp/medical/chart_dl.html〉（アクセス日：2022/8/3）
5) 日本小児科学会：第2章　幼児肥満の判定法　1．BMI（カウプ指数）.
〈http://www.jpeds.or.jp/uploads/files/2019youji_himan_G_2.pdf〉（アクセス日：2022/8/3）
6) 文部科学省：平成12年度学校保健統計調査報告書.
7) 日本小児医療保健協議会 栄養委員会 小児肥満小委員会：幼児肥満ガイド，2019.
〈http://www.jpeds.or.jp/uploads/files/2019youji_himan_G_ALL.pdf〉（アクセス日：2022/8/3）
8) 田村恵美：子どもの生活を中心に考えた与薬・検査・処置時の看護－各論 身体計測，平田美佳・染谷奈々子編，ナースのための早引き子どもの看護－与薬・検査・処置ハンドブック，第2版，ナツメ社，2013，p.151-163.
9) 中野綾美編：小児看護学 小児看護技術〈ナーシンググラフィカ〉，第4版，メディカ出版，2019，p.237-242.
10) 奈良間美保・丸光惠・堀妙子・他：小児看護学概論 小児臨床看護総論，小児看護学①〈系統看護学講座 専門分野Ⅱ〉，第14版，医学書院，2020，p.296-302.
11) 浅野みどり編：根拠と事故防止からみた小児看護技術，第2版，医学書院，2017，p.213-218.

3 バイタルサインの見方

学習目標
- バイタルサインの重要性と測定の意義を，小児の特性を踏まえたうえで理解する。
- バイタルサインに影響を与える因子について理解する。
- 発達段階や病状に応じたバイタルサインの測定用具・測定方法を理解し，小児の安全・安楽に配慮した正確な測定ができる。
- 発達段階に応じたバイタルサインの基準値を理解し，測定値を正しく総合的にアセスメントし，看護ケアに役立てることができる。

1 バイタルサイン測定の意義

　バイタルサインとは人間が生きていることを示す最も重要な徴候をいい，一般的には体温，脈拍，呼吸，血圧をさす。バイタルサインの値は，健康であれば一定範囲の値（基準値）を示すため，その変化は何らかの疾病を示すことが多い。看護師は，それぞれのバイタルサインの基準値と異常値を理解するとともに，正確に測定する技術を身につけ，看護に役立てていく必要がある。

2 小児のバイタルサインの特徴と測定時の注意点

1）小児のバイタルサインの特徴
・睡眠や活動，周囲の気温，その他様々な環境条件により変動しやすい。
・基準値は発達段階により異なる。

2）測定時の注意点

　小児の病状の進行は大人と比較して速いが，会話の能力が未熟なため訴えが不明確であることが多い。したがって，異常の早期発見，早期対処には，バイタルサインの変動を注意深く観察することが重要となる。

　小児のバイタルサインの測定には，発達段階に応じた測定器具，測定方法，測定技術が必要であり，これを誤ると正確な値を得ることができない。

　冷たい聴診器を胸に当てられたり，血圧測定時に腕が締め付けられたり，測定中に同じ体位を保持したりすることは，大きな苦痛となる。苦痛を最小限にするためには，基本的な技術に加え，小児が安心し落ち着いて測定を受けられるように支援する小児看護特有の技術が必要である。

アニマル聴診器 アディマルズ（小児用）
写真提供：村中医療器株式会社

図3-1 小児用聴診器

- 測定用具を用いてロールプレイするプレパレーション，お気に入りの玩具を渡し，親に抱っこしてもらう，小児の気をそらす会話や遊びを活用したり，装飾のある測定用具を使用したり（図3-1）するディストラクションなどをうまく取り入れ，小児が安心できる雰囲気づくりをする。
- 苦痛の少ないものから，「呼吸→脈拍（心拍）→体温→血圧」の順に進めていくとよい。

3 体　温

1）小児の体温の特徴

　小児，特に乳幼児は，表3-1に示した理由で体温調節機構が未熟であり，脱水などによる発汗の熱放散が減少するだけでも高体温となるなど不安定である。また，表3-2に示したような環境因子によっても容易に変動する。

　体温は日内変動もあり，早朝2〜6時前後に体温は最低になり，その後徐々に上昇し，昼頃から夕方まで高く維持した後，夜になって低下する。変動幅は0.5〜1℃程度である[1]。

2）体温の測定部位

　体温は，口腔，腋窩，耳内，直腸で測定できる。体温は測定部位によって異なり，一般的に「腋窩＜耳内＜口腔＜直腸温」の順となる。腋窩温に比べて口腔内では0.2〜0.4℃，直腸では0.4〜0.8℃程度高くなるのが普通である。

　小児の測定部位によく用いられるのは腋窩であるが，るいそうが著明な小児の測定には適さないこともある。

表3-1 小児の体温調節機構が未熟な理由

①体表面積が大きく皮膚からの熱放散が大きい
②皮下脂肪層が少ないため熱放散が大きい
③発汗能力が未熟で緩徐である
④単位面積当たりの熱産生量が多い
⑤体重当たりの水分率が成人より大きい
⑥1日当たりの水分出納が大きい

表3-2 体温に影響を及ぼす環境因子

・気温
・湿度
・掛け物の枚数や素材，衣服の枚数や素材
・授乳，食事
・啼泣
・運動
・入浴

直腸温は主に乳児で用いられ，最も正確な深部体温が測定できるが，不快感を伴うため，心理的な影響を十分に考慮したうえで，必要と判断したときのみこの部位を選択する。また，肛門周囲の疾患や肛門部の術後，好中球減少時や出血傾向がある場合には禁忌である。

耳内は鼓膜温を測定するものであるが，外耳への挿入角度や耳垢により値が不正確になることがあるので注意する。

3）体温計の種類（図3-1）

体温計には，水銀体温計，電子体温計，耳式体温計があるが，世界保健機関（WHO）は2013年に体温計など水銀を含んだ製品の使用を廃止することを定め，2021年以降は製造と輸出入が原則禁止となった。電子体温計や耳式体温計の使用が一般的である。電子体温計には実測式と平衡温予測式の2種類があるが，特に小児の測定においては測定時間の短い予測式の体温計が用いられることが多い。

新型コロナウィルス感染対策の一つとして，体温計を被験者の測定部位に接触させずに体温測定ができる非接触式体温計が普及している。この体温計は発熱スクリーニング手法としては一定の有用性はあるが，深部体温を推定する手法としては課題が残るため，医療用として使用することはすすめられない。

4）正常な体温

小児の体温は，発達段階によって基準値が異なることを念頭に置いてアセスメントする。平熱とは，健康な人の平常の体温と定義されるが，個人差があるので，健康なときに同一部位・体温計で数回測定し，平常時との違いをみることが重要である。表3-3に小児の発達段階別の体温の基準値の目安を示す。

テルモ電子体温計 C405
（口中，直腸用）
写真提供：テルモ株式会社

テルモ電子体温計 C207/217
（腋窩用）

非接触式体温計（皮膚赤外線体温計）
Omron MC-720

耳式体温計
OmronMC-510 けんおんくんミミ
写真提供：オムロン ヘルスケア株式会社

図3-1 体温計の種類

表3-3 小児の発達段階別の体温の基準値の目安（電子体温計測定時）

発達段階	安静時体温（℃）	活動時体温（℃）
乳児期	36.3～37.3	36.3～37.5
幼児期	35.8～36.6	36.5～37.5
学童期	35.6～36.6	36.5～37.3

5）体温の異常

体温の異常には，発熱と高体温の鑑別が必要である。発熱は「子どもそれぞれの体温が正常の変動（平熱）を逸脱して上昇している状態」と定義される[2]。

発熱は程度により，①37.6～37.9℃の微熱（または平熱と比較して1.0℃以内の上昇。またその体温の状態がしばらく続いているもの），②38.0～38.9℃の中等熱，③39.0℃以上の高熱に分けられる。

高体温は「視床下部の体温調節中枢のセットポイントが正常のままであるにもかかわらず，体温調節不全が原因で，日中の体温が37.5℃を超えたもの」と定義される[3]。脱水，うつ熱，熱中症などが原因となることが多い。

6）熱型と関連する疾患

発熱した場合，定期的に体温を測定し熱型を知ることは，疾患を鑑別するうえで役に立つ。表3-4に熱型の種類と代表的疾患を示す。

表3-4 熱型の種類と代表的疾患

熱型	熱型の図	定義	代表疾患
稽留熱		日内変動1℃以内38℃以上が続く	腸チフス，粟粒結核，化膿性髄膜炎，重症肺炎など
弛張熱		日内変動1℃以上37℃以下にならない	ウイルス性感染症，敗血症，悪性腫瘍など
間欠熱		日内変動1℃以上37℃以下になるもの	悪性リンパ腫，マラリア発熱期，弛張熱と同様の疾患など
波状熱		有熱期と無熱期を不規則に繰り返す	ホジキン病，マラリア，胆道閉塞症など

4 脈拍・心拍

1）小児の脈拍・心拍の特徴

　小児の脈拍・心拍数は一般に成人より多いが，成長とともに減少する。また，生理的変動の1つである呼吸性不整脈（吸気時に脈拍・心拍が増加し，呼気時に減少するもの）は，小児では高頻度にみられ，睡眠時や安静時に著明である。これも成長とともに次第になくなる。脈拍・心拍は表3-5に示したような様々な因子によって左右されやすい。

2）脈拍・心拍の測定方法と測定部位

　測定方法は，体表近くの動脈が走行する部位に沿って示指，中指，環指を並べて軽く圧することで触れることのできる触診法と，心音を聴取して心拍を測定する聴診心音法がある。触診法での測定に用いられる部位を図3-3に示す。新生児や乳児のように脈拍数が多い

表3-5　脈拍・心拍に影響を及ぼす因子

- 気温
- 授乳，食事
- 啼泣
- 運動
- 入浴
- 発熱
- 精神状態（不安，恐怖，興奮）
- 疼痛，出血，貧血など

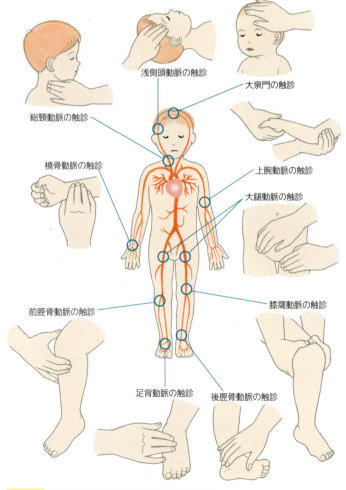

図3-3　小児の脈拍測定に用いられる触診部位

表3-6 小児の発達段階別の脈拍・心拍数の基準値

発達段階	脈拍・心拍数（回/分）
新生児期	120〜140
乳児期	110〜130
幼児期	100〜110
学童期以降	80〜100

場合や，心疾患の小児，脈が触れにくい重症の小児などは，聴診心音法を用いる。

3）正常な脈拍・心拍数

小児の発達段階別の脈拍・心拍数の基準値を表3-6に示す。

4）脈拍・心拍の異常

脈拍・心拍数の増加は，発熱，脱水，疼痛，高度の貧血，低酸素血症，甲状腺機能亢進症，心不全などでみられる。脈拍・心拍数の減少は，房室ブロックなどの心疾患や脳炎などによる頭蓋内圧亢進時，低体温などでみられるため，緊急の対応が求められることが多い。

5 呼　吸

1）小児の呼吸の特徴

乳児は呼吸中枢が未発達であり，上気道も狭いため，呼吸困難に陥りやすい。また，乳幼児は肺胞数が少なく，ガス交換のための肺胞表面積が小さく，1回換気量が少ないため，呼吸を多くすることで十分な空気量を維持している。成長・発達に伴い呼吸数は減少し，学童期以降には成人の呼吸数に近づく。また，成人と比べリズムが不規則であるが，これも成長とともに次第に規則的になってくる。

乳児期は胸郭が軟弱で，呼吸筋の発達も未熟であるため，横隔膜運動による腹式呼吸である。幼児期になると胸郭が発達し成人の形態に近づき，呼吸筋も発達してくるので，胸式呼吸が加わった胸腹式呼吸になる。学童期以降になると，ほぼ成人に近い胸式呼吸となる。

2）呼吸の測定方法

胸腹部の上下運動を観察して測定する方法，軽く胸腹部に手を当てて測定する方法，聴診器を用いて呼吸音を聴いて測定する方法がある。測定は，睡眠時や安静時に気づかれないように行う。呼吸器疾患や呼吸状態に影響を及ぼす可能性のある病状の小児の場合は，呼吸数の測定だけでなく，呼吸音も聴診する必要がある。

3）正常な呼吸数

小児の発達段階別の呼吸数の基準値を表3-7に示す。

4）異常呼吸と呼吸音の異常

異常呼吸とは，呼吸数・深さ・リズムの異常，換気量の変化，胸郭に異常がみられることである（表3-8）[4]。呼吸音の異常（副雑音）は，異常の原因や部位を反映している（図3-4）。

表3-7 小児の発達段階別の呼吸数の基準値

発達段階	呼吸数（回/分）
新生児期	40～50
乳児期	30～40
幼児期	20～30
学童期以降	15～25

表3-8 異常呼吸

異常呼吸	特徴
頻呼吸	深さは変わらないが呼吸数が増加する
徐呼吸	深さは変わらないが呼吸数が減少する
過呼吸	呼吸数は変わらないが1回換気量が増加する
減呼吸	呼吸数は変わらないが1回換気量が減少する
多呼吸	呼吸数，深さともに増加する
少呼吸	呼吸数，深さともに減少する
浅表性呼吸	呼吸が浅くなり，1回換気量が減少し，呼吸数が増加する
陥没呼吸	吸気時に肋骨・胸骨上，肋骨下が陥没する
鼻翼呼吸	吸気時に鼻翼を広げる
呻吟	呼気時に声帯を狭めて呼気にブレーキをかけ，機能的残気量を多く維持しようとするために狭窄音が聞こえる
シーソー呼吸	呼吸時に胸部の拡張と腹部の膨隆の動きが逆になる
チェーン・ストークス呼吸	無呼吸の後，二酸化炭素（CO_2）が蓄積されてくると呼吸中枢が刺激されて呼吸数と深さが次第に増し，血中CO_2が低下してくると再び無呼吸になる呼吸形式
ビオー呼吸	促迫呼吸と無呼吸が10～30秒の間隔で交互に現れ，呼吸の周期，深さ，頻度がきわめて不均等な呼吸形式

佐東美緒：バイタルサインの測定，中野綾美編，小児看護学② 小児看護技術〈ナーシンググラフィカ〉，メディカ出版，2019，p.206. より転載（一部改変）

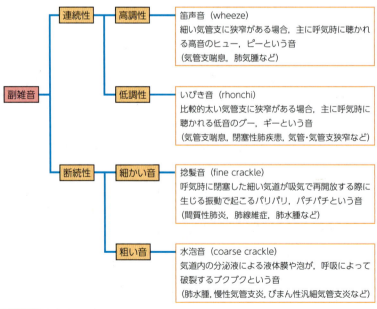

図3-4 代表的な副雑音

6 血圧

1）小児の血圧の特徴

血圧は，心臓から送り出される血液による血管への圧力の大きさを反映しており，血圧値は心拍出量（1分間に心臓が拍出する血液量）と末梢の血管抵抗のかけ合わせである。小児は心拍出量が少なく，血管が軟らかく血管抵抗が少ないため，幼少のときほど血圧は低く，年齢とともに高くなる。血圧に影響を及ぼす因子を表3-9に示す。

2）血圧の測定部位

血圧測定に用いられる部位を図3-5に示す。

3）血圧の測定器具と測定方法

測定器具として一般的なのはアネロイド血圧計である（図3-6）。かつては水銀血圧計が主流であったが，地球的規模の水銀汚染の防止をめざし，2021年以降水銀を使った機器の製造および輸出入が原則禁止となっている。

血圧の一般的な測定方法は，聴診法と触診法で，特に乳幼児の測定では聴診法においてはより正確な聴力，触診法においてはより敏感な指先の触覚が必要である。

表3-9 血圧に影響を及ぼす因子

急性影響因子	・姿勢 ・運動 ・食事，授乳 ・排便 ・入浴	・室温 ・ストレス ・機嫌 ・測定方法
慢性影響因子	・年齢 ・性別 ・肥満度	・食塩過剰摂取 ・運動不足 ・家族性

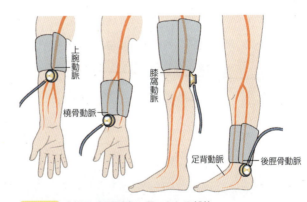

図3-5 小児の血圧測定に用いられる部位

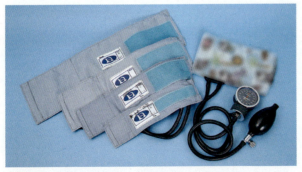

図3-6 アネロイド血圧計．小児の大きさに応じたマンシェット

新生児や血管音の聴き取りにくい重症の小児においては，これらの方法での測定が困難なことが多く，ドップラー血圧計や持続自動血圧計を用いることもある。

また，重症な小児や術後の観察が必要な場合などには，観血的な血圧測定法として，動脈に直接カテーテルや留置針を入れて，血圧トランスデューサーに接続し，持続的に測定する方法もある。

4）マンシェットの選択

マンシェットの幅は，基本的に上腕の2/3を覆うものが適当である。発達段階別のマンシェットの幅の目安を表3-10に示したが，これはあくまでも目安であり，小児の大きさを観察したうえで，慎重に選択する（図3-6）。定期的な測定が必要な場合は，反復して同じサイズのものを用いる。

5）正常な血圧

小児の発達段階別の血圧の基準値を表3-11に示す。

6）血圧の異常

血圧測定は，バイタルサイン測定のなかでは最も苦痛が大きいため，すべての外来受診，入院中の小児を測定する必要はない。特に3歳未満で血圧を測定するべき条件を表3-12[5]に示す。また，日本高血圧学会が示している小児の発達段階別の高血圧の基準を表3-13に

表3-10 小児の発達段階別のマンシェットの幅と長さの目安

発達段階	幅 (cm)	長さ (cm)
新生児～3か月未満	3	15
3か月～3歳未満	5	20
3歳～6歳未満	7	20
6歳～9歳未満	9	25
9歳以上	12	30

表3-11 小児の発達段階別の血圧の基準値

発達段階	収縮期血圧 (mmHg)	拡張期血圧 (mmHg)
新生児期	60～80	60
乳児期	80～90	60
幼児期	90～100	60～65
学童期	100～120	60～70

表3-12 3歳未満で血圧を測定するべき条件

- 未熟児，低出生体重児，集中治療を要した新生児
- 先天性心疾患
- 反復性尿路感染，血尿，たんぱく尿
- 腎疾患の存在，尿路奇形
- 先天性腎疾患の家族歴
- 臓器移植
- 悪性腫瘍，造血細胞移植
- 血圧上昇作用のある薬剤による治療中
- 高血圧を伴う全身性疾患（神経線維腫症，結節性硬化症など）
- 頭蓋内圧亢進の所見

山田浩：小児の体温・血圧測定，小児内科，45（4）：616-618，2013．より転載（一部改変）

表3-13 小児の発達段階別の高血圧基準

発達段階	収縮期血圧 (mmHg)	拡張期血圧 (mmHg)
幼児	≧120	≧70
小学校低学年	≧130	≧80
小学校高学年	≧135	≧80
中学校男子	≧140	≧85
中学校女子	≧135	≧80
高等学校	≧140	≧80

表3-14 誤った測定方法による血圧測定値への影響

測定方法 （正しい方法）	誤った方法	収縮期血圧	拡張期血圧
測定場所 （心臓と同じ高さ）	心臓より高い	↓	↓
	心臓より低い	↑	↑
マンシェットの巻き方 （指が1〜2本入る程度）	ゆるすぎる	↑	↑
	きつすぎる	→	↓
マンシェットの幅 （上腕の2/3を覆うもの）	狭すぎる	↑	↑
	広すぎる	↓	↓

示す。血圧は測定方法による影響が大きいので、血圧の異常の有無を判断する前に、マンシェットの幅や巻き方、測定場所が正しいかどうか確認する。表3-14に、誤った測定方法による影響を示す。

看護技術の実際

A 体温測定

- 目　　的：（1）発熱の有無や程度，低体温の状態を把握する
  - （2）熱型を知ることで，全身状態の把握や疾患の診断，経過を知る手がかりとする
- 適　　応：体温測定が必要な小児
- 必要物品：（1）腋窩温測定時：腋窩用電子体温計，消毒綿，タオル（必要時），メモ用紙，筆記用具，おもちゃ（必要時）
  - （2）直腸温測定時：直腸用電子体温計，ディスポーザブル手袋，潤滑剤，おむつ，おしり拭き，消毒綿，おもちゃ（必要時）

	方　法	留意点と根拠
1	測定が可能かどうか小児の様子を確認する	●安静時または睡眠時を選択する。激しく泣いた後，運動後，食後，入浴直後は緊急を要するとき以外は避ける（➡❶） ❶啼泣，運動，食事，入浴により体温の変動がある
2	必要物品を準備し体温計を点検する 電池が切れていないか，体温計の表示が初期表示となっているか	
3	小児と家族に体温測定をすることを伝え，了解を得る	●年少児の場合は最初は嫌がることもあるが，無理強いせず，プレパレーションを行ったり，一緒に遊んだ後に測定したり，家族の協力を得たりするなどの工夫をし，小児が泣かないようにする（➡❷） ❷無理強いして小児が泣くと体温が上昇する

方　法	留意点と根拠
4 体温を測定する 〈腋窩用電子体温計の場合〉 1）測定側の腋窩の発汗状態を確認し，湿っている場合は乾いたタオルで汗を拭き取る（→❸） 2）測定側を選択する。原則として，検温では最も高い体温を得る必要がある ・側臥位の場合は上側（→❹） ・麻痺のある場合は健側（→❺） 3）体温計の先が腋窩中央にくるように（→❻）体温計を下から前方に45℃程度の角度で挿入する 4）終了の電子音が鳴ったら体温計を取り出し，値を読む	❸汗で湿っていると体温計が皮膚に密着しない。また，汗をかいていると気化熱が奪われ正確な値が得られない ❹下側の腋窩の血管は収縮し，上側の血管は拡張するので，上側のほうが体温が高い ❺麻痺側は血液循環が悪いので一般に体温が低い ❻腋窩中央部の皮膚温は最も高い（図3-7） ●年少児の場合は，親の協力を得て抱っこして測定したり，測定している間，おもちゃなどで気を紛らわせ，体温計をはさんだまま，終了まで腋窩に密着させた姿勢が保てるようにする（図3-8a） ●年長児の場合は，測定側の肘を曲げ，もう一方の手で測定側の肘を軽く支えてもらいながら測定する（図3-8b） ●入眠中の小児の測定の場合，測定の刺激で起こさないよう，衣服のゆるめ方やからだの触れ方に十分配慮する

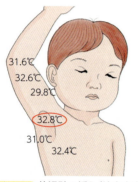

図3-7　体温計の挿入（腋窩中央）部位

自分で体温計を保持できない年少児

自分で体温計を保持できる年長児

図3-8　体温計の挿入・固定の仕方

方　法	留意点と根拠
〈直腸用電子体温計の場合〉 1）おむつをはずして排泄の有無，下痢や肛門周囲の異常の有無を確認する（→❼） 2）体温計の先に潤滑油をつける 3）利き手と反対側の手で小児の下肢を支え，利き手で体温計を持つ（図3-9）。新生児は肛門から1～1.5cm，乳児は2～3cm，体温計の目盛りが見える位置を上にしてそっと挿入する	●排泄があった場合は拭き取る ❼肛門周囲の疾患や肛門部の術後，好中球減少時や出血傾向時には禁忌 ●股関節脱臼の原因となるので小児の下肢を持ったまま殿部を持ち上げない ●利き手の母指と示指で体温計をはさむようにして保持し，小児が動いたときに誤って深く体温計を挿入しないように注意する（図3-9） ●測定中に排便があった場合は，測定を中断し，便を拭き取ってから再度挿入する ●測定中は，話しかけたりして，小児の気を紛らわせる

図3-9　直腸体温の測定

4）測定が終了したら，体温計を取り出し，値を読む
5）肛門部からの出血がないこと，体温計の血液が付着していないことを確認してからおむつを当てる

方法	留意点と根拠
5 小児と家族に測定の終了を告げ，測定値を伝えるとともに，ねぎらいの言葉をかける	●年少児の場合は，上手にできたとほめられると，次回の体温測定時に自信をもって臨むことにつながる
6 消毒綿で体温計を拭き，ケースに戻す	
7 測定値を記録し評価する	●月日，時間，測定値，観察内容（自覚症状，随伴症状の有無と内容）を記録する

B 脈拍測定・心拍測定

- 目　　的：心疾患など循環器に関連した疾患の診断や病状の経過を把握し，全身状態を評価する
- 適　　応：脈拍・心拍測定が必要な小児
- 必要物品：聴診器（心拍数測定時），ストップウォッチ，消毒綿，メモ用紙，筆記用具，おもちゃ（必要時）

方法	留意点と根拠
1 測定が可能かどうか小児の様子を確認する	●安静時または睡眠時を選択する。激しく泣いた後，運動後，食後，入浴直後は緊急を要するとき以外は避ける（➡❶） ❶啼泣，運動，食事，入浴により脈拍・心拍の変動がある
2 必要物品を準備する	●脈拍測定の場合は，測定者の手や指先を温めておく（➡❷） ●心拍測定の場合は，聴診器を手で温めておく（➡❸） ❷❸冷たい手や聴診器は小児に苦痛を与える
3 小児と家族に脈拍または心拍測定をすることを伝え，了解を得る	●年少児の場合は最初は嫌がることもあるが，無理強いせず，プレパレーションを行ったり，一緒に遊んだ後に測定したり，家族の協力を得たりするなどの工夫をし，小児が泣かないようにする
4 脈拍または心拍を測定する 〈脈拍測定の場合〉 1) 脈拍の触れやすい測定部位を選ぶ（図3-3参照） 2) 測定者の示指，中指，環指の指腹を動脈の走行に沿って軽く当てる（➡❹） 3) 脈拍の測定を1分間行う。その際，脈拍数，リズム，大きさなども観察する 〈心拍測定の場合〉 1) 衣服をゆるめ，聴診器を心臓の心尖部（胸骨の左側第4〜5肋間で乳頭の下の部分：図3-10）に当てる（➡❺） 2) 心拍の測定を1分間行い，心拍数，リズム，大きさなどを聴診する 3) 異常心音や心雑音の有無を聴取する際は，図3-11の順で聴診していく	●脈拍が触れにくい場合や不整脈を認めた場合は，心拍の測定に切り替える ❹1本の指よりも3本の指のほうが脈拍の性状を感じ取りやすい。また，母指で測定すると，自分の脈拍と誤認しやすい ●体動や啼泣で1分間測定することが難しい場合は，30秒間測定して2倍する ❺心尖部付近が最大拍動点であるため，心拍数測定時は，最も心音が聴きやすいこの部分に聴診器を当てる（小児の心臓，心尖部の位置は図3-10参照） ●正面から測定すると怖がって泣くこともあるので，家族の協力を得て抱っこしてもらい，背部から測定する ●体動や啼泣で1分間測定することが難しい場合は，30秒間測定して2倍する ●リズム不整がある場合は，呼吸周期と関連させて心拍を聴く（➡❻） ❻リズム不整の場合，呼吸性不整脈のことがある ●心雑音が聴かれた場合は最強点の位置をはっきりさせる（➡❼） ❼小児では，機能性の心雑音という無害な心雑音が聴かれることがあり，雑音の最強点によって聴き分けることができる

方　法	留意点と根拠

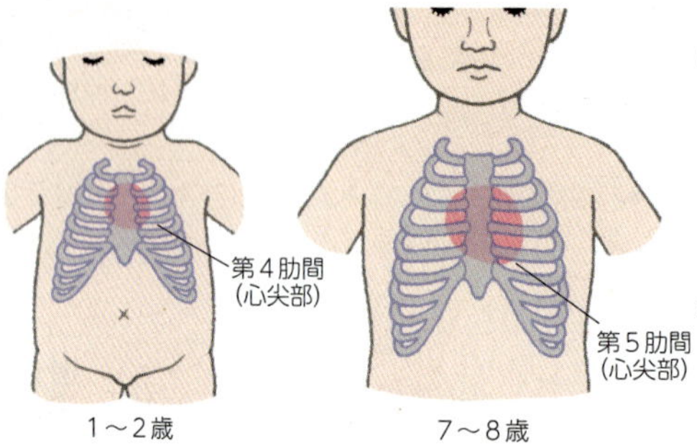

図3-10　小児の心臓と心尖部の位置

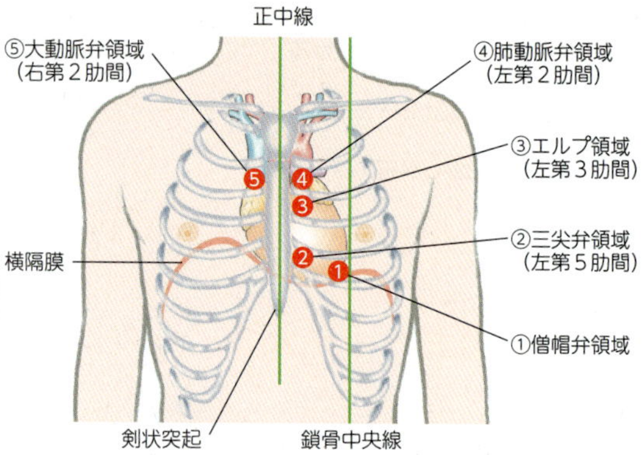

図3-11　心音の聴診の順番と位置

	方　法	留意点と根拠
5	小児と家族に測定の終了を告げ，測定値を伝えるとともに，ねぎらいの言葉をかける	・年少児の場合は，上手にできたとほめられると，次回の脈拍・心拍測定時に自信をもって臨むことにつながる
6	消毒綿で聴診器を拭く	
7	測定値を記録し評価する	●月日，時間，測定値，観察内容（リズム不整の有無，拍動の強さ，心雑音の有無など）を記録する

C 呼吸測定

- ●目　　的：呼吸器・循環器に関連した疾患の診断や病状の経過を把握し，全身状態を評価する
- ●適　　応：呼吸状態の観察が必要な小児
- ●必要物品：聴診器，ストップウォッチ，消毒綿，メモ用紙，筆記用具，おもちゃ（必要時）

	方　法	留意点と根拠
1	測定が可能かどうか小児の様子を確認する	●安静時または睡眠時を選択する。激しく泣いた後，運動後，食後，入浴直後は緊急を要するとき以外は避ける（➡❶） ❶啼泣，運動，食事，入浴により呼吸数の変動がある
2	必要物品を準備する	●聴診器を手で温めておく（➡❷） ❷冷たい聴診器は小児に苦痛を与える
3	呼吸数を1分間測定する 1）呼吸を観察する ・呼吸数，深さ，リズム，型 ・異常呼吸の有無 ・随伴症状（咳，痰，チアノーゼ）の有無 ・副雑音の有無と種類，左右差　（副雑音は図3-4参照） 2）胸腹部の上下運動を観察する 3）わかりにくい場合は，胸腹部に軽く手を当てて測定する 〈呼吸器疾患児や重症児の場合〉 1）胸部をあけて，聴診器で呼吸数を測定する 2）呼吸音を図3-12のように聴取する	●呼吸測定を小児が意識すると呼吸数やリズムが変化するため，呼吸測定に気づかれないよう注意する ●呼吸音を聴取する場合は，左右交互に，1か所1呼吸以上聴取する 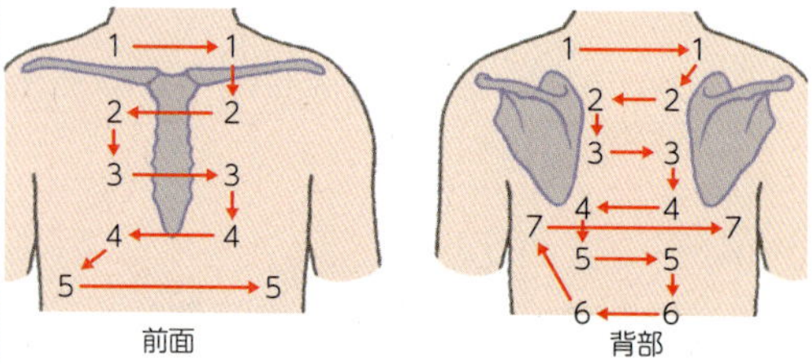 聴診器の膜型を使って，左右交互に対称的に，最低でも1か所で1呼吸以上聴取する 図3-12　呼吸音聴取の方法

方法	留意点と根拠
4　小児の衣服を整える	
5　小児と家族に測定の終了を告げ，ねぎらいの言葉をかける	●年少児の場合は，上手にできたとほめられると，次回の呼吸測定時に自信をもって臨むことにつながる
6　消毒綿で聴診器を拭く	
7　測定値を記録し評価する	●月日，時間，測定値，観察内容（「方法3」参照）を記録する

D 血圧測定

- 目　　的：循環動態，心機能，腎機能，内分泌機能，呼吸状態などを把握し，疾患の診断や病状の経過を把握し，全身状態を評価する
- 適　　応：血圧測定が必要な小児
- 必要物品：血圧計，マンシェット（年齢や体格に応じたサイズ），聴診器（聴診法の場合），消毒綿，メモ用紙，筆記用具，おもちゃ（必要時）

	方法	留意点と根拠
1	測定が可能かどうか小児の様子を確認する	●安静時または睡眠時を選択する。激しく泣いた後，運動後，食後，入浴直後は緊急を要するとき以外は避ける（➡❶） ❶啼泣，運動，食事，入浴により血圧の変動がある
2	必要物品を準備し点検する 1）マンシェットの幅が小児に適しているかを確認する。わからない場合は，数種類のマンシェットを準備しておく（表3-10参照）（➡❷） 2）血圧計を点検する ・マンシェットのゴム嚢がスムーズに膨らみ，空気漏れしていないか ・送気球のねじの開閉がスムーズか	❷マンシェットの幅が適切でないと正確な測定値が得られない（表3-14参照）
3	小児と家族に血圧測定をすることを伝え，了解を得る	●マンシェットによる圧迫は苦痛を与えるため，実際の血圧計を見せて人形の血圧を測ってみたり，遊びとして人形や測定者の血圧を測定してもらったりして，どのようなことが起こるかを小児が予測して対処できるようにプレパレーションをする。その際，小児が体験する感覚として「ギュッと締め付けられること」「動かないでいてくれると早く終わること」をきちんと伝える
4	小児を仰臥位または座位にして，上肢を心臓の高さにする（➡❸）	❸測定場所が心臓と同じ高さでないと正確な測定値が得られない（表3-14参照）
5	測定部位を十分に露出する	●厚手の長袖を着ている場合は，上腕を圧迫しないように袖をまくってもらうか，測定側の袖を脱がせる（➡❹） ❹上腕を圧迫するとうっ血が起こり，実際の値より低く出る
6	マンシェットを巻く（図3-13） 1）上腕動脈を触知してゴム嚢の中央が上腕動脈の真上になるように巻く 2）マンシェットの下縁は肘窩の2〜3cm上になる 3）指が1〜2本程度入るくらいのゆとりをもたせる（➡❺）	❺マンシェットの巻き方はきつすぎてもゆるすぎても正確な測定値が得られない（表3-14参照）

方　法	留意点と根拠

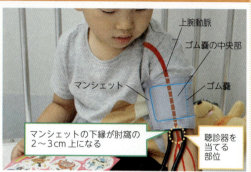

図3-13 マンシェットの巻き方（上腕部で測定する場合）

7　小児の肘関節を伸展させ，手掌を上に向ける

8　聴診法または触診法で血圧を測定する
　〈聴診法の場合〉
　1）肘窩部の上腕動脈の拍動が確認できる部位に聴診器の膜型を当てる（図3-14）

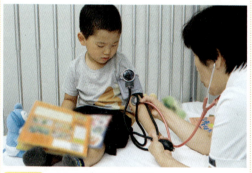

図3-14 血圧の測定方法（聴診法）

2）前回の測定値から15～20mmHg高いところまで送気球を押して空気を入れる

- 必要以上に空気を入れると強く腕が締めつけられ苦痛が大きくなるので注意する
- 小児のはげみになる玩具を持たせたり，楽しく会話しながら測定し，あとどれくらいで終わるかを伝えて測定を進めていく
- 出血傾向のある小児の場合，必要以上の加圧，長時間の加圧により出血斑が出現する可能性がある

3）目盛りを見ながら送気球のねじをゆるめ，1拍動につき2～3mmHg程度の速度で減圧する
4）初めてコロトコフ音（図3-15）の聴こえた目盛りを読み（収縮期血圧），さらに圧を下げて行き，コロトコフ音が聴こえなくなったときに目盛りを読む（拡張期血圧）
5）送気球のねじを全開して，手早くマンシェットの空気を完全に抜く

- 送気球のねじは，母指と示指で力を入れてはさむようにしながら，徐々にゆるめる。減圧は速すぎても遅すぎてもいけない（→❻）
  - ❻成人に比べ，小児のコロトコフ音は聴き取りにくい。目盛りを読み落とすと，正確な測定値が得られなくなるので注意する

方　法	留意点と根拠
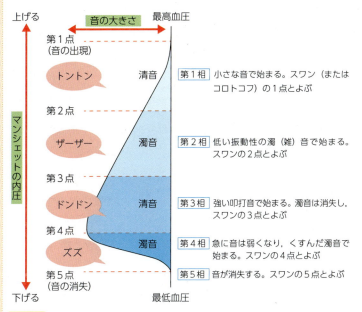 図3-15　コロトコフ音はどうやって聴こえるか 〈触診法の場合〉 1）片方の手（一般的には非利き手）で橈骨動脈または上腕動脈を触知しながら，反対側の手で送気球を押して空気を入れる 2）脈が触れなくなったら，さらにその目盛りより20〜30mmHgほど目盛りが上がるまで送気球を押して空気を入れる（図3-16） 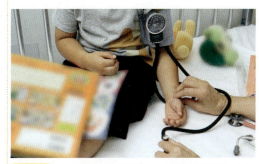 図3-16　血圧の測定方法（触診法：橈骨静脈触知による） 3）目盛りを見ながら送気球のねじをゆるめ，1拍動につき2〜3mmHg程度の速度で減圧する 4）初めて脈拍が触れた目盛りを読む（収縮期血圧） 5）送気球のねじを全開して，手早くマンシェットの空気を完全に抜く	●送気球のねじは，母指と示指で力を入れてはさむようにしながら，徐々にゆるめる ●触診法で拡張期圧は測定できない
9　血圧上昇や下降がみられた場合は，それに関連する自覚症状，他覚症状がないかを確認する ・血圧上昇時：頭痛，めまい，耳鳴り，心悸亢進，悪心，顔面紅潮，疼痛など ・血圧下降時：頭痛，めまい，手足の冷え，徐脈，顔色不良など	
10　小児の衣服を整える	
11　小児と家族に測定の終了を告げ，測定値を伝えるとともに，ねぎらいの言葉をかける	●年少児の場合は，上手にできたとほめられると，次回の血圧測定時に自信をもって臨むことにつながる
12　消毒綿で聴診器を拭く	

方 法	留意点と根拠
13　測定値を記録し評価する	●月日，時間，測定値，観察内容（「方法9」参照）を記録する

文　献

1) 岩崎創史・山蔭道明：平熱，発熱，高体温，低体温，小児内科，46（3）：301-304，2014．
2) 五十嵐隆総編集，田原卓浩専門編集：小児科臨床ピクシス29　発熱の診かたと対応，中山書店，2011．
3) 前掲書1），p.303．
4) 佐東美緒：バイタルサインの測定，中野綾美編，小児看護学② 小児看護技術〈ナーシンググラフィカ〉，第4版，メディカ出版，2019，p.204-218．
5) 山田浩：小児の体温・血圧測定，小児内科，45（4）：616-618，2013．
6) 小野田千枝子監，土井まつ子・椙山委都子・仲井美由紀編：こどものフィジカル・アセスメント，金原出版，2001，p.102．
7) 和田靖之：体温測定と体温計，小児内科，46（3）：315-319，2014．
8) 林幸子：発熱，及川郁子監，西海真理・伊藤龍子責任編集，フィジカルアセスメントと救急対応〈小児看護ベストプラクティス〉，中山書店，2014，p.132．
9) 不田貴希：小児・新生児フィジカルアセスメント 呼吸系 小児編，こどもケア，8（1）：25-30，2013．
10) 日本高血圧学会高血圧治療ガイドライン作成委員会編：高血圧治療ガイドライン2009，日本高血圧学会，2009，p.9．
11) 栗田直央子：循環器系のフィジカルアセスメント，小児看護，37（3）：316-324，2014．
12) 田村恵美：バイタルサインの測定，平田美佳・染谷奈々子編，ナースのための早引き子どもの看護－与薬・検査・処置ハンドブック，第2版，ナツメ社，2013，p.167-185．
13) 松岡真里：バイタルサイン，奈良間美保・丸光惠・堀妙子・他，小児看護学概論 小児臨床看護総論，小児看護学①〈系統看護学講座 専門分野Ⅱ〉，第14版，医学書院，2020，p.287-296．
14) Winkelstein W, Hockenberry K：Wong's nursing care of infants and children, 7th ed, Mosby, 2003, p.178-186.

第 Ⅳ 章

日常生活援助にかかわる看護技術

1 清　潔

学習目標
- 小児の皮膚の構造と機能を理解する。
- 小児に起こりやすい皮膚トラブルを理解する。
- スキンケアの効果と影響を理解する。
- 小児の歯の特徴を理解する。
- 小児の安全に配慮し，発達段階や病状に応じた清潔ケアが実施できる。

1 小児の皮膚の構造と機能

　皮膚はからだの表面を覆い，組織液や血液が漏れ出ないように保護すると同時に，外界の有害な物質や病原体が侵入するのを防いでいる。また，発汗して体温を調節する役割ももっている。

　皮膚は表皮，真皮，皮下組織の3層からなり，皮脂腺や汗線などの様々な付属器官がある。小児の皮膚は薄く，新生児（満期産児の場合）の皮膚は成人の約40〜60％の厚さしかない。また，角層は，新生児期で15層，厚さも9〜15μmであり，成人とほぼ同様といわれているが，小児の皮膚は生理的に未熟であり，角層の機能は不十分な状態である[1]。

　皮膚の表面は，表皮細胞の代謝産物，脂腺由来の脂質や汗，その他外来の物質など混合物で形成された皮膜に覆われており，pHは4.2〜5.6程度の酸性である（新生児男児で平均6.74，少年で5.42，壮年男性で5.40，高齢男性で5.76)[2]。また，小児の皮膚は，新生児期を除いて表皮脂質量が少なく，また，生後1年頃までは角層細胞間脂質であるセラミドが少ないため，十分な角層の保湿機能やバリア機能を発揮することができない[3]。

2 小児の皮膚トラブル

　外界と接する皮膚，粘膜，頭皮，毛髪，爪などの生理的機能を維持することは，身体内部の機能を維持するうえでも重要である。新陳代謝が活発な小児は，成人に比べ体表面積が大きく，汗腺も成人と同様に発達しているため，汗や皮脂，垢，食べ物や排泄物により皮膚や粘膜が汚れやすく，空気中のほこりや粉塵などの汚れが付着しやすい。

　汗をかいたまま放置すると，皮膚表面のpHはアルカリ性に傾き，細菌や真菌が繁殖し，さらには汗が蒸発して皮膚が乾燥する[4]。

　また，おむつを使用していると，おむつそのものがこすれる摩擦とおむつ交換の拭き取りによる物理的刺激により，ふやけた角層が傷つき，はがれて皮膚炎（おむつかぶれ）を起こす。

尿中のアンモニアや便中の酵素などの化学的刺激によっても，バリア機能が低下する。

3　スキンケアの効果と影響

1）洗浄剤

　様々な刺激から皮膚を守り，身体の清潔を保持するには，洗浄剤の使用が効果的である。一方で，洗浄により皮脂膜が除去されると，天然保湿因子（natural moisturizing factor：NMF）や角層細胞間脂質が溶出する。また，洗浄成分である界面活性剤が吸着して残ると，角層のたんぱく質を変性させ，保湿機能やバリア機能を障害する[5]。

　固形タイプ，液体タイプの洗浄剤は，濃い洗浄剤が皮膚に付かないように注意し，あらかじめ皮膚や頭髪をぬらし，洗浄剤を希釈して，十分に泡立てて使う。泡タイプのものは，薄い濃度の処方になっているのでそのまま使用できる。洗浄剤の特徴を理解し，効果的に清潔を保つ[1]。

2）保湿剤

　洗浄による皮脂や天然保湿因子，角層細胞間脂質の減少を防ぎ，保湿も重要となる。保湿剤に必要な条件は，水分保持作用，角層柔軟化作用，バリア機能改善作用である。乳液やクリームなどの乳化タイプのほかに，化粧水タイプ，オイルタイプなどがある。季節や皮膚の状態により製品を選択し，こすらずに優しくたっぷりと塗る。

　毎日続けられる塗り方として，スタンプ塗布法[6]があるので以下に紹介する。
①保湿剤を塗る皮膚に点で置く。
②それを手掌で押さえるようにし，広げていく。

　乳幼児の皮膚とスキンケア方法を調査した佐藤[7]は，1〜3歳児まで継続して洗浄および保湿のスキンケアを行うことで望ましい皮膚状態を保てるとしている。

4　小児の歯の特徴

　小児の歯は，生後5〜7か月頃から乳歯が萌出し，6歳頃には下顎中切歯が萌出し始める。乳歯は永久歯よりも軟らかく，永久歯に比べて歯の有機質が多く，結晶サイズも小さいため，う歯になりやすく，進行も速い。また，幼若永久歯（第1大臼歯，切歯萌出開始から萌出完了までの時期〈6〜9歳〉に萌出する）は，歯の根尖が閉鎖しておらず，歯根が未完成な状態のため，乳歯と同様，歯質がもろく，う歯になりやすい[8]。

　小児は，ブラッシング技術が未熟であり，またショ糖などう蝕誘発性食品の摂取機会が多いため，う蝕が発生しやすい口腔内環境にある[9]。歯が生え始める時期から歯みがきを段階的に取り組むことが大切である。

5　小児の清潔ケア

　小児の身体の清潔は周囲の人により日々の生活のなかで整えられ，小児は発達とともに

清潔を保つ技術を身につけていく。それとともに皮膚の機能を維持し外界の物質や病原体の侵入を防ぐ能力を獲得していく。小児は成長・発達段階の途上にあり，免疫力が未熟なため様々な感染症に罹患しやすい。感染症を予防し，身体の防衛機能を維持するには清潔を保つことが欠かせない。

　また，清潔を保つことは，周囲の人との社会性を育むうえでも大切な要素である。清潔ケアを行う際に，幼少期から保清のためのセルフケア能力を育み，生活習慣が獲得できるようにかかわることは，小児の健康増進および発達を支援することにつながる。療養中の小児の清潔ケアを行う場合，小児の身体的状態やこれまでの生活習慣の獲得状況を把握し，家庭でのケア方法を取り入れて行う。

1）全身状態の把握，アセスメント

　小児の清潔ケアの方法や時間帯を検討するために，バイタルサイン，機嫌や活気，食事摂取時間などを観察し，全身状態を把握する。特に疾患や治療に伴う侵襲や消耗の程度から小児の状態をアセスメントし，ケアにかける時間や負担を考慮してケア方法を選択する。消耗や侵襲が大きい場合は，ケアによる負担が最小限となるよう保温に努める。また，清潔ケアの部位の優先度を決めて行い，短時間で清涼感が保てる沐浴剤を使用し清拭を行うなど工夫する。入浴は，浴槽につかることで静水圧を受け，腹囲が縮小し消化機能に影響を与えるため，食事や授乳直後を避け，次の活動や休息につながる時間帯を選択する。

　全身状態が安定し，小児自身で清潔を保つことができるようになった場合，入院前に家庭で取り入れていたケア方法についての情報をもとに，現状ではどこまでを自分で行い，どの部分の支援が必要かをアセスメントし，小児と相談しながら方法を選択する。

2）小児への説明

　小児の発達段階における理解度に応じて，清潔ケアの必要性をわかりやすく説明し，協力を得る。浴室など慣れない場所に恐怖心がある小児には，事前に浴室を見学し安全な場所であることを説明する。また，入浴が楽しく，気持ちのよい体験となるように小児へ働きかける。

　新生児や乳児は，言葉の意味を理解する力は未熟であるが，ケアが心地よい体験であることを伝える。

　幼児前期の小児には，浴室で遊べる遊具などを用意して，気分転換を図りながら行うことも効果がある。はしゃぎすぎると事故の危険性が高くなるため，安全面に十分注意しながら行う。ベッド上での清拭や陰部・殿部洗浄など臥床して行う場合も，不安を緩和し協力が得られるように事前に説明する。

　幼児後期以降は，自分で洗えることを体験することが自信につながる。どこまで洗えてどこを支援するとよいか，小児や家族に確認・相談して行うとよい。

　学童期・思春期の小児は，羞恥心に配慮し，カーテンやバスタオルなどを用いて露出を最小限とする。また，自分でケアできる方法を提案し，小児が自立できるように支援していくことを伝える。

　家族には，小児の現在の状況から，清潔ケアをなぜ行うのか，どのような方法で行うの

かを説明し理解を得る。

3) 環境整備，物品の準備

　清潔ケアによる身体の負担を最小限にするために，浴室や部屋の環境を整える。浴室や部屋の温度は25℃前後に整える。環境温と湯温の差を少なくすることで，皮膚温および皮膚血流量と血圧の変動が小さくなり，入浴中の生体への影響を軽減できる[10]。

　ケアが始まると小児のそばから離れられないため，物品の不足がないように，すべて準備しておく。また，ケア後の保温のために，速やかに衣服が着られるように肌着と上着の袖を重ねておき，おむつも広げておいて，すぐに当てられるように準備する。

　安全にケアが行えるように，小児の体位を相談しながら決める。浴室の場合，座位や立位，抱っこによる臥床，マット上での臥床など，小児の状態に応じて選択する。

看護技術の実際

A 入浴，シャワー浴

- ●目　　的：皮膚を清潔に保ち，末梢循環の促進によって新陳代謝を活性化し爽快感を与える
- ●適　　応：循環系・呼吸器系に支障がなく，安全に入浴できる状況にある小児
- ●必要物品：38〜40℃の湯（浴槽に準備する），かけ湯，バスタオル，タオル，石けんあるいは泡状の洗浄剤，着替え，綿棒，くし，ドライヤー，ビニール袋

	方　法	留意点と根拠
1	小児へ入浴することを伝え，方法などを説明する	●入浴の必要性や入浴方法を小児にわかるように説明し，協力を得る
2	必要物品を浴室に準備する 1）浴室の室温を25℃前後に調整する 2）物品を使いやすい位置に配置する	●浴室に入った後は，小児の動きから目を離さずケアが行えるよう，使用する物品を配置する
3	小児の準備をする 1）小児の服を脱がせ入室する 2）入浴時の体位を確認し，小児と看護師の位置，浴室の設備（シャワー，蛇口，浴槽，椅子，マットなど）を確認する（図1-1） 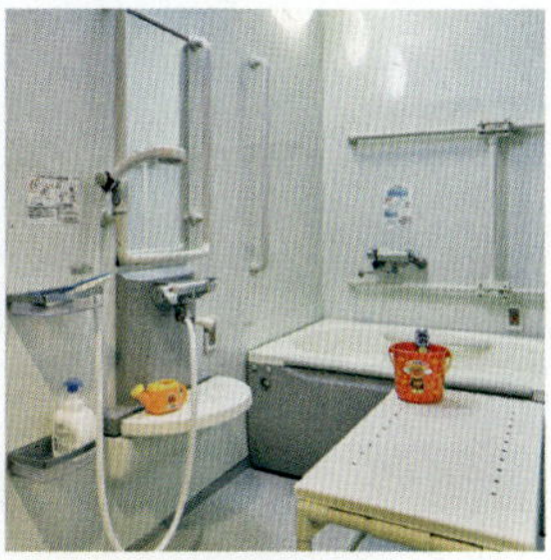 図1-1　浴室の準備	●小児の安静度を保持しつつ，安楽に入浴ができる姿勢を確認する ●小児が立ち上がってぶつけたり，転んだりしないように安全を確保する ●静脈点滴や創などがある場合は，防水テープやビニールで密閉する

方 法	留意点と根拠
4 頭を洗う 　1）シャワーで頭に湯をかけ汚れを洗い流す 　2）シャンプーを泡立てて髪の毛につけ，頭皮をマッサージしながら洗う 　3）シャワーでよく洗い流す	● 顔にかからないように上を向いてもらい，静かに流す ● 顔に湯がかかるのが苦手な小児には，相談してシャンプーハットやタオルを使用する ● 指の腹で頭皮を軽くマッサージする ● 顔を上げてもらい，顔に湯がかからないように注意する。立位で流す場合は，ふらつきがないか確認しながら洗う
5 顔を洗う 　1）自分で顔を洗える小児には，石けんで泡立てて顔を洗うよう促す 　2）湯で石けんを洗い流す	● 顔は，眼脂や鼻汁，よだれなどで汚れやすいため，丁寧に洗う
6 からだを洗う 　1）頸部，前胸部，腕，背部，下肢，陰部・殿部の順番で石けんを泡立てて洗う 　2）適宜，肩や背部にシャワーを当てる（➡❶）	● 汗をかきやすい首や腋窩，汚れやすい鼠径部などをこすらず優しく洗い，よく洗い流す ❶ 寒気を感じさせないように配慮する
7 浴槽につかり，からだを温める	● 小児のからだの大きさに合わせて，浴槽を選択する ● 浴槽内での転倒を防ぐため，からだを支える，あるいは常時見守り，すぐに支えることができる位置にいる
8 入浴後のケアを行う 　1）十分にタオルで水分を拭き取り（➡❷），服を着せる 　2）適宜，保湿剤を塗布する 　3）髪をドライヤーで乾かし，くしでとかす	❷ 皮膚に残った水分が蒸発する際に気化熱が奪われ，エネルギー消費が増す。奪われるエネルギーは，室温30℃の場合，水分1mL当たり0.58kcalで，ぬれた皮膚に風が当たることで奪われる気化熱は上昇する❶ ● ドライヤーは30cmほど離して使用し髪全体を乾かす（➡❸） ❸ ドライヤーによる熱傷を与えないよう，ドライヤー口から常時30cm離して使用する
9 後片づけをする 　1）小児の安全を確保する 　2）使用した浴槽や用具を洗浄・消毒（必要時）する	
10 記録・評価する	● 目的が達成されたか，小児に適した方法であったか，バイタルサイン，皮膚の状態など，観察したことを記録・報告する

❶安藤郁子：体の清潔②全身清拭（ベッドで行う場合），小林小百合編著，根拠と写真で学ぶ看護技術 1 生活行動を支える援助，中央法規出版，2011，p.179.

B 沐　　浴

- **目　　的**：皮膚の清潔を保ち，おむつかぶれなどを予防する
- **適　　応**：沐浴槽に入る小児
- **必要物品**：沐浴槽，38～40℃の湯，バスタオル，かけ湯（ピッチャーに40～43℃の湯を準備する），ガーゼ，石けんあるいは泡状の洗浄剤，湯温計，着替え，くし，綿棒，ビニール袋

方 法	留意点と根拠
1 沐浴の準備をする 　1）脱衣を安全に行える場所を確保する	

方 法	留意点と根拠
2）着替えや物品を準備する 3）湯温が38〜40℃であるか確認する	●衣服は，すぐに着られるように肌着と服を重ねて袖を通しておき，その上にバスタオルを広げておく
2　小児を沐浴槽につける 　1）小児を包むようにタオルを掛ける（→❶）（図1-2a） 　2）利き手で殿部を支え，反対の手で小児の後頭部と両耳介を親指と中指で折りたたむようにして塞ぎ，そっと足から沐浴槽につける	❶タオルをからだに掛けることで安心感が得られる ●小児のからだの動きに注意し，足で浴槽をけった反動で頭部打撲などしないように注意する（図1-2b） ●首が座り座位が安定していれば，沐浴槽の中で座位をとらせ体幹を洗うと安全に洗える ●乳児期以降は頭が大きくなるため，頸部後方を支え，安全を確保する

小児を包むようにタオルを掛ける

頭部打撲などに注意する

図1-2　小児を沐浴槽につける

3　顔を洗う 　1）きれいな湯にガーゼをつけて絞る 　2）目頭の眼脂を拭き取り，目尻に向かって汚れを優しく拭き取る 　3）額から鼻，頬，口元を弱酸性の泡沫洗浄剤で優しくなでて，きれいな湯ですすぎ残しのないように素手であるいはやわらかいガーゼなどで確かめながら洗浄する（図1-3） 　4）耳の中や周囲を丁寧に拭く	●目を最初に拭く ●泡で汚れを浮かすように，そっとなでる ●ガーゼで強くこすると表皮が傷つくため，素手が好ましい ●洗浄剤の成分が残らないよう，丁寧に流す ●固形石けんや液状石けんを使う場合は，よく泡立ててから使用する

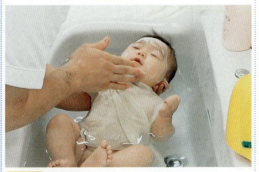
図1-3　顔を洗う

4　その他の部分を洗う 　1）頭部，頸部，上肢，胸腹部，下肢の順に泡沫洗浄剤で洗い，湯をかけて泡をすすぎ残しのないように素手で洗い流す	●手を口に持っていきやすい年齢であるため，上肢に石けんをつけた後は，すぐに泡を洗い流す ●大泉門，小泉門は強く押さえず，そっと洗う

方　法	留意点と根拠
2）背部は，利き手で胸部と腋窩を支え，腹臥位にして体位を安定させてから石けんを用いて洗い，湯をかけて泡を洗い流す（図1-4） 3）仰臥位の姿勢を保ち，陰部・殿部に泡をつけて洗い流す 図1-4　背部を洗う	●非利き手で小児の後頭部と耳介を押さえ，利き手で前胸部を支えて仰臥位に戻し，体位を安定させる ●新生児の場合，胎脂は無理に除去しない
5　肩まで湯につかり，からだを温める	●洗浄が目的であるため，温めすぎに注意する ●ガーゼやタオルを体幹に掛けることで，体位が安定し，安心感が得られる
6　かけ湯をし，出槽する 　1）最後にかけ湯をして全身の石けんのすすぎ残しを洗い流す 　2）沐浴槽から上げる	●かけ湯の温度が38〜40℃であるか確認し，首からからだ，足元にかけて流す
7　沐浴後のケアを行う 　1）十分にタオルで水分を拭き取り，頭皮以外の全身に保湿剤を塗布する（図1-5） 　2）耳と鼻を綿棒で清拭する 　3）くしなどで頭髪を整える 　4）必要時，水分摂取を勧める（➡❷）  図1-5　保湿剤を塗布する	●タオルドライ後，頭皮以外の全身に保湿剤を塗布する ●片手の平に1円玉くらいのスキンケアローションを取り，顔，胸腹，背部，殿部，四肢に各々両手で擦り合わせて，やさしくそっとなでるように塗る ●衣服の袖は迎え手で通す ●排尿することがあるため，おむつを先に当てる ●小児の腕が当たって綿棒が耳や鼻に入り過ぎないように，両腕を軽く固定し清拭する ❷不感蒸泄により，水分を失っているため

方法	留意点と根拠
8 後片づけをする 1）沐浴漕の湯を捨て，洗浄剤を用いて洗い流す 2）感染予防のために消毒綿などで拭き取る 3）使用した物品を片づける	
9 記録・評価する	●目的が達成されたか，小児に適した方法であったか，皮膚の異常の早期発見，皮膚トラブルの改善状態など，観察したことを記録・報告する ●スキンケア方法を家族と共有し，3歳頃まで継続して実施できるように支援する❶

❶佐藤嘉純・他：乳幼児の皮膚とスキンケア，日小皮会誌，27（2）：133-138，2008.

C 全身清拭・洗髪

全身清拭　　　洗髪

- 目　　的：入浴できない小児の全身の皮膚の清潔を保つ
- 適　　応：発熱などの症状や手術後の創があり，入浴による清潔を保持できない小児
- 必要物品：ベースン（2個），50～52℃の湯，ピッチャー（熱めの湯を準備する），バスタオル，小タオル，ガーゼ，石けんあるいは泡状の清拭剤，洗髪用の吸水シート（ケリーパッド），吸水用パッド（おむつ），洗髪用シャワーボトル（40℃くらいの湯），シャンプー，湯温計，着替え，くし，綿棒，ビニール袋

方法	留意点と根拠
1 小児へベッド上で清拭を行うことを伝え，方法などを説明する	●ベッド上で行う理由や必要性を小児にわかるように説明し，協力を得る ●不安の強い小児には，使用する物品や行う方法を事前に見せるなどして，イメージできるように説明する
2 ベッドサイドにワゴンと必要物品を準備する 1）ベースンにためる湯は，50～52℃にする（➡❶） 2）物品を使いやすい位置に配置する	❶冷めて体温低下を防ぐため（表1-1）❶ ●小児から目を離さず，ワゴン上の物品がとれる位置に配置する（図1-6）

表1-1　清拭の時間経過と湯温の関係

場所	ナースステーション			病室						
行動	準備			清拭						
手順	必要物品準備完了	54℃の湯の準備	患者の準備	顔面	→ 右腕	→ 左腕	→ 前胸部	→ 腹部	→ 右足	→…
時間	−	−	10′	45″	45″	45″	45″	45″	45″	
合計	−	0′	10′	10′45″	11′30″	12′15″	13′	13′45″	14′30″	
湯温（℃）		54	52	52	51.5	51	50.5	50	↓足し湯 52	
ウォッシュクロスの温度（℃）				42	41.5	41	40.5	40	42	
						ぬれたクロス				

※ポリバケツに湯10Lを用意した場合の目安
深井喜代子：Q&Aでよくわかる！看護技術の根拠本−エビデンス・ブック，メヂカルフレンド社，2004，p.71．より転載

方法	留意点と根拠
図1-6 清拭時のワゴン上の物品と看護師の立ち位置	
3　小タオルで顔を清拭する 　　顔の拭き方は，D「沐浴」の「方法3」に準じる	
4　頭を洗う 　1）頭の下に洗髪用の防水シート（ケリーパッド），バスタオル，吸水用パッド（おむつ）を敷く 　2）シャワーボトルで湯をこぼさないように，そっと髪の生え際に湯をかける 　3）小豆大程度のシャンプーを手に取り，泡立て，頭皮をマッサージしながら洗う 　4）看護師の手についた泡をペーパーなどで拭き取り，シャワーボトルの温湯で洗い流す 　5）吸水用パッドをはずし，バスタオルで水分をよく拭き取る 　6）耳の中に水が入っていないか確認し，耳の周囲も拭く	●シャワーボトル内の湯の温度が適温であるか，看護師の前腕に湯をつけて確認する ●顔に水やシャンプーの泡がかかるのを防ぐためにガーゼを使用する ●シャンプーは泡をつけすぎないように少量取り，泡をすくい取ってから流す ●耳の中に湯が入らないように，耳介を折りたたむようにして塞ぎ，洗い流す
5　上肢，頸部，胸部，腹部を清拭する 　1）ベースンで温めたタオルに石けんをつけて泡立て，末梢から中枢に向かって頸部，胸部，腹部は円を描くように洗う 　2）拭き取り用のタオルを絞り，泡を拭き取る 　3）石けん成分が皮膚に残らないように3～4度拭き取る（➡❷） 　4）バスタオルで皮膚に残っている水分を拭き取る	●アトピー性皮膚炎や年少児は，摩擦による皮膚トラブルを防ぐためタオルを用いず，手で泡立て，その泡で洗うと刺激が少なく汚れを浮かせてとることができる ●タオルの面を変えつつ，1か所につき4回は拭く。2度拭きの間に，一度はタオルを洗う ❷弱酸性洗浄剤を用いた清拭による皮膚のpHは，4回の拭き取りで元のpHに戻ることが確認されている[2]
6　背部，下肢を清拭する 　洗い方は「方法5」に準じる	●背部を拭くときは，座位がとれる小児には，腰かけてもらうとよい ●側臥位で行う場合，腋窩に手を差し込み体幹を固定し，背部に大きな円を描くように拭く ●バスタオルなどで保温に努める
7　陰部，殿部を清拭する 　D「陰部・殿部洗浄」に準じる	
8　清拭・洗髪後のケアを行う 　1）衣服を着せ，しわを伸ばす 　2）髪をドライヤーで乾かし，くしでとかす	●衣服の袖は迎え手で通す ●ドライヤーは30cmほど離して使用し髪全体を乾かす（➡❸）

方法	留意点と根拠
	❸ドライヤーによる熱傷を与えないよう，ドライヤー口から常時30cm離して使用する
9　後片づけをする 　1）ベースンの湯を捨て，洗浄剤を用いて洗い流す 　2）感染予防のために消毒綿などで拭き取る 　3）使用した物品を片づける	
10　記録・評価する	●目的が達成されたか，小児に適した方法であったか，皮膚の状態など，観察したことを記録・報告する

❶深井喜代子：Q&Aでよくわかる！看護技術の根拠本－エビデンス・ブック，メヂカルフレンド社，2004, p.71.
❷河村景子・大峪美樹・笠城典子：弱酸性洗浄剤を用いた清拭による皮膚バリア機能への影響－アルカリ性洗浄剤との比較において，米子医学雑誌, 58 (4)：133, 2007.

D　陰部洗浄・殿部洗浄

- 目　　的：入浴できない小児の陰部，殿部の清潔を保つ
- 適　　応：発熱などの症状や手術後の創があり，入浴による清潔を保持できない小児
- 必要物品：ベースン，50～52℃の湯，バスタオル，ガーゼ，石けんあるいは泡状の清拭剤，陰部洗浄用のシャワーボトル（38～40℃くらいの湯），おしり洗い用拭き綿，湯温計，吸水シート（おむつ，年長児は便器を使用する），ビニール袋，ディスポーザブル手袋

方法	留意点と根拠
1　小児へ陰部・殿部洗浄を行うことを伝え，方法などを説明する	●陰部・殿部洗浄の必要性や方法を小児にわかるように説明し，協力を得る
2　必要物品を準備する 　1）看護師は手袋を装着する 　2）物品を使いやすい位置に配置する	●スタンダードプリコーション（標準予防策）に準じる
3　小児の準備をする 　1）使用していたおむつは，洗浄液をかけないように取りはずす（➡❶） 　2）使用したおむつは，ビニール袋に入れて口を閉じる（➡❷） 　3）吸水シート（おむつ，年長児は便器を使用する）とバスタオルを殿部の下に敷く	❶排泄量を計測するため ❷感染予防のため ●殿部を持ち上げるときは，腰部あるいは殿部の下に手を入れて持ち上げる（図1-7a）。乳児は股関節を脱臼する可能性があるため，足首のみを持たない（図1-7b）

腰部あるいは殿部の下に手を入れ持ち上げる

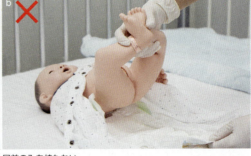
足首のみを持たない

図1-7　殿部の持ち上げ方

方　法	留意点と根拠
4 陰部，殿部を洗う 1）シャワーボトルの湯の温度を確認し，陰部，殿部にかける 2）ガーゼに石けんをつけて，泡立てる。あるいは，泡沫洗浄剤の泡で洗う 3）女児は，陰部の上から下に向かって泡でそっと洗う（➡❸）。男児は尿道口とその周辺を丁寧に洗う	● 看護師の前腕内側に湯をかけて湯温を確認する ● 手袋をつけているため，湯温に注意する ● おむつかぶれなど皮膚トラブルを起こしている場合は，泡で汚れを浮かせるようにして優しく洗う ❸ 尿路感染を防ぐため，陰部を先に洗う ● 女児は陰唇の間に汚れがたまりやすいので丁寧に洗う（図1-8） **図1-8 陰部の洗い方（女児）**
4）殿部の肛門周囲を泡立てて洗う 5）シャワーボトルの湯で，陰部から肛門にかけて湯をかける 6）清潔なバスタオルの上に殿部を置き，汚染されたおむつははずして丸めてビニール袋に入れる 7）タオルで水分を拭き取る 8）湯を絞ったタオルで，殿部後面を清拭する	● 利き手に泡をつけ，反対の手で腰を持ち上げて洗う ● 石けん成分が残らないように，丁寧に洗い流す ● 汚染されたおむつに洗浄後の殿部が触れないように，おむつを丸めながら引き抜く ● 押さえ拭きで水分を拭き取る
5 手袋をはずす 1）手袋をはずしてビニール袋に入れ，袋の口を閉じる 2）手指消毒を行う	
6 おむつや下着をつける	
7 小児に終了を告げる	● 羞恥心に配慮し，終了したことを伝える ● 清潔が保てたことを伝え，安心するように声をかける
8 後片づけをする 1）シャワーボトルの湯を捨て，洗浄剤を用いて洗浄する 2）感染予防のために洗浄・消毒する 3）使用した物品を片づける	
9 記録・評価する	● 目的が達成されたか，小児に適した方法であったか，皮膚の状態など，観察したことを記録・報告する

E 手浴，足浴

- **目　　的**：（1）入浴ができない小児の手や足の清潔を保持し感染を予防する
　　　　　　（2）リラックス効果や循環促進効果を得る
- **適　　応**：発熱などの症状や手術後の創があり，入浴による清潔を保持できない小児
- **必要物品**：ベースン（足浴用バケツ），40℃の湯，ピッチャー（42℃の湯を準備する），フェイスタ

オル，バスタオル，石けんあるいは泡状の清拭剤，湯温計，防水シーツ

	方　法	留意点と根拠
1	小児へ手浴，足浴を行うことを伝え，方法などを説明する	●手浴，足浴を行う理由や必要性を小児にわかるように説明し，協力を得る
2	手浴を行う 1）ベッド上にオーバーテーブルあるいは机をセットする 2）小児に座位をとってもらい，テーブル上にベースンを置いたときの高さを調整する（→❶） 3）手を湯につけて，石けんを用いて指の間，手掌，手背を丁寧に洗う 4）爪先の汚れも，手掌とこすり合わせてきれいに洗う 5）手を湯から出して，ピッチャーの湯をかけて泡を洗い流し，タオルで拭く	●手浴用のベースンを置くため，ストッパーや机の足の安定性を確認する ❶テーブルが高いと腕を挙上する姿勢になり，腕が疲れる。また，湯もこぼれやすい ●自分で洗うように促し，手洗いの方法を習得してもらう
3	足浴を行う 1）座位がとれる小児は，ベッドサイドに腰かけ，足台の上に置いたベースンや足浴用のバケツの中に両足を入れる 2）座位がとれない小児は，ベッドに臥床し，片足あるいは両足をベースンに入れる 3）看護師の手で石けんを泡立て，足の甲，底部，指間を丁寧に洗い，足を温める 4）足を持ち上げ，ピッチャーの湯で洗い流す 5）タオルの上に足を置き，水分を拭き取る 6）適宜，保湿剤を塗布する	●ベッドサイドに腰かける際に，滑り落ちないようにベッドの高さを低くしたり，深く腰かけるようにする ●ベースンの下に防水シーツやバスタオルを敷き，ベッド上がぬれないようにする ●湯がつたって服をぬらさないように角度を調整する
4	後片づけをする 1）ベースンの湯を捨て，洗浄剤を用いて洗い流す 2）感染予防のために消毒綿などで拭き取る 3）使用した物品を片づける	
5	記録・評価する	●目的が達成されたか，小児に適した方法であったか，皮膚や爪の状態など，観察したことを記録・報告する

Ⅳ-1 清潔

F 口腔ケア

● 目　　的：口腔内の清潔を保持し，う歯を予防する
● 適　　応：自分で口腔内の清潔を保持できない小児
● 必要物品：歯ブラシ，歯みがき粉，コップ，ガーグルベースン，タオル

	方　法	留意点と根拠
1	小児へ口腔ケアを行うことを伝え，方法などを説明する	●口腔ケアを行う理由や必要性を小児にわかるように説明し，協力を得る
2	口腔ケアの準備をする 1）洗面台に移動が可能な小児は，洗面台の前に物品を準備し実施する 2）移動できない小児は，ベッド上で行えるように，オーバーテーブル，ガーグルベースン，歯みがきセットを準備する	

方　法	留意点と根拠
3　うがいをする 　1）小児に立位または座位をとらせる 　2）コップの水を口に含み，ぶくぶくうがいをする（➡❶）	❶口腔内の食べ残しなどを先に洗い流す
4　歯みがきをする 〈歯の萌出前〉 　1）綿棒やガーゼなどで口腔内を拭き取るように清拭する 　2）歯の萌出後に歯みがき習慣が確立できるよう援助する（➡❷） 　（1）最初から歯ブラシでみがこうとせず，歯を観察したり，歯を数えてみる 　（2）口を開けることに慣れてきたら歯ブラシで触れ，歯ブラシの刺激に慣れてもらう 〈幼児期〉 　1）歯ブラシを鉛筆の持ち方で持つ 　2）力を入れず，1本ずつ丁寧にみがく 　3）小児が口を開けて協力できるように，声をかけながら行う 〈学童期：スクラビング法（図1-9）〉 　1）歯面に対して歯ブラシの毛先を直角に当てる 　2）歯ブラシを小刻みに動かし軽い力でみがく 〈学童期：1歯縦みがき法（図1-10）〉 　1）歯ブラシを縦に持ち，歯面に毛先を直角に当てる 　2）上下の方向に小刻みに動かし軽い力でみがく	❷歯の萌出後，歯ブラシによる口腔ケアを進めるためには，恐怖心や不安を起こさずに歯ブラシの刺激に慣れ，歯みがきを好きになってもらうことが重要である❶ 〈歯みがき剤の効果〉 ●萌出して間もない歯の表層はフッ素の取り込み量が大きいため，フッ化物配合の歯みがき剤の使用は効果的である。歯みがき剤は，プラークや沈着物を除去しやすく，再付着を防止する効果のほかに，フッ化物などの薬用成分の効果も期待できるため使用が推奨される。量が少ないと効果が低いため，年齢に合った大きさの歯ブラシに対して半分以上の量を目安に使用する❷ ●スクラビング法では，歯の咬合面，唇頬面，舌口蓋側に分けて順番を決め，みがき残しがないようにみがく ●歯並びの凹凸した部分をみがくのに適している❷ 〈フッ化物洗口法〉 ●フッ化物洗口のう蝕抑制率は30〜80％であり，最も効果が高いう蝕予防法の一つである。洗口ができるようになる4〜14歳まで継続実施することにより最大の効果をもたらすことが示されている❷

咬合面のブラッシング　　頬側のブラッシング　　舌側のブラッシング

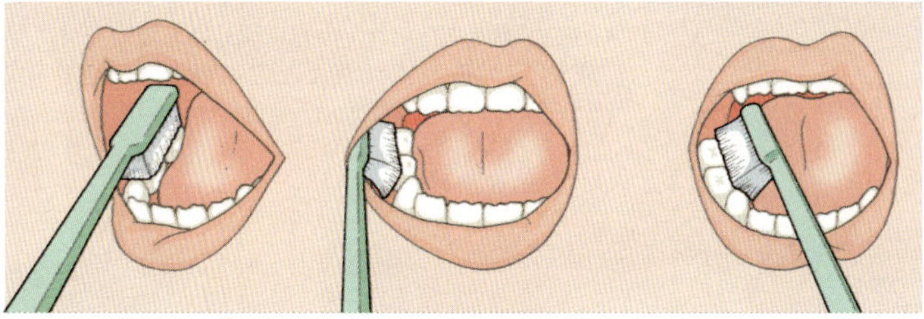

図1-9　歯のみがき方（スクラビング法）

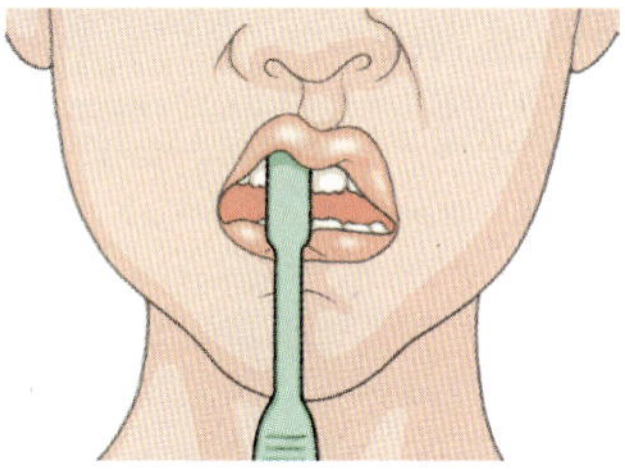

図1-10　歯のみがき方（1歯縦みがき法）

5　口腔内をゆすぐ	●フッ化物配合の歯みがき剤を使用する際は，使用量が少なすぎると効果が低い ●歯みがき後に洗口しすぎないように注意し，歯磨き剤を吐き出した後，5〜15mLの水を口に含み，5秒間程度でブクブクうがいをする（うがいは1回のみ）。その後，1〜2時間程度は飲食しないことが望ましい❷
6　口唇をワセリンなどで保湿する	
7　後片づけをする 　歯ブラシを洗い，乾燥させる	

	方　法	留意点と根拠
8	記録・評価する	●目的が達成されたか，小児に適した方法であったか，口腔内や歯の状態など，観察したことを記録・報告する

❶森千里：発達段階別の口腔ケアのポイント－口腔の発生と発達，小児看護，34(12)：1567-1571，2011.
❷晴佐久悟・他：エビデンスに基づいた齲蝕予防と公衆衛生の実践，小児看護，41(4)：27-28，2018.

文　献

1) 石田耕一，芋川玄爾：子どもの健常な皮膚を維持するためのスキンケアの概念，チャイルドヘルス，10(5)：311，2007.
2) 大城戸宗男編：外来の小児皮膚科学，南山堂，1989，p.8.
3) 前掲書1)，p.312.
4) 松村千鶴・岡田淳子：全身清拭技術のエビデンス，深井喜代子編，ケア技術のエビデンスⅡ，へるす出版，2010，p.152.
5) 前掲書1)，p.313.
6) 柳沢みどり：子どもの入浴－スキンケアとスキンシップを心がけて，チャイルドヘルス，10(5)：332-336，2007.
7) 佐藤嘉純・他：乳幼児の皮膚とスキンケア，日小皮会誌，27(2)：133-138，2008.
8) 森千里：発達段階別の口腔ケアのポイント－口腔の発生と発達，小児看護，34(12)：1567-1571，2011.
9) 黒木まどか：子どもの歯科・口腔疾患に関する保健統計，小児看護，41(1)：17，2018.
10) 美和千尋・岩瀬敏・小出陽子・他：入浴時の浴室温が循環動態と体温調節機能に及ぼす影響，総合リハビリテーション，27(4)：353-358，1999.

2 栄養摂取

学習目標
- 小児にとっての栄養摂取の意義と特徴を理解する。
- 小児の発達段階別の栄養摂取の特徴と支援方法を理解する。
- 小児の食習慣の発達を理解し，食事摂取の自立に向けた援助方法を習得する。
- 栄養摂取に関する基本的な援助技術を習得する。

1 栄養摂取の意義

　小児にとっての栄養および食事は，成長・発達を促すために必要なエネルギーや栄養素の摂取だけでなく，日常生活習慣の基盤となり，食行動の獲得や食習慣の形成のうえで重要である。小児の発達段階において適切に栄養を摂取することや満足感のある楽しい食生活を送ることは，生涯にわたる健康のあり方や人との信頼関係形成の基盤となり，さらには疾病予防や健康の維持増進にもつながる。

2 小児の栄養摂取の特徴

1）食事摂取基準

　食事摂取基準は，適正な栄養量を確保するために活用できる指標である。これは，厚生労働省によりほぼ5年ごとに改訂され，現在，2020年版「日本人の食事摂取基準」[1]が使用されている。国民の健康の維持・増進，生活習慣病の予防を目的として，エネルギーおよび各栄養素の摂取量の基準を示すものである。

　ここでは，資料として2020年版「日本人の食事摂取基準」のエネルギーの基準（表2-1）を載せるが，他の栄養素については厚生労働省のホームページを参照されたい。

（1）各種指標が示すもの

- エネルギーに関する指標は，「推定エネルギー必要量」であり，エネルギー出納が0になる確率が最も高くなると推定される習慣的な1日当たりのエネルギー摂取量を示す。
- 栄養素に関する指標は，主に「推定平均必要量」と「推奨量」があり，前者は，ある母集団に属する50％の人が必要量を満たすと推定される1日の摂取量を示し，後者は，ある母集団に属する97〜98％の人が必要量を満たすと推定される1日の摂取量を示している。
- 上記の2つの指標が策定できない栄養素について，「目安量」が設定されている。
- 「耐容上限量」は，過剰摂取による健康障害を回避するために習慣的な摂取量の上限を

表2-1 推定エネルギー必要量（kcal/日）

性別	男性			女性		
身体活動レベル*1	Ⅰ	Ⅱ	Ⅲ	Ⅰ	Ⅱ	Ⅲ
0〜5（月）	−	550	−	−	500	−
6〜8（月）	−	650	−	−	600	−
9〜11（月）	−	700	−	−	650	−
1〜2（歳）	−	950	−	−	900	−
3〜5（歳）	−	1,300	−	−	1,250	−
6〜7（歳）	1,350	1,550	1,750	1,250	1,450	1,650
8〜9（歳）	1,600	1,850	2,100	1,500	1,700	1,900
10〜11（歳）	1,950	2,250	2,500	1,850	2,100	2,350
12〜14（歳）	2,300	2,600	2,900	2,150	2,400	2,700
15〜17（歳）	2,500	2,800	3,150	2,050	2,300	2,550
18〜29（歳）	2,300	2,650	3,050	1,700	2,000	2,300
30〜49（歳）	2,300	2,700	3,050	1,750	2,050	2,350
50〜64（歳）	2,200	2,600	2,950	1,650	1,950	2,250
65〜74（歳）	2,050	2,400	2,750	1,550	1,850	2,100
70以上（歳）*2	1,800	2,100	−	1,400	1,650	−
妊婦（付加量）*3 初期				+50	+50	+50
中期				+250	+250	+250
後期				+450	+450	+450
授乳婦（付加量）				+350	+350	+350

*1：身体活動レベルは，低い，ふつう，高いの3つのレベルとして，それぞれⅠ，Ⅱ，Ⅲで示した。
*2：レベルⅡは自立している者，レベルⅠは自宅にいてほとんど外出しない者に相当する。レベルⅠは高齢者施設で自立に近い状態で過ごしている者にも適用できる値である。
*3：妊婦個々の体格や妊娠中の体重増加量および胎児の発育状況の評価を行うことが必要である。
注1：活用にあたっては，食事摂取状況のアセスメント，体重およびBMIの把握を行い，エネルギーの過不足は，体重の変化またはBMIを用いて評価すること。
注2：身体活動レベルⅠの場合，少ないエネルギー消費量に見合った少ないエネルギー摂取量を維持することになるため，健康の保持・増進の観点からは，身体活動量を増加させる必要がある。
厚生労働省：日本人の食事摂取基準（2020年版）策定検討会報告書，p.84．より引用
http://www.mhlw.go.jp/content/10904750/000586553.pdf

示しており，「目標量」は，生活習慣病の発症予防を目的として摂取すべき目標を示している。2020年度の改定では，成人期の生活習慣病予防に幼少期からの食事の嗜好・習慣が影響することを踏まえて，ナトリウム目標量の引き下げ（薄味）や，脂肪飽和酸（過剰摂取防止），カリウム・食物繊維の3歳以上の目標量が設定された。

（2）水　分（表2-2）

小児（特に新生児・乳幼児期）は，成人に比べて体重当たりの必要水分量や水分の喪失が

表2-2 各年齢の水分必要量（mL/kg/日）

新生児	乳児	幼児	学童	思春期以降
80〜100	120〜150	100〜120	60〜80	40〜50

多いため，脱水になりやすい。以下に特徴を挙げる。
- からだ全体の水分量の割合，特に細胞外液の割合が高い。
- 体表面積が大きく，不感蒸泄量が高いため，1日の必要水分量が大きい。
- 腎臓における尿の濃縮力が未熟である。
- ウイルス感染症などで，嘔吐や下痢による水分・電解質の喪失を起こしやすい。
- 口渇を自覚し水分摂取することが難しい。特に感染症に罹患した場合は，経口摂取が少なくなる。

（3）エネルギー（表2-1参照）
- 1日のエネルギー必要量は年齢によって異なり，新生児，乳児・幼児のほうがより年長児や成人よりも多い。また，学童期は活動量によってもエネルギー必要量に差が生じる。
- 年少児ほど成長率，基礎代謝量が大きいため，体重1kg当たりのエネルギー必要量は多く，成人に比べ幼児はおよそ2倍になっている。

（4）たんぱく質（表2-3）
　乳児期から離乳期のたんぱく質摂取量が多いと，小児期のBMI（body mass index）が高くなることが報告されている[3]ことから，バランスのよい食事を心がける。

（5）ビタミン，無機質（表2-3）
- ビタミンKは，新生児・乳児における欠乏症（頭蓋内出血，新生児メレナなど）が問題となる。特に母乳はビタミンK含有量が少ないため，母乳栄養のみの乳児はリスクが高い。
- カルシウム，鉄，ビタミンB_1，ビタミンCが不足しやすい。特に鉄は，離乳期に欠乏しやすいため，注意して摂取する。

3 乳幼児期の栄養摂取の特徴と支援

　乳幼児期の栄養摂取は，乳汁，離乳食，普通食と成長・発達や生活環境に応じて大きく変化する。2019年に厚生労働省から「授乳・離乳の支援ガイド」が改訂され，授乳および離乳をとおした育児支援の視点を重視し，妊産婦や子どもにかかわる多機関・多職種の保健医療従事者が以下の支援の基本を共有し，一貫した支援を促進することが求められている[4]。
　乳幼児期の栄養摂取の支援のポイントとしては，以下が挙げられる。
- 授乳・離乳をとおして，母子の健康の維持とともに，親子のかかわりが健やかに形成されること（愛着形成）を重要視する。
- 乳汁や離乳食といった「もの」にのみ目が向けられるのではなく，一人ひとりの小児の成長・発達を尊重する。

表2-3 各年齢の食事摂取基準（たんぱく質，ビタミン，無機質）

項目		新生児～乳児*1 （0～11か月）	幼児 （1～5歳）	学童 （6～11歳）	思春期以降 （12歳以上）
たんぱく質 (g/日)	男児	10～25	20～25	30～45	60～65
	女児	10～25	20～25	30～50	55
ビタミンA (μg RAE/日)	男児	300～400	400～450	400～600	800～900
	女児	300～400	350～500	400～600	650～700
ビタミンD (μg/日)*1	男児	5.0	3.0～3.5	4.5～6.5	8.0～9.0
	女児	5.0	3.5～4.0	5.0～8.0	8.5～9.5
ビタミンE (mg/日)*1	男児	3.0～4.0	3.0～4.0	5.0～5.5	6.5～7.0
	女児	3.0～4.0	3.0～4.0	5.0～5.5	5.5～6.0
ビタミンK (μg/日)*1	男児	4	50～60	80～110	140～160
	女児	4	60～70	90～140	150～170
ビタミンB_1 (mg/日)	男児	0.1～0.2	0.5～0.7	0.8～1.2	1.4～1.5
	女児	0.1～0.2	0.5～0.7	0.8～1.1	1.0～1.1
ビタミンB_2 (mg/日)	男児	0.3～0.4	0.6～0.8	0.9～1.4	1.6～1.7
	女児	0.3～0.4	0.5～0.8	0.9～1.3	1.4
ナイアシン(mgNE/日)	男児	2～3	6～8	9～13	15～17
	女児	2～3	5～7	8～10	13～14
ビタミンB_6 (mg/日)	男児	0.2～0.3	0.5～0.6	0.8～1.1	1.4～1.5
	女児	0.2～0.3	0.5～0.6	0.7～1.1	1.3
ビタミンB_{12} (μg/日)	男児	0.4～0.5	0.9～1.1	1.3～1.9	2.4
	女児	0.4～0.5	0.9～1.1	1.3～1.9	2.4
葉酸 (μg/日)	男児	40～60	90～110	140～190	240
	女児	40～60	90～110	140～190	240
パントテン酸 (mg/日)*1	男児	4～5	3～4	5～6	7
	女児	4～5	4	5～6	6
ビオチン (μg/日)*1	男児	4～5	20	30～40	50
	女児	4～5	20	30～40	50
ビタミンC (mg/日)	男児	40	40～50	60～85	100
	女児	40	40～50	60～85	100
ナトリウム (mg/日)	男児	100～600	－	－	－
	女児	100～600	－	－	－
カリウム (mg/日)*1	男児	400～700	900～1,000	1,300～1,800	2,300～2,700
	女児	400～700	900～1,000	1,200～1,800	1,900～2,000
カルシウム (mg/日)	男児	200～250	450～600	600～700	800～1,000
	女児	200～250	400～550	550～750	650～800
マグネシウム (mg/日)	男児	20～60	70～100	130～210	290～360
	女児	20～60	70～100	130～220	290～310
リン (mg/日)*1	男児	120～260	500～700	900～1,100	1,200
	女児	120～260	500～600	800～1,000	900～1,000
鉄 (mg/日)	男児	0.5*1～5.0*2	4.5～5.5	5.5～8.5	10.0
	女児	0.5*1～4.5*2	4.5～5.5	5.5～8.5	8.5～12.0
亜鉛 (mg/日)	男児	2～3	3～4	5～7	10～12
	女児	2～3	3	4～6	8
銅 (mg/日)	男児	0.3	0.3～0.4	0.4～0.6	0.8～0.9
	女児	0.3	0.3～0.4	0.4～0.6	0.7～0.8
マンガン (mg/日)*1	男児	0.01～0.5	1.5	2.0～3.0	4.0～4.5
	女児	0.01～0.5	1.5	2.0～3.0	3.5～4.0
ヨウ素 (μg/日)	男児	100～130	50～60	75～110	140
	女児	100～130	50～60	75～110	140
セレン (μg/日)	男児	15	10～15	15～25	30～35
	女児	15	10	15～25	25～30
クロム (μg/日)*1	男児	0.8～1.0	－	－	－
	女児	0.8～1.0	－	－	－
モリブデン (μg/日)	男児	2～5	10	15～20	25～30
	女児	2～5	10	15～20	25

RAE：レチノール活性当量，NE：ナイアシン当量
*1：目安量，*2および*のないものは推奨量
厚生労働省：日本人の食事摂取基準（2020年版）策定検討会報告書．より作成
http://www.mhlw.go.jp/content/10904750/000586553.pdf

1）栄養摂取に関する機能の発達

乳幼児は，生後すぐに効果的に栄養を摂取するため，原始反射として吸啜反射が備わっており，原始反射が徐々に消失すると，食への興味とともに咀嚼運動ができるようになる。また，消化機能が未熟であるため，便の性状を観察する。

（1）摂食機能の発達

- 哺乳の成立には，①探索反射（探す），②捕捉反射（くわえる），③吸啜反射（吸う），④嚥下反射（飲み込む）という一連の動きが必要である。
- 生後2か月以降は，自分の意思で哺乳できるようになる。
- 離乳食（固形）の摂取には，基本的な摂食機能として，①捕食（口にものを取り込む），②咀嚼（食物をつぶして唾液とまぜる），③嚥下（咀嚼した食物を飲み込む）を獲得する必要がある。

（2）消化機能の発達

- 唾液中のアミラーゼ（デンプン分解酵素）は，乳汁を摂取している間は分泌量が少ない。乳汁は，膵液中のラクターゼ（乳糖分解酵素）により消化されている。
- 母乳中の糖質は，大半が乳糖のため消化しやすい。
- 乳児の胃は容量が小さく，形が筒状で，噴門の形成が未発達（図2-1）であるため，飲み込んだ空気と共に乳汁を口から戻すことがある（溢乳）。排気し（図2-2）予防する。

2）授乳期の栄養摂取の特徴と支援

授乳は，乳児が「飲みたいと要求」し，その「要求に応じる」という母子のかかわりが促進されることにより，安定して進行する[4]。小児にとって授乳は満足感を得ることが重要であり，このことはエリクソン（Erikson EH）が提唱する基本的信頼感の獲得につながる。授乳の種類には，母乳による母乳栄養，母乳栄養が行えず調製粉乳による人工栄養，両者を用いる混合栄養がある。

（1）各栄養素の特徴

- 乳児期の推定エネルギー必要量は表2-1を参照。
- たんぱく質の摂取基準は，乳児は母乳のたんぱく質濃度から目安量が決められている。生後0～5か月では10g/日，生後6～8か月では15g/日，生後9～11か月では25g/日である[1]。

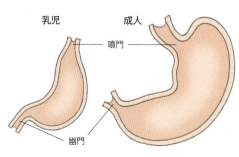

図2-1　乳児と成人の胃

図2-2　排気

- 脂質の総エネルギーに占める割合（脂肪エネルギー比率）は，生後0〜5か月で50％，生後6〜11か月で40％であり，月齢が低いほど高い。

（2）授乳支援のポイント[5]

- 妊娠期から，母親が適切な授乳方法を選択できるよう十分な情報を提供し，適切に実践できるように母親の心理状態に配慮し支援する。
- 母親の精神的・身体的状態をしっかり把握し，乳児の哺乳状態をよく観察して支援する。
- 授乳のときは，できるだけ静かな環境で，しっかり抱いて，優しく声をかけるように支援する。
- 授乳への理解と支援が深まるように，父親や家族，身近な人への情報提供をすすめる。
- 授乳で困ったときに気軽に相談できる場所づくりや，授乳期間中でも外出しやすく，働きやすい環境を整える。

（3）哺乳状態の観察

①授乳の間隔と回数（リズムの確立）

- 母乳栄養児は，乳児が欲しがるときに欲しいだけ与える自律哺乳が基本であり，乳児が出す空腹のサイン（表2-4）[6]をキャッチすることが重要である。
- 授乳のリズムの確立は，個人差はあるものの一般的には生後6〜8週以降といわれている。一般的に生後3か月頃までは3時間おきに7〜8回/日，それ以降は4時間ごとになり，徐々に1回授乳量が増え，回数が減少する。
- 普段の授乳時間の間隔に応じた啼泣の有無も空腹を判断する目安となる。

②授乳の時間と量

- 乳児の満足感を主として，1回の授乳時間は最低10〜15分以上であり，人工栄養児については，年齢に応じた1日に必要な水分量が満たされているか，1日の体重増加（表2-5）や乳幼児身体発育曲線を用い，これまでの発育過程を踏まえて判断する。

③乳児の吸啜・嚥下・消化の状態

- 乳児の吸啜は，嚥下・呼吸と協調して行われる一連の運動（協調運動）で，月齢とともに発達し，3〜4か月で成熟する。
- 観察のポイントには，乳首のくわえ方（口を閉じ隙間がない，舌が突出していないな

表2-4 乳児の空腹のサイン

- おっぱいを吸うように口を動かす
- おっぱいを吸うときのような音をたてる
- 手を口にもっていく
- 素早く目を動かす
- クーとかハーというような柔らかい声を出す
- むずかる

日本ラクテーション・コンサルタント協会編：母乳育児支援スタンダード，新装版，医学書院，2012, p.168. より転載

表2-5 月齢別にみた1日体重増加量（g）

0〜2か月	3〜5か月	6〜8か月	9〜11か月
25〜30	20〜25	15〜20	10〜15

ど），吸啜力（吸う力），嚥下時のむせ込み，口腔内からの乳汁の流出，呼吸の異常，消化器症状の異常などがある。

（4）母乳栄養の特徴

母乳は乳児にとって最適な栄養源であり，多くの利点がある。母乳の分類として，出産後4日頃までの母乳を初乳，10日以降のものを成熟乳，その間を移行乳という。以下に利点とフォローアップの必要性について述べる。

①母乳栄養の利点

- 成分組成が最適で，乳児に消化・吸収されやすい。
- 初乳には，高濃度の感染防御因子（分泌型IgA*，ラクトフェリンなど），細胞成分（リンパ球，貪食細胞など）が含まれ，乳児の腸粘膜を覆い，感染を予防する。

＊分泌型免疫グロブリンA（IgA）：初乳で最も濃度が高く，その後2～3週間で減少するが，生後27か月までは一定である。

- 授乳における相互作用をとおし，母子の愛着形成を促進し，安定した母子関係を築く。
- アレルギー反応を起こしにくい。
- 乳児の吸啜により分泌されるオキシトシンや乳汁を産生するプロラクチンは，産後の母体の回復や精神的安定を促す。

②母乳栄養のフォローアップの必要性

- 母乳不足による体重増加不良は，日齢9を超えても出生体重に戻らないときや，1日の体重増加量が20g未満のときは，母乳育児の方法に問題があったり，乳児に何らかの基礎疾患がある可能性があるため，評価が必要である[7]。
- 新生児の生理的黄疸はおよそ10日で消失するが，60日以上続くようであれば，胆道閉鎖症などとの鑑別診断が必要である（健常な正期産児では，血清ビリルビン値が10～18mg/dLを超えない）。
- 母乳はビタミンKの含有量が少なく，人工栄養児に比してビタミンK欠乏を起こしやすい。予防として，新生児へビタミンKを投与する。
- 母乳栄養中の母親は，「母乳が足りない」と思い不安を感じやすい。そのような不安がみられた場合は，乳児の母乳が足りているサイン（表2-6）を母親に伝え，乳児の発育評価とともに，哺乳量を測定し，不足がある場合は，母親の思いに配慮しながら混合栄養の導入を検討する。その際は，母親の母乳分泌のリズムや生活スタイル，乳児の授乳量に応じて人工栄養の取り入れ方の支援を行う。また，母親が安心して母乳育児に取り組

表2-6　乳児の母乳が足りているサイン

- 1日の体重が順調に増加している
- 少なくとも月齢に見合った回数授乳している（0か月7～8回/日，1～3か月6回/日，4～5か月5回/日）
- 水分量が足りており，脱水がない
- 授乳後は満足している様子がある（寝ている，おとなしく過ごしている，空腹以外の理由で泣いているなど）
- 年齢に応じた排泄がある（第Ⅳ章3「排泄」p.137参照）
- 母親の乳房は，授乳前には張っているような感じがあり，授乳後には柔らかくなる（個人差があるため，普段の授乳前後の乳房の様子との違いから判断する）

めるよう，家族のサポート状況を把握し，家族を含めて支援する。

（5）人工栄養の特徴
母親の感染症や薬の使用，乳児の健康状態，母乳の分泌不足，母子分離などで母乳が与えられない場合に使用される。乳児用調製粉乳と特殊ミルク，乳児用調整液状乳がある。

①乳児用調製粉乳の特徴
- 調製濃度は約13％で，ほぼ母乳に近い成分となっている。
- 母乳にはほとんど含まれない鉄が添加されている。
- 低出生体重児用調製粉乳は，たんぱく質，糖質，灰分が多く，脂質は少ない。
- フォローアップミルクは，生後9か月から使用され，カルシウムや鉄を添加したもので，牛乳よりたんぱく質が消化しやすい。離乳食をバランスよく摂取している場合や，母乳栄養児では必ずしも必要ではない。

②特殊ミルクの特徴
- 先天性の代謝異常や何らかの病態により乳児用調製粉乳が適さない場合に使用する。
- 特殊ミルクは4種類（医薬品目，登録品目，登録外品目，市販品目）に分類され，各種入手方法が異なるため，「特殊ミルク事務局」のホームページ（http://www.boshiaiikukai.jp/milk.html）を参照し，問い合わせる。

③乳児用調整液状乳（乳児用液体ミルク）
- 2018年8月8日，厚生労働省において「乳および乳製品の成分規格等に関する省令」および「特別用途食品の表示許可等について」を改正し施行された。
- 母乳が不足した場合，母乳継続が困難な場合に母乳の代替品として使用することができる[8]。
- 常温での長期間の保存（災害時の備え），調乳の手間を省くことなどの特徴がある。

3）離乳期の栄養摂取の特徴と支援
離乳とは，母乳または育児用ミルクなどの乳汁栄養から幼児食に移行する過程をいう[4]。成長・発達による栄養量の増大に伴い，固形食による栄養摂取が必要になる。また，摂食機能や消化吸収能力の発達，食事への関心や食行動の獲得により，次第に摂食行動は自立へ向かう。離乳を進める過程では，親は不安や課題を抱えることがあるため，授乳期から継続して母子関係を維持し，子どもの成長・発達を促進できるよう支援する。

「授乳・離乳の支援ガイド」による離乳食の進め方の目安を図2-3[9]に示す。

（1）離乳の開始と完了
- 離乳食は，生後5〜6か月頃，首がすわり，支えてやると座れるようになり，食物に興味をもつようになってから開始する。最初は，なめらかにすりつぶした状態の食物を与える。通常，生後5〜7か月に哺乳反射が減弱・消失し，次第にスプーンが口に入ることを受け入れていく。
- 離乳の完了は，形のある食物を噛んでつぶせるようになり，エネルギーや栄養素の大部分が母乳または育児用ミルク以外の食物からとれるようになった状態をいう。通常，生後12〜18か月頃である。食事は，3回となり，ほかに1日1〜2回の補食を与える。乳汁は乳児の状況に応じて与える。

		離乳の開始　──────────────────▶　離乳の完了			
		以下に示す事項は，あくまでも目安であり，子どもの食欲や成長・発達の状況に応じて調整する。			
		離乳初期 生後5～6か月頃	離乳中期 生後7～8か月頃	離乳後期 生後9～11か月頃	離乳完了期 生後12～18か月頃
食べ方の目安		○子どもの様子をみながら，1日1回1さじずつ始める。 ○母乳やミルクは飲みたいだけ与える。	○1日2回食で，食事のリズムをつけていく。 ○いろいろな味や舌ざわりを楽しめるように食品の種類を増やしていく。	○食事リズムを大切に，1日3回食に進めていく。 ○共食を通じて食の楽しい体験を積み重ねる。	○1日3回の食事リズムを大切に，生活リズムを整える。 ○手づかみ食べにより，自分で食べる楽しみを増やす
調理形態		なめらかにすりつぶした状態	舌でつぶせる固さ	歯ぐきでつぶせる固さ	歯ぐきで噛める固さ
1日当たりの目安量					
Ⅰ	穀類 (g)	つぶしがゆから始める。 すりつぶした野菜等も試してみる。 慣れてきたら，つぶした豆腐・白身魚・卵黄等を試してみる。	全がゆ50～80	全がゆ90～軟飯80	軟飯90～ご飯80
Ⅱ	野菜・果物 (g)		20～30	30～40	40～50
Ⅲ	魚 (g)		10～15	15	15～20
	又は肉 (g)		10～15	15	15～20
	又は豆腐 (g)		30～40	45	50～55
	又は卵 (個)		卵黄1～全卵1/3	全卵1/2	全卵1/2～2/3
	又は乳製品 (g)		50～70	80	100
歯萌出の目安			乳歯が生え始める。	1歳前後で前歯が8本生えそう。	離乳完了期の後半頃に奥歯（第一乳臼歯）が生え始める。
摂食機能の目安		口を閉じて取り込みや飲み込みが出来るようになる。	舌と上あごで潰していくことが出来るようになる。	歯ぐきで潰すことが出来るようになる。	歯を使うようになる。

※衛生面に十分に配慮して食べやすく調理したものを与える

図2-3　離乳食の進め方の目安

厚生労働省：授乳・離乳の支援ガイド（2019年版），p.34. より引用
https://www.mhlw.go.jp/content/11908000/000496257.pdf

・はちみつは，乳児ボツリヌス症を引き起こすリスクがあるため1歳を過ぎてから与える。

（2）生後5～6か月頃（離乳開始1か月間後）

・離乳食を1日1回与える。最初は低アレルギー性の食物を1さじから始め，徐々に増やしていく。3～4さじほどになったら，野菜などを1さじから始め，最終的に同時摂取できるようにする。
・この時期は，離乳食を飲み込み，その舌触りや味に慣れさせることが主な目的である。
・乳汁は制限せず，乳児が欲しがるだけ与える。

（3）生後7～8か月頃

・離乳食を1日2回にして，食事のリズムをつける。食品の幅を広げ，献立に変化をつ

け，偏食の予防を心がける。
- 歯が生え始め，生後8か月には手で物をつかめるようになり，目と手と口の協調運動により手に持って口に運ぶことが可能になる。そのため，乳児が容易につぶせるものを手に持たせ口に運べるようにするとよい（手づかみ食べ）。手づかみ食べは，食べ物の触感を体験したり，感心を高めたりすることにつながる。また，自ら食べようとする自発性が育まれるため，積極的に取り入れるよう支援する。ただし，丸のみする危険性があるため，大人がついて見守る必要がある。一方親は，手づかみ食べにより周囲が汚れることや，子どものペースで食事することへの負担が生じるため，その必要性を伝え環境づくりなどの情報提供を行い，母親が無理なく取り入れられるよう支援する。

（4）生後9～11か月頃
- 食事のリズムを大切にし，1日3回にする。食欲に応じて食事の量を増やし，乳汁は食事の後に与える。
- 家族の食事を薄味に調理し，食物の硬さを調整し離乳食に利用する。

（5）離乳の支援
- 離乳は，乳児の摂食能力，意欲，健康状態（アレルギーの有無，便性など），成長・発達に応じて進める。
- 乳児は，感染に対する防御機能が未熟なため，新鮮な食品を使用し衛生的に調理する。
- 栄養のバランスに配慮する。
- 薄味で香辛料の使用は避ける。
- 離乳食づくりが負担にならないよう，市販のベビーフードなどを上手に利用する。発達段階に応じた食物の固さ選びや，賞味期限などには留意する。
- 乳児が食べることを嫌がったり，量が少なかったりすると母親は不安や負担感を抱きやすい。離乳食の硬さ・味つけ・温度など好まれる献立，盛り付けの工夫，与えるタイミングと方法，楽しく食事ができる雰囲気づくりなどを助言し，乳児の発育を評価する。

4）幼児期の栄養摂取の特徴と支援

幼児期は，運動量が増えエネルギー消費が多くなるため，これに見合った栄養必要量を摂取する。また，食行動および基本的食習慣が確立する時期である。それと同時に食物アレルギーや食行動の問題も生じる。

（1）食行動および基本的食習慣の自立

幼児は自我が芽生え，「自分でやりたい」という欲求が出てくる。子どもの自発性を尊重し，自分のペースで自ら食べられる環境を整える。
- 「手づかみ食べ」から「一人食べ」へ移行する時期であり，食具の使い方が上手になる。
- 1歳を過ぎると緻密な動きができるようになり，スプーンの使用やコップ飲みができるようになる。
- 3歳頃から箸を使い始め，4歳頃には一人で食事ができるようになる。
- 基本的食習慣として，「いただきます」「ごちそうさま」などのあいさつ，食前の排泄・手洗い，食後の歯磨きを，繰り返し行うことで子どもは学習し獲得していく。

(2) 食行動の問題への対応

- 親の生活リズムの影響や，保育園などへの通園などにより，遅寝や朝食の欠食などの問題が起きやすいため，食事を含めた規則的な生活リズムを確立することが大切である。
- 食行動の問題として，遊び食い，偏食，むら食いなどは幼児期によくみられる。食事時間は30分程度に切り上げ，規則正しい生活を心がける。また，楽しい食卓の演出や調理法など，幼児の食への興味や関心を高めるよう工夫する。
- 食欲不振は，身体的・心理的要因が関連している。身体的要因には，消化器・呼吸器，口腔内の異常，治療の影響，薬の副作用などがある。心理的要因としては，食事環境の変化，食事以外の精神的ストレスへの不適応症状などが考えられる。これらの要因を把握し対処していく。入院している子どもの場合は，親や保育士と連携し，可能な範囲で普段の食生活の要素を取り入れるとともに，入院環境に適応できるよう，同室児と共に食事できる環境を整えるよう支援する。また，食欲不振が長期的に継続する場合は，医師に相談する。

(3) 間　食

- 幼児は，大人と比べエネルギーや栄養素を多く必要とするが，消化・吸収力が未熟なため，3回の食事だけで必要量を満たすことは難しい。1日1〜2回の間食を食事の一部と考えてエネルギーおよび水分を補給する。
- 気分転換となり，食事のマナーや手洗いなどの食習慣を学ぶよい機会となる。
- 食事摂取量の減少，う歯や肥満などの問題を避けるために，量や素材を適切に選択し与える（図2-4）。

(4) 食物アレルギーへの対応

- わが国の食物アレルギーの有病率は，乳児で約7〜10％，幼児で約5〜6％，学童期

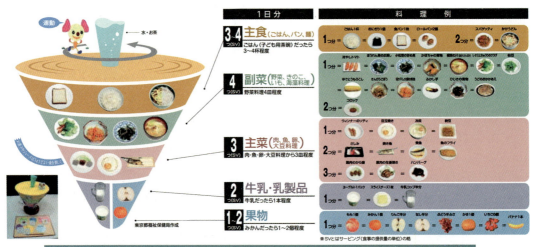

図2-4　幼児向け食事バランスガイド

東京都福祉保健局：栄養・食生活に関するホームページより引用
http://www.fukushihoken.metro.tokyo.jp/kensui/ei_syo/youzi.files/youzimukekomaposuta.pdf

- 以降が1.3〜4.5％である[10]。
- 即時型食物アレルギーの主要原因食物は、鶏卵、牛乳、小麦である。
- 食物アレルギーへの対応として、厚生労働省から各種ガイドラインが出されている。保育園などでは「保育所におけるアレルギー疾患生活管理指導表」[11]などを活用し、アナフィラキシーショックなどを予防する。

4 学童・思春期の栄養の特徴と支援

　学童期後半から思春期にかけては、第二次性徴が発現する時期であり、乳児期に次いで身体的にも著しい成長・発達を遂げる。よって、身体機能の変化や運動量の増加に対応し、十分なエネルギーや栄養素を摂取することが必要である。特にカルシウムは男女共に不足しやすく、思春期女子では月経の有無により鉄が不足しやすい。また、学童期以降、社会性が拡大し、自主的に行動し、食生活においても自身で選択し栄養を摂取していくようになるため、子どもが「自分の食事（健康）を管理する力」を育めるよう、親だけではなく子どもの理解を促すかかわりを行っていく。

1）栄養・食生活の問題

- 学校以外の活動の増加や共働き夫婦の増加による生活様式の変化から、朝食の欠食、孤食・個食、夜食の増加などがある。食習慣の乱れのみならず、学習力の低下など生活への影響がある。
- 加工食品や外食の増加によって栄養バランスの乱れや肥満がみられ、生活習慣病への影響がある。
- 女子を中心にやせ願望が認められ、それに伴う貧血、無月経、過食・拒食症、さらには将来的な健康に深刻な影響をもたらすことが懸念されている。

2）食育による支援

- わが国は、「国民が生涯にわたって健全な心身を培い、豊かな人間性をはぐくむ」（食育基本法第1条）ことを目的として、2005年に食育基本法が制定され、翌年には食育推進基本計画が策定されるなど、食育を推進してきた。現在は、2021年度からおおむね5年間を計画期間とする第4次食育推進基本計画[12]が策定されている。
- 文部科学省では、2019年に「食に関する指導の手引（第二次改訂版）」を発刊し、栄養教諭を通じて、食に関する指導の全体計画、各教科や学校給食における指導、学校・家庭・地域の連携などを行っている。
- 厚生労働省では、2004年に「楽しく食べる子どもに－食からはじまる健やかガイド」[12]を作成し、乳幼児期から適切な食事のとり方や望ましい食習慣を定着することなど「食べる力」の育成が必要であることを述べている（図2-5）。

第Ⅳ章 日常生活援助にかかわる看護技術

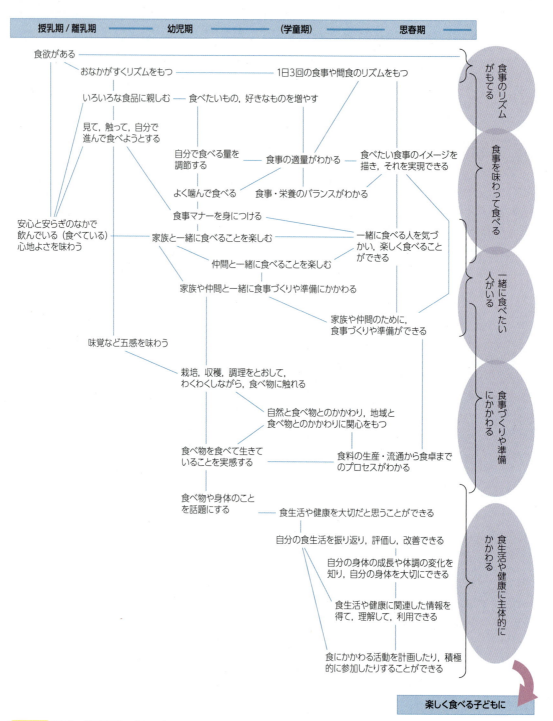

図2-5 発育・発達過程に応じて育てたい"食べる力"について

厚生労働省雇用均等・児童家庭局：「食を通じた子どもの健全育成（－いわゆる「食育」の視点から－）のあり方に関する検討会」報告書，楽しく食べる子どもに－食からはじまる健やかガイド，2004，p.13．より引用
http://www.mhlw.go.jp/shingi/2004/02/dl/s0219-4a.pdf

看護技術の実際

A 調　乳

- 目　　的：人工栄養で授乳する場合，調製粉乳を清潔かつ正確に調乳する
- 適　　応：人工栄養を行っている新生児・乳児
- 必要物品：（1）調乳用物品：調製粉乳，計量スプーン，哺乳びん，乳首，湯，ボール
  　　　　　（2）消毒用物品：洗剤，専用ブラシ，消毒用の容器（煮沸の場合は鍋，次亜塩素酸ナトリウム液の場合は専用容器など），湯または次亜塩素酸ナトリウム液，菜箸または哺乳びんはさみ

	方　法	留意点と根拠
1	哺乳びんと乳首を専用のブラシと洗剤で洗う	●哺乳びんの底や乳首の先は汚れが残りやすいので注意する
2	消毒する 〈煮沸消毒の場合〉 1）消毒用の鍋に，哺乳びんと菜箸を入れて，哺乳びんが十分つかるように水を満たす 2）沸騰後5分間煮沸する 3）乳首は3分煮沸する 〈次亜塩素酸ナトリウム液の場合〉 1）消毒専用容器に哺乳びんを入れ，適切な濃度の消毒液を満たし，指示どおりの時間つける 2）哺乳びんはさみで取り出す	●哺乳びんの中に空気が入らないようにする ●すすぎ洗いはしない
3	清潔な場所に置き，乾燥させる	
4	調乳する場所を清掃・消毒する	
5	手を洗う 1）石けんと流水で手を洗う 2）清潔なふきんまたはペーパータオルで水気を拭き取る	
6	十分な量の水を沸騰させる	
7	洗浄・消毒した哺乳びんに，沸騰させた湯を正確な量注ぐ	●やけどに注意する ●湯は70℃以上を保ち，沸騰してから30分以上放置しない（➡❶） ❶WHO（世界保健機関）/FAO（国際連合食糧農業機関）は，乳児の感染リスクを最小限に抑えるため適切な温度管理を推奨している[1]
8	表示された量の調製粉乳を正確に測って入れる	●計量スプーンを用いてすりきりで正確に測る
9	撹拌する 1）哺乳びんに乳首をつける 2）中身が完全に混ざるよう，哺乳びんをゆっくり回転させるように振る	●やけどに注意する ●泡立てないように振る
10	適温に冷やす 1）ただちに流水に当てるか，冷水または氷水の入ったボールで適温まで冷やす	●冷ます温度は，体温より少し高め（37〜38℃）にする

方法	留意点と根拠
2）清潔な布またはペーパータオルで，哺乳びんの外側の水を拭き取る	
3）授乳者の前腕内側に乳汁を数滴たらし，温度を確認する	●前腕内側で哺乳びんに触れて確認してもよい
11　授乳する	●授乳後2時間以上経過したものは廃棄する（➡❷） ❷感染のリスクを最小限にするため❶

❶厚生労働省：乳児用調製粉乳の安全な調乳，保存及び取扱いに関するガイドラインについて，2007.
http：//www.mhlw.go.jp/topics/bukyoku/iyaku/syoku-anzen/qa/070604-1.html

B 授乳の援助

- ●目　　的：新生児・乳児の成長・発達に必要な栄養，水分，エネルギーを補給する
- ●適　　応：母乳または人工乳にて栄養・水分摂取を行っている新生児・乳児
- ●必要物品：母乳または調整済みの人工乳，よだれかけまたはガーゼタオル

	方法	留意点と根拠
1	授乳前に乳児の全身状態，機嫌，空腹具合を観察する ・呼吸状態を観察し，鼻閉などで哺乳に支障がある場合は必要時吸引を行い，落ち着かせる（➡❷） ・子どもの生活リズムや授乳間隔を確認し，授乳可能な状況か判断する	●乳児の空腹のサインを確認する（表2-4参照）（➡❶） ❶乳児の授乳が促進され，基本的欲求に適切にこたえることができ，母子相互作用を促進する ❷哺乳の際，飲み込むとき以外は鼻呼吸しているため，鼻閉があると呼吸困難になりうまく吸啜できないため
2	おむつを確認し，必要時は交換する	●気持ちのよい状態で飲めるように準備する
3	手を洗う（➡❸）	❸感染予防のため
4	母乳または調整済みの人工乳を準備する 〈母乳の場合〉 乳房をマッサージし，乳首から乳輪部にかけて清浄綿などで拭く 〈人工乳の場合〉 人工乳の温度が適切か確認する	●乳首の穴のカット・サイズ・硬さは，乳児の飲み具合（➡❹）から選択する ❹授乳中にむせる場合は乳首が大きすぎ，授乳中の啼泣や吸啜がよいにもかかわらず授乳時間が20分以上かかる場合は小さすぎる可能性がある ●病院などの場合は，名前，指示量，ミルクの種類などを確認する
5	落ち着いた環境で乳児を抱き，座る	●授乳者が楽な体位をとる（図2-6） ●乳児の頭部が下にならないようにする 

図2-6　授乳時の乳児の抱き方

方　法	留意点と根拠
6　授乳する 〈母乳の場合〉 　1）乳房が乳児の鼻孔を塞がないよう，手で乳房を抑える 　2）乳児の舌の上に乳首を乗せて，乳輪部までくわえさせる 〈人工乳の場合〉 　1）よだれかけなどをあごの下に当て，乳児の舌の上に乳首を乗せてくわえさせる 　2）吸啜し始めたら，哺乳びんの底部を30度くらい上げる	●哺乳びんの空気穴を上に向け，乳首の先端をミルクで満たすよう斜めに持ち，乳首をくわえさせる（➡❺） 　❺空気を飲み込むと，溢乳の原因になる ●乳児の首が反り返ると誤嚥しやすい
7　授乳中は乳児の顔を観察する	●母子相互作用の促進と，乳児の身体観察（顔色，呼吸状態の変化，チアノーゼの有無など）につながる
8　授乳後は十分に排気する	●授乳後には，乳児を縦抱きにし，軽く背中をさすったり，叩いたりして排気させる（➡❻）（図2-2参照） 　❻溢乳を避けるため
9　乳児の口の周囲を拭く	●ミルクや唾液によるかぶれや感染を防ぐ
10　乳児を少し横向きにして寝かせる	
11　乳児の周辺の環境を整え，状態を観察する 　1）授乳前と状態を比較する 　　満足感，顔色，呼吸状態など 　2）15分以上排気がない場合は，吐物の誤嚥を防ぐため，しばらく様子みる	

文　献

1) 厚生労働省：日本人の食事摂取基準（2020年版）策定検討会報告書，p.1.
〈https://www.mhlw.go.jp/content/10904750/000586555.pdf〉（アクセス日：2022/7/11）
2) Koyama S, Ichikawa G, Kojima M, et al : Adiposity rebound and the development of metabolic syndrome, *Pediatrics*, 133：e114-119, 2014.
3) 内山聖監修：標準小児科学第8版：第3章小児の栄養，医学書院，2013，p.28.
4) 厚生労働省：授乳・離乳の支援ガイド実践の手引き，2019．p.15.
〈https://www.mhlw.go.jp/content/11908000/000496257.pdf〉（アクセス日：2022/7/11）
5) 前掲書4)，p.21.
6) 日本ラクテーション・コンサルタント協会訳：生後14日間の母乳育児援助エビデンスに基づくガイドライン，日本ラクテーション・コンサルタント協会，2003，p.8.
7) 日本ラクテーション・コンサルタント協会編集：母乳育児支援スタンダード，第2版，医学書院，2015，p.255.
8) 消費者庁「乳児用液状ミルクってなに？」.
〈https://www.fukushihoken.metro.tokyo.lg.jp/kodomo/koho/nyujiyoekitaimilk.files/health_promotion_190304_0003.pdf〉（アクセス日：2022/7/11）
9) 前掲書4)，p.34
10) 日本医療研究開発機構（AMED）免疫アレルギー疾患実用化研究事業重症食物アレルギー患者への管理および治療の安全性向上に関する研究「食物アレルギーの診療の手引き2020」，p8.
〈https://www.foodallergy.jp/wp-content/themes/foodallergy/pdf/manual2020.pdf〉（アクセス日：2022/7/11）
11) 厚生労働省：保育所におけるアレルギー対応ガイドライン，2019，p.7.
12) 厚生労働省雇用均等・児童家庭局：「食を通じた子どもの健全育成（—いわゆる「食育」の視点から）のあり方に関する検討会」報告書—楽しく食べる子どもに～食からはじまる健やかガイド～，2004，p.13.
13) UNICEF/WHO：Breastfeeding management and promotion in a Baby-Friendly Hospital：an 18-hour course for maternity staff，1993，橋本武夫監訳，日本ラクテーション・コンサルタント協会翻訳，UNICEF/WHO 母乳育児支援ガイド，第1版，医学書院，2003.
14) 堤ちはる・土井正子編：子どもの食と栄養，萌文書院，2020.
15) 遠藤文雄総編集：最新ガイドライン準拠　小児科診断・治療指針：第6章小児の栄養，中山書店，2017.
16) 上田玲子編著：子どもの食生活，第6版，ななみ書房．2022.

3 排　泄

学習目標
- 小児の排泄に関する生理機能およびメカニズムについて理解する。
- 小児の排泄行動の発達を理解する。
- 小児の発達段階や状態に応じた排泄の自立の目的・方法を理解する。
- 小児の排泄の自立への援助技術を習得する。

1 小児の成長・発達と排泄

　排泄とは物質代謝の結果生じた不用物や有害物などの老廃物をからだの外に出すことであり，主に尿と便の排出を指す[1]。

　成長・発達過程にある小児にとって排泄は，①排尿・排便に関する生理機能の発達，②心理社会的・文化的な行動の発達，③摂取する栄養の形状に関する性状の変化など様々な意味をもっている[2]。また，排泄は，子どもが自らの身体感覚を理解し，社会に適する方法にコントロールすることを学ぶ重要な課題の1つとされる[3]。そのうえ，小児期の排泄習慣はその後の排泄習慣に影響を及ぼすため，幼少期のみならず，排泄の大切さを理解してより良い排泄習慣を身につけることが必要である。

1）排尿にかかわる発達
（1）腎臓・尿路系の生理機能
　腎臓は背側腹膜に接する後腹膜臓器で，右腎が左腎より少し低く位置するそらまめの形をした臓器である。出生時の腎重量は22g（体重の約0.75％），成人の腎重量は120〜150g（体重の約0.4％），腎血流は心拍出量の約20〜25％を占める[4]。

　胎児は，妊娠7週で尿細管が形成され在胎9〜12週では腎臓からの尿を生成し，羊水内に尿を排出する。このように腎臓の組織構造は出生時にはほぼ完成している。ただし，糸球体濾過量（GFR）は，出生後2週間程度で2倍となり，1歳半から2歳以降に成人と同様になる[5]。

（2）排尿のメカニズム[6]
　腎臓は，飲食物などで体内に入った物質の不要な代謝産物または有害物質を尿として体外に排出する機能を担っている。尿の性状は，飲食量や発汗などの影響を受け，血液が正常に保つように量や濃度を変化させている。血液は糸球体で濾過され，尿細管に移行し，蛋白質，水分，電解質などを再吸収される。尿細管の水分の再吸収量の調節は，脳下垂体から分泌される抗利尿ホルモン（antidiuretic hormone：ADH，バソプレッシン）によって

行われる。残りの尿成分は，尿細管から腎盂で集められ，腎杯から尿管を通り，膀胱に送られ体外に排出される。

　膀胱に尿が貯留する（内圧150～200mmH$_2$O）と膀胱の内側にある神経受容器が感知し，その刺激が骨盤神経・脊髄神経を通って延髄まで伝達され，排尿神経を経て大脳皮質へと伝わる。1歳頃まで，大脳皮質の発達が未熟であり脳幹の橋排尿中枢の機能が優位なため反射的な排尿である。1歳前後から次第に反射的排尿を抑制する神経機能の発達により膀胱容量が増大するが不随意的な反射的排尿は続く。個人差はあるが2～4歳となると膀胱充満感覚が大脳に伝達しているときに養育者にそれを認識するように促されると尿意を獲得する。よって，1歳半～2歳では自立歩行，予告の言語の発達に伴い，独自のサインで知らせる。2歳半になると我慢ができるようになり，昼間のおむつがいらなくなる。夜間のおむつがはずれるのは3～4歳である。そして，4～5歳となると膀胱充満感覚が尿意として認識され自排尿が可能となる[7]。

　小児の排尿回数を**表3-1**[8]に示す。

2）排便にかかわる発達

（1）胃・腸の解剖生理・機能[5]

　胃の位置は，新生児では立位であり，噴門の働きが未熟であるため溢乳の原因になっている。生後4か月から乳児期を通じて成人に近い水平となる。生後1か月で規則的な整った蠕動運動となり，生後1年を過ぎると機能的に成熟する。乳児の小腸の長さは成人に比して長く，吸収面積が広い。腸の長さは，成人が身長の4～5倍であるが，新生児は約7倍，幼児は約6倍である[9]。

（2）排便のメカニズム

　経口的に食べたものは，咀嚼され，胃や小腸で消化吸収され，4～15時間後に大腸に運ばれる[10]。回腸では，液状であるが大腸で水分が吸収され，横行結腸では粥状，下降結腸では固形化し，S状結腸で数時間停留している間に糞便として完成し，その後直腸に送られ摂取後24～72時間で排出される。

　直腸の内面にある神経受容器は直腸内圧が40～50mmHg以上になると脊椎神経を通り，延髄の排便中枢まで到達し大脳皮質にまで到達するメカニズムとなっている。大脳皮質から延髄の排便中枢を通り，陰部神経から直腸に伝わり内肛門括約筋がゆるんで排便する。このとき，横隔膜や腹筋を緊張させて腹圧をかける「いきみ」といわれる協調運動が反射的

表3-1 排尿回数

年　齢	回数/日
新生児	15～20回
生後6か月～1歳頃	10～15回
2～4歳頃	7～10回
4歳以降	4～7回

大友義之：排尿のメカニズムとお漏らし，おねしょ，チャイルドヘルス，20(2)：90-93, 2017. を参考に作成

表3-2 排便回数

年齢		排便回数（/週）	排便回数（/日）
0〜3か月	母乳栄養	5〜40	2.9
	人工栄養	5〜28	2.0
6〜12か月		5〜28	1.8
1〜3歳		4〜21	1.4
3歳以上		3〜14	1.0

Constipation guideline committee of the North American society for pediatric gastroenterology, Hepatology and Nutrition : Evaluation and treatment of constipation in infants and children: recommendations of the North American society for pediatric gastroenterology, Hepatology and Nutrition, *J Pediatr Gastroenterol Nutr*, 43（3）: e1-13, 2006.

に誘導されスムーズな排便につながる。神経系が未発達な乳児は直腸の受容器で便を感知し、いきみ反射が誘発されると同時に肛門を開いて排便する。幼児期になると大脳皮質機能が整い、便意を感じるが排便の準備が整えるまで排便反射を抑制できるようになる。

新生児期では哺乳による胃結腸反射により直腸が亢進し排便するが、2か月を過ぎると反射のみで排便することは少なくなる。1歳6か月頃には自分での排便コントロールをある程度できるようになるといわれており、2歳後半では腹圧を加えいきむことを覚える[10]。成長に伴い排便感覚と結腸蠕動運動が成熟しいきみ動作が習得されると成人に近い排便となり、3,4歳で排便の自立が完了する[11]。

小児の食事は母乳や人工乳、離乳食、幼児食と、成長・発達に応じて内容が変わり、この食事内容の変化と消化機能の発達に伴い、小児の便の性状と回数は変化する。また、乳児の便は、母乳栄養のほうが人工栄養より便性はゆるく、回数は多い（表3-2）[12]。

3）排泄にかかわる問題

（1）夜尿症

夜尿とは、5歳以上の小児の就寝中の間欠的尿失禁で1か月に1回以上の夜尿が3か月以上続くものをいう[13]。幼児期に生じると「おねしょ」といわれる。排尿の自立後に起こる「おねしょ」では、きょうだいの誕生、転居などの生活の変化、不安などがあり一過性に起こる。夜尿は、夜間多尿、排尿筋過活動、覚醒閾値の上昇が三大要因で、1つあるいは複数の要因が関与しており、補助的な要因として発達の遅れ、遺伝的素因などがある[8]。夜尿の頻度は、5歳16％、6歳13％、7歳10％、8歳7％、10歳5％、12-14歳2〜3％、15歳を超えて2〜3％で、自然消失率は毎年約15〜17％である[8]。病的な夜尿の場合は、夜間尿量の調整に関係する抗利尿ホルモンの分泌リズム不良、膀胱機能の未熟に対する治療を行う。

生活指導としては、「夜尿は子どもや保護者のせいではない」ことを含めた病状説明、水分摂取や食事のタイミングなどの指導、排尿の記録として日誌の記載などを指導する[14]。積極的な治療としては、薬物療法、アラーム療法がある。薬物療法では、抗利尿ホルモン薬、抗コリン薬、選択的β_3受容体作動薬、三環系抗うつ薬が用いられる[15]。アラーム療法では、夜尿時に水分（尿）を完治するセンサーが作動し警報が鳴る装置を装着し、夜尿時に

覚醒し膀胱内に残った尿をトイレで排尿することで，睡眠中の尿保持力を増大させるものである[16]。夜尿は，子どもの自尊心を低下させ，強い精神的トラウマをもたらすため，早期の治療が必要である[15]。

(2) 下　痢[17]

下痢とは，水分の多い粥状・水様性の便を排出することをいう。2歳までの乳幼児に多く，発熱，嘔吐，脱水などを伴い重症化しやすい。原因としては細菌やウィルスなどの感染性，水分や食事の過剰摂取，新食事の導入，アレルギーなどの非感染性がある。小児に多いウイルス性のものにはロタウイルス，感染力が強く集団発生をきたしうるノロウイルスがあり，二次感染に注意が必要である[2]。軽症であれば食事療法のみで改善するが，重症化すると電解質バランス，酸塩基平衡異常などをきたす。対応としては①脱水症の予防，②排便回数増加による肛門周囲の発赤びらんへのスキンケア，③二次感染防止である。

(3) 便　秘[18]

便秘とは，便が滞った，または便が出にくい状態である。一般に3〜4日以上に1回，固い便で排便困難を伴うことが多い。また，腹部膨満，食欲がない，吐く，機嫌が悪いなどの症状が伴うこともある。

小児期に便秘を発症しやすい時期や契機として，乳児期は母乳から人工乳への移行や離乳食の開始時，幼児期はトイレットトレーニング期，学童期は通学の開始や学校での排便の回避があげられ，発症のピークは2〜4歳とされる[18]。そして，排便回数は，年齢，食事，社会的習慣，家族内の関係，日常の活動時間などの影響を受ける。

日常的に便が腸管内に貯留すると直腸壁が伸展し，反応が低下し便意が鈍化する。すると便が固く出にくくなるため排便時の痛み，過度のいきみなどの影響や不適切なトイレットトレーニングなどから排便回避につながる。この悪循環から便貯留，知覚鈍麻が生じ，結腸蠕動が低下し便秘に移行する[11]。特に，排便回避は乳幼児では習慣化されやすい。食事や水分の摂取量の不足，不規則な日常生活や食習慣の是正，便意を感じたときは我慢せずに排便し，ゆとりのある時間にトイレに座るなど生活・排便習慣の見直しを行う。また，トイレットトレーニングが終了すると，排便については子ども任せとなり親が把握することが困難となり，慢性便秘に移行することがある。本人と共に親へも排便の習慣化や排便観察の必要性を指導する。

排泄の自立とトイレットトレーニング

排泄の自立は子どもが自らの身体感覚を理解し社会に適する方法にコントロールすることを学ぶ重要な発達課題である[3]。そしてそれは，夜の排便コントロール，日中の排便コントロール，日中の排尿コントロール，夜間の排尿コントロールの順で達成していく[8]。

フロイトは，15か月から3歳までを肛門期とよび，この時期の子どもは「排便」を意識し，コントロールの方法を教えられ自分が必要なときトイレに行き，そうでないときは我慢するという感覚を身につける[19]。また，エリクソン（Erikuson EH）は，自律性を獲得し，恥や疑惑の感覚を克服する時期であるとしている。小児は，まずは排泄に伴う快感を経験するが，それと同時にトイレットトレーニングの方針に従うということを経験する。随意的に排

泄するということは，それに関連する筋肉や行動を自分の意志で制御することにもつながり，子どもの感情面の発達にとって非常に重要な時期である。つまり，小児は，自分の排泄を自分の意志でコントロールすることを覚えると同時に，自分の行動が自分のものであることに気づく[2]。発達面からみても，排泄行為の確立と自律性は密接に結びついている[19]。そして，たいていの生活文化には，排泄の場所やマナーが指定されている。こうしたマナーは，子どもをとおして親に課される問題でもある。言い換えると，トイレットトレーニングの成否によって，自分が優れた母親であるかが判断されることもあり，母親にとっても不安や焦りを抱く時期となる。よって，母子関係を考慮しながら，母親への心もケアを行いながら進めることが大切である。

トイレットトレーニングとは，子どもがトイレでの排泄方法を学ぶ過程であり[20]，主に排尿行動の自立を指す。排泄の自立には，膀胱の括約筋，大脳および運動・知覚神経など統合された発達が関与している。排尿の自立に関する開始時期は，子どもの発達の状態をよく観察し適切な時期に始めることが必要である。一般的には2歳から2歳半までに開始し[20]，3～6か月かけて終了している。しかし，トイレットトレーニングは開始が早過ぎるとトレーニング期間が長引き，養育者の負担が大きいとされている[3]。よって，子どもと養育者の準備が整う時期が望ましい（表3-3）。一方で，引っ越しやきょうだいが誕生するなど大きな環境の変化があるときは避けるほうがよい[20]。また，失禁した際，風邪などの原因になることもあるため，月齢にかかわらず夏に開始することが多い。

排便に関しては，回数が少ないうえに，たいていの場合はいきんで排出するため本人も家族も把握しやすく，排尿の自立よりも容易といわれる。乳児期後半になり，排便時のいきみなど協調運動がみられたときは，声かけによって便意を意識化させる。その後は，立ち止まる，顔がゆがむ，赤くなるなど子どもの排便時の特徴をつかみ，トイレに誘導し，うまく排便できたときは褒める。4～5歳を目安に紙を使っての後始末ができるようになる。排便は習慣化されやすく，将来の排便習慣に影響を及ぼすので，幼児期から生活リズムに取り込めるようにすることが大切である。トイレットトレーニングの段階と排尿のメカニズムを表3-4に，トイレットトレーニングの必要物品を表3-5に示す。

1）ステップ1：排尿の間隔をつかむ

1歳を過ぎて歩けるようになり，言葉もいくつか話せるようになると，大脳皮質が発達して膀胱に尿が貯留し尿意を感じることができる。排尿の間隔が2～3時間になる時間帯を探す。一般に起床時や食後に排尿することが多い。

表3-3 トイレットトレーニング開始の目安

子どもの発達	・歩行ができる ・座ることができる ・コミュニケーションがとれる ・トイレに関心を示す ・人の真似をしたがる
養育者の準備	・子どもとの信頼関係が確立している ・叱らずに忍耐強く見守ることのできる時期である

表3-4 トイレットトレーニングの段階と排尿のメカニズム　　　　　　　　　　　　（　）内は年齢の目安

トイレットトレーニングの段階	排尿のメカニズム	小児の様子
ステップ1 排尿の感覚をつかむ（1歳前半）	・膀胱容量が増えて尿をためる量が増える	・排尿の感覚，尿意がわかる ・尿がたまった感覚はわからない
ステップ2 おまるやトイレへ誘導する（1歳後半）	・膀胱と脳をつなぐ神経経路は未熟だが，尿が膀胱にたまった感覚がわかるようになる	・排尿のサイン（動きが止まる，おむつの前を押さえる，おむつをたたく，「チッチ」や「シーシー」などの言語で表現する）で大人に尿意を教えることができるようになる
ステップ3 昼間のおむつをはずす（2歳）	・排尿時の感覚がわかるようになる ・日中の排尿間隔が2～3時間あくことが多くなる	・排尿後の報告ができるようになる ・誘導するとうまく排尿したり出なかったりを繰り返す
ステップ4 自分から予告できる（3歳）	・膀胱と尿をつなぐ神経経路が発達し，尿が出そうな感じがわかるようになる	・尿意を感じてから排尿をする ・排尿を我慢する ・遊びに夢中になると失禁することもある
ステップ5 後始末が自分でできる（4歳）	・ほとんど失禁することはなくなる	・遊びなどに夢中になると尿意を感じてから排尿までの時間がないことがある

表3-5 トイレットトレーニングの必要物品

排泄に必要な物品		機能，使用目的など	利点	欠点
おむつ	布おむつ（木綿素材）	・おむつの機能として，ぬれないこと，かぶれないことが重要である ・成長に応じて足の運動を妨げず，尿量を十分に吸収できるサイズのものを選ぶ	・肌ざわりがよい ・不快を感じることで排泄の自立を促進する ・繰り返し洗って使えるので経済的である	・排尿後の蒸れや不快感がある ・尿量が多くなると吸水能力を超え，漏れやすい ・洗濯などの手間がかかる
	紙おむつ（高分子吸収材，ポリエステル，ポリプロピレンなどの不織布）		・簡単に取り換えられるので外出時に便利 ・吸水性・保湿性がありおむつかぶれを起こしにくい ・フィット感があり排泄物が漏れにくい	・使用後の紙おむつはゴミになるので環境汚染の可能性がある ・経済的負担がある ・取り換え回数を少なくするとおむつかぶれを生じやすい
おまる		・トイレで排泄できるようになるまでの準備期間に使用する	・持ち運びでき，好きな場所に置ける ・小児に合わせた大きさで，安全に使用できる ・可愛らしいデザインで小児がなじみやすい ・中皿を洗浄することで清潔が保てる ・小児に排泄物を見せて視覚的認知を促せる	・排泄物の後始末が必要である ・場所の確保が必要である
補助器具（便座，踏み台）		・小児の体格に合わせることで，安全で容易に排泄トレーニングができる	・座ったときに体位が安定する ・トイレで排泄をするイメージをつけやすい ・流すだけなので後始末が楽である	・便座まで高さがある場合は座るのに介助が必要である
トレーニングパンツ		・股部分に防水シートがはさまっているパンツで，トレーニング期に使用する	・尿が漏れにくい ・排泄後の不快感があるため，小児に排泄物を意識させることができる	・防水シートが蒸れる
知育玩具（絵本，DVDなど）		・トイレットトレーニング前後の小児に排泄を意識させ，方法を教えることができる ・必ずしも使用しなければならないわけではないが，あると便利である	・小児の成長・発達に合わせた方法で説明されており，小児のやる気を引き出すことができる	・種類が豊富なので選択に迷うことがある

2）ステップ2：おまるやトイレへ誘導する

　1歳頃の小児はトイレで排尿することを知らないので失敗することが多いが，偶然，おまるなどに排尿できたときは「チィ出たね」と声をかけることが大切である。その際，「放尿感」とおまるにたまった尿を目で確認する「視覚的認知」，そして大人の声かけを耳にする「聞く感覚」の3つの感覚から，今までおむつ内に無意識にしていたことが「おしっこ」であることを体感して理解する。

　タイミングが悪く床にしてしまっても，「チィ出たのね」と尿を指さして知らせる。決して小児を押しのけて床を拭いたり，叱ったりはしない。また，時間だからと，遊びに夢中になっているときに中断させて誘導することは避ける。生活のパターンのなかでのタイミングをつかむ。

　トイレでは，便器の大きさや狭い空間など小児にとっては不慣れな場所であるため怖がることもある。好きなキャラクターやおもちゃを置いて楽しいところであることを知らせることも必要である[21]。

3）ステップ3：昼間のおむつをはずす

　誘導して半分はおまるやトイレで排尿できるようになれば，日中のおむつをはずしてもよい。しかし，パンツに失禁した場合，養育者の叱責が小児の生理的な機能を阻害する要因となるため，養育者の心のゆとりを優先して，8割くらいの成功率になってからはずしてもよい。家庭では，防水シートがはさまっているトレーニングパンツを使用することが多い。

4）ステップ4：自分から予告できる

　時間ごとの誘導をせずに，自分から予告することを待つ。この時期は，トイレットトレーニングの仕上げなので，失敗しても叱らず，焦らずに見守る。

5）ステップ5：後始末が自分でできる

　トイレで排尿できるようになっても，最初はパンツをはずして排泄し，排泄後の後始末はすべて介助者が行う。女児は尿道口と肛門が近いので感染防止のために前から後ろに拭くなど，徐々に排尿後の紙での始末の仕方を教える。衣服の着脱ができるようになる4歳頃からは，トイレで下着を下ろして排泄できるようになる。男児は，立って排尿する場合があるので，その際の方法について教えるが，父親が見本になるとよい。

❸ 入院している小児の排泄行動自立への援助

　入院している小児にとっては，病状や治療に伴う体調の変化，あるいは入院による環境の変化などがストレスとなり，退行現象が起こることがある。つまり，排泄習慣が自立した小児が，再び後戻りすることである。入院していたとしても，その小児なりの成長・発達を促すことが大切である。

　まずは，入院前の排泄の状況を家族によく聞き，家族の育児方針も踏まえて，小児の排泄の自立に対してどのように援助するかを考える。その際，発達年齢だけでなく，輸液療

法や薬物の反応による尿量や回数の増加，トイレまでの距離，小児の身体状況を考慮して適切にアセスメントする。そのうえで，医療従事者が同じ方針をもって統一した対応をすることが必要である。

看護技術の実際

A おむつ交換

- ●目　的：（1）尿や便で汚れたおむつを清潔なものと取り替え，陰部・肛門を清潔にして感染を予防する
  （2）おむつ交換による心地よい感覚をとおしてコミュニケーションを図る
- ●適　応：排泄が自立していない新生児〜年少幼児
- ●必要物品：おむつ（紙か布），汚れたおむつを入れる容器（またはビニール袋），おしり拭き，ディスポーザブル手袋（家庭では使用しない），おしり拭きシートまたはトイレットペーパー

方法	留意点と根拠
1　おむつ交換の準備をする 　1）同室者がいる場合は，カーテンを引く（➡❶） 　2）ディスポーザブルの手袋を装着する（➡❷） 　3）「きれいにしようね」（➡❸）などと話しかけ，足を手前にしてベッドに寝かせる 　4）サイズの合ったおむつを準備する（➡❹） 　　サイドのギャザーが大腿にフィットするサイズか確認する 　5）紙おむつの場合，おむつを十分に広げてくっついている箇所がないかを確認し，内側のギャザーを立てておく（➡❺）（図3-1）  **図3-1**　紙おむつの準備	●おむつ交換は授乳前後に（小児のリズムに合わせて）行う ❶小児のプライバシーを守り，同室者へ配慮する ❷CDCガイドラインでは，感染防止のため，ディスポーザブル手袋の着用が望ましいとしている。病院などでは，ディスポーザブルのエプロンを使用する場合が多い ❸声かけは小児を尊重し，愛情をもって接するのに重要であり，汚れていると不快であることを認識させる ❹サイズがゆるいと便や尿が漏れる，きついと股関節運動の妨げや腹部圧迫，皮膚のかぶれの原因になる ❺横漏れ防止となる
2　汚れたおむつをはずす 　1）小児を仰向けに寝かせ（図3-2a），汚れたおむつをはずす前にお尻の下に新しいおむつを敷く（図3-2b） 　2）汚れたおむつを開け，シールの部分が再使用できるよう元の状態に貼り付ける（図3-2c）（➡❼）	●殿部から背中を支え，腰全体を持ち上げる ●脚を持って殿部を持ち上げない（➡❻） ❻脚だけを持って殿部を持ち上げると股関節脱臼の原因となる ●男児はおむつを開けたときの放尿に気をつける ❼おむつを片づける際にシールを使う

方 法	留意点と根拠

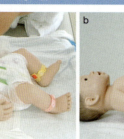

図3-2 おむつ交換

方法	留意点と根拠
3　お尻を拭く 　1) おむつの汚れていない部分で簡単に拭き取り，おむつの汚れた部分を内側に折り込み，汚れていない部分に殿部を移動する 　2) おしり拭きシートかトイレットペーパーで陰部，肛門周囲，殿部を拭く 　・女児は尿道から肛門に向かって真ん中と両外側を拭き，陰唇の内側も拭く（➡❽） 　・男児は尿道，亀頭部，陰嚢などを拭く 　3) 最後にトイレットペーパーか，おしり拭きシートで拭く	❽女児は尿道口と肛門が近いため，肛門の菌を尿道から侵入させないため ●おむつかぶれがある場合は，強くこすらない。湯で流してもよい（➡❾） ❾小児の皮膚は薄いので，摩擦によるバリア機能の損傷を防ぐ
4　おむつの汚れた面を内側にして小さく丸めながら抜き取る 　腰の部分のシールで固定し，おむつが広がらないようにしてビニール袋に入れる（➡❿）	❿衣類の汚染防止だけでなく，菌が多く存在する尿や便による感染防止のため
5　殿部と肛門周囲，排泄物を観察する 　1) 発赤・発疹の有無（➡⓫） 　2) 尿の量・色・におい，混入物の有無（尿混濁，血尿など）（➡⓬） 　3) 便の形・色・におい，混入物の有無（便の色の異常）（➡⓭）	⓫下痢や長時間おむつ交換ができないときはおむつかぶれを起こしやすい ⓬尿路感染，腎疾患，腸重積症 ⓭便秘，下痢，胆道閉鎖症
6　新しいおむつを当てる 　1) 新しいおむつの背中側の上端が臍の高さにあることを確認し，おむつを体幹に沿わせる 　2) おむつの腹部側の位置がずれないように片手で押さえて，左右が対称になる位置でシールをとめる 　3) 大腿のギャザーが入り込んでいないか確認する	●腹部は指が1～2本入るくらいゆとりをもたせる（➡⓮） ⓮乳児は腹式呼吸をしているので腹部を覆うと呼吸運動を妨げる ●布おむつの際は女児の場合は殿部を厚く，男児は前を厚く当てる ●腹部のギャザーは漏れ防止なので，腹部にかかっていても問題ないが，新生児など臍部が湿潤している場合は当たらないように注意する ●テープが直接肌に触れないようにする ●大腿のギャザーは漏れ防止であるため，内側にはさまっていたり，外に折れ返っていないように整える
7　「きれいになったね」「いっぱい出て気持ち良かったね」と話しかけ（➡⓯），衣類を整える 　1) 新生児，乳児は殿部を持ち上げ，背部の衣類のしわを引っ張る 　2) 幼児は，身じたくを整える	⓯排泄は気持ちがいいものであることを意識づける

方法	留意点と根拠
8　汚れたおむつを片づける（図3-3）	● 汚れたおむつは，おむつを入れる容器（またはビニール袋）に入れて，所定の場所に片づける ● 水分出納を観察している場合は，重さを測定し，おむつの重さを差し引いて記録する

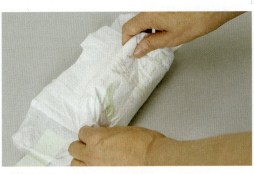

図3-3　使用後のおむつの処理

9　手袋をはずし，流水と石けんで手を洗う	

B　おまるによる援助

- 目　　的：おむつからトイレでの排泄への移行準備段階として，成長・発達に応じた排泄の自立を図る
- 適　　応：排尿・排便の間隔が一定で，尿意を自覚するようになった幼児
- 必要物品：おまる（図3-4），トイレットペーパー，おむつ

図3-4　おまる

方法	留意点と根拠
1　小児の排尿のリズムをつかむ（→❶）	● 小児の排尿リズムを把握し，誘導時間を決めておく ❶ おまるへの排尿が成功するように排尿のタイミングを逃さない（寝起き，食事の前後，入浴前など） ● 小児の排尿のサインを見逃さない（→❷） ❷ 顔をしかめる，もぞもぞする，部屋の隅に行く，おむつを触るなど特有のサインがある
2　おむつがぬれていないか確認する	● 服の上から触る（温かい，重い） ● 匂いを嗅ぐ ● 小児に「ちぃでた？」と聞く
3　必要物品を準備する 　1）おまるがきれいであるか確認する 　2）おまるの底にトイレットペーパーを敷いておく（→❹） 　3）おまるを落ち着いた場所に置く（→❺）	● 冬季は，必要であればおまるにカバーをかけるか温めておく（→❸） ❸ 冷たいと不快であり，その経験が排泄の自立を妨げる原因となる ❹ 受け皿が便で汚染されることを防ぎ，後始末も楽である ❺ 気が散らず排泄に集中できる ● おまるでの排泄は一定の場所とする（→❻） ❻ 排泄する場所があることを認識することは，トイレでの排泄の準備となる

方法	留意点と根拠
4 小児をおまるに誘導する 「シーしようか」など声をかける（➡❽）	●無理強いをしない（➡❼） ❼強制は排泄に対する拒否的態度へつながる ❽排泄行為と言葉を結びつける
5 小児の下着を脱がせ，おまるに座らせる おまるにきちんと座れているか，両足が床についているか確認する（➡❿）	●座る時間は長くても3分とする（➡❾） ❾長い時間座らせても気が散って，排泄に集中しなくなる ●肛門が受け皿の中央後方にきているか確認する ❿不安定な姿勢だと転倒などの危険性があり，いきみにくい。また，尿や便の飛び散りを防ぐ。必要に応じて足台を使う
6 小児の排尿・排便を促す 1）小児がおまるの取っ手を握っているか確認する 2）「シーシー」「ウーン」などの声かけを一緒に行う（➡⓫） 3）排便時は，前屈みにする（➡⓬）	⓫一緒に声をかけることで，やる気を引き出すようにする ⓬小児の姿勢が安定し，落ち着いて排泄できる。いきみを促すことができる
7 排泄の有無を確認する 1）「シー出た？」と聞く（➡⓭） 2）おまるの中を見る	⓭排泄行動と言葉を結びつけ排泄したことを自覚できるようにする
8 小児を立ち上がらせる 上半身を支え取っ手をつかむように言い（➡⓮），「お尻を拭くね」と今後の行動を話す	⓮転倒の防止 ●殿部，肛門周囲の皮膚の観察を行う
9 陰部・殿部を拭く 女児の場合は前から後ろに拭く（➡⓯）	⓯大腸菌による尿路感染の防止
10 小児をおまるの横に立たせる	
11 排泄物を小児と一緒に確認する 1）「おしっこ出たね」などと排泄物を示し確認する 2）排泄できた場合は十分に褒める（➡⓰）	⓰達成感が得られるとともに，排泄することは良いことだと認知できるようにする
12 下着や衣服を着せる 「お尻を出していたら恥ずかしいよ」と言いながら手早く着せる（➡⓱）	⓱褒められると喜んで裸ではしゃぐ場合がある。羞恥心を教える
13 手を洗うことを促す（➡⓲） 1）できない場合は介助するか，おしぼりを渡す 2）「きれいになったね」と声をかける	⓲排泄後の手洗いの習慣をつけることで，清潔観念を身につけ，清潔の快感を認識できるようにする
14 排泄物を観察する 尿・便の性状（色・形・におい，不消化便の有無，血液・粘液の混入の有無）	
15 使用物品を片づける 1）中皿をはずす 2）排泄物をトイレに流す 3）中皿を洗浄する	●水分出納を観察している場合は，量を測定する ●病院では薬液消毒する場合もある（➡⓳） ⓳他の患児への感染防止
16 記録する	●時刻，尿の量と性状，便の量と性状，小児の反応を記録する

C 排泄行動の自立への援助（トイレットトレーニング）

- ● 目　　的：無意識に反射としておむつに排泄していた状態から，自分の意志で便器やトイレで排尿・排便するように援助する
- ● 適　　応：排尿・排便間隔が一定になった幼児期前期（1歳半〜3歳頃まで）に開始する。排尿は3歳，排便は4歳半に自立完了する
- ● 必要物品：おむつ，おまる，補助器具（便座〈図3-5〉・踏み台），トレーニングパンツ，知育玩具（絵本，DVDなど，図3-6）

図3-5　補助便座　　　　　　　　　　　　　　　　　　図3-6　知育玩具

	方　　法	留意点と根拠
1	**ステップ1：排尿の間隔をつかむ（1歳前半）** 1）おむつ換えは決まった場所で行う（➡❶） 2）おむつを換えたら「気持ちいいね」「良いうんち出たね」と声をかける（➡❷） 3）排泄物を「ばっちいね」，ケアの最後は「きれいになったね」と声をかける（➡❸）	❶排泄は決まった場所で行うことを認識できる ❷排泄はよいことであることを伝える ❸清潔の観念をつける
2	**ステップ2：おまるやトイレへ誘導する（1歳後半）** 1）小児の様子をよく観察する（➡❹） 2）排尿の感覚を確認する（➡❺） 3）「おしっこわかったのね」と声をかける（➡❻） 4）トイレットトレーニングに関する絵本やDVDなど知育玩具で関心をもたせる	❹，❺トイレットトレーニングのタイミングをはかる ❻小児の報告を良いことだと思えるようにする
3	**ステップ3：昼間のおむつをはずす（2歳）** 1）一定時間ごとにおむつを確認して排尿の感覚をつかむ 2）うまくいったときは一緒に喜ぶ（➡❼） 3）失敗しても叱らない（➡❽） 4）トイレを小児の好きなキャラクターなどで飾る（➡❾）	❼自信をもたせ「またトイレでしたい」という気持ちを促す ❽劣等感をもたないようにする ❾トイレで緊張や恐怖を感じないようにする
4	**ステップ4：自分から予告できる（3歳）** 1）食事や入浴前など生活の節目にトイレへ誘導する 2）時間は2〜3分とする（➡❿） 3）下着の上げ下げは大人が行い，便座に腰かけさせる 4）排尿後は大人がお尻を拭く 5）排尿後，手を洗うように促す	❿長く座らせるとトイレ嫌いになる
5	**ステップ5：後始末が自分でできる（4歳）** 1）女児は，排尿後の紙でのお尻の拭き方を教える 2）男児は，立位での排尿の方法を教える 3）終了後に，手洗いを確認する	

文 献

1) 日本創傷・オストミー・失禁管理学会：新版 排泄ケアガイドブック，照林社，2021．
2) 穴澤貞夫・後藤百万・高尾良彦・他編：排泄リハビリテーション―理論と臨床，中山書店，2009, p.24．
3) 鈴木千琴：幼児の排泄の自立に関する文献レビュー，日本小児看護学会誌，29，192-200，2020．
4) 内山 聖監，原 寿郎・高橋孝雄・細井 創編：標準小児科学，第8版，医学書院，2013．
5) 舟島なをみ：看護のための人間発達学，第5版，医学書院，2017．
6) 二木 武・帆足英一・川井 尚・他編著：新版 小児の発達栄養行動―摂食から排泄まで/生理・心理・臨床，医歯薬出版，2004，p.207．
7) 大友義之：排尿機能の発達とその異常，チャイルドヘルス，25 (5)：326-328，2022．
8) 大友義之：排尿のメカニズムとお漏らし，おねしょ，チャイルドヘルス，20 (2)：90-93，2017．
9) 馬場一雄監修：改訂 小児生理学，へるす出版，2005，p.69．
10) 工藤孝宏：排便機能の発達とその異常，チャイルドヘルス，25 (5)：329-331，2022．
11) 松藤 凡・矢田圭吾・亀山泰幸・他：便秘の定義と分類，小児外科，54 (4)：332-335，2022．
12) Constipation guideline committee of the North American society for pediatric gastroenterology, Hepatology and Nutrition：Evaluation and treatment of constipation in infants and children：recommendations of the North American society for pediatric gastroenterology, Hepatology and Nutrition, *J Pediatr Gastroenterol Nutr*, 43 (3)：e1-13，2006．
13) 日本夜尿症医学会編：夜尿診療ガイドライン2016，診療と治療社，2016．
14) 川合志奈：夜尿（おねしょ）への対応①：生活指導，チャイルドヘルス，25 (5)：344-347，2022．
15) 藤永周一郎：夜尿（おねしょ）への対応②：薬物療法，チャイルドヘルス，25 (5)：348-351，2022．
16) 辻 章志：夜尿（おねしょ）への対応③：アラーム療法，チャイルドヘルス，25 (5)：352-355，2022．
17) 鴨下重彦・柳澤正義：こどもの病気の地図帳，講談社，2007．
18) 日本小児栄養消化器肝臓学会，日本小児消化管機能研究会：小児慢性機能性便秘症診療ガイドライン，診断と治療社，2013．
19) 後藤百万編：排泄リハビリテーション―理論と臨床，中山書店，2022．
20) 鈴木千琴：トイレットトレーニングの方法と考え方，チャイルドヘルス，25 (5)：333-335，2022．
21) NHK すくすく子育て 教えて！トイレットトレーニング，2020．
　〈https://www.nhk.or.jp/sukusuku/p2020/825.html〉（アクセス日：2022/8/3）

4 移動（動く）

学習目標
- 小児の動く機能の発達と起こりうる事故について理解する。
- 小児の発達段階や状態に応じた安全な移動方法の選択ができる。
- 小児の移動の基本的な援助技術を習得する。

1 小児の動く機能の発達

　小児の「動く」機能の発達は筋・骨格の発育に加え，神経線維の髄鞘化やシナプス形成など脳神経系の成熟と関連している。新生児期の運動は原始反射が主である。その後脊髄・橋と神経の成熟が進むとともに，原始反射は徐々に抑制され消失し，原始反射が関与していた運動について随意運動がみられるようになる。乳児期には中脳の成熟により姿勢反射が出現し，姿勢の保持や粗大運動の発達が進んでいく[1)2)3)]。特に脳神経系の発達が著しい乳幼児期に著しく「動く」機能が発達し，周囲への関心と自立した動く方法を獲得することで活動範囲が拡大していく（表4-1）。

　一般的な動く機能の獲得通過時期は"ねがえり"は6〜7か月，"つたい歩き"は11か月，"ひとり歩き"は1歳2〜3か月の子どもがそれぞれできるようになる[4)]。ひとり歩きをはじめたばかりの子どもの姿勢は両手を上に上げて両足は外側に開き身体をひねるように足を出すが，徐々に手は下がり足を前に出して歩くようになる。1歳半頃には歩く姿勢が安定し，めったに転ばないようになる[2)3)]。しかし，子どもがもつ疾患や障害の影響により獲得の時期には個人差があることやすでに獲得した機能も制限される状況があることを考慮する必要がある。

2 小児にとっての移動の意義

　乳幼児期の小児にとって移動は発達のために重要である。自身の活動範囲を拡げ基本的生活習慣や遊びのなかで自律性や自主性を獲得する[5)]ことや，新しい刺激を求める探索行動や親への愛着行動を示す[6)]など発達につながる重要な行為となる。抱っこなどの移動方法では，身体的密着をとおした安心感から児の精神的安寧を図ることにもつながる。また幼児期・学童期となると遊びや運動，学校生活を行ううえでも必要な行為となる。自力での移動が困難な子どもにとって発達・生活上，移動の援助は重要である。

表4-1 小児の神経反射と運動発達

出現時期	神経反射の出現と消失		運動発達（粗大運動）
	原始反射	姿勢反射	
0～1か月			
2か月			
3か月			
4か月			定頸
5か月			
6～7か月			ねがえり
8～9か月			つかまり立ち，ひとり座り
10～11か月	＊		つたい歩き
12か月			
1歳2～3か月			ひとり歩き
1歳6か月			走り
2歳			
3歳			片足立ち
4歳			片足跳び
5歳		＊＊	スキップなど複雑な運動

＊原始反射の多くは4か月頃に消失するが，足底の把握反射は10か月頃までみられる
＊＊パラシュート反射は6～9か月頃に出現し，生涯みられる

3 動くに伴い起こりうる事故

　小児にとって不慮の事故は死因の上位となる重大な課題である。そのうち転倒・転落により重症・死亡となる率は救急搬送された事故のうち転倒で0.2％，転落で1.5％と低いものの，軽症・中等症を含めると0歳～14歳までの子どもの日常生活事故で救急搬送された事故のうち，転倒・転落を合わせ40～50％を超える発生率である[7]。小児は微細運動，粗大運動の発達に伴い，起こる不慮の事故の内容が変化する[8]。小児の動く機能の発達を予測し，事故を未然に防ぎ，小児の安全な移動の援助を行う必要がある。

4 小児の移動方法

　小児には自立した移動から他者の援助を要する移動など様々な移動方法がある。子どもの発達段階や健康状態，運動機能，移動距離など状況・状態により子どもに合った安全な移動方法を選択する必要がある（表4-2）。

表4-2 小児の主な移動援助方法

移動方法	適応	注意点
抱っこ（横抱き）	定頸するまでの児	中・長距離の移動は転倒・転落のおそれがあり危険
抱っこ（縦抱き）	定頸後の児	
抱っこ（抱っこひも）		
おんぶ（おんぶひも）		
ひとり歩き（見守り）	歩行可能な幼児期以降の児	転倒の可能性
ベビーカー	機種により乗載可能体重までの児（おおよそ2〜3歳頃まで）	転落の可能性
歩行器	歩行訓練中の児	転倒の可能性
車椅子	座位が可能な児 ＊自力での座位保持困難な児のための特殊な車椅子の場合、座位困難でも使用可能	転落の可能性
ストレッチャー	安静臥床で移動が必要な児	

看護技術の実際

A 抱っこ（横抱き，縦抱き）

- 目　的：（1）自力で移動が難しい児をベッド上から移動する
　　　　　（2）抱っこによる身体的密着を通した安心感から児の精神的安寧を図る
- 適　応：（横抱き）定頸するまでの児，（縦抱き）定頸後の児
- 必要物品：なし

1）横抱き

	方　法	留意点と根拠
1	抱っこの準備 ベッド柵を下げ，子どもをベッドに寝かせた状態で子どもの傍に立つ（➡❶）	❶ベッド柵を下げた状態で子どもから離れると転落のおそれがあるため子どもから離れない
2	子どもの頭部を支える 利き手を子どもの頭部下から差し入れ，後頸部を軽く持ち上げるように支える（➡❷）	❷定頸前の子どもは持ち上げると頭部が安定しない
3	腕に子どもを乗せ後頭部から腰部を抱え支える 1）利き手ではないほうの手と腕を持ち上げた子どもの後頸部から差し入れ，肘窩部に後頸部から後頭部を乗せて支える（➡❸） 2）差し入れた腕の前腕は子どもの背部から腰部へ回し，腕全体で子どもを支える（図4-1）	●肘部に乗せる際に頭部と身体がまっすぐになるようにする ❸頭部のみ乗せると頭部が前屈してしまう。頸部のみ乗せると頭部が後屈してしまう

方　法	留意点と根拠
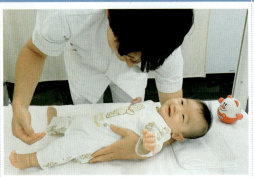 図4-1　子どもの後頭部から腰部を抱え支える	
4　**子どもの殿部と腰背部を支える** 　　3で子どもの頭を肘窩部へ乗せて空いた利き手は子どもの股の間と殿部の下から差し入れ殿部と腰背部を支える	●子どもの股関節・下肢は自然に屈曲した状態を保つ。不要な股関節・下肢の伸展は股関節脱臼の要因となる
5　**子どもを横に抱き上げる** 　　両腕が子どもをしっかり支えていることを確認したのち，子どもをゆっくり抱き上げ自身の身体へ密着するように抱っこする（➡❹）	❹身体が密着することで安定し，子どもの安心につながる。抱っこする看護師も腕の力だけで抱っこするよりも楽な方法となる
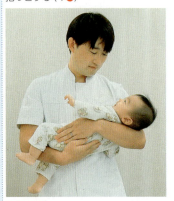 図4-2　子どもを横に抱き上げる	
6　**子どもをベッドへおろす** 　1）子どもの殿部からゆっくりとおろす 　2）殿部をおろした後，頭部を乗せている腕とは反対の手で頭部下から差し入れ，後頸部を軽く持ち上げるように支える 　3）頭部を乗せていた腕をゆっくりと引き抜き，両方の手で頭部を支えゆっくりと後頭部からベッドへおろす	●子どもをおろすときにはおろされるのを嫌がる子どもも多い。泣いたり動いて訴えることがみられるため，最後まで転落しないよう注意することや声かけを行う

2）縦抱き

方　法	留意点と根拠
1　**抱っこの準備** 　　ベッド柵を下げ，子どもをベッドに寝かせた状態あるいは座った状態で子どもの傍に立つ（➡❶）	❶ベッド柵を下げた状態で子どもから離れると転落のおそれがあるため子どもから離れない

方　法	留意点と根拠
2　両手で子どもの後頭部と殿部を支える 　1）利き手でないほうの手は腋窩から後頸部へ差し入れ支える 　2）利き手は殿部下へ差し入れ，軽く持ち上げるように支える	●抱き上げる前に声かけをすることで子どもの準備・安心につながる
3　子どもと縦に密着し軽く抱き上げる 　前かがみで子どもに寄り，子どもの頭部が上になって身体が縦に向かい合い密着するように抱き上げる（➡❷）（図4-3）  図4-3　子どもと縦に密着し軽く抱き上げる	❷定頸していない子どもの縦抱きをする場合は，しっかりと後頸部を支えたまま抱き上げる
4　子どもを縦に抱き上げる 　1）自身の上体を起こし，後頸部を支えていた手は子どもの背部を支える 　2）殿部を支えていた手は腕全体で殿部を下から支えるように抱きかかえる  図4-4　子どもを縦に抱き上げる	●子どもの頭は自身の肩より上にくるようにし，子どもの腕は自身の肩や首に回し寄りかかるようにすることでより安定する
5　子どもをベッドへおろす 　1）子どもを抱きかかえたまま前かがみとなり，子どもの殿部からゆっくりとおろす 　2）殿部をおろした後，縦抱きと同様頭部を最後にゆっくりとおろす	●おろす際にも子どもが不意に動きバランスを崩し転落するおそれがある。最後まで転落しないよう注意することや声かけを行う

B 移動の介助（一人歩き）

- ●目　的：自力での移動を補助し，安全に移動させる
- ●適　応：自力での移動中に転倒のリスクを伴う子ども
- ●必要物品：なし

	方　法	留意点と根拠
1	**移動前の確認** 1）子どもが歩いて移動する前に，子どもの全身状態を確認する（➡❶） 2）移動経路（ベッド周囲，病室内，廊下など）に歩行の妨げとなるような物がないか確認する。あれば移動させて安全を確保する（➡❷）	❶長期間臥床や疾患・治療の影響による歩行機能をアセスメントし歩行時の転倒を防ぐ必要がある ❷子どもの視野・視力は大人に比べて狭く[1]，注意力も散漫のため衝突・転倒などの事故を起こしやすい
2	**移動前の準備** 1）子どもの足のサイズに合った靴を履かせる（➡❸） 2）子どもにベッドサイドで立位をとってもらい，ふらつきなく安定していることを確認し，一歩下がる（➡❹）	❸サイズの合わない靴やサンダル，きちんと履かないまま歩行すると転倒のおそれがある ❹立位をとった際にバランスを崩すことや起立性低血圧などによりふらつきを起こし転倒するおそれがあり，注意が必要
3	**子どもの歩行に側で付き添う** 子どもの患側について何かあった際にすぐに子どもの安全を守れる距離で付き添う	●患側（創部，外傷，麻痺側，点滴留置など）を転倒や衝突などからいざというとき守れるように位置取りをする ●幼児期〜学童期前期など発達段階によっては転倒や点滴トラブルを防ぐため点滴スタンドは子どもに持たせずに介助者が動かす
4	**周囲の確認と注意の促し** 移動中は安全を守れるように子どもと周囲の様子に注意して，必要時声かけで子どもにも注意を促す（➡❺）	❺子どもは大人に比べ障害物など危険に急な対応をすることは未熟である。あらかじめ安全を意識した声かけが必要

❶馬場一雄：新版 小児看護学，へるす出版，2009.

C 移動・移乗の介助（ベビーカー，車椅子）

- ●目　的：子どもを安全に移動させる
- ●適　応：自力での移動が困難，あるいは制限されている子ども
- ●必要物品：ベビーカー（使用の特徴Aタイプ：背面・対面，座位，仰臥位　Bタイプ：背面，座位），車椅子（小児用）

1）ベビーカー

	方　法	留意点と根拠
1	**ベビーカーの選択と調整** 1）子どもの体格に合ったベビーカーを選択する 2）ベルト調整，シート角度調整を行う	●ベビーカーからの転落を防ぐために子どもの体格に合わせ各種調整を行う ●ベルトが緩いと転落のおそれがあり，ベルトがきついと下腹部圧迫による皮膚トラブルなどあるので注意する

方　法	留意点と根拠
2　ベビーカーの安全確認と準備 　子どもの乗車前にベビーカーを開き，タイヤやロックの作動確認を行う（図4-5）  図4-5　ベビーカーの開閉	●折り畳み式ベビーカーの開く方法は機種によって異なるが，必ず最後まで完全に開ききってから使用する ●ロックの場所，数，方法とも機種によって異なるため事前に確認する
3　乗車の準備 　1) ベビーカーを開いた状態でベッドサイドに停めてタイヤのロックをかける 　2) 安全ベルトや安全バーは開いておく	●移乗の際にベビーカーが動いて転落するおそれを防ぐために必ずロックをかける
4　子どもを抱き上げ乗車させる 　1) 子どもを抱き上げ，殿部からゆっくりと正面を向くようにベビーカーの中心に座らせる 　2) 座席の奥まで腰掛けさせ，姿勢を整えて安全ベルトを装着し，安全バーをつける	●子どもがベビーカーへの移動を嫌がる場合は，反り返るなどして転落の危険もあるため正面に立ち，身体を支える ●Aタイプのベビーカーで仰臥位とする場合は，子どもをベビーカー中央に殿部からゆっくり寝かせるように置き，ベルトを装着する ●ベルトは股ベルト，腰ベルトなどの種類がある
5　ベビーカーを操作し移動する 　1) ベビーカーのタイヤのロックを解除する 　2) ハンドルをつかみベビーカーを押すように動かす  図4-6　ベビーカーを操作し移動する	●動かす際にも子どもへ声かけをし，安心できるようにする
6　子どもを抱き上げ降車させる 　1) ベビーカーのタイヤをロックし，子どもの正面に立ち，安全バー，安全ベルトの順ではずす 　2) 子どもを抱きかかえベッド上へおろす	●おろす際も転落を防ぐためにベビーカーのロックを必ず行ってから，安全装置をはずす

2）車椅子

	方　法	留意点と根拠
1	**車椅子の選択と調整** 子どもの体格に合った車椅子を選択する（➡❶）	❶子どもの体格に合っていない成人用車椅子などを使用すると不自然な姿勢となり，転落や消耗につながる ●子どもの体格に合わない場合，転落防止用のジャケットや紐を用意する場合もある
2	**車椅子の安全確認と準備** 1）子どもの乗車前に車椅子を開き，タイヤやブレーキの作動確認を行う（➡❷） 2）点滴や酸素投与，体勢保持のためのジャケットなど車椅子乗車中に必要な器材があれば用意し，車椅子に装着する	❷タイヤの空気圧が低いと思わぬ作動ミスやブレーキ不良につながり転倒や衝突などの事故につながる ●車椅子乗車中も治療やモニタリングの継続が必要かあらかじめ医師の指示を確認しておく
3	**乗車の準備** 1）車椅子を開いた状態でベッドサイドに停めてタイヤのブレーキをかけておく 2）車椅子はベッドより斜め30度ほどの位置で停めておく	●子どもがベッドから移乗する際に移乗の負担を最小限にして安全に移乗できるよう最短距離かつ安全な場所に停めておく
4	**子どもの身体を支える** 1）子どもを一度ベッド端に座らせる 2）子どもの腋窩から一方の腕を差し入れ，背中から反対側の脇に手を回し支える 3）もう一方の手は子どもの膝窩へ腕を差し入れ，膝と大腿部を支える 4）子どもの腕を自身の首や肩につかまるように回させる	●子どもが点滴や酸素など医療機器を使用中の場合，子どもを移乗させる前にチューブやカテーテル，モニター類など移乗・移動の際にからまないようラインをまとめたり位置を調整する。輸液ポンプや酸素ボンベ，モニターなど車椅子に車載可能な物は先に取り付けセットする。電源の必要な機器はあらかじめ十分に充電されていることを確認する
5	**子どもを抱き上げ乗車させる**（図4-7） 1）子どもを抱き上げ，そのまま自身が軸となり回転し，子どもの殿部からゆっくりと車椅子の中央へ座らせる 2）座席の奥まで腰掛けさせ姿勢を整える 図4-7　子どもを抱き上げ乗車させる	●動かす際にも子どもへ声掛けをし，安心できるようにする ●移乗後は子どもの姿勢や体調の変化，使用中の医療機器などの異常の有無を確認する
6	**車椅子を操作し移動する** 1）ブレーキを解除し，ハンドルを握りゆっくりと押すように動かす 2）移動中は車椅子のタイヤやブレーキに触れないよう説明する（➡❸）	❸移動中のタイヤやブレーキに触れると手指のケガや思わぬ転倒などにつながる
7	**子どもを抱き上げ降車させる** 1）車椅子からおろす際は，乗せるときと同様に車椅子をベッド脇に停めてブレーキをかける 2）子どもの正面に立ち，乗せるときと同様に子どもを抱き上げ，ベッド上へゆっくりおろす	●おろす際も転落を防ぐためにブレーキを必ずかけてから，子どもをおろす。医療機器を使用中の場合はおろす前にベッドサイドへ機器を移動しセットする

文献

1) 内山聖：標準小児科学，第8版，医学書院，2013.
2) 小林京子・高橋孝雄：新体系 看護学全書 小児看護学①小児看護学概論，第6版，メヂカルフレンド社，2019.
3) 越智隆弘・菊池臣一：小児整形外科〈NEW MOOK整形外科 No.15〉，金原出版，2004.
4) Frankenburg WK著，公益社団法人日本小児保健協会編：DENVER Ⅱ 解説書，第2版，日本小児医事出版社，2009.
5) エリクソン EH著，小此木啓吾訳：自我同一性―アイデンティティとライフ・サイクル，誠信書房，1973.
6) ボウルビィ J著，黒田実郎・大羽蓁・他訳：母子関係の理論―Ⅰ愛着行動，岩崎学術出版社，1991.
7) 消費者庁：平成30年版消費者白書，第1部第2章子どもの事故防止に向けて
   〈https://www.caa.go.jp/policies/policy/consumer_research/white_paper/2018/white_paper_126.html〉（アクセス日：2022/7/29）
8) 田中哲郎：新子どもの事故防止マニュアル，改訂第4版，診断と治療社，2007.

5 睡眠

学習目標
- 睡眠の重要性を理解する。
- 小児の成長に伴う睡眠の変化を理解する。
- 睡眠に関連する生活習慣を理解する。
- 入院中に起こりやすい睡眠リズムの乱れに関係する要因を理解する。
- 入院している小児の睡眠を整える看護技術が実践できる。

1 小児の睡眠の重要性

　睡眠は脳を休め，心とからだを元気にする。睡眠の役割は，脳の働きを保つ，成長ホルモンの分泌を促す，自律神経機能を整える，回復を促進するなどである。

1）脳の働きを保つ

　睡眠は，脳の働きを保つために重要な役割をもっている。覚醒時に情報を伝達・処理していたシナプスのメンテナンスや，神経伝達物質[*1]にエネルギーを補給する。なかでも乳幼児期のレム睡眠（眼球が動き，記憶の整理や定着をしている）は，発達途上にある神経回路網を張り巡らし，脳機能を形成する重要な役割を担っている。記憶や情報処理などの働きに関係する神経回路網は，睡眠によってその働きが保護され維持される。良質な睡眠が脳をつくり，育てるといえる。

[*1] 神経伝達物質：情報の伝達・処理を行う重要な神経細胞をニューロンという。神経伝達物質には，ノンレム睡眠とレム睡眠の制御に関係するセロトニン，睡眠－覚醒リズムの安定化に関係するオレキシンなどがある[1]。

2）成長ホルモンの分泌を促す

　睡眠中（ノンレム睡眠中）に脳下垂体から成長ホルモンが大量に分泌され，骨を伸ばし筋肉をつくっていく。成長ホルモンは生後3か月頃から分泌が始まり，ノンレム睡眠（大脳や肉体の疲労を回復している深い睡眠）に集中して分泌されるのは4～5歳になってからである[2]。小学生～中学生は，成長ホルモンの役割が一番大きい時期である。

3）自律神経機能を整える

　交感神経は覚醒時に優位に活動し，睡眠中は副交感神経が優位に働く。入眠前に手が温かくなるのは，入眠に先立って交感神経の働きが弱まり，末梢血管が拡張するためである。

交感神経と副交感神経のバランスが崩れると睡眠に影響する。

4）回復を促進する

　サイトカインは，受容体をもつ細胞に働き，細胞の増殖・分化・機能発現を行うたんぱく質で，様々な機能をもっている。病原体が身体に侵入した際に免疫システムの細胞から分泌され，血中に放出されると脳に働いて発熱と睡眠を誘発する。病気になると眠くなるのはこのためである。睡眠をとることで回復を促進する。

2　成長と睡眠の変化（図5-1）[3]

　新生児期から乳児期は1回の睡眠が短く，成人のような明確なレム睡眠，ノンレム睡眠ができあがっていない。体内時計[*2]は周囲の人とのかかわりによってつくられ，1日24時

	胎児	新生児		乳児　　　　　幼児　　　　　学童
		動睡眠 レム睡眠の原型。ぐったりと眠っている状態。顔面や手足がピクピク動く，閉じたまぶたの下で眼球がキョロキョロ動く，からだ全体が大きく動く，呼吸が不規則になるなどする。神経回路網を構築し，試運転・整備点検するなど，様々な運動機能の発達を促す	→	レム睡眠 （脳波の違いによりレム睡眠とノンレム睡眠がある） 身体は深く休んでいるが，脳が起きている状態。また，眠りから脳を目覚めさせるための準備をしている状態の睡眠。夢を見るのはレム睡眠中である。眼球がクリクリと動き出す
	不定睡眠 動睡眠とも静睡眠とも区別できない眠りで，やがて動睡眠，静睡眠に分化する	静睡眠 ノンレム睡眠の原型。すやすやと安らかに眠っている状態やぐっすり眠っている状態。眼球・手足の動きはない。呼吸や心拍数もゆっくりと安定	→	ノンレム睡眠 覚醒から睡眠へ移行する状態（段階1）→浅いが安定した本格的な眠りの状態（段階2）→熟睡レベル1（段階3）→熟睡レベル2（段階4）の4段階に分けられる 骨格筋は睡眠の深さに応じてゆるむ。それぞれの段階で分泌されるホルモンがある
睡眠単位	浅いノンレム睡眠／深いノンレム睡眠→浅いノンレム睡眠→レム睡眠という一連の時間的な枠組みをいう。気持ちよく寝起きするにはこの睡眠単位がポイントとなる	40〜60分 動睡眠から始まることもある	60〜80分 2歳頃には，ノンレム睡眠が先に現れ，レム睡眠が後から続くという睡眠単位ができあがる	約90分 5〜10歳にかけて，睡眠単位が約90分に落ち着く
リズム		起日リズム 小刻みに1日に何度も眠る現象をいう	概日リズム 体内時計の確立とともに，1日を約25時間とする生物としての体内リズムができる	外界リズム 外界リズムと関係なく概日リズムが進行する状態から1日を24時間とする周期≒昼夜リズム。生後4か月頃に外界リズムを同調させることができるようになる
ホルモン			成長ホルモン 熟睡時に集中して分泌される。3か月齢頃にすでに成長ホルモンの分泌が睡眠中に認められる	→ 4〜5歳頃には，熟睡が成長ホルモンの大量分泌を支える 小学校から中学校は特に成長ホルモンの役割が大きい
				メラトニン 眠気を強くし性的な成熟を抑制する。外界リズムと体内時計を合わせる役割をもつ。乳幼児期には特に多量に分泌される。外界が明るいときは分泌が抑えられる

図5-1　成長と睡眠の変化

井上昌次郎：子どもの睡眠 早寝早起きホントに必要？　草土文化, 1999, p.130-131. より転載（一部改変）

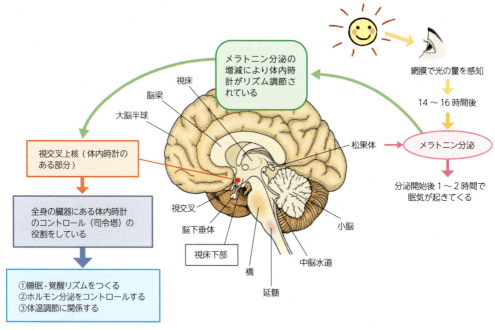

図5-2 睡眠-覚醒に関係する脳の仕組み

間のリズムに合わせられるようになるのが生後4か月くらいである[2]。

快食・快眠・快便・快動（4快といわれる）[4]など、生活リズムの整った生活をすることが、その後の良好な睡眠につながる。

*2 体内時計：地球が自転する24時間を軸として昼夜リズム（外界リズム）をつくっている。人間の生物としてのリズムは約25時間[3]で、これを概日リズム（サーカディアンリズム）という（概日とは「おおむね」という意味である）。したがって、1日少しずつ夜型の生活になりやすい生物としての特徴をもっている。このずれを調節する機能が体内時計である（図5-2）。体内時計の中心は脳の視床下部の視交叉上核にある。また、この部分は、皮膚、筋肉、心臓、血管、臓器など全身にも分布している体内時計の司令塔として、①睡眠-覚醒リズムを保つ、②ホルモン分泌をコントロールする、③体温調節をするなど、生きていくうえで重要な3つの役割を担っている[5]。

3 睡眠をコントロールする2つの法則

睡眠は活動と休息のリズムをつくる「体内時計」と、疲れや睡眠不足を補う「睡眠欲求」の調節によって管理され、この2つがうまく機能することによって質のよい睡眠をとることができる（図5-3）[6]。

週末と平日の睡眠時間の差や、夜更かし、朝寝坊、特に長期休暇の生活リズムの乱れにより、休み明けに幼稚園や学校に行くときに気分がすぐれない、体がだるい、微熱があるなどの体調不良が起きることがある。

図5-3 睡眠をコントロールする2つの法則

4 良好な睡眠のための生活習慣

　睡眠に関連する脳の部位および働きを図5-2に示す。良好な睡眠のための生活習慣のポイントは，まず早起きの習慣をつける，体内時計の働きに沿って，昼夜で明暗をつける，規則正しい食事・活動時間をつくる，温度・湿度などの睡眠環境を整える，そして早起きし，朝食を摂ること・早寝で安定した生活リズムをつくるなどである。

1）寝るときは部屋を暗くする
　睡眠を誘うホルモンであるメラトニン[*3]は，周囲が明るいときは分泌が抑えられるため，夜間の睡眠時は部屋を暗くし，メラトニンの分泌を多くして眠気を誘発する。現代の生活は，夜更かし，テレビやゲームなどで夜間にも強い光を浴びる機会が多く，メラトニン分泌を抑制し脳の一部の興奮を高め，入眠しにくい状況をつくっている。
　睡眠時の照度は月明かりくらい（0.3ルクス）がよいとされ，300ルクス以下の照度（通常の部屋の明るさは150〜500ルクス）でも長時間浴びることや青白い光（蛍光灯，パソコンやスマートフォンのバックライト）でもメラトニン分泌に影響する[7]。たとえば，夜の就寝前に少し明るめの（580ルクス：夜のコンビニエンスストアと同じくらいの明るさ）でも，子どものメラトニンはほぼ完全に抑制されていた[8]。また昼光色のLED照明では，子どもは大人以上に眠気に光の影響があり[7]，良好な睡眠には，子どもの光感受性の高さを考慮した生活を整える必要性がある。

*3　メラトニン：メラトニンは，体温，脈拍，血圧を低下させることで睡眠の準備が整ったことを全身に知らせる。朝の光を浴びて14〜16時間後に分泌され始め，分泌開始1〜2時間後に眠気が起こる[9]。さらに抗酸化作用があるため，免疫を強化する。メラトニンは松果体においてトリプトファンから合成され，セロトニンを前駆体とする（図5-4）。

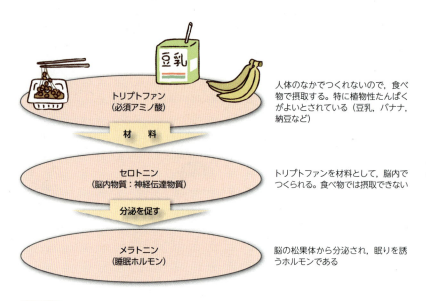

図5-4 メラトニン分泌の仕組み

2）睡眠前からブルーライトを浴びない環境をつくる

　スクリーンタイム（テレビやスマートフォンなどの画面を見ている時間）の長さと，睡眠時間の短さは一定の関係が示されている[10]。さらに人に対してコミュケーションをとる体験が減ることや，依存症など心身への影響[11]，睡眠時間の短さと不定愁訴の増加の関係[12]などが報告されている。

　スクリーンタイムを含むメディアが睡眠に悪影響を及ぼす要因について，以下のブルーライト（青色光）＊4による要因3つと視聴内容（コンテンツ）による交換神経系への刺激がある[13]。

　①青色には，気持ちを落ち着かせる茜色とは真逆の覚醒作用がある。②青色が脳内の視交差上核に存在する生体時計に最も影響しやすい波長である。③青色は，メラトニンの光による分泌効果抑制が最も大きな波長である。このブルーライトを用いないようにしても，④視聴内容により交感神経を刺激し，眠りに不利な状況をもたらすことが考えられる[13]。

　このような理由から，良質の睡眠を得るためには，就寝数時間前はブルーライトを含む明るい照明は避け，メディアなどの視聴をやめること，寝室にはスマートフォンやタブレットなどは持ち込まないことを習慣づけることが大切である。

＊4　ブルーライト：波長が380〜495nm（ナノメートル）の青色光。液晶テレビやパソコン，ゲーム機器，携帯電話やスマートフォンなどのディスプレイに使われている。近年の製品のなかにはブルーライトを用いない装置がついているものもある[13]。ブルーライトの強い光は，角膜（フィルター）や水晶体（レンズ）を通さず，網膜や角膜上皮細胞（角膜の最も外側にある細胞）に直接影響を与え，またエネルギーが大きいことから目を疲れさせる[14]。人は，網膜に到達する光の量や食事のタイミングなどによって体内時計がコントロールされており，網膜が強いブルーライトの刺激を受けると，脳は「朝だ」と判断し，睡眠を司るメラトニンの分泌が抑制され覚醒し，ブルーライトの量が減少すると「夜だ」と判断して，メラトニンの分泌が活発になる。

3）昼間に活動する

脳と身体の疲労のバランスがよいことも快適な睡眠につながる。心地よい疲労や楽しさを感じるためには，昼間に遊びをとおして身体活動を積極的に取り入れる。

4）朝日を浴びる

朝に強い光を浴びると，網膜から入った光刺激が脳の視交叉上核にある体内時計に伝わり，全身に分布する体内時計をコントロールし，概日リズムと外界リズムとのずれがリセットされる。

5）規則的に食事をする

朝・昼・夕の規則的な食事は，概日リズムと外界リズムのずれを補正する役割をもつ。特に朝食で摂取されたトリプトファン（必須アミノ酸）は，セロトニン[*5]やメラトニン分泌に重要である（図5-4）。また，朝食を食べることで脳にエネルギーが行き，活発に活動するようになる。夜間はカフェインを含む飲料は控える。

[*5] セロトニン：神経線維としてつながりをもたないシナプス同士に情報を伝え，脳に必要な情報を伝える神経伝達物質。感情のコントロールや心のバランス保持にも関係する。必須アミノ酸であるトリプトファンからつくられるため，食事では良質のたんぱく質を摂るよう留意する（図5-4）。

6）昼寝は午後の早い時間にする

幼児期には昼寝をする子どもの割合は減少し，3歳児で7割，6歳ではほぼ皆無となる。昼寝の日課のある保育園では就寝時間が後退しており，保育園の年長クラス（5〜6歳）では，年明けの1月から3月のどこかでは昼寝をやめる，もしくは，秋の運動会後にやめるところが多い[15]。年齢や活動に応じて昼寝の習慣を徐々にやめる。3時間以上の昼寝や16時以降の昼寝は夜型生活を送りやすい状況をつくる。

5 入院中に起こりやすい睡眠リズムの乱れに関係する要因

1）検査のために使用する鎮静薬・睡眠薬の影響

心電図，脳波，CTなど静止状態の維持が必要な検査のときには，乳幼児は鎮静薬・睡眠薬を使うことが多い。そのために日中の睡眠時間が長くなり，夜になかなか寝つけず，睡眠リズムが乱れる。検査が事前にわかっている場合は，前日から睡眠を調整し，翌日は決まった時間に起床を促す。幼児や学童では，鎮静薬・睡眠薬を使用しなくても検査ができるようよく説明し協力を得る。

2）抗てんかん薬内服の影響

抗てんかん薬は，眠気やふらつきの副作用があるため，日中に寝てしまうことがある。副作用や突発的な発作に注意し，血中薬物濃度が効果的な量で一定になるよう服薬を慎重に調整する。

3）痛み，不安，恐怖による入眠困難

入院している小児は，治療や検査による痛み，不安，恐怖でなかなか寝つけない場合がある。小児が安心できるよう，痛みのコントロール，入眠できるまでそばにいる，静かな音楽を流すなど対応する。

看護技術の実際

A 睡眠への援助

- 目　　的：小児の状況に応じた睡眠環境を整える
- 適　　応：入院中のすべての小児
- 必要物品：入眠儀式に必要な物品

方　法	留意点と根拠
1　病室やベッド周囲の環境を整える 1）病室の温度・湿度を調整する（➡❶）	❶室温は夏季22-24度，冬季18-22度（小児は年齢によって違う），湿度は夏季45-65％，冬季40-60％が適切な環境とされている❶ ●冷房，暖房の風に直接あたらないような工夫をし，湿度はぬれたタオルやレジオネラ菌による感染を予防するため水の管理や送風による熱傷に注意し，加湿器などを使用しコントロールする ●季節により掛け物で寝具内の温度を調節する
2）ベッドの周囲を整える （1）直前まで遊んでいたおもちゃやゲームを片づける（➡❷） （2）点滴ルートやナースコールなどが安全な位置にあるか確認する 3）カーテンやブラインドを閉め，入眠時は電気を消す（➡❸） 4）スマートフォンやタブレットはベッドの中には持ち込まない（➡❹）	❷おもちゃに注意が向き，交感神経が優位の状況が続き，入眠準備が整えられないため ❸瞼を閉じても明るい光は網膜で感知する。暗くすることで睡眠ホルモンであるメラトニンの分泌が高まる❷ ●真っ暗な状況が苦手な小児には，フットライトや間接照明で調節する ❹ブルーライトはメラトニン分泌抑制による覚醒作用があり❸，睡眠に悪影響がある
2　小児の入眠態勢を整える 1）就寝前の歯みがき・排尿・あいさつをする（➡❺） 2）家庭で入眠儀式として行っていたことを実施する（➡❻） 3）小児の状態に応じた安楽な体位を工夫する	❺入眠までの決まった行動（入眠儀式）をとることが習慣となり，入眠への意識づくりとなる ❻家庭での習慣を続けることは，気持ちを落ち着かせ，安心した気持ちになる ●例として，読み聞かせ，音楽を聴く，背中をトントンと軽くたたくなどがある ●タオルやお気に入りのぬいぐるみをそばに置く，指しゃぶりなどの習慣も尊重する ●重症心身障害児やけいれんなどにより筋緊張，そりかえりなどが強い場合は，安楽な体位が維持できるよう，枕やクッションで体位を整える

	方法	留意点と根拠
3	付き添いの家族へ配慮する	● 家族が夜間付き添っている場合，家族も休めるよう配慮する ● 夜泣きやぐずりなどで落ち着かない場合，家族は他児に気兼ねし気づかうことがある。付き添っている家族が落ち着かないと小児にも影響する。別の部屋で一時的に様子をみるなど，家族自身が休める環境を整える
4	記録する	● 就寝時間，就寝時の状況，いつもと違う小児の変化などを記入し，申し送る
5	決まった時間に覚醒を促す（➡❼）	❼決まった時間に朝日を浴びることで，メラトニンが分泌され就寝時間に影響する。生活リズムを整えるためにも規則正しい生活が重要である

❶池田理恵：環境を整える技術，深井喜代子編，基礎看護③基礎看護技術，第5版，メヂカルフレンド社，2021, p.6-7.
❷大沢知隼・亀井雄一：子どもの睡眠習慣と大人の役割，教育と医学，62（9）：17, 2014.
❸神山 潤：メディア使用と睡眠，日本小児科医会会報，52：36, 2017.

文 献

1) 照井直人：史上最強図解 これならわかる！生理学，ナツメ社，2011, p.239.
2) 井上昌次郎：子どもの睡眠 早寝早起きホントに必要？，草土文化，1999, p.150.
3) 前掲書2），p.130-131.
4) 神山 潤：眠りは心と身体を育む源，日本小児科医会会報，45：81, 2013.
5) 三池輝久：子どもの夜ふかし脳への脅威，集英社新書，集英社，2014, p.89-92.
6) 大沢知隼・亀井雄一：子どもの睡眠習慣と大人の役割，教育と医学，62（9）：16, 2014.
7) オムロン：ねむりラボ．「眠り」と「光」の心地よい関係．ポイントは"照度"にあり．
　〈http://nemuri-lab.jp/story/point/735/〉（アクセス日：2022/7/25）
8) 樋口重和：子どもの夜の光に対する高い感受性と概日リズム，生理心理学と精神生理学，35（2）：69, 2017.
9) 宮崎総一郎：子どもにとっての睡眠，教育と医学，62（9）：10, 2014.
10) 松崎泰・川島隆太：ゲームやスマートフォン等の使用と睡眠の問題との関連，外来小児科，23（2）：222, 2020.
11) 中島匡博：子どもとメディア―低年齢での心身への影響とかかわり方，チャイルドヘルス，22（9）：59, 2019.
12) 大谷良子・作田亮一：不定愁訴はなぜ増加しているか―その背景因子，小児内科，53（5）：729, 2021.
13) 神山 潤：メディア使用と睡眠，日本小児科医会会報，52：36, 2017.
14) 神戸常盤大学：ブルーライトの浴びすぎに注意しましょう！，健康保健センターニュースNo.1.
　〈https://www.kobetokiwa.ac.jp/univ/news/topics/_no1.html〉（アクセス日：2022/7/25）
15) 福田一彦：保育と睡眠，睡眠医療，7（4）：521-523, 2013.
16) 大須賀美智・大村政生：睡眠，浅野みどり編，根拠と事故防止からみた小児看護技術，第3版，医学書院，2021, p.125-126.

6 感染予防

学習目標
- 感染予防における小児の特徴を理解する。
- 標準予防策と基本的な感染予防技術（手指衛生，個人防護具）について理解する。
- 感染経路別予防策について理解する。
- 小児看護における院内感染予防対策を理解する。
- 隔離が必要な小児へのケアについて理解する。

1 感染とは

　感染とは，病原微生物が何らかの経路で生体宿主（ヒト）に侵入し，組織や細胞，体液，表皮などに定着して増殖することである。その結果，宿主のもつ正常な組織や生理機能に異常が起こり，発熱，嘔吐，下痢，局所の腫脹，発赤などの症状が出現（発症）する。この状態を感染症という。また，感染したが症状として出現するに至らない状態を不顕性感染という。

2 感染予防における小児の特徴

　小児は成人に比べて免疫機能が未熟である。新生児期は，母体の胎盤を通過した免疫グロブリンG（immunoglobulin G：IgG）抗体や，初乳に含まれるIgA抗体による受動免疫によって比較的感染症にかかりにくいといわれている。しかし，この効果は生後半年から1年程度であり，以降は獲得免疫により抵抗力をつくる必要がある。よって，年少児ほど免疫の獲得が不十分であり，感染に対する抵抗力も弱い[1]。

　また，小児の場合，特に乳幼児は日常生活行動のほとんどにおいて他者の介助を要し，抱っこ，授乳，おむつ交換，遊びなどの場面において，他者との濃厚な身体接触が起こる。さらに，感染予防に関するセルフケア行動を獲得する発達段階にあり，感染予防に留意した行動を十分にとることが難しい。こうした小児の特徴を考慮した感染予防対策が必要である[2) 3)]。

3 感染経路と主な病原微生物

　感染経路には，接触感染，飛沫感染，空気感染がある。主な病原体とその感染経路を表6-1に示す。

表6-1 主な病原体と感染経路

	接触感染	飛沫感染	空気感染
麻疹ウイルス			○
水痘ウイルス	○		○
結核菌			○
百日咳菌	○	○	
ジフテリア菌	○	○	
マイコプラズマ	○	○	
風疹ウイルス	○	○	
ムンプスウイルス	○	○	
インフルエンザウイルス	○	○	
RSウイルス	○	○	
アデノウイルス	○	○	
MRSA	○	○	
O157	○		
ロタウイルス	○	○	
ノロウイルス	○	○	
新型コロナウイルス	○	○	

MRSA：メチシリン耐性黄色ブドウ球菌

1）接触感染

皮膚や粘膜への直接的な接触や，汚染された医療器具を介して微生物が付着し伝播する感染のことである。

2）飛沫感染

咳やくしゃみ，会話によって飛び出した5μm以上の大きさの飛沫に含まれる微生物を吸入することで伝播する感染のことである。飛沫は空気中を浮遊しないので，通常は短距離（約2～3m以内）に飛散する程度である。

3）空気感染

咳やくしゃみの際に飛び出した飛沫の水分が蒸発してできる1～2μmの飛沫核や小さな粒子に微生物が付着して空気中を浮遊し，それを吸入することで伝播する感染のことである。空気の流れによって遠距離に広がる。

4 標準予防策

すべての患者に対して行う感染予防の基本を標準予防策（standard precautions）という。これは，汗を除くすべての湿性生体物質（血液，体液，分泌液，排泄物，傷のある皮膚，粘膜）は伝播しうる病原微生物を含んでいる可能性がある，という原則に基づいた対策である（表6-2)[4]。

表6-2 標準予防策の基本事項（一部抜粋）

構成成分	勧告
手指衛生	血液, 体液, 分泌物, 排泄物, 汚染物に触れた後, 手袋をはずした直後, 患者と患者のケアの間
手袋	血液や体液, 分泌物, 排泄物に触れる場合, 粘膜や創のある皮膚に触れる場合
ガウン	衣類や露出した皮膚が血液・血性体液, 分泌物, 排泄物に接触することが予想される処置および患者ケアの間
マスク, ゴーグル, フェイスシールド	血液や体液, 分泌物, 排泄物, 汚染物のはねやしぶきが発生しやすい処置や患者ケア（特に吸引, 気管挿管） ※COVID-19の対応においては, ユニバーサル・マスキング（発熱, 咳嗽などの症状の有無にかかわらずすべての人が院内では常時マスクをすること）, 患者がマスクを着用できない場合には, 医療従事者は目の保護をすることが推奨されている
汚れた患者ケア器具	微生物が他の人や環境に移動することを避ける方法で取り扱う
環境整備	環境表面（特に患者ケア区域の高頻度接触表面）の日常ケア, 洗浄, 消毒のための手順を作成する
呼吸器衛生, 咳エチケット	症状のある人々にはくしゃみや咳をするときには口, 鼻を覆うように指導する ティッシュを用い, 手を触れなくて済む容器に廃棄する 気道分泌物で手が汚れた後は手指衛生を遵守する （患者が耐えられれば）外科用マスクをするか, 空間的分離（できれば約1m）を維持する

CDCガイドライン：隔離予防策のためのガイドライン2007 表4「すべての医療現場におけるすべての患者のケアのための標準予防策の適応のための勧告」
〈https://www.cdc.gov/infectioncontrol/guidelines/isolation/index.html/Isolation2007.pdf〉
日本環境感染学会：医療機関における新型コロナウイルス感染症への対応ガイド, 第4版, 2021年11月22日
〈http://www.kankyokansen.org/uploads/uploads/files/jsipc/COVID-19_taioguide4.pdf〉を参考に作成

表6-3 手指衛生の5つのタイミング

5つのタイミング	理由
①患者に触れる前	手指を介して伝播する病原微生物から患者を守るため
②清潔・無菌操作の前	患者の体内に微生物が侵入することを防ぐため
③体液に曝露された可能性のある場合	患者の病原微生物から医療従事者と医療環境を守るため
④患者に触れた後	患者の病原微生物から医療従事者と医療環境を守るため
⑤患者周辺の環境や物品に触れた後	患者の病原微生物から医療従事者と医療環境を守るため

WHO：Five moments for hand hygiene, 2009. http://www.who.int/gpsc/tools/Five_moments/en/より引用

1）手指衛生

　石けんと流水による手洗いや手指消毒を行うことを含めて手指衛生という。小児は, 日常生活行動の大部分を他者（家族, 医療従事者）によるケアを必要としているため, 接触伝播が高頻度で生じる。手指衛生は, その伝播経路を遮断するために行う。
　世界保健機関（WHO）による「医療における手指衛生についてのガイドライン」において, 「手指衛生の5つのタイミング」(表6-3)[5)]が提示されている。手指衛生が必要となる場面を表6-4[6)]に示す。

2）個人防護具

　個人防護具とは, 手袋, マスク, ガウン, プラスチックエプロン, ゴーグル, フェイスシー

表6-4 手指衛生の方法とその場面

方　法	適　応	場面例
速乾性擦式消毒薬による手指消毒	手に目で見える汚れがないときや石けんと流水で目に見える汚れを除去した後に行う	・患者に直接触れる前 ・患者の健常な皮膚に接触した後（脈拍・血圧測定, 体位変換など） ・医療機器に触れた後 ・身体の汚染部位（陰部や感染創など）に触れてから清潔部位（気管切開部や血管留置カテーテル挿入部など）に触れる前 ・手袋をはずした後
流水と石けんによる手洗い	手に目で見える汚れがあるときや血液・体液・排泄物などの湿性生体物質により手が汚染されたときに行う	・血液や尿・便が手についたとき ・シーツ交換の後 ・食事前やトイレに行った後 ・アルコール抵抗性ウイルス感染症（ノロウイルスなど）や芽胞形成性細菌感染症（クロストリジウム・ディフィシル, 炭疽菌）の場合 ・速乾性擦式消毒用アルコール製剤を数回使用し手がべとついたとき

坂本史衣：基礎から学ぶ医療関連感染対策－標準予防策からサーベイランスまで, 改訂第3版, 南江堂, 2019, p.13-16. を参考に作成

図6-1 個人防護具の着脱順序

ルドなどを指す。個人防護具は, 着用時と取りはずし時の双方に留意点がある。

個人防護具の着脱に関して共通した留意事項は, ①場面に必要な個人防護具を確実に選択する, ②着用時は自分に合ったサイズを選択する, ③正しい順序で着脱する（図6-1）, ④正しいタイミングで着脱する, ⑤脱ぐときは自分自身や周囲を汚染しない正しい方法で実施する, である[7]。

5 小児医療における感染予防策の実際

1）感染経路別の予防策の意義とその方法

標準予防策を実施するだけでは伝播を予防することが困難な感染症の場合は, 標準予防策

表6-5 感染経路別の予防策

	接触感染	飛沫感染	空気感染
患者の配置	・原則的に個室に収容する ・個室に空きがない場合 　①同じ病原体に感染している患者と同室にする 　②患者同士が空間的に離れるようにする（1m以上）	・原則的に個室に収容する ・個室に空きがない場合 　①同じ病原体に感染している患者と同室にする 　②患者同士が空間的に離れるようにする（1m以上）	・陰圧に設定された個室に収容しドアを閉める
個人防護具	手袋，ガウン（入室時に個人防護具を装着し，退室時には患者ケア環境内ではずす）	マスク（入室時に装着し，病室外ではずす） 患者と密接にかかわるとき（抱っこや食事など）は，エプロン，手袋を着用する	濾過マスク（N95マスク）を着用する ただし，ワクチン摂取により予防可能な空気感染性疾患（麻疹，水痘など）は，抗体価陽性の場合は不要である
患者の移送	患者が病室から出るときは，感染または保菌部位から排泄物や滲出液が漏れないようにしっかりと覆われていることを確認する	患者にはマスクを装着してもらい，呼吸器衛生，咳エチケットを遵守するよう説明する	患者にはマスクを装着してもらい，呼吸器衛生，咳エチケットを遵守するよう説明する
患者ケア用機器・器具・器材	患者に使用するもの（体温計，聴診器，血圧計など）は各患者専用にする 共用せざるを得ない場合は，使用後，器具を洗浄・消毒処理をする	共有する場合は，使用後，器具を洗浄，消毒処理をする	共有する場合は，使用後，器具を洗浄，消毒処理をする

三浦祥子・菅原美絵：感染経路別予防策，小児看護，33（8）：1002-1013，2010．西脇伸也：感染経路別予防策を習得せよ，日本病院薬剤師会雑誌，56（12）：1405-1408，2020．中西秀彦：標準予防策と感染経路別予防策，with NEO，34（3）：64-67，2021．坂本史衣：医療関連感染対策－標準予防策からサーベイランスまで，改訂第3版，南江堂，2019，p.27-42．を参考に作成

に加えて感染経路別の予防策（表6-5）[8)][9)][10)][11)]を実施する。

（1）接触感染

　小児（特に乳幼児）は，抱っこ，授乳，おむつ交換，遊びなどの場面において他者の介助を必要とするため，他者との接触が多くなる。また，遊びや食事など，子ども同士が集団で行動する場面も多い。そのため，人の手や物を介して感染症が伝播しやすく，接触感染予防策が重要となる。

（2）飛沫感染

　小児（特に乳幼児）では，咳エチケット（咳をするときは口を覆うなど）の理解や協力が得られにくいため，分泌物が飛散しやすく，周囲が汚染されやすい状況にある。汚染された部位に接触することによっても感染症が伝播するため，飛沫感染予防策に加えて，接触予防策を行う。

（3）空気感染

　小児科病棟・外来には，麻疹や水痘などの流行性ウイルス性疾患の免疫を獲得していない小児や，治療により易感染状態の小児もいる。治療により易感染状態にある小児の場合は，それらの流行性ウイルス性疾患に罹患すると重症化する可能性が高いため，予防対策が重要となる。

表6-6 予防接種歴(例)

予防接種（一例）	
麻疹・風疹混合（MR）	済・未
水痘	済・未
BCG	済・未
流行性耳下腺炎	済・未
ジフテリア・百日咳・破傷風（3種混合）	済・未
不活化ポリオ	済・未
日本脳炎	済・未
インフルエンザ菌b型（ヒブ）	済・未

表6-7 感染症既往歴(例)

既往歴（一例）	
麻疹	あり・なし・不明
風疹	あり・なし・不明
水痘	あり・なし・不明
流行性耳下腺炎	あり・なし・不明
百日咳	あり・なし・不明

2）小児科外来における感染予防策

小児科外来では，定期健康診断や予防接種で来院している小児，麻疹や水痘などの感染症が疑われる小児やそれらの疾患の潜伏期にある小児が来院することがあるため，待合室で交差感染しないような配慮が必要とされる。問診の際，受診理由に加え，予防接種歴（表6-6），感染症既往歴（表6-7），地域での流行情報や感染症の小児との接触機会の有無を確認し，隔離室などへの隔離が必要かどうかアセスメントする。また，感染症やその予防に関するポスターやパンフレットを掲示するなど，家族からの自己申告を促すよう工夫する[12]。

3）小児科病棟における感染予防策

（1）患者配置

入院が決定した後，診断名，病状，年齢，性別を考慮し，ベッドの配置を検討する。急性期で発熱，下痢，嘔吐，発疹などの症状がある場合は，何らかの感染症が潜んでいる可能性を念頭に置き，患者を配置する[13]。

（2）全身状態の観察

感染症の潜伏期間にある小児が入院し，発症することもある。清潔援助の際，小児の皮膚の状態を観察し，発疹の有無を確認する。また，下痢や嘔吐，発熱などの全身状態を観察し，感染症の早期発見，他の患者への伝播予防に努める。

（3）面会者からの感染予防

面会者は，医療環境における感染症の伝播予防の協力者となりうる一方で，感染源となる可能性もある。2019年のCOVID-19パンデミック以前は小児感染症への配慮のため，きょうだいが面会する際には年齢制限を設ける施設が多かった。COVID-19パンデミックの前後で面会基準は大きく変化した。COVID-19以後は，年齢制限ではなく，人の出入りの制限（面会禁止や人数制限など）を行っている施設が多くなった[14]。外部からの感染症の持ち込みを予防するため，入院時に家族の予防接種履歴，既往歴，周囲の感染の流行状況を確認し，面会当日は，面会者の感染症状の有無の確認，体温測定，家族内の有症状者の確認，周囲の感染症の流行状況を確認する。さらに，家族の感染症状がある際は，面会を控える

ように説明するなど，感染予防対策に関連した家族への指導を行う[15) 16)]。COVID-19終息後も，感染状況に応じて，面会などへの配慮を行う必要がある。

（4）環境整備

　小児科病棟では小児への濃厚な接触が多く，また小児自身が感染予防に留意した行動を十分にとることが難しいため，環境整備が重要となる。なかでもベッド柵は，医療従事者だけでなく，付き添う保護者などがおむつ交換や遊びの際に接触する機会が多く，病原微生物に汚染されている可能性が高い。また，プレイルームも小児同士のかかわりや玩具を介して感染が拡大する可能性がある。感染拡大の状況によってプレイルーム利用規則を変更する必要性が生じる。感染拡大の状況に合わせて，プレイルームの使用を禁止，プレイルームで遊ぶ小児を大部屋の同室者に限定する，マスク着用で距離を保ちながら使用するなど，使用上のルールを決めて使用[17) 18)]することが求められる。プレイルームで共有する玩具は，乳幼児が使用するものは特に唾液で汚染されやすい。そのため，病棟で共有している玩具は，洗浄・消毒できる素材を基準として選び，定期的に洗浄・消毒する[19)]。

（5）患児と家族への指導

　小児の発達状況を考慮し，うがいや手洗いの必要性を説明し，自主的に感染予防に関するセルフケア行動ができるように支援する。また，乳幼児の場合は，特に排泄物を介して感染症が伝播することが多いため，家族に感染予防に留意したおむつ交換の手技を説明し，協力を得る。

　さらに，長期間にわたり治療を継続するような疾患を抱える小児の場合は，家族と相談しながら，可能な限り予防接種が受けられるよう医師と治療を調整し，家庭でできる感染予防対策を説明する。

隔離が必要な小児のケア

1）隔離の目的

　院内感染対策における隔離は，目的別に，①水痘や麻疹などの感染症が伝播することを予防するための「個室隔離」，②治療予後に影響しない場合は，同じ診断を受けた複数の人を同じ病室に隔離してケアする「集団隔離」，③感染に対する抵抗性が低下した患者（易感染性患者）を交差感染から守るための「逆隔離」に分類される。

2）隔離が必要な小児への援助[20) 21)]

（1）十分な説明をする

　小児の理解度に合わせて，隔離の目的，期間，方法について十分に説明する。時間的な余裕があれば，隔離中の生活を具体的にイメージするために，隔離を行う部屋を見学したり，家族にマスクやガウンをつけてもらい，リハーサルをする。

（2）社会的な接触を増やす

　小児の疎外感，不安感，寂しさを紛らわせるように，できるだけ外部との接触がもてるように支援する。メールや窓越しの面会なども外部との接触をもつ一つの方法である。また，医療従事者の訪問の回数を増やしたり，家族の面会時間を工夫するなど配慮する。面

会制限中の小児とその家族に対し，SNSのビデオ通話機能を用いた面会を行っている施設もある[22)23)]。

（3）遊びや学習の工夫

隔離室という限られた空間を，小児にとって少しでも居心地がよく親しみがもてる場所にするように，小児が好きなキャラクターや季節感のあるポスターなどを部屋に飾ったり，好きな音楽が聴けるなどの配慮をする。また，小児が室内で退屈しないように，好きな玩具のなかから洗浄・消毒できるものを選択し，部屋で遊べるようにする。学童期以降の場合は，病状に応じて学習が継続できるように配慮する。感染の流行状況に応じて，オンラインでの授業を実施するようになった施設もある[24)]。

3）隔離が必要な小児をもつ家族への支援

家族が医療施設において必要な標準予防策や，状況に応じて感染経路別予防策を実施できるように支援する。また，家族自身が限られた空間で過ごすことに対し，孤独感や閉塞感を抱きストレスを感じていることも多い。必要に応じて家族が休息をとり，リフレッシュできるように支援することも大切である。

看護技術の実際

A 手指衛生

- 目　　的：感染の伝播経路を遮断する
- 適　　応：表6-4参照
- 必要物品：速乾性擦式消毒薬，石けん，ペーパータオル（必要時）

1）流水と石けんによる手洗い

	方　法	留意点と根拠
1	流水で十分に手をぬらす（図6-2a）（→❶）	❶ぬらす前に石けんをつけると手荒れの原因になる

a 流水で十分に手をぬらす
b 手掌を合わせて手掌をよくこする
c 指の間，手背をよく洗う
d 指，爪を洗う
e 母指を包み込むようにしてねじり洗いをする
f 手首を洗う
g 流水で十分に洗い流す
h ペーパータオルで水分を拭き取る

図6-2　流水と石けんによる手洗い

方　法	留意点と根拠
2　石けんをつけて手を洗う 　1）手掌を合わせて手掌をよくこする（図6-2b） 　2）指の間，手背をよく洗う（図6-2c） 　3）手背をもう一方の手掌でこする 　4）指，爪を洗う（図6-2d） 　5）母指を包み込むようにしてねじり洗いをする（図6-2e） 　6）手首を洗う（図6-2f）	●指先，手背，母指，指の間は，洗い残しが多い部位なので，15秒以上かけてしっかり洗う（図6-2c～e）
3　流水で十分に洗い流す（図6-2g）	●手荒れ予防には，よくすすぐ，ペーパータオルで摩擦しない，十分な乾燥が重要である
4　ペーパータオルで押さえつけるように水分をよく拭き取る（図6-2h）	
5　水道の栓は，手首・肘または手を拭いたペーパータオルで開閉する（図6-3）（→❷）	❷水道の栓に触れると手指が汚染される

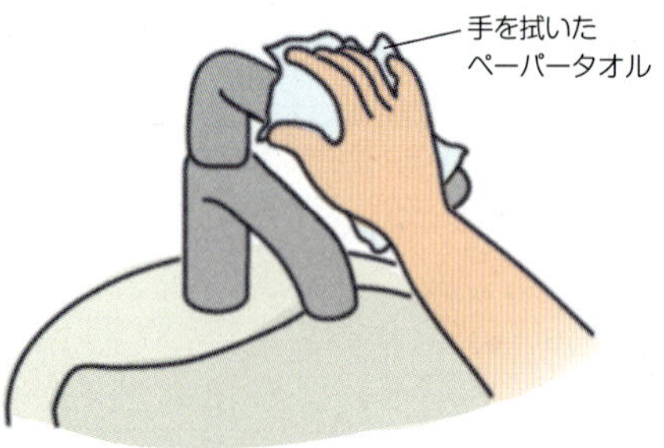

図6-3　水道栓の開閉

2）速乾性擦式消毒薬による手指消毒

方　法	留意点と根拠
1　手掌をノズルの下に置き，速乾性擦式消毒薬を適量とる（図6-4a）	●適量は「手全体に行きわたり，15秒程度で乾燥する量」が目安（→❶） ❶量が少ないと除菌効果が低下する
2　速乾性擦式消毒薬を擦り込む 　1）片方の指先を消毒薬に浸す感じで指先や爪の間に擦り込む（→❷）。反対側も同様に行う（図6-4b） 　2）手洗いと同じように，手掌，手背，指の間，母指と母指の付け根，手首に擦り込む（A1）「流水と石けんによる手洗い」の「方法2」に準じる）	❷指をしっかりと消毒薬に浸すことで爪の間まで消毒する ●速乾性擦式消毒薬が完全に乾燥するまで擦り込む

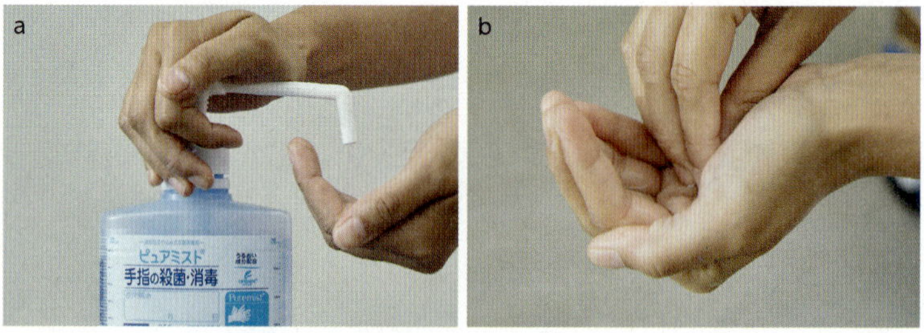

図6-4　速乾性擦式消毒薬による消毒法

B 個人防護具の着脱

- ●目　　的：（1）患者の血液，体液，排泄物などの曝露から医療従事者を守る
　　　　　　（2）医療従事者を介して他の患者や環境への汚染を防ぐ
- ●適　　応：表6-2参照
- ●必要物品：手袋，ガウン，マスク

方　法	留意点と根拠
1 **手袋の着脱** 　1）手袋をつける 　（1）手指衛生を行った利き手で手袋を箱から1枚取り出す 　（2）反対の手で手首の部分を持ち，どこにも触れないように注意しながら利き手に着用する 　（3）反対の手も同様に着用する	●手袋は最後に着用する（➡❶） ❶手袋を装着した手は直接患者に触れるため ●ガウン着用の場合は，手袋の端は袖口まで覆う（図6-5） 　←ガウンの袖口まで覆う **図6-5　手袋の着用**
2）手袋をはずす 　（1）手袋の外側を反対の手でつまみ，中表になるように手袋をはずす（図6-6a，b）（➡❷） 　（2）手袋をつけているほうの手で脱いだ手袋を持つ（図6-6c） 　（3）手袋を脱いだ手の指を手袋をつけている手の手首のあたりから手袋の中に差し入れ，手袋をひっくり返してはずす（図6-6c～e） 　（4）手袋の中に片方の手袋が収納された状態で廃棄する（図6-6f）	❷手袋の外側は汚染されているため，触れないように注意する ●ピンホールなどによる汚染の漏入の可能性があるため，手袋を脱いだ後は必ず手指衛生をする

a　手首近くの外側をつまむ

b　中表になるようはずす

c　はずした手袋を丸めて手袋をした手で持つ。手袋を脱いだ手の指を手袋をつけている手の手首のあたりから手袋の中に差し入れる

d　手袋をひっくり返してはずす

e

f　手袋の中に片方の手袋が収納された状態で廃棄する

図6-6　手袋のはずし方

方 法	留意点と根拠
2 ガウンの着脱 1) ガウンをつける (1) ガウンを手に取り，背中を開く (2) 片方ずつ袖を通す (3) ガウンを着用し，首とウエストの紐を縛る	●背中側の首と腰の紐はしっかり締める（図6-7）

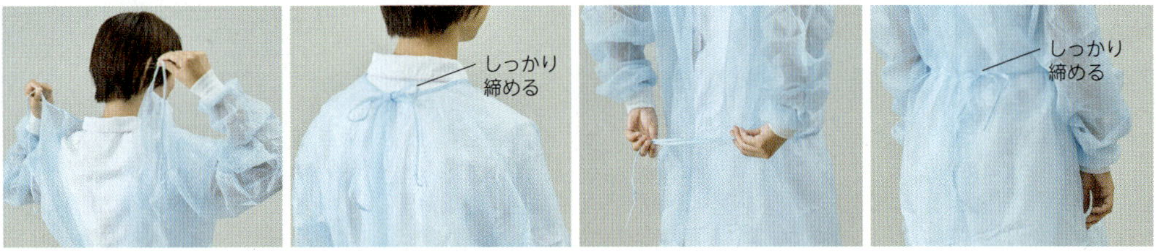

図6-7 ガウンの着用

方 法	留意点と根拠
2) ガウンをはずす (1) 背中にあるガウンの紐をはずす（図6-8a, b） (2) 片手を反対側の手の袖口から内側に差し入れ，袖を軽く引く（図6-8c, d） (3) 腕を静かに少し引き抜く（図6-8e） (4) 袖の中に入った手で反対側のガウンの袖をつかみ，袖を少し引き抜く（図6-8f） (5) 首，肩から脱ぎ降ろす（図6-8g） (6) 汚染した外側が内側になるように巻き込む（図6-8h）（➡❸） (7) たたんでまるめて，所定の容器に廃棄する（図6-8i）	●清潔部位（内側，背部の外側，首と背中の紐）を意識してはずす ❸汚染部位は前面の外側である

a 首の紐をはずす
b 腰の紐をはずす
c 片手を反対側の手の袖口から内側に差し入れる
d 袖の内側から袖を軽く引く 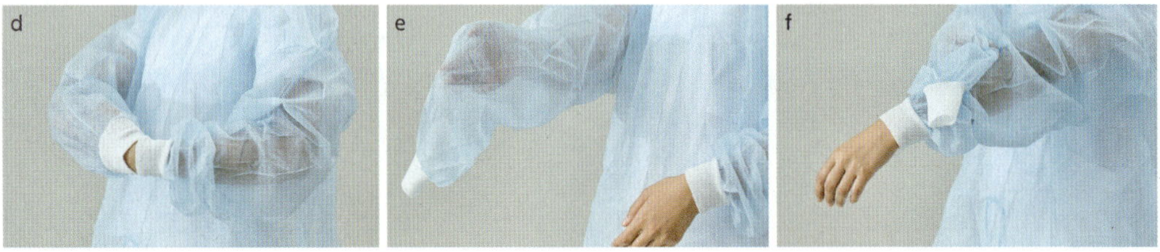
e 腕を静かに少し引き抜く
f 袖の中に入った手で反対側のガウンの袖をつかみ，ガウンの袖を少し引き抜く
g 首，肩から脱ぎ降ろす 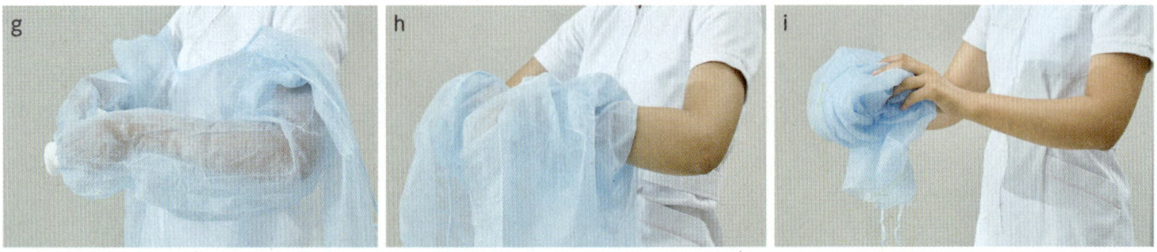
h 外側が内側になるように巻き込む
i たたんでまるめて，所定の容器に廃棄する

図6-8 ガウンのはずし方

方法	留意点と根拠
3　マスクの着脱 　1）マスクの上下，裏表を確認し，マスクをつける 　（1）マスクを装着する 　（2）ノーズピースを鼻の形に合わせる 　2）マスクをはずす 　（1）耳のゴムをはずす 　（2）顔からマスクをはずす 　（3）ゴムの部分を持ってごみ箱に廃棄する（図6-10）	●鼻，口，あごを覆う（図6-9） ●鼻梁の部分がフィットするように，可変部を調整する（➡❹） ❹マスクがフィットしていないと飛沫を吸引する ●マスクの前面は汚染部分なので触れないように注意する

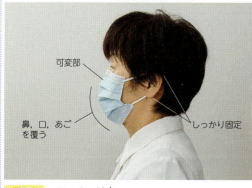

図6-9　マスクのつけ方

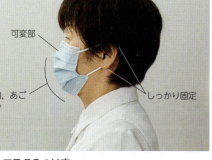

図6-10　はずしたマスクの処理

文献

1) 篠木絵理：感染症と看護，奈良間美保・丸光惠・西野郁子・他著，小児臨床看護各論，小児看護学2〈系統看護学講座〉，第14版，医学書院，2020，p.140.
2) 冠城和世：標準予防策，小児看護，33（8）：989-990，2010.
3) 松原知代：小児病棟，小児科診療，76（9）：1439，2013.
4) CDCガイドライン：隔離予防のためのガイドライン2007/CDC：2007 Guideline for Isolation Precautions：Preventing Transmission of Infectious Agents in Healthcare Settings，2007.
〈http://www.cdc.gov/hicpac/pubs.html〉（アクセス日：2022/7/22）
5) WHO：Five Moments for Hand Hygiene，2009.
〈https://www.who.int/publications/i/item/9789241597906〉（アクセス日：2022/7/22）
6) 坂本史衣：医療関連感染対策―標準予防策からサーベイランスまで，改訂第3版，南江堂，2019，p.13-16.
7) 立花亜紀子：正しい個人防護具着脱の方法を教える，Infection Control，19（4）：347-358，2010.
8) 三浦祥子・他：感染経路別予防策，小児看護，33（8）：1003-1013，2010.
9) 西脇伸也：感染経路別予防策を習得せよ，日本病院薬剤師会雑誌，56（12）：1405-1408，2020.
10) 中西秀彦：標準予防策と感染経路別予防策，with NEO，34（3）：64-67，2021.
11) 前掲書6），p.27-42.
12) 安田恵美子：一般外来における看護，筒井真優美監，江本リナ・川名るり編，小児看護学―子どもと家族の示す行動への判断とケア，第8版，日総研出版，2016，p.139.
13) 前掲書2），p.998.
14) 藤田優一・植木慎悟・北尾美香・他：新型コロナウイルス感染症の拡大による小児の入院環境の変化とその対応策に関する実態調査，日本小児看護学会誌，30：210-211，2021.
15) 前掲書2），p.1000.
16) 立花亜紀子：小児病棟での感染対策，Infection Control，春季増刊：203-205，2010.
17) 原田香奈：COVID-19と小児病棟 入院する子どもの日常とその変化．月刊ナーシング，41（1）：14-15，2021.
18) 前掲書14），p.211.
19) 前掲書2），p.998.
20) 福地麻貴子：隔離を必要とされたときの看護は，どのようにすればよいですか？，五十嵐隆編，これだけは知っておきたい小児ケアQ＆A，第2版，総合医学社，2011，p.242-243.

21) 染谷奈々子：隔離が必要な子どもと家族の看護，筒井真優美監，江本リナ・川名るり編，小児看護学―子どもと家族の示す行動への判断とケア，第8版，日総研出版，2016，p.226-228.
22) 前掲書14），p.211.
23) 北畠康司：withコロナ時代におけるオンライン面会とその可能性，with NEO，34（3）：464-468，2021.
24) 前掲書17），p.7.

7 衣生活

学習目標
- 小児の生理的・生活的特徴および環境に合わせて衣服の選択ができる。
- 小児の発達に合わせて，衣服着脱の援助を考えることができる。

1 小児のからだと衣服の作用

1) 体温調節
小児の体温調節には以下の特徴があり，衣服には小児の未熟な体温調節を補う働きが求められる。
- 基礎代謝が高い。
- 体重当たりの体表面積が大きい。
- 表皮および真皮が薄く，皮下脂肪が少ない。
- 体温調節機能が未熟であるために，体熱の放散が多くなったり，逆に放散が適切にできないことにより低体温や高体温（うつ熱）になりやすく不安定である。

2) 水分代謝 (表7-1)[1)2)]
小児の水分代謝には以下の特徴があり，吸湿性や吸水性を考慮して衣服を選択する。
- 成人に比べて体水分量が多い。
- 体重当たりの表面積が大きいため不感蒸泄量が多い。
- 腎機能が未熟なため体重当たりの尿量が多く，必要水分量も多い。
- 新生児期および乳児期初期では，外界の影響を受けやすい細胞外液のほうが細胞内液を上回っている。
- 発汗部位では成人と異なり，頭頂部の発汗が顕著である。

3) 皮膚の特徴
小児の皮膚は以下のように脆弱なため，衣服にはバリア機能が求められる。
- 小児の皮膚は，成人に比べて角層が薄く，角層の水分保持や水分の蒸散に関係する細胞間脂質のセラミドや角質細胞内のアミノ酸が少ないため，乾燥しやすく，傷つきやすい。また，バリア機能も壊されやすい[3)]。
- 角質水分量および経皮的な水分蒸散量が季節によって変化する（夏は皮膚のきめが細かくなり，冬にきめが粗くなる）。
- 特に乳幼児では，排泄物（おむつ使用時），流涎，食べこぼしなど皮膚への外的刺激が加

表7-1 小児の水分代謝

	体水分量（体重に対する割合）	細胞内液（体重に対する割合）	細胞外液（体重に対する割合）	必要水分量（mL/kg/日）	不感蒸泄量（mL/kg/日）	排尿回数（回/日）
新生児	80	40	45	60～160	30	15～20
乳児	70	40	30	100～150	50	10～15
幼児	65	40	25	60～90	40	5～9
学童	60	40	20	40～60	30	4～8
成人	60	40	20	30～40	20	3～6

奈良間美保・丸光惠・堀妙子・他：小児看護学概論 小児臨床看護総論，小児看護学①〈系統看護学講座 専門分野Ⅱ〉，第14版，医学書院，2020．を参考に作成

表7-2 素材別にみた皮膚トラブル

素　材	皮膚トラブル
毛	急性の刺激性皮膚炎，アトピー性皮膚炎の症状悪化
絹	アレルギー性接触蕁麻疹，アレルギー性接触皮膚炎
ナイロン	接触蕁麻疹，アレルギー性接触皮膚炎
スパンデックス，ゴム	抗酸化剤によるアレルギー性接触皮膚炎

早川律子：衣服と皮膚疾患―下着，寝具（布団など），制服（詰め襟），靴下など，宮地良樹・森川昭広編，小児の皮膚疾患生活指導マニュアル，診断と治療社，2000．を参考に作成

わることにより，皮膚の損傷を起こす危険性が増加する

2 衣服素材の特徴

　衣服のもつ機能として，保温性，吸湿性（保湿性），外的刺激からの保護，社会性などが挙げられる。また，衣服の快適性には，衣服内気候，活動性，肌触りが影響する。これらには素材のもつ特性や織り方が関係している。素材別にみた皮膚トラブルを表7-2[4]に示す。

1）保温性

　素材別では「羊毛＞化学繊維＞綿＞麻」の順に保温性が高い[5]。また，肌側にポリエステルやアクリルなどの疎水性繊維，外側に綿，麻，毛，絹，レーヨン，キュプラなどの親水性繊維を用いた2層構造の編布は皮膚から熱を奪うことが少なく，布表面あるいは環境から熱を奪って放水するため保温に優れているが[6]，発汗時に体温を下げず発汗の本来の目的にはかなっていないので注意する。

　肌と衣服が密着した状態よりも，9～11mm程度ゆとりがあるほうが保温性が約2倍増加する[4]。

2) 吸湿性（保湿性）

　吸湿性は空気中の水分を吸収する性質，保湿性は湿度を一定の範囲内に保つことである。吸湿性は「麻＞羊毛＞絹＞レーヨン＞綿」の順に高い。また，綿は吸水性がよく，なかでも繊維と繊維の間にすき間のあるガーゼやタオルは水をよく吸う。

3 小児の運動機能の発達と着脱行動，衣服の選択

　小児の運動機能の発達と着脱行動は表7-3を参照。衣服は，運動機能の発達段階に合わせて選択する。

1）乳児の衣服の選び方（図7-1）

（1）生後3か月くらいまで（サイズ50）
　保温を考慮する。また，皮膚への刺激が少ない素材を選び，紐や縫い目が直接皮膚に当たらないようにする。夏場は短肌着やロンパース型肌着だけでもよい。定頸前であり，おむつ交換が頻繁なので着脱しやすい前開きのものがよい。

（2）生後5か月くらいまで（サイズ60）
　定頸ができてきたら上から被るタイプのものも着用できる。3か月頃から流涎が始まり，乳歯の萌出する5か月くらいから多くなるので，よだれかけを使用し，皮膚への刺激を軽減する。

表7-3　衣服の着脱行動の発達とかかわり

月齢	運動機能	着脱行動	かかわり
1歳	歩き始める	着ているものに興味をもつ	着ている洋服が可愛いなど声をかけて衣服への興味を促す
1歳半	指先で物をつかむことができる	靴下や帽子などを引っ張って脱ごうとする	
2歳	ボールを前にける	脱ぎやすい服や靴を脱ごうとする	脱ぎやすい服を選択し，脱ぎ方を教えながら見守り，できたら褒める
2歳半	ジャンプができる	履きやすい靴は履ける	
3歳	はさみを使って紙を切る	ボタンをはずすことができるようになる 着やすい服を着ようとする	洋服以外の遊びなどのときにボタンのとめはずしができるおもちゃを使う
3歳半	片足立ちができる	パンツを履ける ボタンをとめられる	手を出さず見守る 安全に気をつける
4歳	爪先・かかと歩きをする 紙を直線に沿って切る	袖に手を通して着られる 上着の前後がわかる 靴下が履ける	見守り，できたことを褒め，できないところは方法を教える
5歳	2回以上片足跳びする	一人でほぼ着脱ができる	
6歳	自転車に乗る	一人で着脱ができ，片づけもできる	服のたたみ方，しまい方を教える

【肌着】

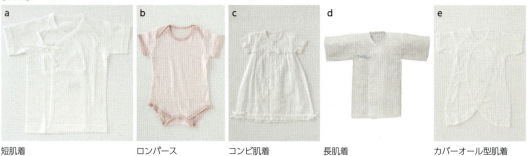

| a 短肌着 | b ロンパース | c コンビ肌着 | d 長肌着 | e カバーオール型肌着 |

【ベビードレス】【カバーオール】【ツーウェイオール】【シャツ】【ズボン】

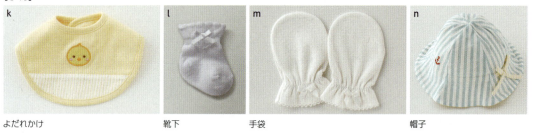

f　　　g　　　h　　　i　　　j

【小物】

k よだれかけ　　l 靴下　　m 手袋　　n 帽子

写真提供：d, jは株式会社西松屋チェーン，ほかはニシキ株式会社

図7-1 乳児の衣服の種類

（3）生後11か月くらいまで（サイズ70）

　寝返り，お座り，ハイハイ，つかまり立ちなど動きが活発になってくるので，動きを妨げないものを選ぶ。また，上下セパレートタイプの服はおむつ交換がしやすいが，お腹が出ないように下着はロンパース型など一体型にする。靴下を履かせる場合は足底に滑り止めがあるものを選ぶ。

　夏は紫外線を防止するために帽子を着用し，冬はベストや手袋，靴下，帽子（ニットなど）などで防寒対策を行う。

2）幼児の衣服の選び方（図7-2）

　幼児期になると衣服に興味をもち始めるので，性別，好みを考慮して選択する。また，

【上着】　　　　　【ズボン】　　　　【キュロット】　　　【スカート】
a　　　　　　　　b　　　　　　　　c　　　　　　　　d

【靴】
e　　　　　　　　f

靴（歩き始め）　　スニーカー

写真提供：a，bはニシキ株式会社，c〜fは株式会社西松屋チェーン

図7-2 幼児の衣服の種類

　衣服の着脱行為の自立を目指す。
　1歳を過ぎると独歩が始まり動きが活発になってくるため，運動に適した伸縮性があるもの，洗濯しやすいものを選ぶ。安全性を考慮し，フード，裾紐，引き紐などがある衣服は避ける。
　2歳頃には着脱が簡単な衣服を選択する。
　3歳頃にはボタンのとめはずしができるようになるので，服の選択の幅が広がる。
　幼児期後期から学童期にかけては，動きが活発になり発汗も多くなるため，発汗を吸収し発散しやすい素材を選ぶ。
　靴は，歩き始めのときは足を圧迫しないもので，素材としては柔らかいフェルト製などを選ぶ。2歳くらいまではかかとがないものを選ぶ。また，脱ぎ履きしやすいマジックテープやベルトのものを選択する。
　運動が活発になる時期にはスニーカーなどが動きやすいので，履きやすいものを選択する。足の大きさに合ったサイズの選択は重要である。左右の区別がつきやすいものがよい。

看護技術の実際

A 衣服の交換

- 目　　的：保温・保湿性が高く外界からの刺激を軽減する衣服を選び，身体の清潔を保つ
- 適　　応：朝の着替え，入浴後，発汗時や汚れたときなど
- 必要物品：おむつ（パンツ），肌着（下着），ベビーウェア（上着，ズボンなど）

	方　法	留意点と根拠
1	手を洗う	● 介助者は爪を短く切り，清潔を保つ（➡❶） ❶ 小児の皮膚は傷つきやすい
2	環境を整える 1）室温，風通しを調整する（➡❷） 2）更衣できる場所や広さを確保する	❷ 新生児・乳児は体温の低下を招きやすい ● 脱衣所などでは滑ることによる転倒に気をつける（➡❸）。沐浴室・浴室の場合，更衣に使用する場所が高いところであったり，床がぬれていたりすることがある ❸ 幼児の場合，一人での着脱を促す際，バランスを崩して転倒することもある
3	小児の状態を確認する 1）体温や発汗の状態を確認する 2）衣服の種類，枚数などを調整する	
4	衣服の準備をする 1）幼児の場合は，衣服の選択を一緒に行う（➡❹） 2）乳児の場合は，着替え用のおむつを衣服の上に置き，衣服が何枚かある場合は重ねて袖を通して広げておく	❹ 好みを尊重する ● その日の天気・気温・湿度に適した衣服の選択を自分でできるように促す ● 体温低下を防ぐため，また排泄による汚染を防ぐため，すぐに着られるように準備する
5	衣服を脱がせる 1）幼児の場合は，自分でどこまでできるのかを確認し，できるところは見守り，できないところは方法を教えながら手伝う（➡❺） 2）乳児の場合は，「お洋服を脱ぎましょうね」などと声をかけながら行う（➡❻） 3）袖やズボンを脱がせるときは児の関節に手を当て，衣服を引いて脱がせる（➡❼）	● 自分でやりたいという思いを尊重し，自分で着られたという自信を引き出す ❺ 着脱行動の自立を促す ❻ 衣服の着脱が楽しい時間になるように配慮する ❼ 児の手や足を引っ張ると関節を痛める危険がある
6	小児の全身状態を観察する 1）全身の皮膚の状態を確認する 2）発汗時，汚染部は清拭する（➡❽）	● 小児の皮膚は刺激に弱く傷つきやすい ❽ 感染症などにかかりやすいため
7	新しい衣服を着せる 1）幼児の場合は自分でどこまでできるのかを確認し，できるところは見守り，できないところは方法を教えながら手伝う（➡❾） 2）乳児の場合は，抱き上げ新しい衣服の上に寝かせる 3）おむつを手早く当てる（➡❿） 4）衣服の袖口から介助者の手を入れ，児の手を包み込むようにつかみ衣服を引いて袖を通す（迎え手）（➡⓫）（図7-3）	● 適宜声をかけながら行う ● 自分でやりたいという思いを尊重し，自分で着られたという自信を引き出す ❾ 着脱行動の自立を促す ❿ 排泄による汚染を防ぐ ⓫ 関節を痛めたり指が袖に引っかかる危険性がある

方法	留意点と根拠
 図7-3 袖の通し方（迎え手） 5）カバーオールやツーウェイオールなどは下から止めていく（→⑫） 6）前合わせの衣服の場合は，右前になるように前を合わせる 7）衣服を整える 8）必要時，靴下，手袋，よだれかけをつける（→⑬）	⑫カバーオールやツーウェイオールは足元から止めていくとボタンの掛け違いが防げる ⑬児の発汗や流涎の状態，気温などに応じて必要時は靴下，手袋，よだれかけをつけ，保温および皮膚の保護を行う
8　後片づけをする 　1）小児の安全を確認する 　2）衣服の汚れの状態を確認する 　3）幼児（特に5，6歳）では，声をかけながら一緒に片づける	●特に入浴後は安全な場所へ移動する ●皮膚の状態と合わせて衣服の汚れを観察し，全身の皮膚の状態をアセスメントする ●更衣後の衣服は汚れているので適切に処理する ●衣服の後片づけができるように促す

文献

1) 奈良間美保・丸光惠・堀妙子・他：小児看護学概論 小児臨床看護総論，小児看護学①〈系統看護学講座 専門分野Ⅱ〉，第14版，医学書院，2020.
2) 馬場一雄監，原田砂介編：新版小児生理学，へるす出版，2009.
3) 山本一哉：どうする・外来診療 こどもの皮膚病－診察からアトピー性皮膚炎まで，永井書店，2003.
4) 早川律子：衣服と皮膚疾患−下着，寝具（布団など），制服（詰め襟），靴下など，宮地良樹・森川昭広編，小児の皮膚疾患生活指導マニュアル，診断と治療社，2000.
5) 妹尾順子・米田守弘・丹羽雅子：被服材料の熱伝導特性に関する基礎的研究（第1報），家政学雑誌，36（4）：241-250, 1985.
6) 諸岡晴美・丹羽雅子：肌着材料の熱および水分移動特性，繊維製品消費科学会誌，27（11）：495-502, 1986.

8 環境の調整

学習目標
- 小児の入院生活において望ましい環境について理解する。
- 小児の体調を整え，病気の回復を助ける環境整備の方法を習得する。
- 小児の入院生活への適応を助け，成長・発達に適した環境整備の方法を習得する。
- 小児のセルフケアを助ける環境整備の方法を習得する。

人間は常に環境との相互作用のなかで変化し，小児期の発達も環境との相互作用をとおして現れる。環境は小児の健康と発達を考えるうえで重要な概念であり，環境調整は小児看護における基本的技術である。

1 小児のための環境調整の必要性

小児は入院することによって病気や治療による苦痛を体験するとともに，今までの生活の場から離れて新しい環境で生活することになる。初めて入院する小児にとって病院という環境は，痛みを伴う経験や様々な制限のある苦痛の多い生活環境である。しかし，一方で，慢性疾患で入退院を繰り返す小児にとっては，ありのままの自分でいられる場でもある。場合によっては，家族の病気や事情によって，一時的に生活するために入院する場合もある。いずれにしても，小児は入院することによって，それまで慣れ親しんでいる家族や友達，物，習慣などから離れ，馴染みのない人や物，生活の仕方と出合うことになる。これらの環境の変化は，小児の心理的混乱を強め，本来の対処能力を発揮することを阻害する。

小児の入院環境は，安全で病気の回復を助ける環境でなくてはならない。同時に，EACH (European Association for Children in Hospital) 憲章（病院のこども憲章）[1]や日本小児看護学会による「小児看護の日常的な臨床場面での倫理的課題に関する指針」[2]にあるように，子どもの権利に配慮した家族も含めて小児の成長・発達に適した生活が保障される場であることが大切である。

小児が入院する場合，小児専門病院，総合病院の小児科病棟（小児病棟），成人との混合病棟などがあり，入院する病棟の構造や小児にかかわる職種などの人的環境は一様ではない。それぞれの病棟の条件によっては，必ずしも小児のためだけにトイレや洗面台などの生活用具や，遊びや学習のための場所を確保できるわけではない。特に成人との混合病棟では限界がある。そのなかでも可能なかぎり小児が安心して過ごすことができるような環境調整が必要である。

安全で病気の回復を助けるための環境の調整は，事故防止や感染予防が重要であるが，ここでは入院による影響からみた環境調整について述べる。

2 入院による影響

入院によって小児が体験する生活の変化やストレスとして，①親しい家族や友達との分離，②馴染みのない生活環境，③医療者など新たな人間関係の形成，④治療や病気による身体的苦痛，⑤活動制限や病棟の規則に伴う生活制限，が挙げられる。

小児は，入院することで愛着を形成している重要他者との分離不安を経験し，強い不安を抱く。特に乳児期から幼児期前期では，母親との分離によるストレスは大きい。幼児期後期になると言語能力や認知能力が発達し，親と分離することがあっても親が戻ってくることを理解できるため待つことができる。また，幼児期後期や学童期にある小児にとっては，それまで自分でできていた生活行動を制限されたり，他者に頼らなければならない状況が生じたりすることは，自律や自己コントロール感が奪われる体験につながる。

学童期・思春期になると，小児の対人関係は友達や仲間の存在が重要となる。小児科病棟では面会に何らかの規定を定めていることが多く，学校の友達や仲間と会えない状況は小児の疎外感や孤独感を強くする。

病院には医療機器，医療者など見知らぬ人や物が多く，入院している小児の多くが病気や治療による身体的苦痛を経験している。このことは，入院によって慣れ親しんだ物や生活習慣から離れる不安や孤独感に加えて，小児にとって脅威になる。また，活動制限や生活制限によって感じる窮屈さや不自由さは，小児の安心感や自己コントロール感を脅かすことになる。このようななかで，見知らぬ人に自分の欲求を伝えたり，病室で見知らぬ人と過ごしたりすることは，小児に強い緊張を強いることになりやすい。

3 体調を整え，病気の回復を助ける環境

入院する小児は何らかの健康障害をもっているが，その回復を目指すためには生理機能に見合った負担の少ない快適な環境を提供する必要がある。その要素として，室内の温度・湿度，明るさ，音，においが挙げられる。

1）室内の温度・湿度

一般的に室内の温度は，冬季で22〜24℃，夏季で24〜26℃，湿度45〜65％に調整されるが，小児の病状や年齢，病室環境によって変化する。

2）明るさ

光はサーカディアンリズムに影響を与え，生活リズムをつくるうえで重要な役割を果たしている[3]。特に乳児の睡眠周期の確立は，生理的な発達とともに，光，授乳や食事，運動，人との接触などに影響されている。また，小児の生活リズムは，食事や夜泣き，落ち着きのない行動など健康面に影響を及ぼし[4]，思春期でも生活習慣や健康行動，ストレス

に影響する[5) 6) 7)]。小児の健康を促進するうえで，生活リズムを整えることは重要である。室内の照度については，日中は室外に相当するような照度を維持するほうがサーカディアンリズムおよび小児の生活リズムを整えやすい。

3）音

病棟内はモニター音，医療機器のアラーム音，看護行為に伴って生じる音など様々な音が発生している。入院中の学童を対象とした調査では，ワゴンの音やアラーム音，ドアの開閉音を不快と感じ，理由がわからないと不安が増し，嫌な出来事を連想することで不快と感じることが報告されている[8)]。また，不快を感じる音は，繰り返されたり長時間持続したりすると不快感が増加する。

4）におい

病室や病棟での不快なにおいの発生源として，排泄物による糞尿臭，術後の化膿臭，消毒薬や外用薬の薬品臭など[9)]がある。また，悪心・嘔吐のある小児には，食事のにおいも不快な刺激となり，嘔吐を誘発することにつながる。できるだけ不快なにおいを取り除くことが大切である。

4 入院生活への適応を助け，成長・発達に適した環境

病院は病気を治療する場であると同時に，小児の成長・発達に適切とされる環境，小児が入院生活に適応できるように配慮された環境であることが必要である。そのためには，前述のような入院による影響を軽減し，小児が本来もっている対処能力を発揮できるように環境を整えていく必要がある。病棟などの生活空間はもちろん，プレイルームや学習室，イベントスペースが設置されていることや，小児が馴染みやすい装飾などが工夫されていることが望ましい（図8-1）。

1）病室や病棟の生活空間

ベッド周囲は小児にとって生活の拠点であり心理的な基地である[10)]。小児が入院前の生活をできるだけ継続できる空間をつくり，安全で安心できる場所となるように支援する。

ホスピタルプロムナード（テーマは森）

エレベーターホールから病棟に続く廊下（テーマは街）

CT室（テーマは森）

撮影協力：福岡市立こども病院

図8-1 入院生活への適応を助け，成長・発達に適した環境

そのためには，小児が親しんでいるおもちゃや衣類，家族や友達とのきずなが確認できるような写真や物などを置けるようにする。

小児が安心して入院生活に適応していくためには，できるだけ小児に馴染みのある環境づくりが必要である。成人との混合病棟では，小児の成長・発達段階に合わせた環境づくりが困難な場合もあるが，できるかぎり小児が好むキャラクターや色，飾りつけをするなど，安心して過ごせるような環境づくりを行う。

思春期になると，1〜2床の病床を希望する割合が多くなり[11)12)]，プライバシーへの欲求が高くなる。また，思春期では性別や年齢を考慮した病室の調整が求められる。その一方で，医療者や入院している同年代の小児など他者とつながる時間や場所が必要である[13)]。思春期患者には，彼ら専用の部屋[14)]の検討や親しい友人や仲間とのつながりを維持するための電話やインターネットなど，コミュニケーションの手段が確保されるように配慮することも重要である。

病室を小児にとって安心して過ごせる場所とするため，痛みや苦痛を伴う処置を行う場所は別に設けるとよい。

2）遊　び

遊びは自由で自発的なものであり，小児の知的および社会性の発達にとって重要である。入院している小児にとっては，遊びは自分の病気体験を表現する手段でもあり，病気や入院生活によるストレスを緩和するうえで重要な意義をもっている。

小児が自由に自発的に遊びを展開できる環境を整えることが必要であり，可能なかぎりベッド上以外に遊びの場を設けることが大切である。入院している小児の遊びの環境としてはプレイルーム（図8-2）の設置が望ましい。2010（平成22）年の調査では，小児が入院する病棟のある総合病院では約9割がプレイルームを保有しているが，混合病棟では少ない傾向がみられる[15)]。プレイルームの有無にかかわらず，小児が自由に遊びを展開できる環境を工夫する必要がある。

また，病棟保育士やチャイルドライフスペシャリストなど，小児にかかわる専門職と連携することやボランティアなどの導入も大切である。

撮影協力：福岡市立こども病院

図8-2　プレイルーム

3）学　　習

　学童期以上の小児は，入院しても継続して教育が受けられる環境を提供する必要がある。学習の機会が損なわれることは，小児の学習の遅れに対する不安や進学に対する焦燥感につながる。また，学童期や思春期の小児にとって，継続して学習することは，課題達成などの経験をとおして自尊感情を高めることができ，闘病意欲を維持することにつながっていく。

　前述の調査[15]では，院内学級があるのは調査対象の約半数の施設であり，専用の教室をもたない病院も多い。大部屋などで乳幼児と同室である場合は，学習環境としてはあまり適切であるとはいえない。専用の学習室や教室がない場合なども，できるかぎり集中して学習に取り組めるように環境を調整する。

小児のセルフケアを支援する環境

　日常生活活動が自立し，健康行動を確立する過程にある小児にとって，成長・発達やその小児に合ったセルフケア行動がとれる生活空間を提供する必要がある。そのためには，食事や排泄行動，清潔行動など小児の自立度と成長・発達に適した生活環境が求められる。

　乳幼児期では，今までに獲得した生活行動が阻害されずにできるように環境を調整する。学童期・思春期では，プライバシーや羞恥心に配慮し，治療や入院生活の意思決定に主体的に参加することで自尊心を高め自己コントロール感を維持できるよう環境を調整する。

家族のニーズに応じた環境

　乳幼児の分離不安を緩和するためには，できるかぎり家族，特に母親との接触を維持することが大切である。前述のEACH憲章には，小児と養育者が共に療養生活を送ることを支援することがうたわれている。前述の調査[15]では，家族の付き添いを許可している施設は9割あり，入院している小児が養育者と共に療養生活を送ることができるよう柔軟な対応がなされている。一方で，付き添う家族のストレスの要因として，付き添い環境，病院での日常生活が挙げられており[16]，必ずしも現在の入院環境は，付き添い家族の健康に配慮したものではないことが報告されている。家族が付き添う場合には，付き添い者の健康に配慮した環境調整が必要である。

　また，面会については何らかの制限を設けている施設も多いため，きょうだいや祖父母との面会など，家族で過ごせる面会スペースなどへの配慮も必要である。個々の小児と家族のニーズに合わせて，家族の付き添いや面会が行える環境づくりが必要である。

　場合によっては，専門的な治療を受けるために自宅から離れた病院に入院しなければならないこともあるため，そのような小児や家族のためにファミリーハウスを併設している病院もある（図8-3）。

遠方から入院中の小児とその家族が利用できる滞在施設（ドナルド・マクドナルド・ハウス）。ベッドルームとキッチン・ダイニング
撮影協力：ドナルド・マクドナルド・ハウス　ふくおかハウス

図8-3　ファミリーハウス

看護技術の実際

A 生活空間における環境調整

- 目　　的：（1）小児の体調を整え，病気の回復を促進する環境を提供する
　　　　　　（2）入院生活への適応を助け，成長・発達に適した環境を提供する
- 適　　応：入院しているすべての小児

1）温度・湿度，照度（明るさ），音，においの調整

方　法	留意点と根拠
1　**温度・湿度を調整する** 1）室温22〜25℃，湿度50〜60％に保つ 2）体温を測定したり，直接手足に触れてみて，掛け物，寝衣を調整する	● 年齢によって生理機能の成熟が異なるため，新生児・乳児では22〜23℃以下にならないようにする（→❶） ❶ 新生児，乳児は新陳代謝が盛んで，成人よりも体温が高い。また体重当たりの体表面積が広く，皮膚の温度調節も未熟なため，外気温の影響を受けやすい ● 暖房を使用するときは空気の乾燥に注意し，乾燥が著しい場合は加湿器などを使用する ● 冷房を使用するときは直接冷風が当たらないように工夫する
2　**照度（明るさ）を調整する** 1）病室内および病棟全体を明るく清潔に保つ 2）病室内は昼間は明るく，夜間の照明は必要最小限とする	● 付き添いがいる場合など，大部屋の病室内ではプライバシーの配慮のため，ベッドサイドのカーテンを閉めていることもあるが，廊下側は薄暗くなりやすいため，日中は可能な限りカーテンを開けるように声をかける ● 病室の位置（南側，北側など）によって，明るさが異なるため，病室の状況に合わせて調整する ● 夜間のケアや観察の際には，最小限度の照明を用いる（→❷） ❷ 生後3か月頃になるとメラトニンの分泌が始まり，生体リズムが24時間周期に同調する。乳児は朝の光や授乳，生活環境を手がかりにしている❶ため，生体リズムを整えるために朝は十分な明るさが必要であり，昼夜の区別をつける

方 法	留意点と根拠
3 音を調整する 1）医療機器のアラーム音，音が生じやすいベッドサイドケアを行う際には必要以上に大きな音が発生しないようにする（➡❸） 2）夜間は，睡眠を妨げないようにする	❸小児にとって，医療機器の音や処置に伴う音などは，医療処置の体験と結びついて恐怖や不安につながりやすい ●学童や思春期の小児で不眠傾向があると余計に音が気になる（➡❹）。また，乳幼児の泣き声が他の小児の不安につながることもあるため注意する ❹夜間帯に病棟内で生じる音には，モニター音，ベッド柵の昇降，巡視時の看護師の足音，医療者の話し声や笑い声などがある。夜間は周囲が静かなため音が響きやすいことに配慮して行動する
4 においを調整する 1）ベッドサイドでの排泄物や吐物は速やかに処理する 2）状況に応じたにおい対策を行う	●悪心・嘔吐がある小児の場合は，食事のにおいも含めて嘔吐を誘発する刺激となるため配慮する ●ケアや処置で不快なにおいが発生する場合は，できるだけ速やかに発生源を取り除き処理する ●においへの対策には拡散（換気），吸着（活性炭など），分解（消臭剤など），マスキング（芳香剤など）がある。発生するにおいと対策の特徴に合わせて選択する。マスキングは使用するにおいについての好みがあるので注意する

❶笹木葉子：エビデンスに基づいた育児情報の検討－乳児期の睡眠覚醒リズムの確立，北海道医療大学看護福祉学部紀要，12：69-74，2005．

2）病室・処置室の環境の調整

方 法	留意点と根拠
1 病室の環境を調整する 1）小児の発達に合った安全なベッドを使用する（図8-4）（➡❶）  撮影協力：福岡市立こども病院 **図8-4 病室と小児用サークルベッド** 2）ベッド上で遊んだり学習したりできるようにオーバーベッドテーブルやベッド用テーブルを用意する（➡❷） 3）ベッドサイドにはロッカーやクローゼット，読書用ライト，ナースコールボタン，面会者用の椅子を配置し，小児の意向に配慮して持ち物を整理する	❶特に乳幼児は自分で危険を回避することができないため，認知的発達に合わせたベッドを選択することが大切である ❷小児の発達段階や入院前の生活状況に合わせて，行っていた遊びや学習をベッド上でも継続できるようにする ●ベッド周囲には本人の慣れ親しんだおもちゃや趣向に合った持ち物を置けるように配慮し，小児の意向を尊重する（➡❸）。特に学童以上ではプライバシーに配慮してベッド周囲の持ち物を扱う ❸慣れ親しんだ物があることで，心理的混乱を軽減し，入院生活への適応を助けることができる

方　法	留意点と根拠
4）常にベッド上の安全と清潔に配慮し，適宜リネンを交換し，危険な物がないか確認する	●食事や遊び，排泄など，日常生活行動のすべてがベッド上で行われることが多い。看護行為を行った後には物品などの置き忘れがないように安全に配慮する（➡❹） ❹乳幼児にとっては，ベッド周囲は生活の拠点であり，自分の心理的な基地❶であるため，安全で安心して過ごせることが重要である
5）ベッド上やベッド周囲の整理整頓には，小児が主体的に参加できるようにする（➡❺）	❺小児自身の意向が反映できることで入院生活への適応を助け，健康行動を促進する
2　処置室の環境を調整する 1）入口や室内のカーテンや壁紙など，小児が好む色調や模様にする（図8-5）（➡❻）	❻小児の気持ちを和らげるために温かい雰囲気づくりをする

撮影協力：福岡市立こども病院

図8-5　処置室の入り口

方　法	留意点と根拠
2）乳幼児の馴染みがあるキャラクターのおもちゃなどを準備しておく（➡❼）	❼処置は苦痛を伴うことが多いので，小児の不安や緊張をほぐすための工夫が必要である
3）必要時，音楽を流したり，DVDなどを見ながら処置が受けられるように工夫する（➡❽）	❽関心をそらすことは，処置に対する不安や苦痛を和らげるために有効である
4）観察に十分な照明が得られるようにする（➡❾）	❾処置を安全で正確に行うために必要である
5）医療者が処置や観察を行いやすいように物品を配置し，余裕のあるスペースをとる（➡❿）	❿処置を行う場合に，複数の介助者が必要なこともある

❶草場ヒフミ・中富利香・西原みどり・他：入院時のストレス・コーピングとケア環境，小児看護，26（8）：997-1000，2003．

B　遊びの環境調整

- ●目　　的：小児の発達・病状・安静度・関心に合わせた遊びができる環境を提供する
- ●適　　応：入院しているすべての小児
- ●必要物品：適宜おもちゃ，絵本，DVDなど

方　法	留意点と根拠
1　場所を整備する 1）乳児がハイハイできるカーペットが敷かれている場所，つかまり立ちやつたい歩きができるもの，車椅子などが入れる場所などを工夫する（➡❶） 2）個室の小児にもベッド上以外での遊び場を考慮する	●混合病棟などでは，必ずしもプレイルームを設置していない病院もあるが，大部屋にテーブルや椅子を置く，プレイマットを敷くなどして，乳幼児が遊べる場所をつくる ❶乳幼児が自由に探索したり，自発的で自由に遊びを展開するには，安全で発達段階に適した場を整える必要がある
2　おもちゃ，知育玩具などを準備する 小児の安全に配慮しながら，各発達段階にふさわしいおもちゃ，DVD，絵本などを準備し提供する	●各発達段階に応じた物があることが望ましい。また，入院する小児の特性や安静度にも考慮する ●お絵かきや工作などに使用する道具は，乳児が手にとって口にしないように注意する

方法	留意点と根拠
3 **安全性に配慮する** おもちゃは常に清潔に保ち，周囲に危険な物を置かない（➡❷）	●遊んでいる間も配慮し，落とした場合は洗う，消毒するなど対応する ❷発達段階や病状，治療に応じた安全への配慮をする
4 **行事を取り入れる** 季節の行事の装飾をするなど，入院生活のなかに行事を組み入れる（図8-6）（➡❸）	❸入院生活は活動や生活範囲が制限されるため，小児の発達に必要な感覚刺激が不足しがちである

ホスピタルガーデンで散歩やリハビリテーションを行う
撮影協力：福岡市立こども病院

ひだまりギャラリー。七夕会やクリスマス会など行う

図8-6 散歩ができる庭とイベント用の施設

C 学習の環境調整

- 目　　的：落ち着いて学習に集中できる環境を提供する
- 適　　応：入院している学齢期にある小児

方法	留意点と根拠
1 **学習室（学習スペース）をつくる** 1）院内学級など専用教室（図8-7）がない場合でも，可能な限り病室とは異なる場所で学習できるように工夫する（➡❶）	❶学齢期にある小児は入院していても教育を受けられ，学習の機会が保証されることが必要である ●学習専用の場所がない場合など，病棟の特徴によっては，食堂を食事時間以外は学習室として利用するなど工夫する（➡❷） ❷学童期以降の小児にとっては，落ち着いて自分のペースで学習できる学習室があることが望ましい。個室でない場合は病室と区別して落ち着いて学習できる専用の場所を確保する
 撮影協力：福岡市立こども病院 図8-7 院内学級（中学校あらぐさ学級）	
2）受験生などは，消灯までいつでも利用できるように配慮する	●日課のなかで学習の時間を保証できるように検温やケアの時間に配慮する

方　法	留意点と根拠
2　**学習の継続を支援する** 身体的苦痛が強いなど全身状態が安定しない状態のときも，小児の意思を確認しながら，学校教師と学習内容を工夫できるようにする（→❸）	❸学習の継続は，小児の闘病意欲につながる。また，学習を継続することで日常性が維持でき，小児自身のコントロール感につながる

D　セルフケアを促進できる発達段階に応じた環境調整

- 目　的：セルフケアを促進できる発達段階に応じた環境を提供する
- 適　応：入院しているすべての小児

方　法	留意点と根拠
1　**幼児期のセルフケアを促進する環境を調整する** 1）食事や排泄，衣服の着脱，清潔行動など，自分でできるところは主体的に行えるように環境を整える（→❶） ・おまる，幼児用トイレ ・幼児の身長に適した洗面台 2）新しい療養行動の獲得が必要な場合は，年齢に応じて学習できる機会をつくる	●幼児の成長・発達に合ったトイレや洗面台などが整っていない場合，入院前自立している生活行動を継続できるように，おまるや足台などを活用して，できる限り自立を支援できるように工夫する ❶幼児がそれまで行えていた生活行動を継続できることは，コントロール感維持につながる ●獲得している日常生活行動を基本に，必要な療養行動が身につけられるように働きかける
2　**学童期・思春期のセルフケアを促進する環境を調整する** 1）1日の過ごし方など主体的に考えられるように話し合い，実施できるよう調整する 2）ケアを行う際は，プライバシーが保持できるように調整する 3）思春期では，同年代の人と話すスペースや地域の友達とのつながりが維持できるように電話やインターネットなどの利用に配慮する（図8-8）（→❸）	●本人ができることは自分で行えるように配慮する ●学童期・思春期では，病室は男女別にする ●ベッド周囲や持ち物の管理などはプライバシーに配慮し，自分の空間を確保できるようにする（→❷） ❷学童期・思春期では，自分の空間を確保できることは，自尊感情を維持することにつながる ●1人で入浴できるよう入浴時間などに配慮する ●できるだけ柔軟に対応する ❸仲間とのつながりをもつことは，自尊感情を維持し，普通である自分を確認することにつながる

おしゃべりしたり自由に使えるスペース
撮影協力：福岡市立こども病院

図8-8　ラウンジ

文献

1) EACHホームページ.
 〈https://each-for-sick-children.org/each-charter/〉(アクセス日:2022/8/10)
2) 日本小児看護学会倫理委員会:小児看護の日常的な臨床場面での倫理的課題に関する指針(2010年3月).
 〈https://jschn.or.jp/files/100610syouni_shishin.pdf〉(アクセス日:2022/8/10)
3) 深井喜代子監:実践へのフィードバックで活かす ケア技術のエビデンス,へるす出版,2006,p.21-29.
4) 近藤洋子:大人と子どもの生活リズムを考える,小児保健研究,61(2):192-196,2002.
5) 岩瀬貴美子:外来通院している思春期小児がん患者の自己効力感と健康行動,日本小児看護学会誌,16(2):33-40,2007.
6) 横山公通・宮崎康文・水田嘉美・他:中学生の自覚症状と生活習慣に関する研究,日本公衆衛生雑誌,53(7):471-479,2006.
7) 藤田佑理子・寺嶋繁典・市井雅哉:中学生のライフスタイル-ストレスとの関連についての検討,発達心理臨床研究,12:81-88,2006.
8) 藤井千里・小松とも子:入院環境の中で子どもが不快と感じる音の聞き取り調査,第41回日本看護学会論文集(小児看護),199-202,2011.
9) 前掲書3),p.40-48.
10) 草場ヒフミ・中富利香・西原みどり・他:入院児のストレス・コーピングとケア環境,小児看護,26(8):997-1000,2003.
11) 仲綾子・仙田満・辻吉隆・他:入院児のあそび環境意識調査にもとづく小児専門病院病棟の建築計画に関する研究,日本建築学会計画系論文集,561:113-120,2002.
12) Miller NO, Friedman SB, Coupey SM:Adolescent preferences for rooming during hospitalization, *Journal of Adolescent Health*, 23(2):89-93, 1998.
13) 野間口千香穂:混合病棟における10代患者の看護,小児看護,30(10):1388-1394,2007.
14) 竹内幸江・内田雅代・白井 史・他:小児がんの子どもの入院環境—10年前の調査との比較,小児がん看護,14(1):40-48,2019.
15) 藤田優一・石原あや・藤井真理子・他:全国の総合病院における小児の入院環境の実態調査,小児保健研究,71(6):883-889,2012.
16) 三條三紀子・山本直子:小児患者に付き添う家族への身体面・精神面へのケアに関する文献検討,鹿児島県母性衛生学会誌,23:18-24,2019.

第 V 章

検査・処置・治療に伴う看護技術

1 検体採取

学習目標
- 小児における検体採取の目的を理解する。
- 検体採取を行うために必要な基礎知識を理解する。
- 小児にとって安全で苦痛の少ない検体採取の基本的技術を習得する。
- 適切な検体の取り扱いや感染対策を理解する。

1 小児の検体採取

　言語能力が十分でない小児は，自分の体調の変化や症状を的確に伝えることができない。そのため，検体採取によって得られた検査データは，健康状態の評価，疾患の特定や症状の程度・治療効果の判定を評価するために重要な指標となる。しかし，検体採取は，痛みの有無にかかわらず，認知能力が未熟で生活体験の少ない年少児にとっては，不安や恐怖を伴う苦痛な処置である。そのため，検体採取を行う際には小児の理解に合わせた適切な説明やプレパレーションのもと，小児と保護者の意向を尊重して行うことが不可欠である。

　検体採取にあたっては，安全かつ正確に，小児の頑張りを引き出せるようにかかわり，苦痛を最小限にすることが重要である。

　検体採取は血液および分泌物，排泄物を取り扱うため，標準予防策を厳守することが大前提となる（第Ⅳ章6「感染予防」p.166参照）。

〈検体採取における介助のポイント〉（第Ⅱ章3「小児のプレパレーション」p.33参照）
- 小児に嘘をつかない（「痛くないよ」「何もしないよ」など）。
- 保護者だけでなく，小児にも，個々の理解力に合わせて，検体採取の必要性・方法を説明する。小児が今まで経験したことのある検体採取時のエピソードや，痛みや苦痛の対処方法を確認し，小児が主体的に検体採取に取り組めるように調整する。
- 小児から保護者を引き離さないことが原則である。ただし，学童後期，思春期の児童のなかには，保護者の同席を嫌がる小児も多い。また，保護者のなかにも血液や採血場面を見るだけで気分が悪くなる者がいるため，両者の意向を確認することが大切である。
- 安全で確実に検体採取を行うために必要物品や介助者の確保など，環境を整えてから，小児を処置室へ案内する。検体採取は，小児の羞恥心やプライバシーの保護に努め，可能な限り処置室で行う。
- 小児の頑張りを引き出せるように気持ちに寄り添い，処置に対する誤解（たとえば，検尿や鼻腔培養でもからだに針を刺される，自分が悪いことをした罰と誤解していることが

ある)を解く。また，検体採取時に小児や保護者がどのように行動したらよいかイメージできるように，具体的に説明をする。

小児の例（採血時）：採血時に手をグーにして握る，10数えるまで手を動かさないなど。

保護者の例（採血時）：「お膝の上で抱っこして，しっかりからだと採血しない腕を抱きしめていてください」「手を握ってあげましょう」など。

・処置中も小児が対処行動をとれるように，声をかけながら行う。検体採取が終わった後は，保護者と共に小児の頑張りを認め，褒めることが大切である。乳幼児は保護者に抱っこしてもらう。

2 採　血

1）採血の種類
検査内容，量により専用容器が異なるため注意する。
・動脈血採血（医師が行う）：主に血液ガス分析，血液培養など。
・静脈血採血：血液一般，生化学，血清学，免疫学的検査など。
・毛細血管採血：微量測定が可能な検査，新生児の採血，血糖測定，新生児マス・スクリーニングなど。

2）採血部位
・動脈採血：橈骨動脈，上腕動脈，大腿動脈。
・静脈採血（図1-1）：肘正中皮静脈，橈側皮静脈，尺側皮静脈，外頸静脈，大腿静脈，手背静脈など。皮下脂肪の多い乳児や血管が細く触れにくい小児は，手背から（必要時透光器（図1-2）を用いて）採血を行う。
・毛細血管採血（図1-3）：乳児の場合は踵部，年長児の場合は耳朶，手の指先など。

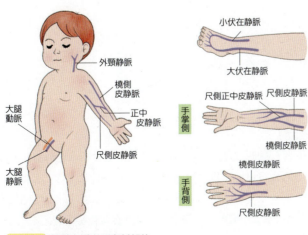

図1-1　静脈血採血の穿刺部位

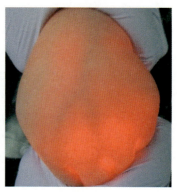

図1-2 手背からの採血時に使用するトランスイルミネーター

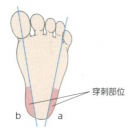

a. 足の環指，小指の中間点から踵の外側面に平行に引いた線より外側
b. 母指の中間点から踵の内側面に平行に引いた線の外側

図1-3 毛細血管採血の穿刺部位（踵部の場合）

コアラ抱っこで絵本やおもちゃでディストラクションを行いながら採血を受ける方法

母親の膝に座り採血者と向き合う方法

図1-4 抱っこによる採血

3）採血時の小児の体勢

　小児にとって，からだの一部を抑えられることや，からだの上に乗って抑制されることは，不安や恐怖を増強させ，さらに自尊心を傷つける。また，仰臥位になることは無防備な姿勢となるため，恐怖心が高まりやすい。小児の発達段階や要望に応じて，できる限り抱っこの姿勢（図1-4）や座位をとれるよう配慮し，安全に採血できる体勢を整える。

　年長児になると採血時の血管迷走神経反射（血圧低下，徐脈，嘔吐，冷汗など）を起こす

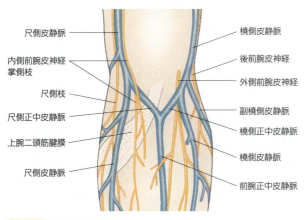

図1-5 肘窩部からの採血

こともある。過去の採血時のエピソードを確認し，血管迷走神経反射を経験したことがある場合は，転倒の危険があるため，ベッド上で採血を行う。

〈肘窩部からの採血〉（図1-5）

介助者は，採血部位が動かないように肘関節を挟んで上下2か所を支える。

仰臥位で採血を行う場合，必要に応じて体幹が動かないようにバスタオルなどで包むこともある。ベッドからの転落がないように，小児から絶対に目を離してはならない。

3 採　尿

1）尿検査の目的

尿検査には，尿量，尿比重，尿pH，浸透圧，尿蛋白，尿潜血，尿ケトン体，ウロビリノーゲン，亜硝酸塩，尿沈渣のほかにも，尿培養（尿細菌検査）や尿細胞診検査（病理学的検査）などがある。尿は，腎・泌尿器系の疾患だけでなく血液の成分や他の臓器の状況も反映している。採尿は1回尿と24時間採尿に分けられ，検査目的によって採取方法が選択される。

2）採尿方法

排尿が自立している小児の場合，十分な説明を行えば容易に採尿が可能である。排泄物を提出する小児の羞恥心に配慮して，可能な限り自分で行えるようにする。また，処置時だけでなく検体の運搬や，蓄尿時の瓶・バッグなどにも人目に触れないような配慮が必要である。

排尿が自立していない小児の場合，外陰部の露出が必要なうえに，採尿用具を使用するため苦痛が大きい。小児の発達や，飲水状況，排泄のパターンに合わせて採尿を行い，苦痛を最小限にとどめる。

（1）一般的採尿法（自然排尿された尿）

排尿が自立している小児の場合は，検尿カップや尿器（おまる・ポータブルトイレなど）

で採尿する。排尿が自立していない場合は，採尿バッグ（図1-6）を用いて採尿する。

①1 回 尿
- 早朝尿：起床時第1尿を用いる。安静後の排尿のため，体動や運動の影響を受けにくい。濃縮尿であるため，感度よく尿中成分を検出する。起立性蛋白尿の鑑別に有用である。就寝前に排尿を促すことが必要である。
- 随時尿：乳児は生理的に頻尿であるため随時尿が用いられることが多い。また，外来受診時や入院時などの緊急検査などでも随時採尿を行う。尿中成分は，早朝尿に比べて希釈されている。

図1-6　小児採尿バッグ

②24時間採尿
- 全尿：24時間蓄尿によって採尿されたすべての尿を用いる。蛋白尿の定量や腎機能の評価（24時間クレアチニンクリアランス）に優れているが，小児では自立排尿可能な児に行うことができる。

（2）無菌的排尿法

　無菌的採尿法は，清潔操作のもとに下記の4つの方法がある。
　排尿が自立していない小児の場合には，苦痛や感染のリスクを最小限にするため，可能な限り採尿バッグを用いて採尿する。年齢・目的により適切な採取方法が異なるため，医師の指示を確認する。

- 中間排尿法：尿道と外陰部の細菌や成分の混入を防ぐために，排泄の前後を除いた，中間の尿を用いる。細菌検査を行う場合は，外陰部の清潔操作を行った後，中間尿を採取する。
- 尿道カテーテル法（第Ⅴ章2「導尿」の項参照）。
- 清潔操作による採尿バッグを用いた採尿。
- 膀胱穿刺法：最も無菌的採尿として信頼度は高いが，侵襲が高いため実際はあまり行われない。

3）尿の観察

　尿の観察項目は，量，色調，尿混濁の有無，尿臭，随伴症状（排尿時痛，残尿感，頻尿，発熱，全身倦怠感など）である。

4）排尿が自立していない小児の採尿（採尿バッグ貼付時）のタイミング

- 啼泣などの腹圧が加わるときや，寒冷などの刺激によって排尿することがある。そのため，採血など他に検体採取がある場合は，処置前に採尿バッグを貼付することで，効率的に採尿できる場合がある。
- 授乳後や水分摂取後に排尿しやすいため，授乳のタイミングや生活パターンを確認しておく。貼付後に水分摂取を促す。
- からだの動きが活発な幼児の場合，採尿バッグが剥がれたり，バッグ内の尿が漏れてしまうことがある。安静時や覚醒前などに貼付したり，絵本の読み聞かせなど安静に過ご

せる遊びを工夫する。

4 採　便

1）糞便検査の目的
糞便検査は，排泄された便を検査することで，消化管の病変を確認する目的で行われる。

2）糞便検査の種類
検査目的によって下記の方法を選択する。それぞれ目的によって検体容器が異なる（例：容器付きスワブ：培地あり・なし，検便容器，便潜血容器，図1-7）。
- 培養検査。
- 潜血検査：化学的潜血反応（グアヤック法，オルトトリジン法）と免疫学的潜血反応（ヒトヘモグロビンに対する抗体を用いた潜血検査）がある（表1-1）。
- 寄生虫・蟯虫卵検査。

3）便の観察
- 量。

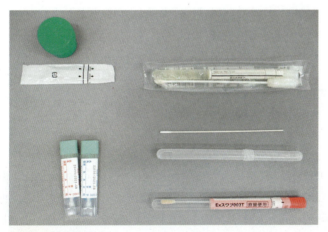

図1-7　採便容器

表1-1　便潜血反応（化学法と免疫法）の利点と欠点

	化学法	免疫法
利点	・上部・下部消化管出血が検出できる ・簡便・迅速に検査できる ・採便後放置しても反応低下が少ない	・下部消化管出血の検出率が高い ・定性法では簡便・迅速 ・食事制限が不要
欠点	・食事制限や薬剤内服に注意が必要 　（魚・肉料理，緑黄色野菜，鉄剤，アスコルビン酸など）	・採取後に室温放置すると反応が低下 ・採取法に工夫が必要（説明書に従う）

日本消化器病学会ホームページ．より一部改変
http://122.200.227.224/cgi-bin/yohgo/index.cgi?type=50on&pk=D62

タイプ	形状	
1		硬くてコロコロの兎糞状の（排便困難な）便
2		ソーセージ状であるが硬い便
3		表面にひび割れのあるソーセージ状の便
4		表面がなめらかで軟らかいソーセージ状，あるいは蛇のようなとぐろを巻く便
5		はっきりとしたしわのある軟らかい半分固形の（容易に排便できる）便
6		境界がほぐれて，ふにゃふにゃの不定形の小片便，泥状の便
7		水様で，固形物を含まない液体状の便

図1-8 便の種類（ブリストル便形状スケール）

Longstreth GF, Thompson WG, Chey WD, et al：Functional bowel disorders, *Gastroenterology*, 130 (5)：1480-1491, 2006. より引用

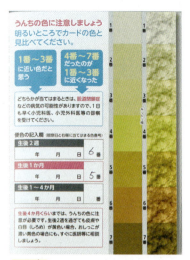

図1-9 新生児胆道閉鎖症スクリーニングカラーチャート

便カラーチャートの写真画像部分（右側）は分光特性を加味して修正されたデータであり，国立成育医療研究センターでデータを提供するとともに品質管理を行う。
連絡先：国立成育医療研究センター便カラーカード事務局 e-mail：card@nch.go.jp

・性状：コロコロ便〜水様便（図1-8ブリストル便形状スケール参照）。
・色：白色，灰白色，黄色，緑色，タール便（図1-9新生児胆道閉鎖症スクリーニングカラーチャート）。
・混入物の有無（血液，粘液，膿，食物残渣など）。
・便臭（酸臭，腐敗臭など）。
・随伴症状（発熱，残遺感，腹痛，腹部膨満感，嘔吐，排便痛，排便習慣など）。

4）採便方法とポイント

採尿と同様に，排泄物を提出する小児の羞恥心に十分配慮する必要がある。小児の理解力に合わせて採便方法を説明し，可能であれば自分で採便できるよう配慮する。排便の自立していない小児の場合，おむつ内に排便があれば直ちに採便する。排便が自立している小児の場合は，ポータブルトイレまたはおまる，採便シートなどで採便する。便に膿や血液などが付着している場合はその部分を採取する。

（1）寄生虫卵検査・蟯虫卵検査

寄生虫は便中に虫卵を排出するため，固形便から採取すると効果的である。蟯虫卵は，夜間に肛門付近に産卵するため，専用のセロハンテープを肛門部に貼って採取する。

（2）潜血検査

化学的潜血反応と免疫学的便潜血反応のいずれの方法であっても，通常は1日1回ずつ2日間続けて採便する。採便方法は容器によって異なるため，注意する。採便後は速やかに検査へ提出する。やむを得ず保存する場合は，冷暗所（一部の検査では凍結）で保存する。

（3）培養検査

　微量での検査が可能であるため，直腸スワブでの検査が可能である．一部検査では，滅菌シートに排便してもらい，採取する方法もある．培養検査は，抗生剤（抗がん剤）治療開始前の急性期に採取することが望ましい．乾燥により多くの微生物は死滅するため，採取後は容器を密閉して，便が乾燥しないように速やかに検査する．

5 鼻咽頭の検体採取

1）鼻咽頭分泌物の検査目的

　呼吸器感染症の原因となる微生物の特定を行う．上気道からは咽頭分泌物，鼻腔分泌物，下気道からは喀痰，気管内吸引物を採取する．病原体，検査目的，年齢などにより適切な検査方法が異なるため，医師に確認のこと．

2）鼻咽頭分泌物の検体採取の種類

・喀痰：喀痰を採取して細胞や細菌を検査する．
・咽頭ぬぐい液：口を大きく開けて，咽頭扁桃（赤く腫れた部分や膿の付着した部分）を専用スワブで擦って採取する（図1-10）．
・鼻咽頭ぬぐい液：鼻から鼻咽頭まで専用スワブを挿入して，鼻甲介を擦って採取する．
・鼻腔吸引液：吸引トラップの一方を吸引ポンプまたはシリンジに接続して，他方のチューブを吸引チューブに接続する（図1-11）．鼻孔から耳孔までの長さを目安に鼻腔内に挿入し，吸引圧をかけて，鼻腔吸引液を吸引トラップ内に採取する（第Ⅴ章11「吸引」p.316参照）．
・唾液法：数分唇を閉じて唾液をためて，直接または吸水綿や綿棒に唾液を吸収させて容器に唾液を必要量採取する．唾液をためて採取することが難しいため，乳幼児には適さない．

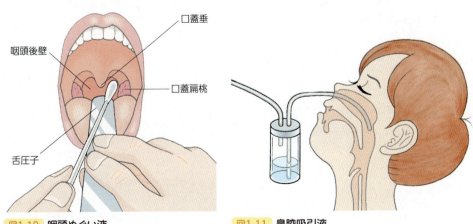

図1-10　咽頭ぬぐい液　　　図1-11　鼻腔吸引液

3）鼻咽頭分泌物の検体採取のポイント

- 検体採取の前に，採取の必要性と方法を説明する。専用スワブを用いる場合は，実物を見せて説明するとよい。
- 検体採取の前に飲食やうがいをしないよう説明する。
- どの採取方法であっても，苦痛が大きく，嫌がって暴れたり，反射的に手で払いのけたりすることが多い。専用スワブなどが採取部位以外に触れると，検査結果に影響が出るため，採取方法には十分注意する。安全で正確に検査を実施するために，一時的に頭部や腕を支えることが必要な場合がある。
- 小児の希望や発達に合わせて，姿勢を整える。乳幼児の場合は，仰臥位または保護者の膝上に抱っこして腕と体を抱きしめるように支えてもらい，介助者が背面から頭部を支える（図1-12）。
- 検体採取時に咳嗽を誘発しやすいため，飛沫暴露対策を徹底する。

図1-12 採取棒の挿入

看護技術の実際

A 静脈血採血法

- ●目　　的：血液の成分を検査することによって，健康状態の判断や疾患の診断，治療効果の判定などを行う
- ●適　　応：1歳以上の小児
- ●必要物品：注射針または翼状針（21〜23G），シリンジ（注射器），専用容器スピッツ，スピッツ立て，アルコール綿，処置シーツ，肘枕，駆血帯，絆創膏または必要に応じて圧迫止血用ガーゼ，針捨て容器，採血ラベル（検査伝票），ディスポーザブル手袋，擦式手指消毒用アルコール

	方　法	留意点と根拠
1	採血オーダーと採血の目的を確認する	● 緊急時を除き，食事（授乳）や運動，入浴の後を避けて採血する
2	手洗いをして，必要物品を準備する 1）採血項目を確認して，採血量を計算する 2）採血ラベルを確認し，指示と照合する	
3	小児と保護者に採血の必要性と目的を説明する	● 説明のタイミングに留意する。事前に採血の予定がわかれば，事前に予告しておく ● 小児の理解力に合わせて，絵カードや人形，物品などを見せながら，具体的な手順や方法が理解できるようにする ● 必要に応じて同意書を確認する

	方法	留意点と根拠
4	処置室へ誘導する 1）尿意のある小児は排尿を済ませておく 2）処置室の環境を整える ・危険物の除去，転落の防止などの安全を確保する ・小児が愛着のあるおもちゃや人形を用意する，音楽を流すなど不安に対して配慮する	
5	手洗い・擦式手指消毒後，感染予防策を取る ディスポーザブル手袋を着用する	
6	採血の前に，小児または保護者に氏名と生年月日を言ってもらい，ラベルを再確認する	●同姓同名の可能性もあるため，生年月日や患者番号も照合する
7	採血の姿勢を整える 1）小児と保護者の要望を聞き，抱っこの姿勢や座位をとれるようにする 2）腕が小児の心臓より下方（アームダウン）になるように椅子や処置テーブルの高さを調節する	●血管迷走反射を経験したことのある小児には，仰臥位で行う ●転倒などの事態に備えて，椅子は背もたれのついたものが望ましい ●小児の安全と針刺し事故防止のため，動線を考慮して物品を配置する
8	処置シーツ・肘枕の上に採血する腕を乗せて，採血部位を決定する	●麻痺側や疼痛のある部位，静脈内輸液中の腕は避ける。可能であれば，利き手ではない腕から確認する
9	駆血帯は穿刺部位の5cm程度中枢側に巻いて，親指を内側にして拳を握ってもらう	●駆血時間は1分を超えないよう留意する（血液のうっ滞や血液の濃縮により検査値が変動するため）(➡❶) ❶日本臨床検査標準協議会（JCCLS）「標準採血法ガイドライン」では駆血時間を1分以内としている ●血管を触知しにくい場合は，穿刺部周囲を蒸しタオルなどで保温して血管拡張を促す。また，腕を下げて，末梢血管の血流を増加させるなどの方法もある
10	介助者は，必要に応じて採血部位が動かないように上腕と手首の2か所を固定する	●保護者と小児に「腕を動かすと危ないこと」を説明して，固定が必要か判断する
11	穿刺部位をアルコール綿で消毒し，乾燥させる 穿刺部位を中心に外側に向かって消毒する	●アルコールにアレルギー反応がある場合は，ベンザルコニウム塩化物（逆性石けん液）などで代替えする
12	採血者は，注射針のキャップをはずして，15〜30度の角度で穿刺する (➡❷)	❷角度が大きく深い穿刺は，神経損傷や動脈損傷のリスクが高くなる ●穿刺時に手のしびれや激痛があった場合は，神経損傷の可能性があるため速やかに抜去する
13	注射針の根本に血液の逆流を認めたら，その位置で針を固定して，ゆっくり内筒を引いて血液を採取する (➡❸)	❸急激に内筒を引くと，血管が虚脱して血液の逆流が悪くなり，溶血しやすくなる ●虚血した場合は，いったん内筒を止めてゆっくり引くか，駆血帯をはずす ●顔色や全身状態を観察し，小児を励ましながら行う
14	駆血帯をはずす	●針を抜く前に駆血帯をはずす (➡❹) ❹穿刺部からの出血や，皮下出血を予防するため
15	アルコール綿を穿刺部に軽くあて，静かに針を抜く	●保護者と小児に採血が終わったことを告げ，頑張ったことを認め，ねぎらいの言葉をかける
16	保護者と小児に採血が終わったことを告げ，頑張ったことを認め，褒める (➡❺)	❺小児が頑張れたことを具体的に褒め，自己効力感を高める

	方　法	留意点と根拠
17	採血部位を圧迫止血する	● 3〜5分程度の圧迫で止血する ● 圧迫が困難な場合は，皮膚色に注意しながら止血用ガーゼで5分程度圧迫止血する
18	必要に応じてガーゼ圧迫または絆創膏を貼付する	● 絆創膏でかぶれることがあるため，皮膚の弱い児はガーゼで圧迫止血する ● 乳幼児では，絆創膏を口に入れて誤飲する可能性があるため，ガーゼで圧迫止血する
19	小児の全身状態を確認し，問題なければ処置室から退室してよいことを伝える	
20	血液を専用容器に入れる	● 血液の専用容器は，検査項目によって血清分離剤，抗凝固剤，凝固促進剤，解糖阻止剤の入ったもの，何も入っていないものなどがある ● 専用容器の特性に合わせて，直ちに転倒混和が必要なものがあるため注意する ● 新生児など採血量が十分確保できない場合は，微量採血管で対応する
21	ラベル・伝票を確認して，速やかに血液を検査室へ提出する	● 保存方法を守らないと検査結果が不正確になる
22	後片づけ，手洗いを行う	● 注射針は，針刺し事故防止のため，絶対にリキャップしてはならない。注射針とシリンジは直接，針捨て容器に破棄する ● 血液の付着したアルコール綿や処置シーツ，手袋は感染性廃棄物として破棄する ● 物品すべてが確実に回収されたか確認する
23	記録をする	● 採血時間や採血部位，採血時の全身状態，小児の反応や対処方法でうまくできた点などを記録し，次回の採血時の援助につなげる

B 毛細血管採血法（ヒールカット採血）

- 目　　的：血糖，ビリルビン，血液ガス分析，新生児マス・スクリーニングなどの微量測定に用いるために行う
- 適　　応：新生児（乳児の毛細血管採血は踵で行う）
- 必要物品：穿刺刀（ランセット）または注射針（26G），専用容器（キャピラリー管，採血濾紙など），アルコール綿，圧迫用ガーゼ（必要時絆創膏），針捨て容器，採血ラベル（検査伝票），ディスポーザブル手袋，擦式手指消毒用アルコール，パテ（必要時），血糖測定器（必要時）

	方　法	留意点と根拠
1	採血の目的・方法を保護者に説明する	● 必要に応じて同意書を確認する
2	手洗いをして，必要物品を準備する	● 嘔吐や誤嚥を予防するため，授乳直後を避ける ● 採血のタイミングが調整できる場合は，小児が眠っているときを避ける

	方　法	留意点と根拠
3	可能であれば処置室へ案内する	●ベッドサイドで行う場合は安全に行えるよう準備し、環境を整える
4	手洗い・擦式手指消毒後、感染予防策を取る	●ディスポーザブル手袋を着用する
5	採血の前に、小児または保護者に氏名と生年月日を言ってもらい、ラベルを再確認する	●同姓同名の可能性もあるため、生年月日や患者番号も照合する
6	採血の姿勢を整える	●処置ベッドに小児を仰臥位に寝かせる ●採血者の非利き手の母指と示指で、小児の踵を挟み込むように固定する ●下肢の循環を保つために、採血側の下肢を挙上しすぎないように注意する
7	アルコール綿で採血部位を消毒し、乾燥させる	●穿刺部位を中心に外側に向かって消毒する
8	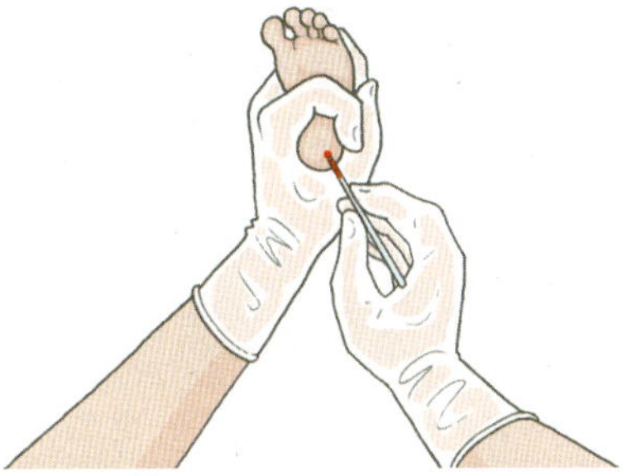 利き手でランセットまたは注射針を持ち、採血部位に穿刺する（図1-13）	●新生児・乳児は、踵骨の損傷を考慮して2.4mm以上深く穿刺してはならない

図1-13　ヒールカット採血

9	最初の血液をガーゼで拭き取る	●最初の血液は、組織間液や組織破片の混入があるため、採取しない
10	圧迫やマッサージはせず、自然に血液が流出するのを待ち、専用容器へ採血する	●絞り出した血液は、組織片の混入や溶血などで検査値に影響を与える ●濾紙への採血は、直接滴下させて採取する ●血液を満たしたキャピラリー管は、パテで栓をする
11	採血中〜採血後の小児の全身状態を観察する	●採血中の皮膚露出による低体温に注意する ●啼泣や迷走神経反射によって起こる、徐脈や血圧低下、嘔吐、誤嚥などに注意する
12	採血部位をガーゼで圧迫して止血する（必要に応じて絆創膏を貼る）	●皮膚の弱い新生児はガーゼで圧迫止血する ●乳幼児では、絆創膏を口に入れて誤飲する可能性があるため、ガーゼで圧迫止血する
13	ラベル・伝票を確認して、速やかに血液を検査室へ提出する	●保存方法を守らないと検査結果が不正確になる ●濾紙は乾燥させる
14	後片づけ、手洗いを行う	●注射針は、針刺し事故防止のため、絶対にリキャップしてはならない。注射針は直接、針捨て容器に破棄する ●血液の付着したアルコール綿やガーゼ、手袋は感染性廃棄物として破棄する ●物品すべてが確実に回収されたか確認する
15	記録をする	●採血時間や部位、採血時の全身状態、小児の反応などを記録し、次回の採血時の援助につなげる

C 採尿（採尿バッグを用いる方法）

- **目　　的**：腎・泌尿器系の疾患だけでなく血液の成分や他の臓器の状況の評価，診断・治療の効果を判定するために行う
- **適　　応**：排尿が自立していない小児
- **必要物品**：採尿バッグ，検尿カップ（スピッツ），検尿ラベル，ディスポーザブル手袋，ガーゼ，処置シーツ，おしり拭き，擦式手指消毒用アルコール，陰部洗浄用の微温湯（必要時），シリンジ（必要時）

	方　法	留意点と根拠
1	採尿バッグを貼るタイミングを決める	● 小児の排尿パターン，最終排尿時間を確認して，排尿のありそうな時間に採尿バッグを貼付する ● 長時間バッグを貼付するとはがれやすく，皮膚の刺激にもなるため，短時間で採尿できるよう工夫する
2	小児と保護者に採尿の目的と方法，注意点を説明する	● 採尿バッグを貼付するタイミングを保護者と共に検討し，時間を確認する ● 採尿バッグを貼付中は，陰部を圧迫しないように抱っこの方法などを説明する ● 小児にもわかる範囲で採尿の必要性を説明し，協力を求める ● 保護者と検体ラベルの氏名を確認する
3	手を洗い，必要物品を準備する	● 採尿バッグの種類を選択する：女児用・男児用，新生児用（ミニサイズ）がある ● 陰部や殿部の皮膚トラブルがある場合や，シール部分が大きすぎる場合は，貼付部分を最小限にカットする
4	可能であれば処置室へ案内する	● ベッド周囲のカーテンを引き，露出を短時間にするなど，プライバシーに十分配慮する
5	手洗い・擦式手指消毒後，感染予防策をとる	● ディスポーザブル手袋を着用する
6	採尿バッグ貼付の姿勢を整える	● 処置ベッドに小児を仰臥位に寝かせて，殿部に処置シーツを敷く ● おむつをはずして外陰部を露出する ● 介助者は小児の頭側に立ち，温かい手で，小児に声をかけてから下肢を開排させる
7	おしり拭き（必要に応じて微温湯洗浄）で外陰部を清潔にする	● 分泌物や便などの混入を防止するため，清潔保持を確認してから採尿バッグを貼付する ● 外陰部は尿道口から肛門に向かって拭く
8	乾いたガーゼで余分な水分を吸収させて，外陰部を乾燥させる	● 採尿バッグの接着性を高めるため
9	採尿バッグの内部に触れないようにして，バッグを外側から広げ，接着面の保護紙を取る	
10	採尿バッグを貼る（図1-14） 1）女児の場合は，大陰唇を開いて会陰部下部からしっかり接着する 2）男児の場合は，新生児は陰茎と陰嚢をそのままバッグに入れて貼付する	● 乳幼児は陰茎の根本から貼付する ● 採尿口が肛門部にかかっていないこと，接着面に隙間がないことを確認する

	方 法	留意点と根拠
	図1-14 採尿バッグの貼付	
11	採尿バッグの蓄尿部分を殿部の方向に置き，おむつに余裕をもたせて装着する	●抱っこやおんぶ紐などで陰部を圧迫すると，尿がたまらず漏れてしまうため，抱っこ時の注意点を説明する ●ベビーカーやバギーなどで上体を軽く挙上しておくと，バッグ内に尿がたまりやすい
12	こまめに排尿の確認をする	●採尿バッグ貼付の時間を控えておき，定期的に確認する（保護者にも排尿をこまめに確認してもらう）
13	排尿が確認できたら，処置室へ移動する	●ベッド周囲のカーテンを引き，露出を短時間にするなど，プライバシーに十分配慮する
14	採尿バッグをはずす姿勢を整える	●処置ベッドに小児を仰臥位に寝かせて，殿部に処置シーツを敷く ●おむつをはずして外陰部を露出する ●介助者は小児の頭側に立ち，温かい手で，児に声をかけてから下肢を開排させる
15	ディスポーザブル手袋を装着して，丁寧に採尿バッグを取りはずす	●皮膚損傷の予防のため，ゆっくり丁寧にはがす ●採尿バッグの上部を持ち，下方向に向かって，尿がこぼれないようにはがす
16	陰部をおしり拭きで清潔にして，皮膚の状態を観察する	●発赤，出血，疼痛，瘙痒感などの皮膚異常がないか確認する ●皮膚異常があれば，軟膏塗布などの処置を検討する
17	介助者は小児に処置が終わったことを告げ，おむつと衣服を整える	●汚染があれば新しいおむつに交換する ●小児の頑張りを褒める
18	専用容器（検尿カップまたはスピッツ）に尿を入れる	●尿が少量の場合や，バッグの外壁に便が付着した場合は，清潔なシリンジでバッグ内の尿を採取する ●尿の性状を観察する
19	ディスポーザブル手袋をはずして手洗いを行う	
20	検体ラベルと氏名を確認して検査へ提出する	●採尿後速やかに提出すること
21	記録をする	●採尿時間，量，性状，陰部の皮膚状態など

D 採　　便

- **目　　的**：糞便検査は，排泄された便を検査することで，消化管の病変を確認する目的で行われる
- **適　　応**：排便が自立していない小児
- **必要物品**：便容器，採便用のヘラ（ディスポーザブル），ディスポーザブル手袋2組，ビニールエプロン，おしり拭き，ビニール袋，検体ラベル，綿棒（必要時）
  ＊検査内容により容器や採取方法が異なるため，適切な検体容器を確認すること

	方　法	留意点と根拠
1	小児と保護者に採便の目的と方法を説明する	●排便のタイミングを逃さないように事前に説明しておく ●小児の排便パターンを確認しておく ●保護者とラベルの氏名を確認する
2	手を洗い，必要物品を準備する	
3	こまめに排便の確認をする	●便が乾燥しないように，排便後速やかに採取できるようにする
4	排便が確認できたら，ディスポーザブル手袋を2枚着用し，感染予防策をとる	●ベッド周囲のカーテンを引き，露出を短時間にするなど，プライバシーに十分配慮する
5	おむつ交換を行い，殿部の観察をする 汚染したおむつと手袋1枚をはずしてビニール袋に入れる 〈スワブによる便採取の場合〉 1）側臥位（乳児は砕石位）の姿勢で肛門を露出する 2）口からゆっくり呼吸するよう声かけをする 3）スワブのキャップを持ち，スワブの先端を1～2cm程度やさしく挿入する 4）スワブに採便できたら容器に入れてキャップをする	●殿部の清潔保持に努める ●皮膚の発赤，びらん，疼痛，瘙痒感などの皮膚異常を確認する ●皮膚異常があれば，軟膏塗布などの処置を検討する
6	新しいおむつと衣服を整える	●肌の露出を最小限にとどめ，処置後は速やかに衣服を整える
7	便を観察し，ヘラで便を採取する	●便に膿や血液などが付着している場合はその部分を採取する ●便の表面をまんべんなく擦って採取する ●最低でも小豆大程度の便を採取する ●容器から便がはみ出さないように注意する ●採取後は速やかに容器を密閉する
8	検体容器とラベルを照合し，小児と氏名が合っているか確認し，検査へ提出する	
9	後片づけ，手洗いを行う	
10	記録をする	●採便時間，便の性状，におい，殿部の皮膚状態，排便時の随伴症状など

E 鼻咽頭の検体採取

- **目　　的**：呼吸器感染症の原因となる微生物の特定を行う。上気道からは咽頭分泌物，鼻腔分泌物，下気道からは喀痰，気管内吸引物を採取する

- 適　　応：乳幼児の上気道分泌物検査
- 必要物品：検体容器，マスク，ゴーグル（フェイスシールドなど），ディスポーザブル手袋，ビニールエプロン，ティッシュペーパー，舌圧子，検体ラベル，擦式手指消毒用アルコール，ガーグルベース（必要時）

　＊検査時に咳嗽を誘発しやすいため，飛沫曝露対策が必要である

	方　法	留意点と根拠
1	検査の目的を確認し，採取方法を検討する	
2	手洗いをして，必要物品を準備する	●鼻腔内の吸引が必要な場合は，吸引器の準備と吸引圧の確認をしておく（第Ⅴ章11「吸引」の項参照）
3	児と保護者に採取の目的と方法を説明する	●検査直前に飲食やうがいをしていないことを確認する ●小児への説明のタイミングを判断する ●人形や絵カード，物品を見せて，具体的な採取の手順や方法を理解できるようにする（大きく開口する人形や鏡を使うと伝えやすい） ●顔を動かしたり，手で払いのけると，正しく検査ができなくなることを伝え，必要時頭部を固定することを説明する
4	鼻腔（咽頭）分泌物採取の姿勢を整える	●小児と保護者の要望を聞き，抱っこの姿勢や座位をとれるよう配慮する ●転倒などの事態に備えて，椅子は背もたれのついたものが望ましい ●介助者または保護者の協力を得られれば，膝上で小児を前向きに抱っこしてもらい，両腕と体幹をしっかり抱きしめてもらう
5	マスク・ゴーグル・手袋・エプロンを装着し，検体容器から採取用スワブを清潔に取り出す	●スワブが採取部以外に触れないように注意する
6	小児と保護者に声をかけながら，小児の下顎を固定し，利き手でスワブを口腔または鼻腔内に挿入する	●大きく開口してもらうために，「あー」と声を出してもらう。啼泣している乳児の場合は開口時に速やかに行う ●嘔気や咳嗽を誘発することがあるため，ガーグルベースやティッシュペーパーを身近に準備しておく
7	採取用スワブで咽頭または鼻腔粘膜（分泌物）をこすり，検体容器に戻す	
8	容器のふたを密閉して，ラベルと小児の氏名を確認して検査に提出する	●検査結果に影響を与えるため，採取後は速やかに検査に提出する
9	小児の全身状態を観察する	●咳嗽や嘔気，顔色などを観察する
10	後片づけ，手洗いを行う	
11	必要時記録する	●採取時の小児の反応，咽頭の状態や分泌物の性状などを記録し，次回の援助につなげる

文　献

1) 平田美佳・染谷奈々子編：ハローキティの早引きこどもの看護─与薬・検査・処置，ナツメ社，2015.
2) 浅野みどり編：根拠と事故防止からみた小児看護技術，第3版，医学書院，2020.
3) 五味敏ители：安全・確実な静脈採血（肘窩）に必要な解剖学的知識，Medical Technology，38(1)：14-20，2010.
4) 日本臨床検査標準協議会：標準採血法ガイドライン─GP4-A3，日本臨床検査標準協議会，2019.

2 導尿

学習目標
- 小児における導尿の目的と適応を理解する。
- 小児に行う導尿の種類と特徴を理解する。
- 小児に行う導尿の基本的技術を習得する。

1 導尿とは

　導尿とは，何らかの理由があって，排尿ができない，または行えない場合の排尿手段として，尿道口から膀胱内までカテーテルを挿入し，尿を誘導・排出する方法である（図2-1）。尿を排出する目的は，検査などに必要な尿を採取する，膀胱内の尿を体外に出すなどがある。
　カテーテルのサイズは，年齢を目安に医師の指示のもと選択する（図2-2，表2-1）。

2 小児における導尿の目的と適応

　小児にとっての導尿について学習するためには，「子どもとはどのような存在か」という

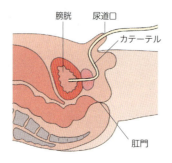

図2-1　カテーテルの挿入

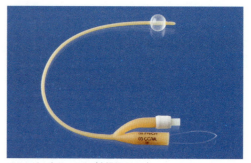

フォーリーカテーテル（小児用2way）
写真提供：日本コヴィディエン株式会社
図2-2　膀胱留置カテーテル

表2-1　カテーテルサイズの目安

	カテーテルサイズ
乳児期	6～8Fr
幼児期	8～10Fr
学童期	10～14Fr

点を理解し，「子どもが導尿を行う原因」と「子どもが置かれている環境」を把握することが大切である。排泄行為は生活のなかで重要な行為であり，小児は成長・発達段階によって排泄行為が異なるという特徴をもっている。一口に小児の導尿といっても，乳児と学童の導尿では手順も環境もまったく異なる。したがって，看護師は小児と家族を含む環境を全人的に理解し，対象に合った方法で導尿が長期にわたって継続できるように支援しなくてはならない。

「子どもとはどのような存在か」「子どもが置かれている環境」という点は，成長・発達する存在である小児についての"子ども自身"や"子どもらしい生活環境の変化"の側面を考慮する必要があるが，これは第Ⅳ章8「環境の調整」p.186を参照していただきたい。「子どもが導尿を行う原因」に関しては，小児の疾患や障害に関しての理解が必須であるため，以下簡単に述べる。

1）小児における排尿機能の発達

小児の排尿機能の発達を考えるうえでは，神経系の発達と密接なかかわりをもっている。

乳児期は，膀胱内に尿が貯留すると膀胱が拡大し，膀胱内の神経受容器が作動し，刺激が骨盤神経，脊髄神経を通って排尿中枢へと伝達される。神経機能の発達が未熟である乳児はこの時点で排尿となる。しかし，月齢が進み乳児期後期になってくると，排尿中枢に伝達された情報に対して無意識のうちに排尿を抑制する機能が整い，排尿反射を抑制することで次第に膀胱容量が拡大し，膀胱に貯留する尿量が増加する。ある程度以上，膀胱に尿が貯留すると，情報が排尿中枢からさらに上位の中枢まで伝達されて，最終的には大脳皮質に到達し尿意として知覚される。また，この神経機能の発達に伴い言葉や運動機能の発達も影響し，トイレットトレーニングなどの社会的なしつけも加わって排尿の自立へと至る。

トイレットトレーニングとは，生理的機能が未熟であるために反射によって排便・排尿を行っていた乳幼児が，トイレで意識的に排泄ができるようになるプロセスである。小児は動作を止めて，いきむなどの「排泄を意識して行っているそぶりを見せ」，徐々に「排泄したことを人に知らせる」ようになる。大人が排泄行動について意識的にかかわることで，事前に「排泄を予告」し，トイレに誘導されてから「トイレで排泄できる」ようになる。トイレットトレーニングの開始時期は1，2歳で，達成は3，4歳が一般的となっている。トイレットトレーニングの詳細は第Ⅳ章3「排泄」p.139参照。

2）小児の排泄障害

正常な排尿機能の発達が認められないことを，小児の排泄障害とよぶ。小児の排尿障害の多くは停留精巣，水腎症，神経因性膀胱などの先天性疾患による。新生児期，乳児期に手術などの治療を終えていても，長期的な経過観察やフォローが必要な場合が多い。導尿と関連の深い神経因性膀胱は，膀胱を支配する神経の障害によって引き起こされる膀胱機能障害である。神経障害の原因として，二分脊椎（脊髄髄膜瘤，脊髄脂肪腫など）が最も多く，そのほかに脊髄炎，脊髄腫瘍，脊髄損傷，脳疾患などがあり，鎖肛もしばしば本症を合併する。

(1) 症　状

　排泄障害の症状は，原疾患や機能障害のタイプによって様々であるが，蓄尿障害では括約筋不全が影響した尿失禁が認められる。尿失禁は，泣いたり暴れたりしたときにわずかに漏れる程度から，常に下着（おむつ）がぬれていてドライタイムがほとんどない場合まで様々である。また，排尿筋不全のため膀胱が十分に収縮しないという排尿困難のために，残尿が発生する。症状は排尿時にいきんでも勢いよく尿が飛ばないものから，自力排尿がまったくできないものまである。多くは直腸機能障害の合併も認められ，これは直腸膀胱障害といわれる。本症は機能障害が永続するものが多く，膀胱の機能回復が望めないため，特に小児期に発症した場合は生涯にわたって管理が必要であることを認識しなくてはいけない。

(2) 治　療

　治療は症状を少しでも軽減し，合併症を予防することが中心になる。尿失禁に対しては，抗コリン薬などの薬物療法，手術療法がある。また，排尿障害に関しては，軽度の場合はコリン作動薬を使用する場合もあるが，治療の中心は清潔間欠自己導尿になる。

3 導尿の種類と特徴

1) 膀胱留置カテーテル法

　尿道口から膀胱内に挿入したカテーテルを固定し，持続的に尿を誘導・排出する。

2) 間欠的導尿法

　一定時間ごとに尿道から膀胱にカテーテルを挿入し，尿を排出する。無菌的に実施する無菌的間欠導尿と，清潔操作で実施する清潔間欠自己導尿がある。

　間欠的導尿法の歴史は古く，1940年代後半から脊髄損傷患者に対する無菌的間欠導尿が推奨された。1970年代後半から尿路感染の予防には，膀胱の過伸展が原因であり定期的に膀胱内圧を下げることが効果的であるといわれ，清潔間欠自己導尿が一般的になった。そのなかでも，慢性的に排尿障害がある患者に対する清潔操作を基本とした間欠的導尿法は，患者自身が実施できる簡素な方法であり，排尿障害の患者のQOLは劇的に向上した。小児の自己導尿については成長・発達段階や身体的・精神的状況のアセスメントを十分行いつつ，家族などの介助者中心の行為から小児自身の行為へと段階的に進める必要がある。

看護技術の実際

A 膀胱留置カテーテル法

- ●目　　的：(1) 腎臓・膀胱機能不全に対して，膀胱内に尿がない状態を保ち，腎機能を保持する
  　　　　　(2) 術中・術後の創部の安静保持，水分出納管理，尿路の確保，尿路狭窄を予防する
- ●適　　応：腎臓・膀胱機能不全のある小児

● 必要物品：滅菌手袋，膀胱留置カテーテル，蓄尿バッグ，バルーン用の注射器，蒸留水，膿盆，消毒薬，消毒用綿球，綿棒，滅菌潤滑剤，処置用シーツ，パッドなど，医療用テープ

方　法	留意点と根拠
1　必要物品を準備する	
2　手を洗い，実施場所に必要物品を運ぶ	
3　環境を整備する 　1）滅菌操作のための清潔区域が十分とれるスペースを確保する 　2）室温を22〜24℃に保つ	● 下腹部を露出するため，低体温を招かないよう注意する
4　小児・家族へ説明し同意を得る	● 恐怖心をもちやすい処置であるため，小児が覚醒している場合は「おしっこを出して気持ちよくなろうね。痛くないようにお薬使うからね」など，発達段階に合わせた説明を行う ● 家族に対しては，処置の目的，必要性，実施内容，所要時間についてわかりやすい言葉で説明する
5　医師と介助者の準備をする 　1）滅菌手袋のサイズなどを確認する 　2）処置のしやすさに配慮して物品を配置する	
6　小児の体位を整える 　1）仰臥位で下着（おむつ）をはずし，陰部を露出する 　2）介助者は小児の頭側から両大腿を支え，両膝を屈曲させて開脚する（図2-3） 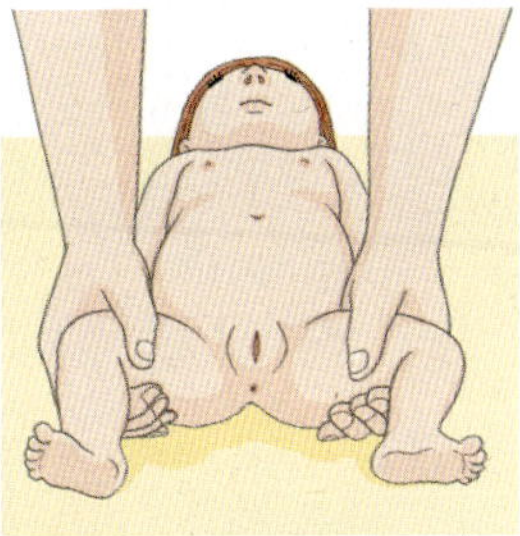 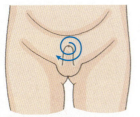 図2-3　小児の体位	● 露出部位以外には掛け物をかけ，体温低下とプライバシーに配慮する
7　尿道口，尿道周囲を消毒する 　1）医師は滅菌手袋を着用し，介助者が医師へ消毒用の綿球，綿棒を手渡す 　2）医師が消毒する（図2-4）	● 無菌操作で介助者が医師に清潔な物品を渡す ● 特に陰部には雑菌が常在しており，尿道口からの逆行性尿路感染を防止する

男児：尿道口を出発点にして円を描くようにらせん状に綿球を進める

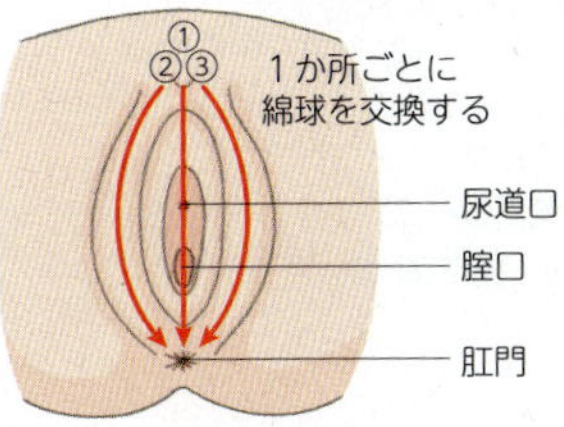

女児：小陰唇を開き尿道口から肛門に向かって綿球を進める

図2-4　消毒の方法

方　法	留意点と根拠
8　**カテーテルを挿入する**（図2-5） 　1）医師がカテーテルを持つ際は，介助者は清潔が保てるように注意する 　2）清潔な状態で潤滑剤を先端につける 　3）尿道口にカテーテルを挿入する 　4）膀胱内の適切な場所でバルーンを膨らませる 　5）尿の流出を確認し蓄尿バッグへ接続する	●無菌操作で介助者が医師に清潔な物品を渡す

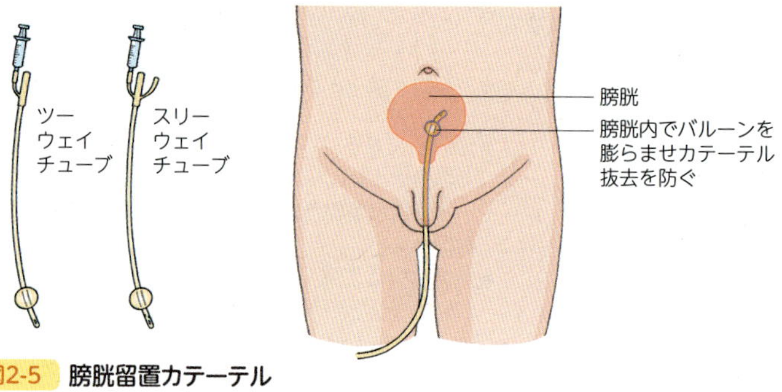

ツーウェイチューブ　スリーウェイチューブ

膀胱
膀胱内でバルーンを膨らませカテーテル抜去を防ぐ

図2-5 膀胱留置カテーテル

9　**カテーテルを固定する**（図2-6） 　1）男児の場合は，陰茎・陰嚢に圧が加わらないように，陰茎を上半身方向へ向けて下腹部に固定する 　2）女児の場合は，外尿道口への刺激を避けるために，カテーテルを大腿方向に沿わせて固定する 　3）固定の際は，直接皮膚にカテーテルが接しないように，土台の医療用テープもしくはドレッシング材を貼り，その上で固定する	●カテーテルの固定位置は，同一部位の圧迫による皮膚損傷が生じないように注意する

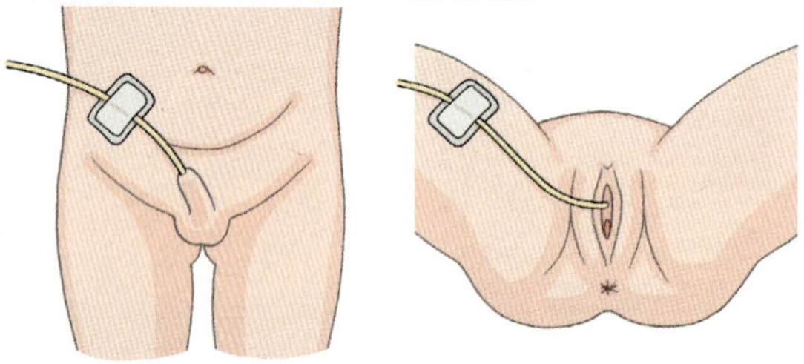

男児の場合　　女児の場合

確実な固定と皮膚への刺激を少なくするために，医療用テープは土台用と固定用の2枚を準備し，まず皮膚に土台用を貼り，留置カテーテル，固定用の順に貼る

図2-6 カテーテルの固定

10　尿の性状，流出状況，カテーテルの挿入長さ，小児の様子などを確認し記録する	
11　**後片づけをする** 　1）小児・家族へ処置の終了を告げ，環境を整える 　2）小児には「よく頑張ったね」などねぎらいの言葉を伝える 　3）使用した物品を片づける	

B 無菌的間欠導尿

- ●目　　的：無菌操作で尿道口から膀胱内にカテーテルを挿入することで，尿を誘導・排出する
- ●適　　応：急性的に尿閉のある小児。または検査などで無菌操作による採尿が必要な小児
- ●必要物品：滅菌手袋，ディスポーザブルカテーテル，膿盆，消毒薬，消毒用綿球，綿棒，滅菌潤滑剤，処置用シーツ，パッド，滅菌用採尿カップなど

	方　　法	留意点と根拠
1	必要物品を準備する	
2	手を洗い，実施場所へ必要物品を運ぶ	滅菌操作のために清潔区域を十分とれるようなスペースを確保する
3	環境を整備する 室温を22〜24℃に保つ	●下腹部を露出するため，低体温を招かないよう注意する
4	小児・家族へ説明し同意を得る	●恐怖心をもちやすい処置であるため，小児が覚醒している場合は「おしっこを出して気持ちよくなろうね。痛くないようにお薬使うからね」など，発達段階に合わせた説明を行う ●家族に対しては，処置の目的，必要性，実施内容，所要時間についてわかりやすい言葉で説明する
5	医師と介助者の準備をする 1）滅菌手袋のサイズなどを確認する 2）処置のしやすさに配慮して物品を配置する	
6	小児の体位を整える 1）仰臥位で下着（おむつ）をはずし，陰部を露出する 2）介助者は小児の頭側から両大腿を支え，両膝を屈曲させて開脚する（図2-3参照）	
7	尿道口，尿道周囲を消毒する 1）医師は滅菌手袋を装着し，介助者が医師へ消毒用の綿球，綿棒を手渡す 2）医師が消毒する（図2-4参照）	●無菌操作で介助者が医師に清潔な物品を渡す ●特に陰部には雑菌が常在しており，尿道口からの逆行性尿路感染を防止する
8	カテーテルを挿入する（図2-5参照） 1）医師がカテーテルを持つ際は，介助者は清潔が保てるように注意する 2）清潔な状態で潤滑剤を先端につける 3）尿道口にカテーテルを挿入する 4）尿の流出を確認する	●無菌操作で介助者が医師に清潔な物品を渡す
9	尿の性状，流出状況，カテーテル挿入の長さ，小児の様子などを確認し記録する	
10	後片づけをする 1）小児・家族へ処置の終了を告げ，環境を整える 2）小児には「よく頑張ったね」などねぎらいの言葉を伝える 3）使用した物品を片づける	

C 清潔間欠自己導尿の援助

- **目　的**：小児本人または家族などの介助者が日常生活のなかで継続的に行える
- **適　応**：二分脊椎症や脊椎損傷，神経障害，腫瘍などを原因とする神経因性膀胱による下部尿路機能障害のある小児（新生児，乳児，幼児初期は家族などの介助者が実施するが，幼児後期から就学などを目安に自己導尿へ移行することが多い）
- **必要物品**：手指消毒薬，ウェットティッシュなど，潤滑剤，ディスポーザブルカテーテル，清浄綿，介助者が実施する場合はディスポーザブル手袋

	方　法	留意点と根拠
1	必要物品を準備する	●介助者が実施する場合，小児本人が実施する場合で必要物品の実施しやすい配置場所を調整する
2	環境を整備する 1）室温を22〜24℃に保つ 2）姿勢に合わせて場所を整える（床上，トイレなど）	●下腹部を露出するため，低体温とプライバシーに配慮する
3	小児・家族へ説明し同意を得る 自己導尿は初め家族が行うが，徐々に小児本人が行うことを伝える。その際，小児の成長・発達に合わせて方法を工夫すること，その際は看護師が一緒にかかわることを伝える	●特に乳幼児の自己導尿は，小児本人が動いてしまうことで清潔操作が実施しづらい状況である。家族などの実施者は顔の近くにおもちゃを置くなどの気をそらす方法や，柔らかい表情で実施することで小児がリラックスできることなどを助言する
4	小児の体位を整える 1）仰臥位で下着（おむつ）をはずし，陰部を露出する 2）洋式トイレに座り，姿勢を保つ	
5	尿道口，尿道周囲を消毒する	●陰部には雑菌が常在しており，尿道口からの逆行性尿路感染を防止する
6	カテーテルを挿入する 1）カテーテルを持つ際に，清潔を保つように注意する 2）清潔な状態で潤滑剤を先端につける 3）尿道口にカテーテルを挿入する 4）尿の流出を確認する	●カテーテルは鉛筆を持つように握る ●尿路を傷つけないように潤滑剤を必ずつける
7	尿の性状，流出状況，カテーテルの挿入長さ，小児の様子などを確認し記録する 下着やパッドなどが濡れていないか確認する	
8	後片づけをする	●トイレを使う場合は，次に入る人が気持ちよく使えるようにきれいに片づいているか，必ず本人が確認するように指導する

文　献

1) 日本小児ストーマ・排泄管理研究会学術委員会・溝上祐子・池田 均編：小児創傷・オストミー・失禁（WOC）管理の実際，照林社，2010，p.144-150．
2) 田中純子・萩原綾子編著：すぐにわかる！使える！自己導尿指導BOOK－子どもから高齢者までの生活を守るCICをめざして，第2版，メディカ出版，2012，p.84-108．
3) 萩原綾子：自己導尿のセルフケア指導，泌尿器ケア，19（9）：897-900，2014．

3 浣　腸

学習目標
- 小児の浣腸の目的を理解する。
- 安全に配慮した小児の浣腸の基本技術を習得する。
- 浣腸による苦痛とその援助方法を理解する。
- 小児の発達段階に応じた浣腸の援助方法を習得する。

1 浣腸とは

　浣腸とは，貯留した便の排除や，検査，治療を目的に，経肛門的に大腸に液体を注入することである。グリセリン浣腸，高圧浣腸などがある（表3-1）。また，綿棒を使って直腸を刺激し，便意を促す方法を綿棒浣腸という。本節では，グリセリン浣腸について説明をする。

2 グリセリン浣腸

　グリセリン浣腸は，腸内のガスや腸管内の排泄物（宿便）の排出を目的に行われる。高浸透圧のグリセリン液が直腸内に注入されることで，水分吸収に伴う刺激作用が腸管壁に生じ，腸の蠕動運動が促進される。グリセリン液には，便の滑りをよくして，排泄しやすくする潤滑作用もある。

1）禁　忌

　腸炎，穿孔性腹膜炎，腹部外傷，全身状態が不安定なとき（浣腸で血圧の変動が起きることがある）には禁忌である。

表3-1　浣腸の種類と目的

	種類	目的
催下浣腸	グリセリン浣腸	グリセリン液の腸内刺激によって腸の蠕動運動を促進させ，排便や排ガスを促す
	高圧浣腸（生理食塩水など）	内視鏡検査前の腸内の洗浄，腸重積の治療
刺激浣腸		肛門刺激による排便の促進（乳児の綿棒浣腸など）

表3-2 カテーテルのサイズと挿入の長さの目安

	乳児	幼児	学童
カテーテルのサイズ	9〜12Fr	10〜15Fr	12〜15Fr
挿入長さの目安	3〜4cm	3〜5cm	4〜5cm

2）グリセリン浣腸による苦痛

浣腸による苦痛としては，肛門に異物を挿入される不快感や，グリセリン液が注入されることによる腸内の刺激作用や腸管の蠕動の促進による不快感，痛みがある．小児は不安を訴えたり，拒否をすることも多い．また，排泄行為への処置であり羞恥心も生じやすい．

3）グリセリン浣腸液の濃度と量

50％グリセリン浣腸液1〜2mL/kg（医師が指示）．新生児の場合はグリセリンをさらに希釈する場合がある．

4）カテーテル挿入の長さとネラトンカテーテル使用時のサイズ

小児の浣腸では，量やグリセリンの濃度を調整するために注射器にネラトンカテーテルを接続したものと，既成のディスポーザブルのグリセリン容器を用いる場合がある．既成の製品は簡便であるが，ネラトンカテーテルより硬く，太さの調整ができない欠点がある．

カテーテル挿入の長さは，直腸粘膜の損傷の危険性から，成人で5cmが限度であるとされている[1]．小児の場合の適切な長さについて検討した文献はないが，直腸粘膜を損傷しないようゆっくりと挿入し，抵抗があった場合はすぐにカテーテル挿入を止めることが重要である[2)3)]．

看護技術の実際

A　グリセリン浣腸

- ●目　的：（1）便秘（生活習慣や薬の副作用より生じたもの）の改善
  - （2）鎖肛やヒルシュスプルング病，二分脊椎症など，排泄に関する神経障害がある場合の排便コントロール
  - （3）検査や手術を行うための腸内の便の排出
- ●適　応：（1）直腸内に便が下降しているが排出できないとき
  - （2）検査や手術のために腸内を空にする必要があるとき
  - （3）腸内にガスの貯留が多いとき
- ●必要物品（図3-1）：グリセリン浣腸液（50％グリセリン液），ディスポーザブル浣腸器または注射器とネラトンカテーテル（図3-2），潤滑剤（オリーブ油，ワセリンなど），脱脂綿やガーゼ，サージカルマスク，ディスポーザブル手袋，ディスポーザブルエプロン，トイレットペー

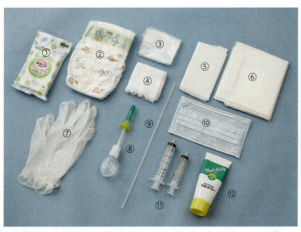

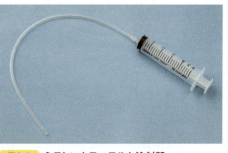

図3-2 ネラトンカテーテルと注射器

①お尻拭き，②おむつ，③ゴミ用ビニール袋，④ガーゼ，⑤ビニールエプロン，⑥処置用シーツ，⑦ディスポーザブル手袋，⑧浣腸液，⑨ネラトンカテーテル，⑩マスク，⑪注射器，⑫潤滑剤

図3-1 必要物品

パーまたはお尻拭き，処置用シーツ，おむつ，おまるまたはポータブルトイレ

	方　　法	留意点と根拠
1	小児を観察し，排便状況をアセスメントする	● 腹部のフィジカルイグザミネーション，最終排便日や排便の量・性状，食事摂取状況を情報収集し，浣腸が必要な状況かを判断する
2	必要物品を準備する	● ネラトンカテーテルを使用する場合は，年齢や体格に合わせたものを選択する ● 処方箋で小児の氏名，使用する薬品の名前，量，使用方法，時間，目的を確認する
3	小児の理解度に合わせ，小児と家族に説明し，どのような方法で行うのか小児と相談する	● 小児が処置に協力し，最小限の不安と苦痛で浣腸できるように，所要時間や手順，小児が受ける感覚，体位，呼吸方法などを説明する
4	トイレに行ける小児には排尿を促す	
5	浣腸施行時の環境を整える ベッドサイドで行う場合は，カーテンをひき，不必要な露出を避け，掛け物をする（➡❶）	❶ プライバシーに配慮する ● 周囲へ音やにおいが漏れないよう配慮する
6	浣腸後の排泄の環境を整える 1）移動する場合はトイレの位置を確認する 2）ベッドサイドで行う場合はおむつやおまる，ポータブルトイレを用意する	
7	浣腸液を準備する 1）浣腸液を湯せんし，37〜40℃に温める	● グリセリンの温度を適切に調整する（➡❷） ❷ 高温だと粘膜の損傷を起こしやすく❶，低温すぎると悪寒や血圧上昇を起こすことがある ● 浣腸液を調整する場合，自分の温度感覚で行うと温度を高く調整する危険性があるので注意する❷

方　法	留意点と根拠
2）浣腸の先端までグリセリン液を満たし，先端をグリセリン液で潤すか潤滑剤をつける	●粘膜の損傷を避け，挿入をスムーズにするため潤滑剤を用いる。薬剤を含まない水溶性潤滑剤やオリーブ油などがよい（➡❸） ❸リドカイン塩酸塩ゼリー（キシロカイン®ゼリー）を使用する場合は，アレルギー反応でショックを起こすことがあるため，既往の有無を確認し，児の状態に注意する
3）ストッパーがある場合は，挿入の長さに合わせてストッパーの位置を調整する 4）注射器とネラトンカテーテルで行う場合 （1）注射器に指示量の浣腸液を満たし，ネラトンカテーテルを接続する （2）ネラトンカテーテルの先端まで浣腸液を押し出し，空気を抜く （3）先端に潤滑剤をつける	●ネラトンカテーテル内に残る浣腸液の量を考慮し，多めに浣腸液を吸ってネラトンカテーテル内を満たす
8　施行者はサージカルマスクや手袋，エプロンを装着する	●小児に体動があり，協力が得られにくい場合は，カテーテルを安全に挿入するために2人で実施する
9　小児の体位を整える 1）乳児〜幼児前期頃までの乳幼児はベッドで仰臥位に（図3-3）（➡❹），それ以降の小児は看護師に背中を向けた左側臥位にし，膝を曲げる（図3-4）（➡❺） 2）衣類は膝下まで下げるか脱がせる 3）汚染防止のため腰部から殿部の下に処置用シーツを敷く	❹乳児〜幼児前期頃までの乳幼児は左側臥位の保持が困難なため仰臥位で行う ❺左側臥位をとると，浣腸液を下行結腸まで注入しやすくなる ●立位や中腰姿勢で浣腸は行わない（➡❻） ❻立位や中腰姿勢では腹部に圧力がかかり，直腸前壁の角度が鋭角になるためチューブの先端が直腸前壁に当たりやすく，穿孔の危険がある。また，肛門括約筋が強く締まるため直腸粘膜を傷つけやすい。そして，肛門部の確認を看護師がしにくいため，挿入の方向や長さの確認が不十分になりやすい❸❹

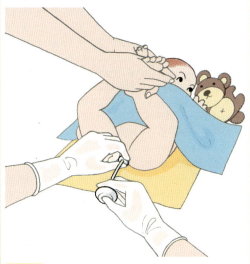

図3-3　乳児への浣腸の実施

図3-4　幼児への浣腸の実施

10　カテーテルを挿入する 1）小児にカテーテルを挿入することを伝える	●幼児期以降の小児には深呼吸をさせたり声を出させたりして，腹部や殿部の力を抜くように説明する（➡❼）。ゆっくり息を吐いているときにカテーテルを挿入するとよい ❼力を抜くことで，肛門括約筋が弛緩しカテーテルが挿入しやすく，粘膜も傷つけにくくなる。また，腹部の緊張がとれると浣腸液が入りやすく，すぐに排出されにくくなる

方法	留意点と根拠
2）片手で肛門が見えるように殿部をひろげ，もう片方の手にグリセリン浣腸を持ち，カテーテル先端を肛門に挿入する	●カテーテルは臍に向けて挿入し，腸管壁に沿うようにすると脊柱に沿った方向になる❺ ●粘膜を損傷する可能性があるため，ゆっくりと挿入し，抵抗がある場合には引き戻しながら位置を変え，抵抗がない部位に挿入する ●抵抗が強かったり疼痛があれば，カテーテルを無理に押し込まず，いったん抜いて血液付着などを確認する ●カテーテル挿入の長さに注意する（表3-2参照）（➡❽） ❽挿入の長さが深すぎると直腸粘膜やS状結腸を損傷する可能性があり，挿入が短いと浣腸液が直腸に届かず浣腸液のみの排泄になる❺
11 浣腸液を注入する 1）小児に浣腸液を注入することを伝える 2）浣腸液をゆっくり注入する	●ストッパーを用いる場合は，ストッパーが直腸内に入らないように注意する（➡❾） ❾ストッパーが直腸内に遺残した事故が報告されており❻，取り残しがないよう注意する ●15秒で50mL程度を目安に注入する（➡❿） ❿注入速度が速いと腸管運動が促進されすぎて，気分不快や腹痛が生じることがある ●不安や恐怖でからだを動かすこともあるため，小児に声をかけ，目を離さずに行う
12 カテーテルを抜去する 1）注入後，脱脂綿やガーゼなどで肛門部を押さえながら，カテーテルを静かに抜く 2）浣腸液が漏れないように肛門部を押さえる（図3-5）。小児が排便をしたいときには無理に我慢をさせない 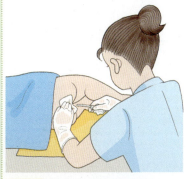 図3-5 注入後，肛門を押さえる 3）小児の状態を観察する	●小児が我慢できない場合は排便をさせる（➡⓫） ⓫浣腸実施後，排便の我慢を強いることで蠕動運動が促進されることを裏づけるデータはない❶
13 排便をさせる	●多くは，直後あるいは5分以内に排便し，腹痛や不快感が軽減する
14 肛門を洗浄して衣類を整える	
15 小児の状態と反応便を観察し記録する 1）便の量・色・性状・におい，血液の混入物の有無，腹痛・腹満感の程度を観察する 2）実施後に，悪寒，気分不快，肛門周囲の出血，血尿，小児の表情・機嫌をみる（➡⓬） 3）小児に便が出たことを伝える 4）記録する	⓬直腸穿孔やグリセリン吸収による溶血反応は，しばらくしてから出現することがある

方　法	留意点と根拠
16　後片づけをする	

❶武田利明：グリセリン浣腸は「温めない」，患者に「がまんさせない」，エキスパートナース，30（1）：52-53，2013．
❷田代マツコ：看護学生の浣腸液加温と至適温度確認に対する安全性の認識－実験演習を通しての認識の変化，日本看護学会論文集　看護教育，38：105-107，2008．
❸小林克巳：「便秘があったら下剤かグリセリン浣腸」…この対応って，正しい?，エキスパートナース，30（2）：24-27，2014．
❹武田利明：トイレで浣腸を実施したら，直腸穿孔を起こしてしまった，看護技術，59（7）：731-733，2013．
❺高屋尚子：浣腸による事故－穿孔を例として，ナーシング・トゥデイ，13（9）：13-15，1998．
❻日本看護技術学会　技術研究成果検討委員会　グリセリン浣腸班：グリセリン浣腸 Q＆A　改訂版 Ver. 1.0
〈https://jsnas.jp/system/data/20200403114455_a45v0.pdf〉（アクセス日：2022/5/25）

文　献

1）日本看護技術学会　技術研究成果検討委員会　グリセリン浣腸班：グリセリン浣腸Q＆A　改訂版Ver. 1.0
〈https://jsnas.jp/system/data/20200403114455_a45v0.pdf〉（アクセス日：2022/5/25）
2）浅野みどり編，中山 薫・他著：根拠と事故防止からみた小児看護技術，第3版，医学書院，2020，p.350-353．
3）平田美佳・染谷奈々子編：ナースのための早引き子どもの看護 与薬・検査・処置ハンドブック，第2版，ナツメ社，2013，p.175-178．
4）中野綾美編：小児看護学②小児看護技術＜ナーシング・グラフィカ＞，メディカ出版，2007，p.87-89
5）草柳浩子・岩瀬貴美子編著：やさしくわかる小児看護技術，ナツメ社，2011，p.26-28．
6）日本看護技術学会：グリセリン浣腸Q＆A．
〈http://www.jsnas.jp/guideline/index.html〉（アクセス日：2022/5/25）
7）菱沼典子：直腸粘膜を生理学的に解剖する，ナーシング・トゥデイ，13（9）：18-20，1998．

4 穿刺（骨髄穿刺，腰椎穿刺）

学習目標
- 小児に実施する骨髄穿刺，腰椎穿刺の目的と方法，注意点を理解する。
- 小児の発達段階に応じて，安全かつ確実で苦痛の少ない骨髄穿刺，腰椎穿刺の基本技術を理解する。
- 骨髄穿刺，腰椎穿刺を受ける小児の体験を理解し，小児と家族が主体的に取り組めるよう援助できる。

1 骨髄穿刺

　骨髄は骨に囲まれたスポンジ様の軟部組織であり，血液細胞を造っている。骨髄には，造血を行う赤色骨髄と，造血機能を失い主に脂肪で構成される黄色骨髄がある。小児には赤色骨髄が多く存在するが，成長に伴って減少し，黄色骨髄に置き換わる。

　骨髄穿刺とは，骨髄穿刺針を骨髄の中に刺入し，骨髄組織を吸引・採取する検査である。腸骨や胸骨は扁平であり骨髄内容が豊富なため，穿刺部位に適している。成人と比較して小児は，活発な造血が行われている赤色骨髄の分布が広く，骨も軟らかいため，選択できる穿刺部位は多いが，腸骨穿刺が一般的で安全性が高い。乳児の場合，大腿骨や脛骨の造血が活発であるため，脛骨粗面を選択することもある（図4-1）。

2 腰椎穿刺

　脳脊髄液は，側脳室や第三・第四脳室の脈絡叢で産生され，くも膜の絨毛で吸収されており，脳神経の保護や栄養供給，老廃物除去などの役割を担っている。小児の脳脊髄液容量は60〜100mLである。側臥位での脊髄圧は，新生児50〜80mmH$_2$O，乳幼児（〜2歳）40〜150mmH$_2$O，幼児・学童以降70〜200mmH$_2$Oであり[1]，髄膜炎や脳炎の場合は圧が上昇する。

　腰椎穿刺は，中枢神経組織の病変を知るために，腰部椎間から背側を穿刺し，脳脊髄液を採取する検査である。穿刺部位は，神経損傷を予防するために脊髄を避け，第3〜4腰椎間，または第4〜5腰椎間を穿刺する（図4-2）。左右の腸骨稜上縁を結ぶヤコビー線（図4-3）が第4腰椎を通るため，穿刺時の目安となる。小児は神経根の位置が低いため，第4腰椎以下を選択する。腰椎穿刺を行う部位と体位固定の方法を図4-4に示す。

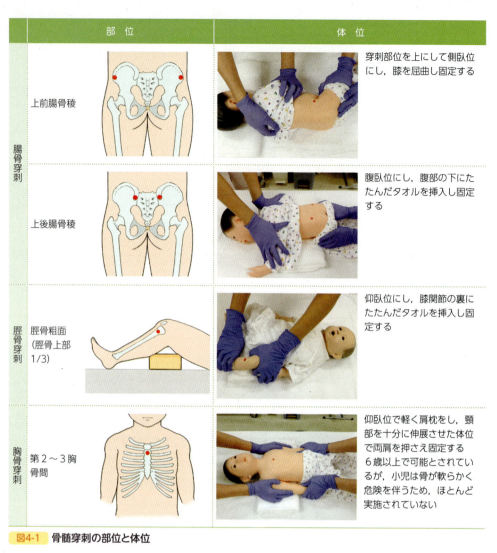

図4-1 骨髄穿刺の部位と体位

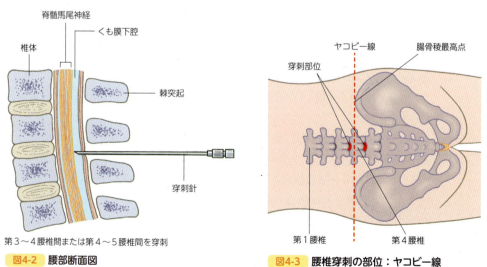

第3～4腰椎間または第4～5腰椎間を穿刺

図4-2 腰部断面図

図4-3 腰椎穿刺の部位：ヤコビー線

部位		体位
乳児の場合	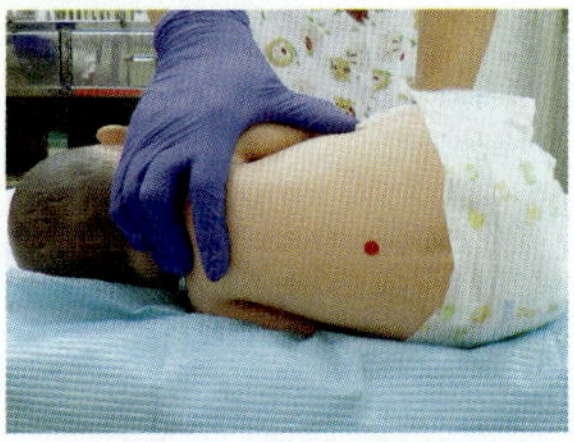	左側臥位にし，処置台の端に背中を垂直にし，頭は臍を見るように前屈し，両手で両膝を抱え込み，エビのように丸くする
幼児以上の場合	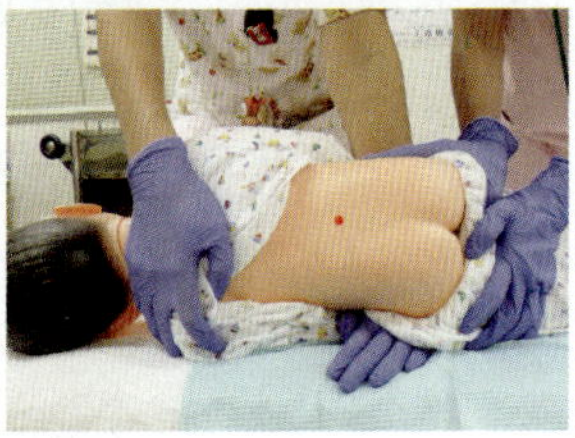	看護師は小児の正面から小児の肩と膝窩部を抱え込むように押さえ，小児の肩の線，腰の線がベッドに垂直になるように固定する

図4-4　腰椎穿刺の部位と体位

3　骨髄穿刺，腰椎穿刺を受ける小児へのケアのポイント

1) プレパレーションの充実

　骨髄穿刺および腰椎穿刺は強い痛みを伴う苦痛の大きい検査であり，造血器系疾患ではこの検査を繰り返し受けることになる。小児は発達段階により理解・判断力が異なるが，子どもなりに状況をとらえ対応しようとする力をもっている。小児には治療や看護に関して具体的な説明を受ける権利があり，また自由に意思を表明する機会が保障されなければならない。骨髄穿刺および腰椎穿刺は，小児や家族にとって不安や恐怖を感じる検査であるが，小児が何をするのか（されるのか），何を頑張ればよいのかを理解・納得し，検査に前向きに取り組めるように援助する。

　どのような検査であるのかについて小児がイメージできるように，パンフレットや絵本，DVDなどの視聴覚ツールを用いて説明する，実際に使用する物品・機器に自由に触れ遊びながら体験する，ケアマップや頑張り表を活用するなど，小児に合わせた工夫が必要である。小児だけでなく家族と一緒に取り組めるようにする。

　検査後は，検査の終了を伝え，小児が安心できるようにかかわるとともに，小児の頑張りを承認することが重要である。

2) 安全・確実な体位の固定

　骨髄穿刺および腰椎穿刺は侵襲の大きい検査である。穿刺時に小児が動くと重要臓器や血管が傷つく危険性があり，また一度で検査ができず，何度も穿刺することで小児への負担が増大する。安全に検査が受けられるように，確実に固定を行う必要がある。また，穿刺部位により固定方法が違い，効果的に固定しなければ小児にとって苦痛が増強するため，穿刺に関する知識・技術を十分に習得しておく。

3）鎮静・鎮痛薬の適切な使用と管理

穿刺は強い痛みを伴うため，小児は不安や恐怖感を抱きやすい。また，検査中の体動によるリスクも高いため，穿刺に際しては鎮静・鎮痛を行う。

方法としては，局所麻酔，静脈麻酔，吸入麻酔などがある。

局所麻酔では，小児は意識があり痛みを伴うため，頑張れるような声かけと確実な体位固定が重要になる。セボフルランなどを用いた吸入麻酔（閉鎖循環式全身麻酔）では，麻酔科医が病棟の処置室に出向き，マスク吸入を行う。マスクが苦手な小児は，静脈麻酔で眠った後，吸入麻酔で維持する。全身麻酔では，意識が消失し無痛状態になるため，小児が検査中に痛みを体験することはない。

小児は「眠って検査をしたい」と鎮静を希望することもあれば，通院中の学童期以上の小児では「入院したくないし，頑張れるので起きたままでする」と局所麻酔のみでよいという場合もある。これまでの自身の体験から考え，鎮静の有無や方法を選択する力をもっているため，小児と家族が自分に適した方法を選択できるように支援する。

鎮静は，呼吸状態，循環動態，体温などの生理機能に大きな影響を及ぼす。どの方法を選択した場合も全身管理が必要であり，密なモニタリングと異常の早期発見・対処に努める。また，検査で眠ることにより，生活リズムが乱れることがあるため，検査後に小児が安楽に過ごせるように調整する。

看護技術の実際

A 骨髄穿刺

- ●目　　的：造血器系疾患の診断や治療効果の評価，悪性腫瘍の骨髄転移の有無，骨髄内の細菌検査
- ●適応・禁忌：適応：造血器系疾患（白血病，悪性リンパ腫，再生不良性貧血，骨髄異形成症候群など）や腫瘍をもつ，または疑いのある小児
　　　　　　　禁忌：血液凝固因子の異常などで出血傾向がある小児
- ●必要物品：ディスポーザブル骨髄穿刺針（図4-5），10mL注射器，滅菌穴あきシーツ，ディスポーザブル処置セット（鑷子，綿球，ガーゼ，ポビドンヨード液），処置用防水シーツ，ヨード脱色剤，滅菌手袋，ディスポーザブル手袋，紙帽子，マスク，ディスポーザブル膿盆，絆創膏，圧迫固定用ガーゼ，枕（体位固定用タオルなど），骨髄液用スピッツ，検体用スピッツ
（全身麻酔の場合）麻酔薬，酸素投与と吸引に必要な物品，バッグバルブマスク，パルスオキシメーター，心電図モニター，血圧計

TSK 骨髄穿刺針
写真提供：株式会社タスク

図4-5　骨髄穿刺針

（局所麻酔の場合）局所麻酔用1％キシロカイン，5mL注射器，23G注射針

1）検査前の準備

方　法	留意点と根拠
1　小児の状態をアセスメントする 1）以下の情報をもとにアセスメントし，小児・家族と共に効果的な方法や必要な支援を考える ・全身状態，アレルギー（薬剤，消毒薬）・感染症の有無，血液データ（特に出血傾向） ・年齢，性格 ・小児と家族の病気や治療に関する思い・理解度，過去の検査体験での思い・反応，今回の検査に関する小児と家族の受け止め方・理解度，痛みに関する体験・対処法など 2）小児・家族と共に準備を行う	
2　小児・家族へ説明する 1）医師からの説明内容を確認した後，小児と家族に，検査の日時，目的，必要性，内容，注意点などを説明する	●小児の発達段階に応じた言葉と方法を用いて検査を説明し，理解と納得を得るよう努める ●どのような検査で，何を頑張ればよいかなど，小児がイメージすることができ，前向きに検査に取り組むように支援する ●検査の何日前に伝えるかは，小児に適したタイミングを考慮する（➡❶） ❶痛みを伴う検査であり，繰り返し受けることもあるため，小児は不安や恐怖感を抱きやすい
2）検査時の鎮静・鎮痛薬の使用について，小児と家族の希望を聞き，医師と共に話し合って決定する 3）医師の指示に従い，検査前の経口摂取制限について説明する	●鎮静薬を使用する場合は，気道の反射が抑制され，胃内容物の逆流により誤嚥を起こす危険性がある。胃内容物を減らすために経口摂取を制限する ●脂肪を含む食事は検査8時間前，軽食や牛乳は6時間前，母乳は4時間前，清澄水は2時間前から中止する[1]
4）検査の説明後，小児と家族の反応や理解度を把握し，適宜追加説明を行う 5）検査直前にどのように過ごすかについての希望を確認する	●おもちゃやゲームを持っていく，家族が付き添うなど，小児に適した対応を事前に把握する
3　医師の指示（指示簿）を確認する	
4　処置室の環境を整える	
5　必要物品を準備する 骨髄液用スピッツは冷凍保存のため，使用前に常温あるいは水・微温湯で解凍する（再凍結させない）	
6　小児の全身状態を確認する	
7　小児と家族に検査を始めることを伝え，処置室に誘導する 1）検査前に排尿を済ませてもらう（➡❷） 2）乳幼児はおむつ交換をしてから，処置室に誘導する	❷尿が貯留していると腹部が圧迫され，また，尿意を我慢して検査を中断しないため
8　小児の準備を整える 1）処置室で，小児の名前をネームバンドで確認する（➡❸）	●可能であれば，小児または家族に名前を言ってもらう ❸小児の誤認を防ぐ

方　法	留意点と根拠
2）安全に配慮し，小児を処置台に臥床させる	●検査が始まるまで，または小児が鎮静薬で入眠するまでは，家族にそばにいてもらう ●小児が好きなおもちゃや絵本などを活用し，検査前の不安に対応する
3）鎮静をかける場合，医師の処置を介助する （1）モニターと自動血圧計を装着する （2）酸素投与，吸引の準備をする	●鎮静時は，モニターや血圧計を装着し，覚醒まで十分な観察を行う（→❹） ❹鎮静薬の使用により，呼吸抑制や血圧変動が起こる危険性がある
4）検査のための体位をとり，固定する	●処置台からの転落を防止する
9　介助の準備をする 1）手洗い後，マスクと帽子を着用する 2）手指消毒を行い，ディスポーザブル手袋を装着する 3）無菌操作で処置セットを開く（→❺） 4）無菌操作で骨髄穿刺針と10mL注射器をセットトレイに入れる。局所麻酔の場合は5mL注射器と23G注射針を入れる 5）局所麻酔の場合，1％キシロカインをアンプルカットし，医師が注射器に吸引する介助を行う	❺感染予防のため，無菌操作で行う

❶日本麻酔科学会：術前絶飲食ガイドライン，2012. http：//www.anesth.or.jp/guide/pdf/guideline_zetsuinshoku.pdf

2）検査中

方　法	留意点と根拠
1　穿刺部位を露出する	●からだの露出は最小限にし，保温と羞恥心へ配慮する ●穿刺部位に衣類がかからないようにする
2　穿刺部位に応じて小児の体位を整え固定する（→❶）	❶穿刺時の体動はからだを傷つける危険がある
3　穿刺部位の消毒を介助する 1）医師が穿刺部位を中心に内側から外側に向かって広範囲に2回以上消毒する（→❷） 2）鎮静をかけていない場合は，小児を驚かさないように，今から消毒することや冷たく感じることなどを説明する 3）ヨード剤が乾いてから穿刺する（→❸）	❷感染予防のため ❸ヨード剤は乾く際に消毒効果があるため
4　医師は滅菌手袋を装着し，滅菌穴あきシーツをかける	
5　穿刺前の確認（タイムアウト）を行う（→❹） 小児の名前・ID，病名，検査内容，感染症，アレルギー，同意書などを処置にかかわる医師・看護師全員で確認する	❹事故防止のために実施する
6　麻酔の介助をする 1）局所麻酔の場合，医師が穿刺部位に局所麻酔をする 2）注射後，少し時間をおいて麻酔が効いていることを確認する	●全身麻酔の場合は局所麻酔をしない
7　骨髄穿刺を介助する 1）医師が骨髄穿刺を行い，骨髄液を採取する	●鎮静をかけていない場合は，強い痛みが生じる穿刺時と骨髄吸引時に気持ちの準備ができるように，小児に声をかける ●針内での凝固防止と末梢血混入を避けるために，骨髄液は一気に吸引する

方法	留意点と根拠
2) 小児の全身状態（呼吸，脈拍，血圧，顔色，表情など），痛み，不穏，鎮静の程度などを継続して観察する	
3) 採取した骨髄液をスピッツに入れ，骨髄液が凝固しないように速やかに撹拌する	
4) 穿刺針抜去後，穿刺部位を滅菌ガーゼで圧迫し，周囲の消毒薬をヨード脱色剤または微温湯で拭き取る（→❺）	❺ ヨード剤は皮膚刺激があるため，拭き取る
5) 止血確認後，穴あきシーツをはずす	
6) 穿刺部位を消毒液で消毒し，ガーゼドレッシング材を貼る	● 必要時，その上からガーゼと医療用テープで圧迫固定する。出血傾向がある場合は特に十分な止血を行う

3）検査後

	方法	留意点と根拠
1	小児の体位を元に戻し，衣服を整える	● 処置台からの転落などの危険を予防する
2	小児の全身状態を確認する	
3	終了を伝え，頑張りを褒める（→❶）	❶ 小児が検査を前向きに受け止め，プラスの体験となるよう援助する
4	小児を病室に移送し，麻酔からの覚醒状態，呼吸状態を観察する	
5	後片づけをし，手を洗う	
6	採取した検体は，名前，日付，伝票を確認し，検査部に提出する	● 検体の取り違えに注意する
7	記録する	● 検査時間・内容，麻酔時間・薬剤名・使用量，穿刺部位，小児の状態などを記録する
8	小児の状態を確認する 1) 小児の全身状態（呼吸・循環動態，顔色，表情），穿刺部の疼痛・出血の有無などを観察する 2) 覚醒後，呼吸状態が安定すれば，モニターをはずす 3) 全身麻酔の場合，覚醒1時間後より水分から開始し，悪心・嘔吐，誤飲がなければ食事摂取を進めていく	● 止血が確認できれば安静度はフリーである ● 24時間経過すれば穿刺部位のガーゼをはずしてよい。入浴も可能である ● 起こり得る合併症として，出血，皮下気腫，感染，麻酔によるショックなどがあるので注意して観察する

B 腰椎穿刺

- ● 目　　的：中枢神経系疾患の診断・治療効果の評価，髄液採取と脳脊髄圧の測定，脳脊髄圧の減圧，治療のための髄腔内への薬剤注入（抗がん薬，抗菌薬など），脳室撮影時の造影剤投与など
- ● 適応・禁忌：適応：造血器系疾患（白血病，悪性リンパ腫，再生不良性貧血，骨髄異形成症候群など）や腫瘍をもつ，または疑いのある小児

  　　　　　　禁忌：出血傾向がある場合，穿刺部位に感染巣がある場合，頭蓋内圧亢進症状があり脳ヘルニアを誘発する可能性がある場合
- ● 必要物品：腰椎穿刺針（ディスポーザブルのスパイナル針，カテラン針）（図4-6），注射器，滅菌穴あきシーツ，ディスポーザブル処置

カテラン針
写真提供：テルモ株式会社

図4-6　腰椎穿刺針

セット（鑷子，綿球，ガーゼ，ポビドンヨード液），処置用防水シーツ，ヨード脱色剤，滅菌手袋，ディスポーザブル手袋，紙帽子，マスク，ディスポーザブル膿盆，絆創膏，圧迫固定用ガーゼ，滅菌スピッツ

（脳脊髄圧測定の場合）延長チューブ，定規

（薬剤注入の場合）薬剤，注射器，注射針

（全身・局所麻酔の場合）A「**骨髄穿刺**」に準じる

1）検査前の準備

	方　法	留意点と根拠
1	A1）「検査前の準備」の「方法1〜2」に準じる 腰痛穿刺の場合は，検査後の安静について説明する	●腰椎穿刺後は1時間の臥床安静が必要なことを，事前に説明しておく
2	医師の指示（指示簿）を確認する	
3	処置室の環境を整える	
4	必要物品を準備する 髄腔内に薬剤を注入する場合は，小児の名前，日時，薬剤名，薬液量について，医師と看護師がダブルチェックする	
5	A1）「検査前の準備」の「方法6〜7」に準じる	
6	小児の準備を整える 1）小児を左側臥位にし，固定する 2）医師は処置台の高さを適切な位置に合わせる	●医師が右利きの場合，左側臥位にする ●処置台の高さを調整する場合，小児の安全に留意する
7	介助の準備をする 1）手洗い後，マスクと帽子を着用する 2）手指消毒を行い，ディスポーザブル手袋を装着する 3）無菌操作で処置セットを開く（➡❶） 4）無菌操作で穿刺針と注射器，スピッツをセットトレイに入れる。局所麻酔の場合は5mL注射器と23G注射針を入れる 5）局所麻酔の場合，1％キシロカインをアンプルカットし，医師が注射器に吸引する介助を行う 6）髄腔内注射の場合，無菌操作で薬剤を医師の持つ注射器の中へ注入する	❶感染予防のため，無菌操作で行う。逆行性に髄腔内感染を起こす危険がある ●感染予防のため，無菌操作で行う

2）検　査　中

	方　法	留意点と根拠
1	穿刺部位を露出する	●からだの露出は最小限にし，保温と羞恥心へ配慮する ●穿刺部位に衣類がかからないようにする
2	小児の体位を整える 1）小児を左側臥位にし，ベッド端に臥床させ，処置台に対して腰部を垂直にする 2）小児の頭部を前屈し膝を両手で抱え込み，膝頭を腹部に接近させる 3）小児が動かないようにしっかりと固定する	●腰椎棘突起間が広くなるように，できる限り背中を丸める ●小児の顔色，呼吸状態が観察できるように調整する ●頸部を過度に前屈させると，頸動脈を圧迫して頭蓋内圧が亢進するため，前屈させすぎないように注意する

方　法	留意点と根拠
3　A 2)「検査中」の「方法3～6」に準じる	
4　腰椎穿刺を介助する 　1) 医師が腰椎穿刺を行い，脳脊髄液（髄液）を採取する 　2) 必要に応じて，医師は延長チューブを接続し，脳脊髄液圧を測定する 　3) 必要に応じて，医師は延長チューブをセットした注射器と針を接続し，髄液の逆流を確認しながら，薬剤を注入する 　4) 採取または薬剤注入中，小児の全身状態（顔色，表情，呼吸・循環動態），下肢の痛み・しびれの有無，不穏，鎮静の程度などを観察・確認する 　5) 穿刺針抜去後，穿刺部位を滅菌ガーゼで圧迫し，周囲の消毒薬をヨード脱色剤または微温湯で拭き取る（→❶） 　6) 穿刺針抜去後，穿刺部位を消毒液で消毒し，ガーゼドレッシング材を貼る	●小児は神経根の位置が低いため，第4腰椎以下の脊椎間に穿刺する ❶ヨード剤は皮膚刺激があるため，拭き取る

3）検　査　後

方　法	留意点と根拠
1　小児の体位を元に戻し，衣服を整える	●処置台からの転落などの危険を予防する
2　小児の全身状態を確認する 　1) 検査後1時間は，頭部を水平にした仰臥位で安静を保つ（→❶） 　2) 小児の全身状態を観察・確認する	❶穿刺後は頭蓋内圧の急激な低下を避け，また薬剤の円滑な移行のため，水平仰臥位で安静を保つ ●穿刺後，脳脊髄液圧の変化で悪心や頭痛を起こす場合があるので注意して観察する（→❷） ❷頭痛の原因は，髄液の穿刺・採取などによる一時的な頭蓋内圧の低下である
3　終了を伝え，頑張りをほめる（→❸）	❸小児が検査を前向きに受け止め，プラスの体験となるよう援助する
4　小児を病室に移送し，覚醒状態・呼吸状態を観察する 　1) 小児を水平位でストレッチャーまたはベッドに移動させ，病室に移送する 　2) 麻酔からの覚醒状態，呼吸状態を観察する	
5　後片づけをし，手を洗う	
6　採取した検体は，名前，日付，伝票を確認し，検査部に提出する	●検体の取り違えに注意する
7　記録する	●検査時間・内容，麻酔時間・薬剤名・使用量，穿刺部位，小児の状態などを記録する
8　小児の状態を確認する 　1) 小児の全身状態（呼吸・循環動態，顔色，表情），頭痛，項部硬直，悪心・嘔吐，めまい，けいれん，穿刺部の疼痛，出血，髄液漏れ，下肢知覚異常の有無，意識レベル低下などを観察する 　2) 覚醒後，呼吸状態が安定すれば，モニターをはずす 　3) 全身麻酔の場合，覚醒1時間後より水分から開始し，悪心・嘔吐，誤飲がなければ食事摂取を進めていく	●24時間経過すれば穿刺部位のガーゼをはずしてよい。入浴も可能である ●起こり得る合併症として，出血，感染，髄液漏出，髄膜刺激症状（頭痛，悪心・嘔吐，痛み），麻酔によるショック，脳ヘルニアなどがある

文献

1) 馬場和美・山内秀雄：けいれん・意識障害，小児科診療，74（増刊号）：177，2011．
2) 日本麻酔科学会：術前絶飲食ガイドライン，2012．
　〈http://www.anesth.or.jp/files/pdf/kangae2.pdf〉（アクセス日：2022/4/25）
3) 赤川里美：骨髄穿刺，腰椎穿刺，浅野みどり編，根拠と事故防止からみた小児看護技術，医学書院，2012，p.266-274．
4) 佐東美緒：骨髄穿刺，腰椎穿刺，中野綾美編，小児看護学②小児看護技術＜ナーシング・グラフィカ＞，第2版，メディカ出版，2013，p.220-225．
5) 有田直子・他：骨髄穿刺，腰椎穿刺，平田美佳・染谷奈々子編著，ナースのための早引き 子どもの看護 与薬・検査・処置ハンドブック，第2版，ナツメ社，2013，p.217-232．
6) 石岡明子：髄液の採取，竹尾惠子監，看護技術プラクティス，第2版，学研メディカル秀潤社，2009，p.419．

5 安全・安静確保の技術（運動抑制・固定の技術）

学習目標
- 検査・処置・治療の際の安全・安静を確保する技術の意義を理解する。
- 運動抑制・固定が子どもの人権を脅かす可能性をもつことを理解する。
- 小児に行われる安全・安静確保の技術の基本を習得する。
- 運動抑制・固定の技術を用いる際の注意点を理解する。

1 安全・安静確保と運動抑制・固定

　安全とは、「危険がなく、生命の脅かしや健康レベルの低下がなく、身体的・社会的に消耗していない状態」[1]である。また、「看護を提供する際の必須要件であり、看護職者の意図的な活動と組織的な活動とによって確保される」[2]。検査・処置・治療の場面では、生命を脅かすような状況が発生することがあり、危険回避能力の発達過程にある小児においては、安全確保は特に重要な技術である。

　医療における安静は、「身体的・精神的活動によりエネルギー代謝のレベルを低くし、エネルギーの流入と流出のバランスがよく、平衡が得られている状態にする」[3]ために、病状悪化の防止、早期回復を目的として、身体運動の制限や身体の一部を保護することであり[3)4)]、概念のなかにその方法も含んでいる。

　安全も安静も小児の生命を守り、心身を最適な状態に置くことを目的としている。本節で取り上げる運動抑制*1・固定*2は、身体的な安全・安静を目的として行われるが、一方では、小児の「自分は安全であるという感覚」を阻害する可能性をもつ矛盾した状況でもあることを忘れてはならない。

　身体拘束は、個人の尊厳の侵害、表現の自由、人格権（自己決定権や名誉権、プライバシー権）などと関連する[5]。厚生労働省は精神保健障害福祉法に基づいた「身体拘束」を、「衣類または綿入り帯等を使用して一時的に該当患者の身体を拘束し、その運動を抑制する行動の制限をいう」と定義し、個人の尊厳の尊重および人権に配慮した運用を規定している[6)7)]。また、身体拘束が人権侵害に抵触する行為として、2001年に高齢者ケアにおける「身体拘束ゼロへの手引き」を提示した[8]。そのなかで回避すべき具体的行為として、"車いすやベッドなどに縛り付ける"、"手指の機能を制限するためにミトン型の手袋を付ける"、"行動を制限するために介護衣（つなぎ服）を着せる"、"職員が自分の身体で利用者を押さえつけて行動を制限する"、"自分の意思で開けることのできない居室等に隔離する"などがあげられているが、これらは本節で小児に適用する運動抑制の方法そのものである。厚生労働省は緊急やむをえない場合の対応として（身体拘束の3原則）、①切迫性、②非代替性、③一時性

の3つの要件を満たし，かつこれらの要件の確認等の手続きが慎重に実施されているケースに限られ，個人ではなく施設内で協議し，実施に至る経過や理由等について記録を残すことを定めている[8]。高齢者だけでなく，障害者虐待防止法（2011年）に基づき，2021年診療報酬改定では，「事業所における虐待の防止及び身体拘束等の適正化」[9)10)]が定められ，2022年からは事業所運営上の義務とされた。障害児・者に対し前述したような身体拘束が不適切に行われた場合は，身体的虐待とみなされ，身体拘束をゼロにするための施設の努力が診療報酬上の条件となった。日本看護倫理学会は，「身体拘束予防ガイドライン」のなかで，倫理的な組織文化をつくるために組織の長が明確なポリシーをもつこと，チームでディスカッションを重ね，意識的な取り組みを継続して行うことの重要性を示している[11]。

現行の法令・省令は小児を明確な対象とはしていないが，小児の身体抑制も，成人・高齢者・障害者と同様に，人権の尊重を優先した慎重な決定を求められる。

*1，*2：本節では，「運動抑制」は運動制限を他律的に運動制限を行う方法，「固定」は身体の動きを用具で固定する運動抑制の方法として解説している。また，「運動制限」は自律的および他律的に身体運動を制限する状態とする。

2 運動抑制・固定と子どもの人権

1999年に日本看護協会が提示した「小児看護領域で特に留意すべき子どもの権利と必要な看護行為」の「抑制と拘束」の項では，「子どもは抑制や拘束をされることなく，安全に治療や看護を受ける権利がある」と示されている[12]。

小児は，自ら危険を回避しようとする力を備えている。周囲からの援助を得て安全であると感じれば，年少児であっても自ら運動を制限したり，運動抑制に納得し，協力することもできる。小児自身が置かれた状況を理解し，自己決定し，対処できる力を発揮できるような支援を優先して行う。

運動抑制は，成長・発達過程にある小児に様々な影響を与えると考えられる。やむなく運動抑制や固定を実施すると決定しても，子どもの尊厳を守る支援を継続し，可能な限り早期に中止や回避する方法を模索しながら行うことが前提である。

「子どもは危険を回避できない」「安全のためやむを得ない」と医療者が簡単に決定するのではなく，子どもの人権を侵害する可能性が高いことを認識し，回避する方向を検討して用いる技術であることを肝に銘じたい。

3 運動抑制・固定の目的

本節で扱う運動抑制・固定は安全・安静確保の技術の一部であり，以下の目的で実施する。
①検査，処置，治療，ケアを行う際の危険な行動を回避し，小児の安全を確保する。
②入院や治療中に生じる可能性のある事故（チューブ類の抜去，転倒・転落）を回避する。
③特定部位の運動制限や保護により，創傷や疾病の回復を促進する。
④安静を保つ，あるいは一定の体位を持続することで治療効果を上げる。

4 安全な運動抑制・固定のための支援

1）運動抑制・固定の必要性のアセスメント

表5-1の点をアセスメントし，運動抑制・固定の必要性を検討する。現段階では小児が自ら運動制限を行うことが難しいと判断した場合も，まずは運動抑制・固定以外の介入の方法を検討する。そのなかには，治療・検査・処置方法の変更の可能性，環境調整，小児の自己決定や判断力，運動抑制への納得や参加の意欲を高める介入の検討なども含まれる。こうした検討の後に運動抑制・固定が選択された場合は，アセスメント内容を医療記録に記載する。

運動抑制や固定を行った後も，変化はないか，安全・安楽が確保されているか，運動制限が効果的に実施されているかなどをアセスメントし，変化に応じた支援を行う。

2）小児・家族への説明

検査，処置，治療の必要性や方法とともに，身体部位の安静の方法や運動制限の範囲，そのことにより生じる生活上の不便や不快感，その対応策，小児にとってほしい行動，代償となる活動や遊びなどの気晴らしの方法，生活の方法などについて説明する。

特に，実施される運動抑制や固定が安全のために行われるということ，身体の苦痛を最小限にすることになること，不要な制限はしないことを理解できるように説明する。

乳児への説明では言葉を用いることができないので，安心感を与える援助を行うようにする。幼児期には，人形や絵，ビデオなどを用いてイメージしやすいように説明する。学童でもパンフレットなどを用いて，身体の状況と運動制限を関連づけ，理由が論理的にわかるように説明する。実施の必要性が切迫している場合でも，これらの方法に準じた小児へのわかりやすい説明や声かけを行う。

運動抑制や固定の経過中は，状況が理解できるように繰り返し説明し，終了後も経験したことの意味がわかるように，小児の気持ちや理解度を確認しながら説明を補う。

小児には嘘をつかないようにするが，どのように伝えるかは年齢や個別性に合わせた工夫が必要である。恐怖が先にたつと，内容の理解に至らないこともある。運動制限の見通し，対処法や周囲の支援など，小児が安全性を判断できる情報をわかりやすく提供し，小

表5-1 運動抑制・固定の必要性のアセスメント

小児の状態のアセスメント	①疾病，身体的な状態 ②意識状態，認知能力，説明への理解度，納得の度合い ③行動特性，過去の経験，行動制御力，対処能力 ④家族の受け止め，サポート　など
状況的なアセスメント	①身体状況の危険度，緊急性 ②発達に与える影響 ③心理面に与える影響 ④治療・検査・処置に必要となる運動制限，安静 ⑤治療・検査・処置時の環境 ⑥継続時間　など

児の受け止め方を様々な情報から判断する。小児は必要性が理解できても，不快感，恐怖心のために，運動制限が難しくなることもあるが，一緒に取り組む姿勢を示し，小児を責めたりしないように注意する。

家族には小児の運動制限を行うことの了解を得る。継続的に運動抑制を行う場合には文書で説明し，同意書を得るか，検査時に一時的な運動抑制を実施したことなどは説明されていないこともある。家族は必要性を理解できても，運動抑制されたわが子の姿を見ることに大きな精神的苦痛を感じる[13]。家族は小児に行われることを知る権利をもっている。運動抑制の理由やどのような配慮を行ったか，その後の小児の反応やケアなどを伝えることが必要である。

家族は運動抑制中の小児へのかかわり方に戸惑うことも多い[14]。運動抑制中の安全なかかわり方について情報提供し，家族と協力して援助を行う。また，運動抑制ができるだけ短時間になるよう検討し，外観についても工夫する。

3）自己決定と対処能力を引き出す支援

小児は，発達過程全体をとおして，運動することにより自己の能力を認知し，周囲との関係を学び，自己効力感や自己概念を形成し，感情や行動のコントロール能力を獲得していく。運動制限は，小児の「動きたい」という基本的欲求を妨げ，それ自体が恐怖や苦痛につながり，自己効力感を低下させる。

動きが他動的に制限される運動抑制は，小児自身の決定によるものでない場合，自己コントロール感や自己決定力を否定される感覚をもちやすい。小児が自己決定して参加しているという感覚をもち，自己効力感が上がるように支援する。また，運動制限自体が小児の発達を妨げる可能性についても検討する。

（1）乳児・年少幼児への支援

乳児期や幼児期前期は，運動や感覚をとおして自分の機能や環境と自分との関係を認識していく時期である。乳児にとって動けないということは不快や恐怖をもたらし，長期間の運動制限は乳児の感覚および認知の発達を妨げる可能性がある。また，この時期は基本的信頼感を獲得することが重要な発達課題であり，運動制限は安全・安心感を損なう経験となる。

乳児は，抱っこされる，スキンシップや声かけ，おもちゃでの遊び，運動制限以外の身体部分を動かす，おしゃぶりなどによって安心を得られることを感覚的に認知すれば，無用な抵抗をせず運動抑制を受け入れることもできる。9か月頃からは親の表情をうかがって行動を決める社会的な認知が発達する。家族や周囲の態度から，動かずにいれば怖くないことを理解することができるようになる。

（2）幼児への支援

幼児期は，積極的に探索行動を行い，自己の能力を認識し，自立心や積極性を獲得すると同時に，社会的な相互作用のなかで自己コントロール感を獲得する重要な時期である。

自己中心的な認知ではあるものの，因果関係を自分なりに理解でき，「押さえないで」など自分の思いをある程度言葉にできるようになる。小児の発達段階に合った説明をし，個々の欲求に対応し，自己決定の機会をつくると，小児は納得して，自ら努力して運動制

限を守ろうとする。また，そうした努力が認められれば誇りを感じる。幼児なりに目標や目安をもって参加できるため，「がんばりシール」などが効果的なこともある。

しかし，認知的な理解だけで自律的な運動制限が継続できるものではない。運動の欲求が強くなることや，運動制限の状態を自分への罰としてとらえる危険性もある。家族と共に，幼児が感情を表出し，十分甘えられる時間をつくることも重要である。

また，幼児期は運動能力を高め，生活行動の獲得を行う時期である。長時間の運動制限が生活行動の獲得に影響しないように援助する。

（3）学童への支援

学童期では，自分が置かれた状況を論理的に理解して，自律的に運動制限ができるようになるため，運動制限が必要な身体的状況とその変化，具体的な対処方法を説明する。

継続的に運動制限を行う場合，周囲からの支援を得て生活することに羞恥心をもち，劣等感など自己概念に影響[15]することがある。小児のプライバシーに配慮し，決定権を尊重するとともに，気持ちや要求を言い出せないでいないか注意深く観察する。

4）二次的障害の予防

身体抑制や固定の方法によって生じる二次的障害を予測し，観察を十分に行い，生じる危険性のある障害を予防する。抑制に用いる用具による圧迫や摩擦，不自然な肢位，発汗や不感蒸泄の上昇，不潔な状態などから生じる影響を検討しておく。

二次的障害には，疼痛，循環障害（局部の循環障害，血栓形成の危険，起立性低血圧など），皮膚の損傷（発赤，擦過傷），神経障害（知覚障害，運動障害），呼吸障害，関節部の拘縮，筋力低下，消化器系の問題（消化機能障害，腸蠕動の低下，食欲不振，嘔吐など），排泄機能障害（残尿感，便秘）などがある。また，運動抑制や固定に小児が抵抗し，局所に過度な力が加わって骨折などが生じる可能性がある。

常に安全に配慮し，最小限の運動制限により障害が生じないように注意する。

5）ストレスの緩和と環境整備

短時間の運動抑制であっても，小児の受けるストレスは大きいため，小児が安全・安心感が得られる支援を継続して行う。小児の発達に合わせて家族と協力し，声をかける，スキンシップ，ディストラクション，抱っこ，終了後のフォローなどを行う。

継続的に運動抑制・固定を行う場合は，可能な限り小児が自立して生活行動がとれるよう環境を整備し，基本的な生活習慣を整える。すなわち，食事，排泄，清潔，衣服について不便な状態を改善し，十分な休息がとれるように援助する。

遊びや学習など，運動制限の代償となるような活動を支援することも重要である。運動制限があっても様々な活動に参加し，他児と交流ができるように調整する。

子どものプライバシーを守り，羞恥心に十分配慮する。

小児が孤独や不安に陥らないように，頻繁にかかわり，話しかけ，気持ちを把握するようにする。特に家族とのかかわりが十分もてるように配慮する。運動抑制・固定中でも，安全な環境下で解放可能な時間をつくり，早期に抑制・固定を終了できるようにする。

5 運動抑制・固定方法

　小児の運動抑制・固定は、回避することを前提とする。表5-2に示した方法は、小児の状態や発達、処置などの生命に及ぼす危険性、緊急性、運動抑制回避の方法を十分検討したうえで、ほかに代替方法がないと判断した際に行われる、安全・安静確保のための方法の一部として掲載する。

　運動抑制が目的にかない、安全で効果的に、かつ短時間で運動抑制や小児の身体的・精神的な負担が最小となるようにする。

表5-2　運動抑制・固定の種類と目的・方法・注意点

種類	目的・方法・注意点
安静ジャケット 図5-2, p.245参照	・上下肢の牽引など、継続的に適切な体位を保つことが必要な場合、年少児に使用することがある ・手術部位や検査部位などを体動による圧迫やずれが生じないように保護する（睡眠時などでも部位の安静を守ることができる） ・安静ジャケットに付いている固定紐は、ベッド柵に結ぶと柵の上げ下げによりずれることがあるため、ベッド枠に固定する（図5-1参照） ・安静ジャケットをとめるボタンや紐の結び目がからだの一部分を強く圧迫しないように注意する ・恐怖心を軽減するために、安静ジャケットを絵のついたものにするなど工夫する
おくるみ（マミー）抑制法 	・乳児の頭部、頸部、片方の上肢の検査・処置などを行う場合、体幹の動きを短時間制限する際に用いられることがある ・全身の動きを抑制するため、小児の納得を得ないで実施すると、恐怖心や怒りをもつことになり、行動制御を自ら行おうとする意欲を阻害する。幼児に行うと、「悪いことをした罰」という印象が残る可能性もある。実施の際は、安全に配慮し、ディストラクションを用い、家族と協力してやさしくからだをなでたり、声をかけながら行う ・無理な力がかからないようにしながらも、バスタオルを身体に沿うようにきちんと巻く。緩みがあるとかえって小児の無理な動きを生じさせ、不自然な負荷がかかり、効果的に運動制御ができない ・呼吸を妨げないように注意する ・上下肢を体幹の下に巻き込まないように注意する ・上肢の処置のために実施する際は、片方の上肢は出しておく ・くるまれるまでの時間が長いと緊張や恐怖心が増すため、短時間で行える方法や、見た目が怖くないおくるみなどを各施設で工夫している。ただし、抑制することが前提にならないように、回避の方法も必ず検討する

表5-2 運動抑制・固定の種類と目的・方法・注意点（つづき）

種　類	目的・方法・注意点
肘関節帯，膝関節帯 	・口唇口蓋裂手術後や，気管孔設置直後でカニューレ抜去の危険性が高い時期など，上肢の動きを確保しつつ肘関節の運動を制限し創部の安静を保つことを目的に実施されることがある ・関節部に力がかかるため，強度がありかつ皮膚の損傷を生じない素材を用いる。アクリルネットにキルティングでカバーをし，マジックテープで固定するタイプがよく用いられる ・摩擦で皮膚が傷つかないように服の上から用いる ・関節が関節帯の中心になるように固定する ・小児の大きさに合ったものを用いる ・肩のクリップで服に止める，背中に回したベルトでずれないようにするなど，肘関節の運動は制限するが，他の運動は制限しないように工夫する ・大人がついていて安全を確保したうえで，可能なかぎり抑制を解除する ・関節帯の辺縁は摩擦が生じやすいので，皮膚の障害に注意する
ミトン  写真提供：株式会社メディカルプロジェクト 新生児・小児用ミトン	・無意識に皮膚を傷つけたり，チューブ類などを抜去する可能性があるなど，様々な手段を講じても危険がある場合に一時的に用いることがある ・指を自由に動かせない苦痛は大きく，おしゃぶりなどの情緒的安定を妨げるため，子どもをみているときははずす ・大きすぎると防止したい指の動きを抑制できず，小さすぎると指関節の動きを妨げ，循環障害や拘縮などを生じる危険性があるため，適した大きさのものを選択する ・ミトンを固定する紐などが手首を締めつけないように注意する ・定期的にはずして問題が生じていないか観察し，手をマッサージする ・湿潤しやすくなるため清潔を保つ
砂嚢，陰圧式固定具  砂嚢による頭部の固定（タオルなどを巻く）	・頭部の手術後など，頭部の動きが制御できないと危険な場合や，上体挙上を保つ際に身体の位置がずれるのを防ぐ目的で使用することがある ・砂嚢は，摩擦を防ぐためにやわらかい素材の布で包んで使用するが，体動により皮膚が傷つきやすい。皮膚を観察し，過度に圧迫しないように固定する部位に適した形に変形させて用いる ・比重の重い合成樹脂のビーズを運動抑制する部位に合わせて自由に変形させ，陰圧をかけて硬くする陰圧式固定具もある。観察や注意点は砂嚢と同様である
シーネ固定 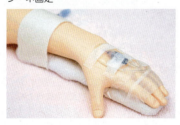	・シーネは，整形外科的疾患など，患部の安静のために関節を含む上下肢の一部の動きを制限するために用いられることが多い ・小児では点滴実施時に留置針刺入部の保護が困難な場合に用いられてきた。テープ固定や刺入部の保護の方法を工夫することでシーネが必要ない場合も多いため，必要性を検討する ・小児には，点滴の必要性やテープやシーネによる固定についてわかりやすく説明し，テープに好きなキャラクターの絵を描くなど，点滴ラインを保護することに納得できるような工夫をする ・シーネは部位に合った大きさを選択し，良肢位が保てるように変形させて用いる。必要な安静は保持し，かつ余分な部分を固定しないように注意する ・シーネで保護する部位は湿潤するため不潔になりやすく，テープによる皮膚のかぶれや圧迫による循環障害を生じる危険性がある。皮膚のトラブルや知覚・運動障害が生じていないか観察する ・清潔ケアを頻繁に実施し，シーネは適宜交換する

表5-2 運動抑制・固定の種類と目的・方法・注意点（つづき）

種類	目的・方法・注意点
	・点滴挿入部位の固定のためにシーネを用いる場合は，観察しやすいように指先にはテープを貼らず，母指は動かせるように他の指を固定する ・シーネがずれて皮膚の損傷を生じないように，必要時ガーゼを挿入して固定する ・シーネで身体を傷つけないように，シーネを柔らかな素材でくるんだものを使用する

看護技術の実際

A 安静ジャケットを用いた運動抑制

- **目　的**：検査・処置・治療の際に適正な体位を保つため，全身あるいは身体の一部の運動を制限する
- **適　応**：身体の位置を一定に保つことで治療効果を得る場合（牽引など）や，頭部の挙上が危険である状況（脳外科の手術後など）での体幹の固定，検査後に安静を保つ必要のある小児
- **必要物品**：安静ジャケット，タオルなど（必要時）

方　法	留意点と根拠
1　抑制の必要性をアセスメントし，方法を決定する 　1）以下の点から，運動抑制を実施する際の状況をアセスメントする 　　(1) 検査・処置・治療に与える運動の影響（➡❶） 　　(2) 安静が必要な期間 　　(3) 抑制解除が可能な状況，時間 　　(4) 小児の理解力，行動制御能力（➡❷） 　　(5) 家族の了解や協力 　　(6) 入院環境 　2）運動抑制の必要性の判断と適切な方法をチームで検討する 　3）抑制の解放時間の確保とその間の安全の担保について，医師やチームスタッフと検討する（➡❸）	❶体重の軽い乳幼児では錘に引っ張られて十分な牽引力を確保しにくい ❷術部・生検部の損傷や出血を防ぐため安静を保つには，安静ジャケットがあることで睡眠時など無意識下での体動を負荷なく制御しやすくなる ❸安全を保ちつつ抑制を解放できる状態をできるだけつくるように検討する。ストレスが高いので，解放時間を有効に使えるように計画する
2　家族の同意を得る 　1）家族に以下の点を説明し同意を得る（➡❹） 　　(1) 安静ジャケットを装着する目的 　　(2) 当該の小児が必要とする理由（回避できない理由） 　　(3) 装着中の注意事項 　　(4) 装着期間（時間） 　　(5) 装着に伴って行われるケア（最小限の抑制，頻繁な観察，問題の予防，プライバシー保護など） 　　(6) 遊びや学習の方法，小児のストレスの軽減方法 　　(7) 運動抑制を行いながらの生活方法 　　(8) 家族と協力して行える小児への支援内容	●図や説明書などを用いて行い，同意書は医療者，家族両者が保管する ❹子どもの権利擁護について十分説明する。親にとって，小児の治療や検査・処置が安全に行われることは希望していても，小児の抑制による苦痛や不安は，親の精神的苦痛を生じさせる。運動抑制の目的，回避できない理由，注意事項，安楽の確保，ケアなどについて十分説明を受け，納得することがその後の協力体制につながる

方法	留意点と根拠
2）家族の疑問にこたえ，実施の際は意思決定したことについて文書で同意を得る	●抑制は倫理的には実施しないことが原則であり，実施にあたっては小児の意思決定の代諾者として家族に同意を得る
3　小児に説明する 1）小児の理解力に合わせて以下の点を説明する （1）必要性，回避できない理由，方法 （2）実施時間・期間 （3）実施することの効果（小児の利益） （4）小児自身でできること，周囲が支援する内容など 2）小児が自分の気持ちや考えを表現でき，運動抑制を行うことに小児なりに納得できるように働きかける	●絵や人形，パンフレットなどを用いてわかりやすく説明する ●小児の運動抑制への誤解（罰を受けるなど）がないように，小児が悪いのではないこと，周囲が協力することを伝える ●年少幼児では，急に抑制するのではなく，抱っこをしたり声をかけたり遊んだりしながら安静ジャケットに触れ，徐々に受け入れられるように働きかけることが望ましい
4　運動抑制の準備をする 1）小児の体格に合った安静ジャケットを準備する（→❺） 2）小児の上半身の部分に安静ジャケットを置き，固定紐をベッド本体に固定する。上部の固定紐はベッドの頭部の柵に結ぶ（→❻）（図5-1）  図5-1　ベッド本体に紐を固定	❺小さいと身体への圧迫が強く，呼吸，消化，循環などに影響する。大きすぎると効果的に運動が制限できないだけでなく，小児の体動により不適切な部分が圧迫されて事故が起こる危険性がある ❻ベッド柵は移動するため，柵に結ぶと固定紐がずれて不適切な力が加わったり，効果的な運動抑制ができなくなる可能性がある
5　安静ジャケットを着せる（図5-2） 1）小児を安静ジャケットの上に寝かせる 2）ジャケットの左右を合わせて閉じる 3）効果的で適切な運動抑制ができるように，タオルなどを身体と安静ジャケットの間に入れて調整する  図5-2　安静ジャケットの装着	●安静ジャケットは衣服の上から使用し，手の平が入る程度のゆるみをもたせて左右を閉じる（→❼） ❼強い圧迫による呼吸運動・循環・消化管への障害を生じないようにする。また，皮膚の障害を防ぐ ●小児に声をかけたり，やさしく触れたりしながら行う。小児と一緒に手順や目的を確認しながら行うとよい（→❽） ❽安静ジャケットを着る際に恐怖や不安を感じることがあるため，小児が理解したとおりのことであり，安全であることを伝えながら行う

第Ⅴ章 検査・処置・治療に伴う看護技術

	方　法	留意点と根拠
6	**運動制限中の状態を観察し，必要なケアを行う** 1）以下の点を観察・評価する （1）運動制限の目的を果たしているか（適切な姿勢，目的の部位の安静や保護が保てているか） （2）方法，制限の範囲は適切か （3）制限による障害が生じていないか ・小児の動きの様子に異常はないか ・過度な圧迫はないか ・不自然な姿位ではないか ・循環障害（知覚，熱感や冷感，皮膚色など）の有無 ・皮膚の障害（発赤，創傷）の有無 ・呼吸障害・消化器症状・排泄障害・疼痛の有無 ・筋力低下や関節運動の障害はないか （4）小児の精神状態 ・機嫌 ・コミュニケーション状況 ・遊びへの関心や集中度，楽しんでいるかなど （5）家族が小児の日常生活援助や精神的支援をうまく行えているか （6）運動抑制に対する小児・家族の受け止め 2）二次的障害の発生を予防し対処する	
7	**運動制限中の生活援助，ストレスに対する支援を行う** 1）運動制限中の食事，排泄，清潔など生活援助を行う 2）ナースコールを手の届く場所に配置する 3）運動制限があってもできる遊びを提供する 4）学習環境を整える	●日常生活が安楽になるよう援助し，また小児自身のセルフケアが可能なように生活環境を家族と共に整える ●家族や保育士，学校の教師の協力を得て，遊びや学習を支援する。また，安静を保ちながら移動し，他児との交流など，気分転換が図れるように支援する ●安全で自由に遊べるように環境を整える（上からおもちゃをつるす，臥床していても使える机を用いて遊べるようにするなど） ●長期間の場合は，特に生活リズムを整えるように援助する ●仰臥位の場合は，背部が湿潤した状態になりやすい。発汗の状態を観察し，必要時，衣服の間にタオルを挿入して頻繁に交換する
8	**運動制限を適宜解除する** 1）運動制限が不要な部位は動かせるようにする。状況により他動的に動かす 2）そばについて危険が回避できると判断できる場合は，一時的に安静ジャケットの紐やボタンをはずして身体を解放する 3）マッサージなどで腸蠕動や関節の動きを改善する	●継続して運動制限が必要な場合でも，解除の時間について医療者と家族が話し合い，生活時間に合わせて解除できるよう調整する
9	**清潔ケアを十分に行う**	●特に背部が湿潤した状態になりやすい ●小児の発汗の様子により，背部と衣服の間にタオルを挿入して頻繁に交換する（➡❾） ❾身体が固定されるため，特に背部に発汗しやすい

文献

1) 和田攻・南裕子・小峰光博総編集：看護学大事典，第2版，医学書院，2010，p.106.
2) 日本看護科学学会看護学学術用語検討委員会第9期・10期委員会：看護学を構成する重要な用語集，2011，p1.
3) 濱田米紀：抑制，日本小児看護学会，小児看護辞典，へるす出版，2007，p.836-837.
4) 前掲書1），p.104.
5) 山本克司：医療・介護における身体拘束の人権的視点からの検討―宮身体拘束事件判決を参考にして，帝京法学，27（2）：111-138，2011.
6) 厚生労働省：精神保健及び精神障害福祉に関する法律第36条第3項の規定に基づき厚生労働大臣が定める行動の制限，厚生省告示第129号，1988.
7) 厚生労働省：精神保健及び精神障害福祉に関する法律第37条第1項の規定に基づき厚生労働大臣が定める基準，厚生省告示第130号，1988.
8) 厚生労働省「身体拘束ゼロ作戦推進会議」：身体拘束ゼロへの手引き―高齢者ケアに関わるすべての人に，2001.
〈https://www.fukushihoken.metro.tokyo.lg.jp/zaishien/gyakutai/torikumi/doc/zero_tebiki.pdf〉（アクセス日：2022/10/31）
9) 厚生労働省社会・援護局障害保健福祉部障害福祉課地域生活支援推進室：障害者福祉施設等における障害者虐待の防止の手引，2022.
〈https://www.mhlw.go.jp/content/000944498.pdf〉（アクセス日：2022/10/31）
10) 厚生労働省：令和3年度報酬改定における障害者虐待防止の更なる推進．
〈https://www.mhlw.go.jp/content/12601000/000768753.pdf〉（アクセス日：2022/10/31）
11) 日本看護倫理学会臨床倫理ガイドライン検討委員会：身体拘束予防ガイドライン，2015.
12) 日本看護協会.小児看護領域で特に留意すべき子どもの権利と必要な看護行為.日本看護協会，1999.
13) 儀間織子・中村美津枝・宮城真規子・他：痛みを伴う処置を受ける時の保護者の医療者に対する認識，沖縄の小児保健，39：23-31，2012.
14) 平田美紀・古株ひろみ・奥津文子：子どもの採血場面における親の付き添いに関する国内における看護研究の現状と課題，人間看護学研究，11：31-37，2013.
15) 村田恵子：身体の動きを制限された学童のストレス認知とコーピング過程，日本看護科学学会誌，14（1）：19-27，1994.
16) Yoshihara T, Yawaka Y：The Ventral Ascending Noradrenergic Bundles are Involved in the Stress Response to Immobilization in Rats. Journal of Behavioral and Brain Science, 5：88-95, 2015.
17) 池添志乃・田井雅子・中野綾美・他：倫理的判断を基盤とした抑制についての調査―抑制実施時の倫理的判断と「説明」を重視する看護者の特徴，日本看護倫理学会誌，3（1）：64-70，2011.
18) 堀江まゆみ：サービス提供事業所における虐待防止指針および身体拘束対応指針に関する検討，NPO法人PandA-J，2011.
19) 笹山睦美：安全確保，安静確保―子どもにとっての最善と身体抑制・鎮静，小児看護，45（7）：823-828，2022.
20) 橘則子，宮城由美子：診療所で小児看護に携わる看護職の「子どもの権利」に対する認識と，幼児への採血方法の実態に関する研究，日本小児看護学会誌，23（2）：34-40，2014.
21) 橋本ゆかり，杉本陽子，蛯名美智子：採血・点滴を受ける子どものプレパレーションに関する看護師への意識調査―年齢階級別による実施中の関わりについて，小児保健研究，73（3）：446-452，2014.
22) 平山歩美・原田慈英・梅澤美枝子：小児点滴固定についての検討―点滴シーネ使用の適否を決める看護師の判断，第42回日本看護学会論文集〈小児看護〉，2012，p.53-56.

6 与　薬

学習目標
- 薬物動態，薬用量，薬剤の形状・特徴，注射の特徴について理解する。
- 小児の成長・発達に応じた与薬の特徴を理解する。
- 小児の成長・発達に応じて与薬を正確かつ安全に実施できる。
- 与薬の際に，プレパレーションを活用して，小児の力を引き出すことができる。

　本節では経口与薬，点眼，点鼻，点耳，坐薬，注射（皮下・皮内・筋肉内），外用薬の塗布について述べる。小児は，新生児期から思春期の著しい成長・発達の過程にあり，体格も生理機能も大きく異なるため，与薬を実施する際は，少しのミスが重大な有害事象を引き起こす可能性がある。看護師は，薬剤に関する知識はもちろんのこと，小児各期の成長・発達に関する知識を踏まえ，コミュニケーション技術を駆使して，小児に正しく安全にかつ苦痛が少ない方法で与薬を行う必要がある。

1 小児の薬物動態の特徴[1]

　薬物動態とは，薬物が生体内で吸収・分布・代謝・排泄されるまでの一連の過程をいう。小児は，成人と比べて消化機能，腎・肝機能が未熟であり，体内水分量が多いために，薬物動態は年齢や体格によって異なる。小児の薬物動態の特徴を理解しておくことは，与薬とその後の患児のアセスメントにおいて重要である。

1）吸　収

　胃内pHは，生後8〜10日で6〜8とおおよそ中性であるが，その後徐々に酸性になり2〜3歳で成人と同じ1.5となるとされている。そのため，新生児・乳児期および幼児期前期までは酸性製剤の吸収率は低下し，酸性で解離する薬物の吸収率は高くなる。
　胃内容排出時間は，成人より長く胆汁分泌や膵外分泌機能も未熟なため，脂溶性の薬物の吸収率は低い。

2）分　布

　新生児は，それ以降の年齢に比べて体重当たりの薬物分布量が大きいため，半減期が短い薬物の体重当たりの投与量は成人より多くする必要がある。一方，肝機能および腎機能が未熟なため，半減期が長い薬物は体内に蓄積しやすい。さらに，腸管からの吸収は成人に比べて悪いため，血中濃度を上げるためには，経口以外の経路からの与薬が必要となる

3）代　謝

　新生児は，薬物代謝にかかわる肝臓の代謝酵素の活性とグルクロン酸抱合能が未熟であるが，生後3〜6か月頃までに成人と同程度に近づく。そのため，生後から6か月頃までは薬物の効果が成人より強く現れたり，副作用が出現しやすい。特にアスピリンやフェニトインは中毒を起こしやすい。

4）排　泄

　薬物は，主に腎臓と肝臓から排泄される。糸球体濾過率や腎血流量は，新生児では成人の約30〜40％と低いため，腎排泄型の薬剤は半減期が長くなる。糸球体濾過率は生後5か月，腎血流量は生後7か月で成人と同程度になる。

❷ 薬用量の決定[1]

　小児の薬物動態の特徴を踏まえると，薬用量は成人のように一律に決定することは難しいことがわかる。小児の薬用量を成人の投与量から換算するには，体表面積の小児/成人比から求める方法が最も良いとされている。しかし，体表面積を求めるのは簡単ではないため，年齢や体重を用いた換算式が示されている。しかし，これらはあくまでも目安であり薬剤ごとに設定することが望ましい（表6-1）。

❸ 薬剤の形状と特徴

　薬剤には，与薬の目的と経路によって経口薬，点眼薬，点耳薬，点鼻薬，坐薬，外用薬，注射薬などがある。各薬剤の吸収経路と特徴を表6-2に示す[1]。

　経口薬は，さらに散剤，顆粒剤，シロップ剤，錠剤，カプセル錠などの剤型があり，それぞれ特徴がある[1]（表6-3）。

　小児は，散剤や顆粒剤をそのまま飲むことが難しい場合が多いため，少量の白湯や糖水で溶解し，液状またはペースト状にして服用させる。アイスクリームやチョコレートシロッ

表6-1　小児の薬用量の換算式

【Crawford式】
小児薬用量＝成人量×体表面積(m^3)/1.73

【AugsbergerⅡ式】
小児薬用量＝成人量×(年齢×4＋20)/100

【Von Harnackの換算表】

年　齢	新生児	6か月	1歳	3歳	7.5歳	12歳	成　人
対成人量比	1/20〜1/10	1/5	1/4	1/3	1/2	2/3	1

表6-2 薬剤の種類と特徴

薬剤の種類	吸収経路	特徴
経口薬	消化管（主に小腸粘膜）	・最も簡便 ・薬効が出現するまでに時間がかかる ・苦味などのため小児が飲みづらいものが多い
点眼薬	眼球結膜	・局所 ・検査や手術で瞳孔拡張
点耳薬	耳	・薬剤を耳孔内に浸透させるため，点耳後10分ほど同一体位をとる必要がある
点鼻薬	鼻粘膜	・消化管よりも吸収が良い ・局所への奏功がある ・血管収縮薬が入った薬剤では，副作用によりショックを起こす危険がある
坐薬	直腸下部	・短時間で薬効が出現する ・全身または局所に作用する ・経口投与が困難な小児に適している
外用薬	皮膚	・吸収が遅いため，薬物血中濃度を低く維持できる ・皮膚の消炎など局所に作用させる軟膏，クリームと，鎮痛・気管支拡張など全身に作用させる経皮吸収薬がある
注射薬	皮内，皮下，筋肉，静脈	・薬効が迅速に出現する ・副作用を起こしやすい ・穿刺および薬剤を注入する際に痛みを伴う

横田俊平・田原卓浩・加藤英治・井上信明編：直伝小児の薬の選び方・使い方，改訂5版，南山堂，2020．を参考に作成

表6-3 経口薬の剤型と長所・短所

剤型	長所	短所
散剤，顆粒剤，ドライシロップ	・投与量を患児個々に合わせて設定できる ・錠剤，カプセルが服用できない小児に適用できる ・複数の薬剤を混合できる	・苦味や匂いが強いものは飲みづらい ・一回量が多く小児が飲みづらい場合がある
シロップ剤	・投与量を患児個々に合わせて設定できる ・甘味が強く小児が飲みやすい ・複数の薬剤を混合できる	・長期保存ができない ・一回量の正確な測定が難しい
錠剤，カプセル錠	・一錠中の成分含量が正確 ・長期保存が可能	・小児用の錠剤は少ない＝小児の多様な体格に合わせた薬用量の錠剤を製品化することは難しい ・乳幼児は飲むことができない場合がほとんどである

横田俊平・田原卓浩・加藤英治・井上信明編：直伝小児の薬の選び方・使い方，改訂5版，南山堂，2020．を参考に作成

プなど味の濃いものに混ぜると飲みやすい場合がある[2]。しかし，オレンジジュースなど酸味のあるものや乳製品は薬剤と混ぜることにより苦味が増したり，薬効に変化をきたしたりするものもあるため，医師・薬剤師に確認する必要がある。そのうえで，小児と家族の希望を聞き，最も飲みやすい方法を検討する。なお，薬剤を包み込んだり混ぜたりするための専用ゼリーも市販されているが，使用する場合は家族の経済的負担に配慮し了承を得る。

4 小児の注射の特徴と留意点

　注射は皮膚に注射針を刺入して薬液を注入するため、他の与薬方法とは異なり痛みを伴う。看護師は、正確な知識と技術を習得し、小児の痛みをできる限り軽減しながら確実に注射を実施しなければならない。

　皮内注射、皮下注射、筋肉内注射の刺入部位と使用針、刺入角度、目的を表6-4、図6-1に示す。

　筋肉内注射については、過去に大腿四頭筋拘縮症の報告が相次いだため、避けられる傾向にあった。しかし、最近では欧米と同様にpHがほぼ中性で浸透圧が生理的なものに近い薬剤であれば筋肉内注射を標準的接種法とするワクチンが増加している。これについて、日本小児科学会は接種部位や留意点をまとめた文書を公表しており、2022年1月にはその改訂第2版が公表されている[2]。日本小児科学会は、小児に筋肉内注射で予防接種を行う場合の接種部位は、1歳未満では大腿前外則部（外側広筋）、1～2歳では大腿前外側部または三角筋中央部、3歳以上では三角筋中央部としている。なお、殿部は筋肉の容積が小さく、脂肪組織や神経組織が多く、さらには坐骨神経損傷の可能性があるので筋肉内注射の接種部位として適切でないとしている[2]。

表6-4　注射の特徴

	刺入部位	刺入角度	使用針	目的	特徴
皮内注射	表皮と真皮の間 前腕内側など	5～15度	26・27G	・ツベルクリン反応 ・薬物アレルギー反応	
皮下注射	皮膚と筋層の間の皮下組織	30～45度	23～26G	・インスリン注射 ・ホルモン補充注射 ・予防接種	・血管が少なく薬剤の吸収が緩徐
筋肉内注射	筋層内 乳幼児は外則大腿直筋部 幼児後期以降は上腕三角筋部	90度	23～25G	・鎮痛・鎮静薬 ・予防接種	・血管に富み、薬剤の吸収が速い ・副作用が起こりやすい

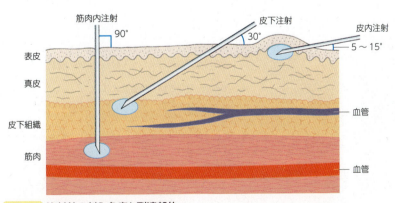

図6-1　注射針の刺入角度と到達部位

5 小児の与薬の特徴

1）小児の与薬の難しさ

　小児，特に乳幼児期は，経口薬の服用や点眼，点鼻，点耳などを自身で行うことができない。学童期以降自身で行うことができても見守りが必要な場合も多い。そのため，看護師や家族が与薬を行う場合が多いが，このとき，決して無理やり実施してはならない。看護師は，小児の発達段階に応じたコミュニケーションをとりながら，年齢の低い小児ではディストラクションで気をそらしながら実施したり，幼児期以降では，与薬の必要性を理解できるよう，絵本などを用いて視覚に訴えながら小児がわかる言葉で説明したりする必要がある。

　しかし，小児にとって，説明を受け，その必要性を理解できても，苦い薬を服用することや痛みを伴う注射などは，「いやなこと」には変わりない。また，与薬は一度限りの処置ではなく，一日のうちにも複数回必要であり，それが数日，数週間，疾患によっては永続的に行わなければならない場合もある。そのため，看護師は，小児が「いや」な部分を可能な限り減らし，主体的に薬の服用や注射などに取り組むことができるよう支援する。

　そして，長期に与薬を継続しなければならない場合は，成長・発達の経過とともにセルフケア能力を高め自身で管理していけるよう支援する。

　一方，小児，特に新生児や乳幼児は，言語発達の獲得途上にあるため，本人確認が難しい。そのため，看護師は慎重かつ確実に与薬における6つのR（表6-5）を確認する必要がある。また，与薬後に副作用が出演した場合，小児はそれを自覚して他者に言葉で伝えることができない。そのため，看護師は小児の薬物動態とともに薬剤の特徴を理解し，与薬後の小児の全身状態を観察し，効果および副作用の有無を注意深くアセスメントする必要がある。

　このように，小児に与薬を実施するためには，多くの知識と技術を要し，訓練も必要である。特に，薬剤に関する知識とともにプレパレーションについて学び，理解することが重要である[3]。

表6-5　6つのR

Right patient	正しい患者氏名	処方箋と薬袋の患児名が一致しているか確認する 処方箋，薬袋の患児自身の氏名が一致しているか確認する
Right medicine	正しい薬剤名	処方箋と薬剤が一致しているか確認する
Right purpose	正しい目的	指示された薬剤の投与目的を確認する
Right dose	正しい用量	処方箋に記載されている用量と薬剤量が一致しているか確認する 溶解して投与する場合，溶解量が正しいか確認する
Right route	正しい投与経路	指示された投与経路を確認する
Right time	正しい時間	指示された時間を確認する

2）発達段階別の特徴
（1）新生児期・乳児期

　新生児および乳児は，吸啜反射によって水分を口腔内に取り込み嚥下するため，経口薬は液状でないと服用できない。散剤の場合は，水などで溶かし液状にする。また，薬剤の苦味を嫌うために様々な工夫が必要であるが，ミルクや食事に混ぜるとそれ自体を嫌いになる可能性があるため，ミルクや食事に混ぜてはいけない。主に味の濃いものが薬剤の苦味を緩和する。小児のアレルギーの有無を確認するとともにカロリーや糖質の摂取過剰にならないよう少量で溶解する。そして，生後から乳児期は味覚が最も鋭敏なため，薬剤を口腔内に注入する際は味蕾の比較的少ない舌中央部や頬粘膜に塗布する（図6-2）。スプーンやスポイト，注射器などを用いて服用できるよう工夫する（図6-3）。なお，一般的に経口薬は食後に服用するよう指示されていることが多いが，小児では食後は満腹で飲めない場合もある。食後が必須である薬剤以外は，乳幼児期は食間や食前に服用できるか医師や薬剤師と検討する。

　注射や点眼・点耳などは，痛みや不快感を伴うため，嫌がって小児がふいに動いたり手で払いのけたりする可能性がる。与薬の際は，そのような動きを防ぐために小児の腕や体幹を保持しながら行う，あるいは服薬させる者と小児の身体を保持する者の2人で実施するなどが必要である。さらに，実施部位に注意が向かないよう絵本や音の出るおもちゃ，動画などで気をそらすディストラクションの技術を有効に取り入れる。

（2）幼児期

　多くの幼児は，風邪に罹患した際などに家庭で経口薬の服用を経験しているため，これまでにどのような方法で服用したことがあるか，好みや苦手なものなどを本人と家族から情報収集し，参考にする。また，言葉によるコミュニケーションが可能になる時期であるため，与薬の必要性を小児がわかる言葉で説明し，主体的に服用できるよう支援する。しかし，幼児が理解しイメージしたものと違った場合，服用しても吐き出したり，顔をそむけたりして確実な与薬が困難になることがある。看護師は，そうしたことも予測したうえで支援する。

　注射や点眼・点耳は，痛みや不快感を伴うが，幼児期になると必要性を理解し，体位を

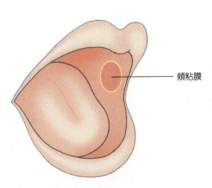

図6-2　苦味を感じにくい部位

左から薬杯，注射器，スプーン，スポイト，乳首
図6-3　経口与薬に使用する物品

自分で決めたり覚悟したりできるようになる。医療者が待つことによって，泣いたり動いたりせずに実施できる小児も多い。

また，幼児期の認知機能の発達の特徴として，何か嫌なことや怖いことが起こると，それは自分がいけないことをした「罰」ととらえることがある。そのため，疾患や治療について幼児がわかる言葉で説明し，「罰」ではないことを伝え，与薬後は幼児の頑張りを認め十分に褒めることが重要である[3]。

(3) 学童期・思春期

学童期に入ると，物事の因果関係を理解し，目的や目標に向かって行動することができるようになる。そのため，薬物療法の必要性を説明し，小児がそれを理解し納得したうえで自ら服用や注射などが受けられるよう支援する。しかし，学童期前期では苦味のある薬剤や大きい錠剤を服用することが困難な小児も多いため，薬剤の種類や服用の方法については幼児期と同様に本人と家族から情報収集するとともに，服用のタイミングや方法について話し合い，小児が自分で決められるようにする。

注射なども，我慢したり周囲に人がいるときには平静を装ったりするが，内心は嫌な気持ちや恐怖を感じていることも多い。看護師は，小児のそのような思いを理解し，自尊感情を損なわないよう配慮したうえで苦痛に立ち向かい乗り越えたことを称賛する。

先天性疾患や慢性疾患のため幼少期から服薬を続けている小児の場合，幼少期から病気と治療について説明を受け，自立を促されている場合も多く，学童期前期には薬剤の自己管理をほぼ一人で行うことができる場合もある。逆に，すべて親が管理し小児が「飲ませてもらう」「注射してもらう」ことに慣れてしまった場合は，学童期後期や思春期に入っても自分がなぜその治療を行っているのかわからない場合もある。成長・発達に応じて，また，小学校入学などのライフイベントの機会などに改めて病気や治療について説明し，薬剤の服用や注射などが少しずつ自分で行えるように支援していく。

看護技術の実際

A 経口与薬

- **目　　的**：疾病の治療，症状の緩和などのため薬剤を経口摂取し，消化管から吸収させ，血行を通じて全身に作用させる
- **適　　応**：すべての小児
- **必要物品**：処方箋，薬剤，薬杯，スポイト，白湯または糖水，（年齢に応じて）乳首，スプーン，注射器，コップ，内服用ゼリー，オブラートなど

	方法	留意点と根拠
1	手を洗う	
2	経口与薬の準備をする 1) 処方箋と薬剤を確認する ・処方箋に記載されている氏名と薬袋に記載されている氏名 ・薬剤名, 薬用量, 回数, 時間 2) 必要物品を準備する	● 必ずダブルチェックする ● 確認事項は表6-5参照
3	患児および家族に以下について説明する 与薬の目的と効果, 薬剤の量, 味, 服用回数, 服用期間, 服用方法など 〈幼児期への説明の例〉 「お熱を下げてからだを楽にするお薬だよ」「おなかが痛いのをなおすお薬だよ」「早く元気になれるお薬だよ」 「少し苦い味がするよ」 「朝とお昼と夜に飲むんだよ」 「お水に溶かしたらスプーンで2回飲むくらいの量かな」 「おうちでお薬飲んだことあるかな？」 「(ある場合) どうやって飲んでいた？」 「〇〇に混ぜると飲みやすいよ」 「コップで飲む？それともスプーンで飲む？」 ・絵本を用いる (➡❷) ・人形などに薬を飲ませるまねをし, 患児にも実施させる (➡❸❹) 〈学童期以降〉 より詳しく具体的に説明する	● 発達段階に応じて ● 決して嘘をつかない ● 具体的に小児が理解できる言葉を用いる ● 小児が知りたいと思っていることや疑問に思っていることを把握し, それに誠実に答える ● 自己決定権を尊重する (➡❶) ❶少しでも自分で決定できることがあると主体的に参加しようという気持ちになれる ● 決して強制しない。患児がやる気になるのを待つ ❷言葉で聞くだけではイメージしにくく理解できないことも多いため, 視覚的に見せてイメージできるようにする ❸模倣しながら行動を学習していく時期のため ❹自我と競争心が芽生える時期であるため ● 学童前期では, 模型や絵本を用いて ● 学童後期以降では, 論理的思考や推論もできるようになるため言葉でより詳細に説明する
4	患児に内服を行う 〈乳児の場合〉 ・少量の白湯または糖水で溶いた薬剤を乳首に入れて吸啜させたり, スポイトや注射器などで口腔内の頬側に流して飲ませる (図6-4) ・ペースト状にした薬剤を頬粘膜に塗り付け, 自然に嚥下させる (➡❺) ・ベッド上で臥位または実施者の膝に座らせて上肢を軽く押さえて飲ませる 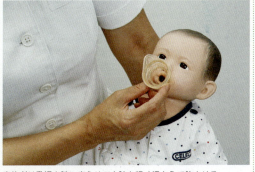 実施者は乳児を膝に座らせて上肢を軽く押さえて飲ませる 図6-4　乳児の経口与薬	● 家庭での服用経験, 小児の好む方法などについて情報収集し, 小児の発達段階および個々の状況に合わせた方法を検討する ❺舌は苦味を感じやすいため ● 舌は苦味を感じやすいため, できるだけ薬剤を舌の上に流さないようにする。ただし, むせないように留意する

V-6 与薬

方　法	留意点と根拠
〈幼児の場合〉 ・小児および家族と話し合って決定した薬剤の溶解方法，飲み方で行う ・座位または，実施者の膝に座って行う ・薬剤を白湯などで溶かしスプーンで服用する場合，小児の口を大きく開けてもらい，実施者がスプーンの部分を舌に乗せ下向きに傾けて薬剤を口の奥に流し入れるようにする 「お口をあーんしてお薬ごっくんしようね」 「お薬飲もうね」 「ごっくんできたかお口をあーんしてみせて」	●患児が薬剤を確実に飲み込んだことを確認する
5　患児が内服できたことをねぎらい褒める（➡❻） 「えらいね。頑張ったね」 「苦いのに上手に飲めたね」など	❻患児が達成感を感じ，自信をもって次回も挑戦しようという気持ちをもつことができる
6　内服後，患児の全身状態を観察する	●薬剤の特徴から起こり得る副作用を把握し，その出現の有無を観察する
7　後片づけをし，記録する 薬剤名・量，内服時間，患児の反応など	

B 点　眼

- ●目　　的：疾病の治療，症状の緩和，検査の前処置などのため薬剤を結膜に浸透させ，作用させる
- ●適　　応：すべての小児
- ●必要物品：処方箋，点眼薬，眼軟膏，清潔なガーゼまたはティッシュペーパー

方　法	留意点と根拠
1　手を洗う	
2　点眼の準備をする 　1）処方箋と薬剤を確認する ・処方箋に記載されている患児氏名と薬袋に記載されている患児氏名 ・薬剤名，薬用量，投与回数，両眼か左右どちらか 　2）必要物品を準備する	●必ず2人でダブルチェックする ●確認事項は表6-5参照
3　患児および家族に以下について説明する 点眼の目的と効果，薬剤の量，点眼回数，期間，方法など 〈幼児期の説明の例〉 「お水のお薬を○滴，目に入れるよ」 「冷たい感じがするよ」 「クリームのお薬を少し目に塗るよ」 「少し変な感じがするかもしれない」 「頭が動くとお薬が目に入らないから，看護師さんが少し押さえているね」 など 学童期以降では，自分で点眼できるか本人と話し合い検討する	●発達段階に応じて ●具体的に小児が理解できる言葉を用いる ●小児が知りたいと思っていることや疑問に思っていることを把握し，それに誠実に答える ●自己決定権を尊重する（➡❶） 　❶少しでも自分で決定できることがあると主体的に参加しようという気持ちになれる ●決して強制しない。患児がやる気になるのを待つ

方法	留意点と根拠
4　患児の年齢や理解度に応じて仰臥位または座位をとらせる（→❷）	❷乳幼児は座位で頭部を後屈させ顔面を上に向けた状態を維持することが困難なので，仰臥位がよい
5　点眼する 　1）患児の頬を指で軽く下方へ引っ張り，下眼瞼が綴じないようにし，点眼薬を下眼瞼の結膜嚢内に滴下する（図6-5） 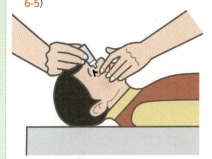 図6-5　点　眼 　2）点眼後は1分程度閉眼するか，目頭を軽く押さえる（→❺） 　3）点眼後，溢れた点眼薬をティッシュペーパーに浸み込ませて軽く拭う	●点眼薬の容器内は滅菌されているので，先端を素手で触れないよう留意する（→❸） ❸細菌が容器内に進入し汚染するおそれがある ●角膜に触れないよう留意する（→❹） ❹容器が汚染される危険に加え，角膜を傷つけるおそれがある ❺点眼薬の効果を高めるとともに，点眼薬が涙管を通って鼻腔内に流入し全身に作用するのを防ぐ
6　患児が点眼できたことを褒める（→❻） 　「えらいね。頑張ったね。冷たいのを我慢できたね」など	❻患児が達成感を感じ，自信をもって次回も挑戦しようという気持ちをもつことができる
7　後片づけをし，記録する 　・薬剤名・量，点眼時間，患児の反応など 　・点眼薬は清潔を保ち，冷暗所に保管する	

C 点　鼻

- **目　的**：疾病の治療，症状の緩和のため，鼻粘膜に薬剤を滴下・噴霧し，鼻腔内または中枢系に作用させる
- **適　応**：すべての小児
- **必要物品**：処方箋，点鼻薬，ティッシュペーパー，綿棒

方　法	留意点と根拠
1　手を洗う	
2　点鼻の準備をする 　1）処方箋と薬剤を確認する 　・処方箋に記載されている患児氏名と薬袋に記載されている患児氏名 　・薬剤名，薬用量，投与回数，両鼻か左右どちらかか 　2）必要物品を準備する	●必ず2人でダブルチェックする ●確認事項は表6-5参照

方　法	留意点と根拠
3　患児および家族に以下について説明する 　　点鼻の目的と効果，薬剤の量，点鼻回数，期間，方法など 　　〈幼児期の説明の例〉 　　「お水のお薬を○滴，お鼻に入れるよ」 　　「お鼻の中にお薬をスプレーするよ」 　　「冷たい感じがするよ」 　　「寝てやるか，座って上を向いてやるかどちらがいいかな」 　　「頭が動くとお薬が鼻に入らないから，看護師さんが少し押さえているね」 　　など	●発達段階に応じて ●具体的に小児が理解できる言葉を用いる ●小児が知りたいと思っていることや疑問に思っていることを把握し，それに誠実に答える ●自己決定権を尊重する（→❶） ❶少しでも自分で決定できることがあると主体的に参加しようという気持ちになれる ●決して強制しない。患児がやる気になるのを待つ
4　鼻腔内の分泌物を取り除く 　　1）新生児，乳児，幼児期前期で分泌物が多い場合は吸引を行う 　　2）幼児期後期，学童期以降では鼻をかませる	
5　患児の年齢や理解度に応じて仰臥位または座位をとらせる（→❷）	❷乳幼児は座位で頭部を後屈させ顔面を上に向けた状態を維持することが困難なので，仰臥位がよい ●乳幼児の場合，介助者が両側頭部を軽く把持する
6　点鼻する 　　1）薬液が咽頭部に流れ込まないように上鼻甲介中央に向け，粘膜に沿うように点鼻薬を垂らす 　　2）エアロゾル式点鼻薬は，ゆっくりとノズルを鼻孔に挿入し噴霧する（図6-6） 図6-6　点　鼻（左：仰臥位の場合，右：座位の場合）	
7　患児が点鼻できたことを褒める（→❸） 　　「えらいね。頑張ったね。気持ち悪いのを我慢できたね」など	❸患児が達成感を感じ，自信をもって次回も挑戦しようという気持ちをもつことができる
8　点鼻後，患児の全身状態を観察する	●薬剤の特徴から起こり得る副作用を把握し，その出現の有無を観察する
9　後片づけをし，記録する 　　薬剤名・量，点鼻時間，患児の反応などを記録する	

D　点　耳

- 目　的：疾病の治療，症状の緩和のため，外耳道に沿って薬剤を滴下し，耳内の消炎，鎮痛，耳垢の除去を図る
- 適　応：すべての小児
- 必要物品：処方箋，点耳薬，ガーゼまたはティッシュペーパー，綿球

	方　法	留意点と根拠
1	手を洗う	
2	点耳の準備をする 1）処方箋と薬剤を確認する ・処方箋に記載されている患児氏名と薬袋に記載されている患児氏名 ・薬剤名，薬用量，投与回数，両耳か左右どちらかか 2）必要物品を準備する	●必ず2人でダブルチェックする ●確認事項は表6-5参照
3	患児および家族に以下について説明する 点耳の目的と効果，薬剤の量，点耳回数，期間，方法など 〈幼児期の説明の例〉 「お水のお薬を〇滴，お耳に入れるよ」 「冷たい感じがするよ」 「頭が動くとお薬がお耳に入らないから，看護師さんが少し押さえているね」 「お薬を入れたら，お薬がよく効くようにそのままで動かないでいてね。その間，本を読んでいる？ それともテレビを見ている？」など	●発達段階に応じて ●具体的に小児が理解できる言葉を用いる ●小児が知りたいと思っていることや疑問に思っていることを把握し，それに誠実に答える ●自己決定権を尊重する（➡❶） ❶少しでも自分で決定できることがあると主体的に参加しようという気持ちになれる ●決して強制しない。患児がやる気になるのを待つ
4	患児に側臥位をとらせる（➡❷）	❷薬剤が流れ出ないようにする ●乳幼児の場合，介助者が両側頭部を軽く把持する
5	点耳する 1）患児の発達に応じた方法で点耳する 2）点耳後，約10分は点耳した側の耳が上を向くよう側臥位を保つ（➡❸）（図6-7） 図6-7　点　耳	❸すぐに座位や立位をとると薬剤が流れ出てしまう ●絵本を読む，DVDを視聴するなどして側臥位が保てるように工夫する
6	患児が点耳できたことを褒める（➡❹） 「えらいね。頑張ったね。長い時間動かないでいられたね」	❹患児が達成感を感じ，自信をもって次回も挑戦しようという気持ちをもつことができる
7	後片づけをし，記録する 薬剤名・量，点耳時間，患児の反応などを記録する	

E 坐　薬

- 目　　的：解熱・鎮痛，抗けいれん，排便促進など主に一時的な症状緩和を目的に，薬剤を直腸粘膜から吸収させ，血行を通じて全身的に作用させる
- 適　　応：すべての小児（下痢がある場合，肛門や直腸に損傷がある場合を除く）
- 必要物品：処方箋，坐薬，潤滑油（ワセリン，オリーブ油など），ディスポーザブル手袋，ティッシュペーパー，ガーゼ，バスタオル，（使用している場合は）おむつ

	方 法	留意点と根拠
1	手を洗う	
2	坐薬の準備をする 1）処方箋と薬剤を確認する ・処方箋に記載されている患児氏名と薬袋に記載されている患児氏名 ・薬剤名，薬用量，投与回数，投与経路 2）必要物品を準備する 3）必要に応じて坐薬を指示された量にはさみでカットする（図6-8）	● 必ず2人でダブルチェックする ● 確認事項は表6-5参照 図6-8 坐薬（半分にカットする場合）
3	患児および家族に以下について説明する 坐薬挿肛の目的と効果，薬剤の量，回数，方法など 〈幼児期の説明の例〉 「（実際の坐薬を見せながら）お尻にこのお薬を入れるよ」 「お熱を下げるお薬だよ」 「少し気持ち悪いかもしれない」 「痛くしないように入れるよ」 「お薬を入れた後は少しお尻を抑えるよ」 「うんちをしたくなるかもしれないけれど少し我慢してね」 など	● 年齢の高い患児は羞恥心があるため，プライバシーを保護し露出を最小限にするなど配慮する
4	腹部を触診し最終排便を確認する（➡❶）	❶ 腹圧により薬剤が排出されないようにする
5	患児が新生児から1, 2歳の幼児までは仰臥位，それ以上の場合は側臥位にする（図6-9） 新生児〜1, 2歳：仰臥位　　3歳以降〜：側臥位 図6-9 坐薬挿入時の体位	● バスタオルなどを使用し，肌の露出を最小限にし羞恥心への配慮とプライバシーの保護に努める
6	与薬の準備をする 1）ディスポーザブル手袋を装着する 2）坐薬に潤滑油を塗布する（➡❷）	❷ 挿入しやすくする
7	坐薬を肛門に挿入する 1）左側臥位の場合，殿部を外側に引っ張り，肛門が露出するようにして坐薬を挿入する 2）挿入時は，「アー」と声を出す，または口をすぼめて息を吐くなどするように患児に伝える（➡❸） 3）坐薬挿入後はティッシュペーパーなどを肛門に当てて少なくとも30秒以上軽く肛門を押さえる（➡❹）	● 先端がとがっているほうから挿入する ❸ 腹圧をかけないようにする ❹ 坐薬が溶解する前に腹圧やいきみなどで外に押し出されないようにする

	方法	留意点と根拠
8	患児が頑張ったことを褒める（→❺） 「えらいね。頑張ったね。気持ち悪いのを我慢できたね」など	❺患児が達成感を感じ，自信をもって次回も挑戦しようという気持ちをもつことができる
9	坐薬挿入後，患児の全身状態を観察する	●坐薬が吸収されるまでには20〜30分を要するため，おむつを着用している患児はその頃におむつを観察し，坐薬が排出されていないか確認する
10	後片づけをし，記録する 薬剤名・量，挿入時間，患児の反応などを記録する	

F 注射（皮内注射・皮下注射・筋肉内注射）

- 目　的：（1）皮内注射は，ツベルクリン反応や薬物アレルギーなど局所反応の確認
　　　　　（2）皮下注射は，インスリン療法やホルモン補充療法など
　　　　　（3）筋肉内注射は，鎮痛・鎮静・予防注射など
- 適　応：すべての小児
- 必要物品：処方箋，注射薬，注射器，消毒綿，絆創膏，注射針廃棄用容器，ディスポーザブル手袋，トレイ

	方法	留意点と根拠
1	手を洗う	
2	注射の準備をする 1）処方箋と薬剤を確認する ・処方箋に記載されている患児氏名と薬袋に記載されている患児氏名 ・薬剤名，薬用量，投与回数，投与経路 2）必要物品を準備する （1）注射針を選択する ・皮内注射：26，27G ・皮下注射：23〜26G ・筋肉内注射：21〜23G （2）注射器に注射針を装着し，指示された量の薬液を吸う	●必ず2人でダブルチェックする ●確認事項は表6-5参照 ●乳幼児の場合，注射後に貼付する絆創膏にキャラクターの絵を描くなどして，患児がそれを楽しみにできるように工夫する ●数値が小さいほど内径が大きい（太い） ●薬液の汚染防止のため無菌操作で行う ●注射針は慎重に扱い，針刺し事故を予防する
3	患児および家族に以下について説明する 注射の目的と効果，薬剤の量，回数，方法など 〈説明の例〉 「手（足）のここのところに（穿刺部位を指示）注射をするよ」 「病気を治すお薬を腕（足）に注射しなくちゃいけないんだ」 「処置室でやろうね」 「お父さんやお母さんも一緒にいてもらえるよ」 「はじめに消毒するよ。少し冷たいよ」 「注射はちくっとして少し痛いと思う」 「3つ数えるうちに終わるよ」 「お膝に抱っこしてもらってやる？　寝てやる？　一人で座ってやる？」 「注射しないほうの手でお人形さんやおもちゃを持っていていいよ」 「動かないでいてくれるとうれしい」 「少し腕（足）を押さえるね」 「痛かったら泣いてもいいんだよ」 「終わったら針を抜いて絆創膏を貼るよ」	●注射針の刺入は痛みを伴うため，説明の際，決して「痛くない」と嘘をついてはならない ●患児には泣いてもよいことを伝える ●新生児を除いてほとんどの小児が予防注射を経験している。予防注射の経験が患児にとってどのようなものだったのかを本人に聞くとともに，家族から情報収集する ●家族が付き添えるよう配慮する

第Ⅴ章 検査・処置・治療に伴う看護技術

方　法	留意点と根拠
4　**患児を処置室に誘導し適切な体位にする** 　1）乳幼児は仰臥位または介助者の膝に前向きもしくは向かい合って座らせる 　2）一人で座位で行える場合は椅子に座らせる 　　常に会話や声かけをしながら進める	●苦痛を伴う処置は病室やベッド上で行わず，処置室で実施する ●座位や臥位など体位を選択できる場合は，本人に選ばせる ●黙って処置を進めることは小児に恐怖を感じさせる
5　**注射部位の準備をする** 　1）刺入部周辺の皮膚を露出する 　2）刺入部を決定する（図6-10）	●皮膚の露出は最小限にする

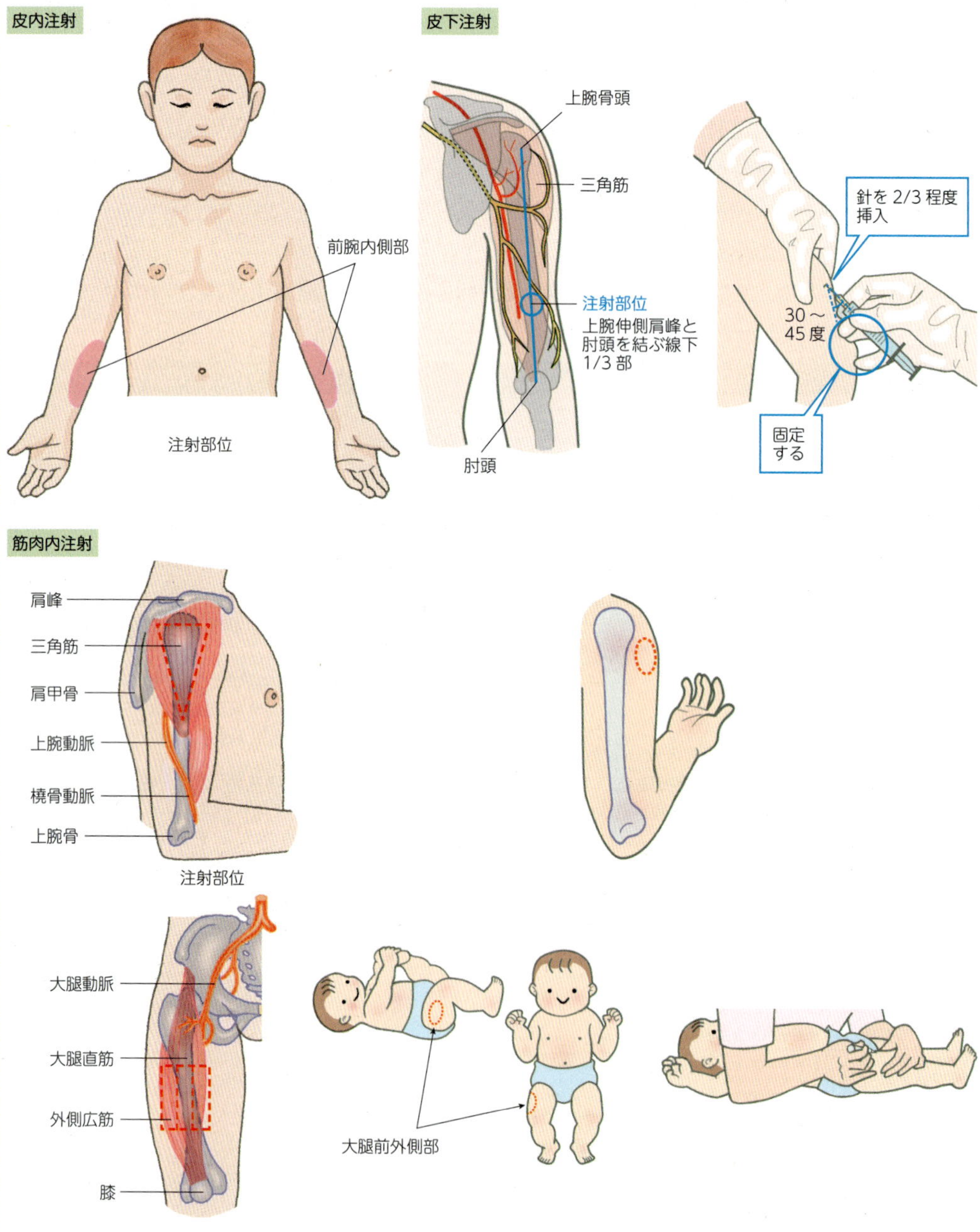

皮内注射　前腕内側部　注射部位

皮下注射　上腕骨頭／三角筋／注射部位　上腕伸側肩峰と肘頭を結ぶ線下1/3部／肘頭
針を2/3程度挿入　30〜45度　固定する

筋肉内注射　肩峰／三角筋／肩甲骨／上腕動脈／橈骨動脈／上腕骨　注射部位

大腿動脈／大腿直筋／外側広筋／膝
大腿前外側部

図6-10　注射部位

	方 法	留意点と根拠
	3) 刺入部を消毒綿で消毒する 4) ディスポーザブル手袋を着用する 行っていることを常に説明しながら進める（実況中継する）	●「消毒するよ。冷たい感じがするよ」などと伝えながら実施する
6	注射を実施する ・乳児や幼児期前期では，おもちゃや動画を見せるなどして気をそらせるディストラクションを行う ・体動がみられる場合は，介助者が四肢を抑える ・幼児期から学童期以降では，注射を受ける決心がつくまで待ち，刺入するタイミングを自分で決めさせる ・刺入するときには「じゃあ注射するよ。1, 2の3」などのかけ声をかける 〈皮内注射〉 1) 刺入部位の皮膚を伸展させ，注射針を前腕とほぼ平行（5～15度）の角度で刺入する 2) 薬液をゆっくり注入する 3) 薬液を注入し終わったら注射針を抜く 4) 注射後は消毒綿で軽く刺入部を拭く。このとき注射部位はマッサージしない 〈皮下注射〉 1) 刺入部位の上腕を下からつかみ，注射針を30～45度の角度で刺入する 2) 注射器の内筒を引き，血液の逆流がなく血管に刺入していないことを確認する 3) 薬液をゆっくり注入する 4) 消毒綿で刺入部を軽く押さえ，注射針を抜く 5) 注射部位を消毒綿で軽くマッサージする 〈筋肉内注射〉 1) 皮膚をつかみ皮膚に対して垂直に注射針を立てて刺入する 2) 注射器の内筒を引き血液の逆流がなく血管に刺入していないことを確認する 3) 薬液をゆっくり注入する 4) 注射部位に消毒綿を当て注射針を抜く 5) 注射部位を消毒綿で軽くマッサージする 「お薬を入れているよ」「針を抜くよ」 など行っていることを説明しながら進める（実況中継する）	
7	患児が注射を受けられたことをほめる 「えらいね。頑張ったね」 「痛いのを我慢できたね」 「泣かないでできたなんてすごいね」など，十分に褒める	●患児が達成感を感じ，自信をもって次回も挑戦しようという気持ちをもつことができる
8	注射後，患児の全身状態を観察する ・注射部位の皮膚の状態を観察する ・副作用の出現の有無を観察する ・しびれや痛みの有無を観察する。幼児期以降では，末梢に触れて患児に「触っているのがわかる？」「ピリピリしていない？」などと聞く ・鎮静目的の場合は鎮静の程度，意識状態を観察する	
9	後片づけをし，記録する 薬剤名・量，注射時間，注射部位の状態副作用の有無，患児の反応などを記録する	●針刺し事故防止のため，注射針は注射針廃棄容器に廃棄する ●リキャップはしない

V-6 与薬

G 外用薬の塗布

- **目　　　的**：皮膚・粘膜の炎症部位の消炎・鎮痛，瘙痒感の軽減，皮膚の保護を図る
- **適　　　応**：すべての小児
- **必要物品**：処方箋，外用薬，ガーゼまたはティッシュペーパー，ディスポーザブル手袋

	方　法	留意点と根拠
1	手を洗う	
2	外用薬塗布の準備をする 1）処方箋と薬剤を確認する ・処方箋に記載されている患児氏名と薬袋に記載されている患児氏名 ・薬剤名，薬用量，投与回数，左右どちらかか 2）必要物品を準備する	●必ず2人でダブルチェックする ●確認事項は表6-5参照
3	患児および家族に以下について説明する 外用薬塗布の目的と効果，薬剤の量，回数，方法など 〈幼児期の説明の例〉 「お肌の赤くなっているところが治るようにお薬を塗るよ」 「手が届くところは自分でも塗れるかな。やってみようか」 など	
4	外用薬を塗布する 1）ディスポーザブル手袋を着用する 2）塗布する部位の皮膚の状態を観察する。発汗がある場合は拭き取る 3）チューブの口や容器の内側に患児の皮膚が触れないよう，ディスポーザブル手袋を着用した指に外用薬を必要量のせ，患児に塗布する	●痛みがある場合は直接塗布せず，ガーゼなどに外用薬を伸ばし患部に貼用する
5	患児が頑張ったことを褒める（→❶） 「えらいね。頑張ったね」 「自分で塗れてすごいね」など	❶患児が達成感を感じ，自信をもって次回も挑戦しようという気持ちをもつことができる
6	外用薬塗布後，患児の皮膚の状態を観察する	●乳児の場合，皮膚を搔破しないようミトンを着用させることもある
7	後片づけをし，記録する 薬剤名・量，塗布した部位，時間，患児の反応など	

文　献

1) 横田俊平，田原卓浩，加藤英治，井上信明編：直伝小児の薬の選び方・使い方，改訂5版，南山堂，2020.
2) 日本小児科学会予防接種・感染症対策委員会：小児に対するワクチンの筋肉内接種法について，2022年1月改訂第2版.
3) 平田美佳，染谷奈々子：ナースのための早引き子どもの看護　与薬・検査・処置ハンドブック，第2版，ナツメ社，2013. p.56-120.

7 輸　　液

学習目標
- 輸液療法の目的を理解する。
- 小児の輸液療法に必要な形態的・機能的特徴を理解する。
- 小児に行われる輸液療法の基本技術と観察ポイントを理解する。
- 小児の発達に応じて，安全・安楽を考慮した適切な輸液療法を実施できる。

1 輸液の目的と適応

　輸液とは，無菌の輸液剤や薬剤を静脈に持続的に滴下，または注入する方法である。持続的に輸液を投与する場合は，静脈内持続点滴によって行われる。
　輸液経路は末梢静脈と中心静脈の2つに大別され，目的，病態，輸液の期間や内容などによって適した経路が選択される。それぞれの目的，特徴，合併症を表7-1に示す。

2 小児の輸液療法に必要な形態的・機能的特徴

　小児の輸液療法を行う際には，水分・電解質代謝の形態的・機能的特徴を理解しておく

表7-1　輸液の目的・合併症・特徴

経路	目的	特徴・留意点	起こり得る問題・合併症
末梢静脈	(1) 喪失した水分・電解質を補充し，体液バランスを維持する (2) 経腸では栄養状態が不十分または不可能な場合，糖，脂肪，アミノ酸，微量元素などの栄養を補給する (3) 抗菌薬，循環作動薬など，治療や検査に必要な薬剤を一定速度で投与する (4) 急変時に備え，薬剤の静脈内投与の経路を維持する	・挿入は処置室で実施する ・挿入時の合併症が少ない ・感染による重篤な合併症の危険性が低い ・長期間の留置には適さない	・静脈炎，血管痛，カテーテル関連血流感染など ・小児の場合，血管が細いため血管外への漏れ，血栓，凝固が起こりやすい
中心静脈	(1) 浸透圧が高い，血管の刺激性が強いなど，末梢静脈では使用が難しい抗がん薬，静脈栄養製剤などを投与する (2) 栄養状態の維持・改善を図るための静脈栄養を実施する	・小児の場合，挿入処置は鎮静または全身麻酔にて行う ・X線透視，超音波ガイド下で行う ・長期間の留置に適している	・動脈穿刺，血気胸，血栓症，カテーテル関連血流感染による敗血症など ・合併症は重篤化の危険性がある

必要がある。小児は成人と比べると、以下のような特徴がある。
① 年少であるほど体重に占める水分の割合が大きく、細胞外液量が多い（表7-2）。そのため、体液の変動が大きい。
② 体重に対する体表面積が大きく、成人と比べて基礎代謝が多い。乳児の不感蒸泄は成人の約4倍。
③ 乳幼児は腎臓で尿を濃縮する機能が未熟であるため、水分バランスの乱れにすぐに対応できず、水分を喪失しやすい。
④ 感染症や胃腸炎などに罹患する機会が多く、下痢、嘔吐、発汗などによる水分喪失量が水分摂取量を超え、容易に脱水に陥りやすい。

3 小児の輸液管理の特徴

1）輸液量

小児は脱水による水分喪失や輸液過剰による水分過多の影響を受けやすいため、輸液量、輸液速度を厳密に管理する必要がある。輸液量と輸液速度は、病態、輸液の目的、24時間の不感蒸泄、発汗や排尿量として喪失する水分量から決定される。小児の維持輸液量は、体重による小児の必要水分量の算出式[1]（表7-3）が広く用いられている。

2）輸液速度の設定

輸液速度の設定は、自然滴下の方法と輸液ポンプやシリンジポンプなどの医療機器を使用して投与する方法がある。喪失した水分・電解質を補充し、体液バランスを維持する場合、算出された1日の輸液量を24時間で均等に輸液できるように決定する。

（1）輸液セット

輸液セットを用いて輸液の注入速度や滴数を調整する。輸液セット（図7-1）には微量用

表7-2 体重に対する体液の割合（％）

	新生児	乳児	幼児以降
総体液量	80	70	60
細胞外液	40	30	20
細胞内液		40	

表7-3 体重による小児の1日の維持輸液量

3〜10kg	体重[kg]×100mL/日
10〜20kg	1,000＋(体重[kg]－10)×50mL/日
20kg以上	1,500＋(体重[kg]－20)×20mL/日

1mL ≒ 60滴
滴下数は成人用の3倍
滴下口が細い

1mL ≒ 20滴
滴下数は微量用の3分の1

写真提供：テルモ株式会社

図7-1 輸液セット

輸液セット（1 mL≒60滴）と成人用輸液セット（1 mL≒20滴）があり，指示量に見合った適切な輸液セットを選択する。小児の場合，微量用を使用することが多い。

自然滴下の場合，滴下数の算出方法は図7-2の式で求められる。時計を用いて滴下数を合わせる。

> $$\frac{1\,mLの滴下数 \times 指示総量\,(mL)}{指定された時間（時間）\times 60（分）}$$
>
> ・微量用輸液セット（1 mL≒60滴）
> ・成人用輸液セット（1 mL≒20滴）

図7-2　滴下数の算出方法

（2）輸液ポンプ・シリンジポンプ

小児の場合，からだや関節の活発な動きによって滴下速度が変動しやすい。また，体重当たり，あるいは体表面積で薬剤の量が算出されるため，輸液速度を微量調整する必要がある。そのため，長時間一定の速度で輸液ができる輸液ポンプ（図7-3）を使用することが多い。

血中濃度を一定に保つ必要がある薬剤の場合は，0.1 mL/時から設定できるシリンジポンプ（図7-4）を使用する。

（3）輸液ポンプ・シリンジポンプ使用中の留意点

輸液ポンプ・シリンジポンプは，操作方法や特徴，留意点（表7-4）を熟知したうえで使用しなければならない。アラーム機能を過信せず，定期的に異常がないかを観察する（詳細は，3）「点滴中」，p.273参照）。

4　輸液による生活の制限を最小限にする看護

1）小児と家族への説明

小児の生活上の制限を最小限にして，安全に輸液を実施するためには，小児と家族の理解と協力を得ることが重要である。輸液スタンドの動かし方，輸液ラインが床につかないための工夫，小児の生活に合わせた食事や遊び，抱き方など，どのように行動すればよい

写真提供：テルモ株式会社
図7-3　輸液ポンプ

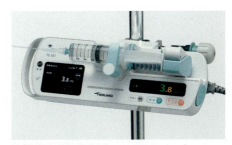

写真提供：テルモ株式会社
図7-4　シリンジポンプ

表7-4　輸液ポンプ・シリンジポンプを使用する際の留意点

・針先が血管外に抜けて皮下に薬剤が漏れる（血管外漏出），輸液ラインの接続はずれによる液漏れがある場合でも，アラームは鳴らない。滴下が継続する。
・薬剤の種類によっては血管外漏出による皮膚組織の壊死が起こる
・シリンジポンプは刺入部位と同じ高さに取り付ける。小児より高い位置に設置され，シリンジの外筒または押し子が固定不良の場合，落差により薬剤の過剰投与が起きる危険がある（サイフォニング現象）

かを具体的に説明する。

2）日常生活援助

輸液による生活の制限を最小限にとどめるように工夫する。輸液ラインは利き手ではないほうに挿入し，発達段階に合わせた固定の工夫が必要である（詳細はA 2）「挿入時」9．固定する，p.272参照）。日常生活援助の例を以下に示す。

（1）食　　事

利き手に輸液ラインが挿入されていても，小児が自分で食べたいという意思を尊重し，食事の形態や援助の方法を工夫する。
・おかずを小児が一口で食べられる大きさにする。
・おにぎりやパンなど，主食を手でつかめる形態にする。
・小児自身で食事を口に運べるように，食器を支えたり，傾けたりする。

（2）清　　潔

シャワー浴や沐浴をするときは穿刺部位がぬれると感染の原因となる。穿刺部位を透明フィルムドレッシング材で保護する，またはビニール袋で覆い（図7-5），ぬれないようにして清潔ケアを行う（図7-6）。

小児は基礎代謝が多く，固定部位の皮膚に垢や汚れがたまりやすいため，1日に1回，固定のシーネをはずし，指の間，手掌，固定テープの貼付部位を清拭する（図7-7）。

手背の穿刺部位がシーネ固定されている場合，小児は両手で手洗いができない。食事の前やトイレでの排泄後など，泡立てた石けんで穿刺部位と反対側の手を洗う。

（3）遊　　び

穿刺部位以外の四肢を使った感覚遊び，お絵かきやボードゲームなど，穿刺部位の安静を保持しつつ，できる限り成長・発達を妨げないように工夫する。穿刺部位の固定による四肢の動きや関節運動の制限，輸液ラインが届く範囲内に限定された活動によるストレスの緩和を図る。病室を出て一緒にプレイルームで遊び，気分転換を図る。

小児は輸液が不快という理由だけでなく，輸液ラインや固定部位に興味や関心を向け，触れたり，引っ張ったりすることがある。玩具で遊ぶ，絵本の読み聞かせをするなど，ベッド上での遊びを工夫し，輸液ラインへの興味や関心をそらす。

（4）移　　動

輸液ポンプを取り付ける位置が高いと，点滴スタンドがバランスを崩して転倒しやすい。

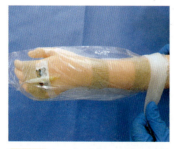
図7-5　シーネをビニール袋で保護

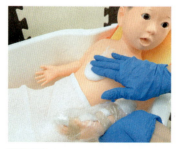
図7-6　点滴中の沐浴

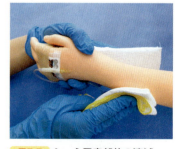
図7-7　シーネ固定部位の清拭

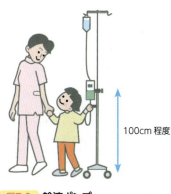

図7-8 輸液ポンプ

小児が友人や動く玩具を追いかけて転倒する，輸液ラインが引っ張られて点滴スタンドが転倒する，小児が倒れた点滴スタンドや輸液ポンプの下敷きになるなどの危険がある。

転倒防止のため，輸液ポンプは床から100cm程度の高さに取り付ける。移動する際には，小児と点滴スタンドが転倒しないように留意し，乳幼児の場合は大人が付き添う（図7-8）。

看護技術の実際

A 末梢静脈内持続点滴

- 目　　的：表7-1参照
- 適　　応：表7-5参照
- 必要物品：①注射処方箋，②輸液製剤，③輸液セット，④延長チューブ，⑤静脈内留置針（外筒は
  （図7-9）　フッ素樹脂製），⑥注射針廃棄容器，⑦消毒綿，⑧駆血帯，⑨肘枕，⑩透明フィルムドレッシング製剤，⑪固定用テープ，⑫固定用シーネ（必要時），⑬ディスポーザブル手袋，⑭トレイ，ビニールエプロン，点滴スタンド，輸液ポンプ（必要時）

表7-5 末梢静脈内持続点滴の適応

①経口摂取が不可能または不十分なため必要な水分，電解質，栄養が不足している
②下痢や嘔吐による脱水，熱傷などにより体液量が喪失している
③感染症や悪性腫瘍などの治療のため，経静脈的に薬剤を投与する必要がある
④緊急時の処置が必要と予測される

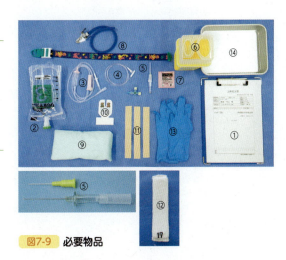

図7-9 必要物品

1）点滴ラインの挿入前

方　法	留意点と根拠
1　以下の情報を収集する 1）輸液の目的，病態，薬剤の作用・副作用，薬剤に対するアレルギーの有無（→❶） 2）小児の年齢，体重（→❷） 3）小児の利き手，癖，習慣（→❸） 4）小児の痛みを伴う処置の経験，痛みへの対処行動（→❹）	❶輸液の合併症，異常の早期発見のため，診療記録，家族から情報を得る ❷小児の薬剤量は成人と異なり，体重当たりで算出されるため，体重は重要な情報である ❸生活上の制限が最小限になるように，穿刺部位を選択する。乳児の場合，指しゃぶりをする手を避ける。つかまり立ちや歩行ができない場合，足背が穿刺部位になる場合もある ❹過去に処置を受けたときの様子や対処行動を小児と家族から情報収集し，小児が主体的に処置に臨めるための支援を検討する
2　小児と家族に輸液の目的，時間，方法について説明する（→❺） 1）小児の発達段階に合わせた言葉や媒体を用いる 2）どのような感覚がするのか，何をしたらよいか，何をしてほしくないかを小児に具体的に説明する 3）説明後，小児の質問に答える	❺小児が処置内容をその子なりに理解し，主体的に処置に臨めるような援助が重要である ●説明の時期は小児の発達段階や性格により異なる。処置室へ移動後に説明する場合もある
3　必要物品（図7-9）を準備する 1）穿刺と固定に必要な物品を準備する （1）留置針の挿入直後に固定できるように，穿刺部位や体格に合わせてテープ類を切っておく （2）シーネの重さを測り，重量をシーネに記載する（→❻） 2）手を洗い，ディスポーザブル手袋を着用し，輸液製剤を準備する 3）注射処方箋と輸液製剤を2名で照合する（→❼）。与薬の6原則（6R）に基づき，注射処方箋と輸液製剤を確認（ダブルチェック）する 【6R】 （1）Right patient：正しい患者氏名 （2）Right medicine：正しい薬剤名 （3）Right purpose：正しい目的 （4）Right dose：正しい用量 （5）Right route：正しい投与経路 （6）Right time：正しい時間 4）無菌操作で輸液セット，延長チューブ，三方活栓（必要時）を接続し，輸液ラインを作成する（→❽） 5）輸液ラインのクレンメを閉じ，輸液ボトルのゴム栓に輸液ラインのびん針を挿入する。クレンメを開けてラインに輸液製剤を満たす 6）小児の処置や痛みへの対処方法の情報をもとに，玩具や絵本などを処置室に準備する	●小児の場合，翼状針と比較して，細い血管を損傷させにくいフッ素樹脂や柔らかいプラスチック製の静脈内留置針が用いられることが多い ●輸液の目的，血管の太さ，穿刺部位，小児の体格，皮膚の状態，発汗や不感蒸泄を考慮して物品の素材や大きさを選択する ❻体重は水分出納の重要な指標となる。体重測定の際は，シーネの重さを差し引く ●他の小児と輸液製剤の取り違えが起こらないように，点滴作業台を整理しておく ●薬剤の準備に用いるトレイは，薬剤ごとに分けて準備する ❼小児の薬剤量は体重により算出される。月齢や年齢が同じでも体重により異なり，微量であることが多い。薬剤量の誤りは重大事故となる ❽輸液ライン接続部からの感染を予防する ●接続部の緩みによる輸液製剤の漏れや血液の逆流を防ぐため，接続後に緩みがないことを確認する（→❾） ❾小児はからだや手足の動きが活発であるため，接続部のはずれや緩みが起こりやすい ●空気が混入しないように，輸液製剤をゆっくり満たす ●満たした後，空気が混入していないか確認する ●処置の痛みや不安を最小限にするために，小児の発達段階や理解力，嗜好に合わせたツールを活用する

2）挿入時

	方　法	留意点と根拠
1	処置室へ移動する	● 原則として，処置は処置室で行う（→❶） ❶ 病室は小児にとって生活の場であり，安全で安心できる場所である
2	小児の氏名を確認し，準備した輸液製剤と注射処方箋を再度2名で確認する（→❷） 1）小児に氏名を言ってもらい確認する。自分で言えない場合は，リストバンドで確認する 2）与薬の6原則（6R）に基づき，注射処方箋と輸液製剤を確認（ダブルチェック）する（詳細はA1）「点滴ライン挿入前」の「方法3-3）」参照）	❷ 小児の取り違えや誤薬を防ぐ（詳細はA1）「点滴ラインの挿入前」の「方法3-3）❼」参照）
3	小児に処置の進行と方法を説明する 選択可能な方法については，相談して決める	● 穿刺中の体位や家族の付き添いなど，小児に選択可能な方法を提示し，小児と相談して決める
4	穿刺部位を選択する 1）手を石けんと流水で洗い，ディスポーザブル手袋を着用する 2）A1）「点滴ラインの挿入前」の「方法1」で得た情報をもとに，小児の生活上の制限が最小限となり，確実に穿刺可能である血管と穿刺部位を選択する	● 手背静脈網，橈側皮静脈の順に末梢側から弾力のある血管を選択する（第Ⅴ章1「検体採取」図1-1，p.199参照） ● 目視，乳児の場合はトランスイルミネーターを用いて透視し（第Ⅴ章1「検体採取」図1-2，p.200参照），さらに指先で触知し，確実に穿刺できる血管を選択する（→❸） ❸ 乳幼児は表在性の末梢血管が深部に埋もれているため見えにくい ● 血管が触れにくいときは，穿刺部位に温罨法を行い，血管を拡張させる
5	小児の体位を整え，必要に応じて体位を固定する 1）処置台に上がる，穿刺部位を自分で出すなど，小児が自分でできることが行えるように援助する（→❹） 2）穿刺部位，体格，発達段階に応じて体位を固定する	❹ 小児が自分でできることをすることは，処置に臨むための心の準備を促し，処置終了後の達成感につながる ● 穿刺部位の上下2か所の関節を固定することが原則である ● 体位の固定方法についての詳細は第Ⅴ章1「検体採取（採血）」，p.200を参照 ● 穿刺部位と血管を選択するときは軽く固定する（→❺） ❺ 穿刺部位と血管の選択は時間がかかる場合がある。小児の不安や緊張を最小限にするために，穿刺するとき以外は強く固定しない
6	消毒・穿刺する 1）介助者は小児の発達段階に合わせて声をかける。必要時，小児の体位をしっかりと固定する（→❻） 2）実施者は穿刺部位の中枢側に駆血帯を巻き，消毒綿で消毒し（図7-10①），穿刺する（図7-10②） 3）穿刺後，血液の逆流がみられたら，針を進めるのをいったん止め，1～2mmほど進める（→❼） 4）血液の逆流が引き続き認められたら，内筒針の針先が外筒内に見えるまで1cm程度引き抜く（図7-10③） 5）外筒内に血液の逆流がみられたら，外筒を血管内にゆっくりと挿入する（→❽） 6）駆血帯をはずし，穿刺部位の中枢側を圧迫して内筒を抜く	●「これから針を入れるからチクンとするよ。泣いてもいいよ。でも，動かないでね」など，これから行うこと，自分がしてもいいこと，自分にしてほしくないことがわかるように声をかける ❻ 穿刺時，痛みによる思いがけない小児の力強い動きにより，穿刺が困難になる場合がある ❼ 小児の血管は細いため，穿刺により血管壁が破れやすい ❽ 外筒内の血液逆流は外筒の先端が血管内に挿入されたことを示している

Ⅴ-7　輸液

方法	留意点と根拠

図7-10 穿刺部位の消毒と穿刺

7 輸液ラインを接続し,滴下を確認する
　1)静脈内留置針に輸液ラインを接続する(図7-11)
　2)輸液ラインのクレンメを開け,自然滴下を確認する

- 小児は穿刺部位を活発に動かすため,接続部に緩みやはずれが起こらないように,確実に差し込む
- 留置針が血管内に確実に挿入されたことを自然滴下により確認する。滴下が不良の場合は,針先が血管外にあるか,血管壁に当たっていることを示す
- 上記のほか,輸液ラインを接続した生理食塩液入りのシリンジの内筒を押し,抵抗と腫脹がないことを確認する方法がある

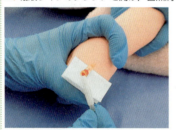

図7-11 輸液ラインの接続

8 小児に血管内に留置針が挿入できたことを伝える

- 「ちゃんと入ったよ。あとは,取れないようにテープでぺったんするから,もう少し動かないでね」など,痛みが伴う場面が終わったことを伝える

9 固定する
　1)穿刺部位を透明フィルムドレッシング材,テープで固定する
　　(1)留置針と延長チューブの接続部の下に,テープやガーゼを貼る(図7-12①)(➡❾)
　　(2)穿刺部位に透明フィルムドレッシング材を貼る(図7-12②)(➡❿)
　　(3)留置針に接続した延長チューブは必ずループを作り(➡⓫),穿刺部位が見えるようにテープで固定する(図7-12③)

- ❾留置針の角度を維持し,接続部の圧迫による皮膚障害を予防する
- ❿透明ドレッシング材の使用により,静脈炎や血管外漏出など,穿刺部位の異常を早期発見することが可能となる
- ⓫ラインが引っ張られてもループにより穿刺部位に直接負荷がかからない。抜去予防になる

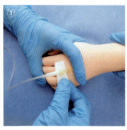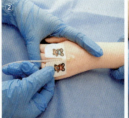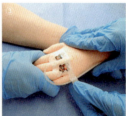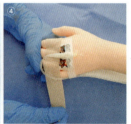

図7-12 穿刺部位の固定

方法	留意点と根拠
2）手背，足背に挿入した乳幼児の場合，シーネで固定する （1）指先の皮膚色・冷感の有無が観察できるようにテープを貼る（図7-12④） （2）挿入部位の中枢側と末梢側をテープで固定する	●シーネの長さや大きさを最小限にし，良肢位を維持し，日常生活への影響が最小限になるように固定する ●シーネ固定の留意点を図7-13に示す．図中の番号に対応する根拠を以下に示す

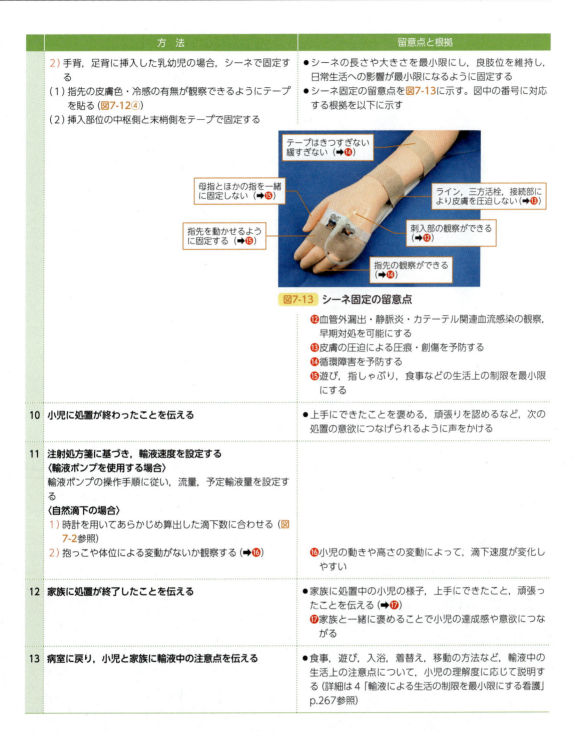

図7-13 シーネ固定の留意点

⑫血管外漏出・静脈炎・カテーテル関連血流感染の観察，早期対処を可能にする
⑬皮膚の圧迫による圧痕・創傷を予防する
⑭循環障害を予防する
⑮遊び，指しゃぶり，食事などの生活上の制限を最小限にする

10	小児に処置が終わったことを伝える	●上手にできたことを褒める，頑張りを認めるなど，次の処置の意欲につなげられるように声をかける
11	注射処方箋に基づき，輸液速度を設定する 〈輸液ポンプを使用する場合〉 輸液ポンプの操作手順に従い，流量，予定輸液量を設定する 〈自然滴下の場合〉 1）時計を用いてあらかじめ算出した滴下数に合わせる（図7-2参照） 2）抱っこや体位による変動がないか観察する（➡⑯）	⑯小児の動きや高さの変動によって，滴下速度が変化しやすい
12	家族に処置が終了したことを伝える	●家族に処置中の小児の様子，上手にできたこと，頑張ったことを伝える（➡⑰） ⑰家族と一緒に褒めることで小児の達成感や意欲につながる
13	病室に戻り，小児と家族に輸液中の注意点を伝える	●食事，遊び，入浴，着替え，移動の方法など，輸液中の生活上の注意点について，小児の理解度に応じて説明する（詳細は4「輸液による生活の制限を最小限にする看護」p.267参照）

3）点滴中

（観察する箇所は図7-19，輸液中の日常生活援助は4「輸液による生活の制限を最小限にする看護」p.267参照）

方　法	留意点と根拠
1 全身状態を観察する（図7-14） 1）輸液・静脈内持続点滴による薬物療法開始後5分，15分，30分のバイタルサインの変動，アレルギー症状（全身の発疹や紅潮，瘙痒，浮腫，喘鳴，呼吸困難，急激な気分不快，嘔吐）および副作用症状の有無を観察する 2）水分喪失に関連する症状（嘔吐・下痢・発熱など）を観察する 3）水分出納を算出する  ●バイタルサインの変動・アレルギー症状・副作用症状 ●嘔吐・下痢・発熱など水分喪失に関連する症状 図7-14　全身状態の観察ポイント	●アレルギー症状・副作用が出現した場合，輸液を中止し，医師に報告する．医師の指示に従い対処する ●採血を実施している場合，水分出納と電解質バランスに関連する血液検査値を確認する ●小児の状態に合わせて，1時間，6時間，8時間ごとにin-outバランス（輸液量，経口摂取量，尿量）を算出する（➡❶） ❶小児は体重当たりの体液の割合が高く体液の変動が大きい，腎臓で尿を濃縮する機能が未熟であるなどの水分・電解質代謝の形態的・機能的特徴（詳細は2「小児の輸液療法に必要な形態的・機能的特徴」p.265参照）があるため，輸液量が過剰になる危険がある
2 穿刺部位・固定部位を観察する（図7-15） 〈穿刺部位〉 1）輸液製剤の血管外漏出（点滴漏れ）・静脈炎・カテーテル関連血流感染の徴候（腫脹，発赤，疼痛，熱感）を観察する（➡❷） 2）留置針の屈曲やずれ，透明ドレッシング材のはがれや緩みを観察する（➡❸） 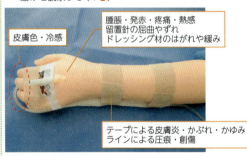 皮膚色・冷感　　腫脹・発赤・疼痛・熱感／留置針の屈曲やずれ／ドレッシング材のはがれや緩み テープによる皮膚炎・かぶれ・かゆみ／ラインによる圧痕・創傷 図7-15　穿刺部位・固定部位の観察ポイント 〈固定部位〉 1）テープによる接触性皮膚炎・かぶれ・かゆみを観察する（➡❺） 2）ラインや接続部の圧迫による圧痕や創傷，指先の循環不全（皮膚色，冷感）を観察する（➡❻）	❷小児は血管が細く，からだや穿刺部位の動きが活発であることにより，留置針の抜去や血管外漏出が起こりやすい ❸小児は発汗が多く，透明ドレッシング材が蒸れてはがれやすい ●穿刺部位を反対側と比較し，左右差があるか確認する（➡❹） ❹小児は認知機能や言語の獲得期にあり，腫脹や痛みの部位や程度を言語で的確に表現することは難しい．穿刺部位のみの観察では合併症の発見が遅れる危険がある ●血管外漏出・静脈炎・カテーテル関連血流感染の徴候を認めた場合，輸液を中止し，医師に報告する．医師の指示に基づき対処する ❺小児の皮膚は脆弱であり，粘着性・伸縮性の高いテープ，通気性の低いテープの使用，テープを長期間使用による皮膚炎が起こりやすい ●テープによる皮膚炎を認めた場合，固定部位を清拭後，固定する位置をずらし，粘着性・伸縮性の低いテープに変更する ❻抜去防止のためテープによる固定が強くなり，輸液ラインや接続部による皮膚の圧迫・循環障害が起こりやすい ●皮膚の圧痕・創傷，循環不全を認めた場合，テープによる固定の強さを緩める

方 法	留意点と根拠
3 輸液ラインを観察する（図7-16） 1）屈曲，ねじれ，接続部の緩み・はずれ，空気・異物の混入，血液の逆流を観察する（→❼） 2）三方活栓の方向が正しいか観察する（→❽） 3）小児への巻きつきやからまりがないか観察する（→❾） 4）ベッド柵に挟まれていないか観察する（→❿）	❼小児はからだや四肢，指先の動きが活発であるため，輸液ラインのトラブルが起こりやすい ❽小児が三方活栓に興味を示し，口に入れたり，指で触れたりして，方向が変わることがある ❾小児が頻繁に寝返りする，ベッド上で立ち上がるなど，活発な動きにより輸液ラインが頸部や体幹に巻きつく危険がある ❿小児用サークルベッド（第Ⅱ章4「医療安全・事故防止」p.52参照）の柵を上げたり，下げたりするとき輸液ラインが挟まりやすい

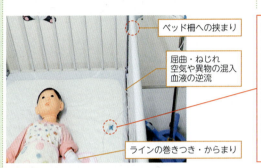
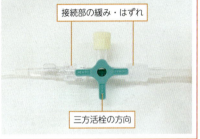

図7-16 輸血ラインの観察ポイント

方 法	留意点と根拠
4 輸液製剤，輸液速度・輸液量を確認する（図7-17） 1）注射処方箋と輸液製剤の内容を与薬の6原則（A1）「点滴ラインの挿入前」の「方法3-3」参照）に基づいて確認する（→⓫） 2）輸液量 〈輸液ポンプの場合〉 ・1時間ごとに輸液ボトルの減少量とポンプに設定された流量（輸液速度mL/時間），積算量が一致しているか確認する 〈自然滴下の場合〉 ・輸液製剤の残量から滴下速度を確認する（→⓬）	⓫小児は状態変化に合わせて，頻繁に輸液製剤や輸液速度の指示変更があるため，定期的に確認する ●輸液ボトルにテープを貼り，手書きで輸液残量がわかるように目盛りと時間を記載する ⓬小児は体位や穿刺部位の関節運動による滴下数の変化が起こりやすい

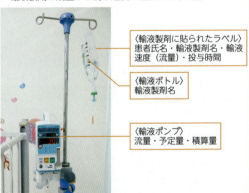

図7-17 輸液製剤，輸液速度・輸液量の観察ポイント

方 法	留意点と根拠
5 小児と点滴スタンドの位置を確認する（図7-18，19）	●年少の乳幼児の場合，点滴スタンドを乳幼児の手が届かない位置に置く（→⓭） ⓭乳幼児が輸液ポンプに興味を示し，点滴スタンドを手で倒す危険がある

方　法	留意点と根拠

図7-18　点滴スタンドの位置	●言語による理解が可能な小児には，ポンプに触れてはいけないことを説明する

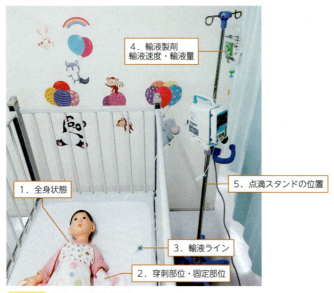

図7-19　点滴中の観察箇所

4）終了時

	方　法	留意点と根拠
1	輸液終了の指示，終了時刻を確認する	
2	小児と家族に輸液の終了と留置針を抜くことを説明し，処置室に移動する	●小児の理解度に応じて説明する
3	**点滴を止める** 1）手を洗い，ディスポーザブル手袋を装着する 2）クレンメを閉じ，点滴を止める。輸液ポンプの場合は電源を切る	

方　法	留意点と根拠
4　留置針を抜く 　1）固定用テープをはがし，穿刺部位を消毒綿で圧迫しながら留置針を抜き，廃棄する 　2）必要に応じて，介助者は小児の固定を行う（➡❷） 　3）止血を確認後，絆創膏を貼る	●テープをはがす際に，ぬらしたガーゼやコットン，医療用の剥離剤を用いて丁寧にはがす（➡❶） ❶粘着力・伸縮力のあるテープをはがす処置は身体への侵襲は高くないが，小児にとって痛みを伴う処置になり得る。はがす際の痛みと皮膚障害を軽減するよう慎重に行う ❷小児の発達段階，穿刺部位に応じて，介助者が固定して安全に抜去する ●出血傾向がある場合，しっかりと圧迫する
5　小児に処置が終了したことを伝える	
6　皮膚を観察する 　1）固定されていた部位を清拭または洗浄する 　2）皮膚障害の有無を観察する	●穿刺部位を避けて，清拭または洗浄する（➡❸） ❸シーネで固定していた場合，手掌や足底，指の間に垢がたまりやすく，皮膚障害を起こしやすい ●テープの粘着剤，固定部位の周囲に汚れや垢がないか確認する ●皮膚障害を認めた場合は，医師に報告し，医師に指示に基づき対処する。軟膏処置が必要になる場合がある
7　輸液ボトル，輸液ラインを廃棄し，処置室を整備する	

B 中心静脈ポート（central venous port：CVポート*）を用いた中心静脈栄養

*中心静脈カテーテルの種類の一つである「完全皮下埋め込み式ポート付きカテーテル」は「CVポート」（図7-20）という呼称が用いられている。穿刺する血管は鎖骨下静脈，内頸静脈，上腕・前腕静脈が一般的である。図7-21にCVポートの構造と造設部位を示す。

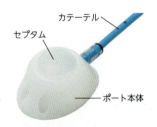

写真提供：株式会社メディコン

図7-20　CVポート

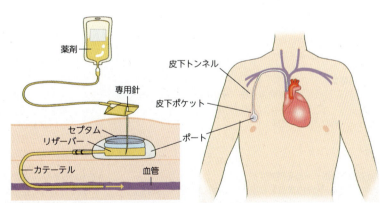

皮下に埋め込まれた円形部分（ポート）の中央にあるセプタム（圧縮シリコーンゴム製）に専用の穿刺針を刺して輸液製剤を血管内に注入する

図7-21　CVポートの構造と造設部位の一例

● 目　　的：表7-1参照
● 適　　応：①短腸症候群，ヒルシュスプルング病，ヒルシュスプルング病類縁疾患など，経腸栄

養で十分な栄養補給ができない場合
②幼児以降，長期間静脈栄養が必要な場合
- 必要物品：注射処方箋，輸液製剤，閉鎖式輸液セット，ポート専用針（ノンコアリング針，ヒューバー針），生理食塩液，10mLシリンジ，20mLシリンジ，注射針廃棄容器，消毒液含浸綿棒，透明フィルムドレッシング剤，固定用滅菌ガーゼ，固定用テープ，ディスポーザブル手袋，点滴スタンド，輸液ポンプ

1）輸液ラインの接続

方　法	留意点と根拠
1 **準備する** 基本的には A 1）「点滴ラインの挿入前」に準じる 1）情報を収集する 2）小児と家族に輸液の目的，時間，方法を説明する 3）必要物品を準備する （1）生理食塩液を充填した10mLシリンジを専用針のルアーコネクターに接続する （2）生理食塩液を針先まで満たす （3）エクステンションチューブのクランプを閉じる	● CVポートを用いる中心静脈栄養は，専用針の穿刺による痛みが繰り返される。小児の処置や痛みへの対処方法の情報をもとに，小児と家族と一緒に外用局所麻酔剤の使用を検討する ● 輸液製剤を注入する前に刺入部から血液の逆流を確認する（方法7参照）ため，準備しておく
2 **処置室へ移動する**	A 2）「挿入時」の「留意点と根拠1」に準じる
3 **子どもと家族にCVポートにポート専用針を穿刺し，輸液することを説明する**	
4 **刺入部を観察する** 1）手を石けんと流水で洗い，ディスポーザブル手袋を着用する 2）ポートが埋め込まれている部位の皮膚に発赤・痛み・腫脹・硬結・排膿がないかを触知して観察する（➡❶） 3）ポート周囲の皮膚にテープによる接触性皮膚炎・かぶれ・かゆみがないか観察する（➡❷） 4）外用局所麻酔剤を使用する場合は，薬効に応じて穿刺する前に塗布または貼付する	❶ 小児の皮膚は脆弱であり，刺入部，皮下トンネル（カテーテル周辺の皮下組織），皮下ポケット（ポートを埋め込んだ皮下組織）に局所カテーテル感染を起こしやすい ● 感染徴候がみられる場合，医師に報告し，指示に基づき対処する ❷ 繰り返し同一部位にテープを貼るため皮膚障害が起こりやすい。対応策の詳細は A 3）「点滴中」の「留意点と根拠5」参照
5 **消毒する** 1）刺入部を消毒液含浸綿棒（➡❸）で中心から外側に向かって円を描くように2回消毒する 2）消毒した後，乾燥させる	❸ 中心静脈ポート留置術と管理に関するガイドライン[1]では，禁忌でなければアルコールベースの消毒液を用いることが提案されている。小児の場合，状態に応じてポビドンヨードを使用する場合があり，消毒液の選択は施設の基準に従う
6 **皮下のポート部を穿刺する** 1）ポート部の皮膚を伸展させつつ，利き手ではないほうの指でポートの3点を固定する 2）生理食塩液を充填した専用針（「方法1」で作成）を垂直に穿刺する（➡❺） 3）コツッと針先がセプタムの底に当たる感触を確認する（➡❻）	● 前回の穿刺跡を確認し，穿刺する位置をずらす（➡❹） ❹ 繰り返し同じ位置に穿刺すると，皮膚損傷や感染，セプタムの破損が起こりやすい ❺ セプタムの圧縮シリコーン製ゴムが針により切り取られる現象（コアリング）を避ける ❻ 針先がポートのリザーバー（内腔）に達していない場合，皮下への薬液漏出が起こる ● 強く穿刺すると針先の折れ曲がりやポート底の破損が起こる。穿刺は強くし過ぎないように注意する

	方　法	留意点と根拠
7	**血液の逆流を確認する**（➡❼） 1）専用針が動かないように固定し，エクステンションチューブのクランプを解除する 2）生理食塩液を充塡したシリンジの内筒をゆっくり引き，血液の逆流を確認する	❼血液の逆流が不良，あるいはない場合，カテーテルの閉塞・狭小化・損傷，カテーテル先端位置の異常を疑う ●内筒を引いた後2〜3秒間静置し，再度内筒を引くと，血液の逆流を確認しやすい
8	**生理食塩液を数回に分けて注入する（パルシングフラッシュ法）**（➡❽） 1）生理食塩液を充塡した20mLシリンジをルアーコネクターに接続する（➡❿） 2）生理食塩液3mLを注入して2〜3秒待つ，という手順を繰り返す 3）生理食塩液1mLを注入しながらクレンメを閉じ（陽圧ロック），シリンジをはずす	❽カテーテル関連血流感染症，カテーテル閉塞（➡❾）を予防する ❾蛋白様物質がカテーテル周囲に析出し，鞘が形成されることによる閉塞が起こりやすい ●ポートやカテーテル内で生理食塩液の注入による乱流が起こり，洗浄力が高まる ❿輸液製剤の投与前は，原則として20mL以上の生理食塩液を用いる。シリンジの容量は10mL以上とする（➡⓫） ⓫10mL未満のシリンジを使用すると高圧がかかり，ポートとカテーテルの接続はずれ，カテーテル破損が起こりやすい ●注入時に抵抗がある場合，カテーテルの閉塞・狭小化・損傷，ポート自体の破損を疑う
9	**刺入部周囲の発赤・痛み・腫脹がないことを確認する**	
10	**ポート専用針を固定する**（➡⓬） 1）ポート専用針のぐらつきがないように，滅菌ガーゼをポート専用針の下に入れる 2）ポート専用針を覆うように透明ドレッシング剤を貼付する 3）エクステンションチューブはループをつくり，テープで固定する	⓬小児は発汗が多く，からだの動きが活発であるため，固定テープなどのはがれや緩みにより針先が浮き，ポートから抜ける危険がある。針先が浮かないように小児のからだの動きに合わせて確実に固定する
11	**輸液ラインを接続する** 1）専用針のルアーコネクターを消毒綿で拭き，輸液ラインを接続する 2）自然滴下，刺入部周囲の痛み・腫脹・液漏れがないことを確認する 3）注射処方箋に基づき，輸液速度を設定する。輸液ポンプの操作手順に従い，流量，予定輸液量を設定する	

❶日本IVR学会編：中心静脈ポート留置術と管理に関するガイドライン，2019，p.74．
〈https://www.jsir.or.jp/wp-content/uploads/2020/01/CVP20200107.pdf〉（アクセス日：2022/7/1）

2）点滴中（刺入部の観察）

全身状態，輸液ライン，輸液製剤・輸液速度・輸液量，点滴スタンドの位置については A 3 ）「点滴中」に準じる）

	方　法	留意点と根拠
1	**刺入部の局所感染・カテーテル関連血流感染症・皮下への薬液漏出の徴候を観察する** 1）ポート部およびカテーテル周囲の皮膚の発赤・痛み・腫脹・熱感・硬結がないか観察する 2）痛みや違和感などの自覚症状を確認する 3）カテーテル関連血流感染症（発熱，悪寒戦慄，不機嫌など）の症状がないか観察する	●刺入部周囲だけでなく，左右差があるか確認する（➡❶） ❶皮下に漏出した輸液製剤は体位などの重力に従い，移動する場合がある ●刺入部の局所感染・カテーテル関連血流感染症・皮下への薬液漏出の徴候を認める場合，直ちに輸液を中止し，医師に報告する

	方 法	留意点と根拠
2	固定部位を観察する（➡❷） 1）ポート専用針のぐらつきや浮きがないかを観察する 2）透明ドレッシング材・固定テープのはがれや緩みがないか観察する	❷皮下への薬液漏出を予防する ●固定が不十分である場合，直ちに固定を補強する，テープの素材を変えるなど工夫する

3）終 了 時

	方 法	留意点と根拠
1	輸液終了の指示，終了時刻を確認する	
2	小児と家族に輸液の終了とポート専用針を抜くことを説明し，処置室に移動する	●小児の理解度に応じて説明する
3	点滴を終了する 1）手を洗い，ディスポーザブル手袋を着用する 2）輸液ポンプを停止する。エクステンションチューブのクレンメを閉じる	
4	生理食塩液を数回に分けて注入する（パルシングフラッシュ法） 1）輸液ラインをポート専用針のルアーコネクターからはずす 2）生理食塩液10〜20mLを数回に分けて注入する（➡❶） （方法は，図1）「輸液ラインの接続」の「方法8」に準じる）	❶脂肪製剤はカテーテル関連血流感染症のリスク因子であるため，輸液終了時に20mL以上の生理食塩液を注入する
5	ポート専用針を抜く 1）固定用テープ・透明ドレッシング材をはがす 2）利き手と反対の手でポート専用針の土台をおさえ，利き手でポート専用針の羽を持ち上げ，引き抜く	●テープの剥離による皮膚への刺激が最小限になるように，医療用の剥離剤を用いて丁寧にはがす ●ポート専用針の種類により抜去の方法は異なる。添付文書に記載された方法に則り，抜去する
6	刺入部，周囲の皮膚を観察する	●刺入部の感染徴候，皮膚障害を認めた場合は医師に報告し，医師の指示に基づき対処する
7	刺入部を消毒し，絆創膏を貼付する 消毒方法は図1）「輸液ラインの接続」の「方法5」に準じる	
8	ポート専用針，輸液ボトル，輸液ラインを廃棄し，処置室を整備する	

文 献

1) Holliday MA, Segar WE：The maintenance need for water in parenteral fluid therapy, 19 (5)：823-832, 1957.
2) 日本IVR学会編：中心静脈ポート留置術と管理に関するガイドライン, 2019, p.74.
〈https://www.jsir.or.jp/wp-content/uploads/2020/01/CVP20200107.pdf〉（アクセス日：2022/7/1）
3) 三浦健一郎・他：小児における体液生理の特徴, 小児内科, 53 (4)：449-452, 2021.
4) 灘大志・他：経静脈輸液の目的・適応, 小児内科, 53 (4)：461-464, 2021.
5) 福地麻貴子：検査や処置に関する看護技術とケア―輸液管理, 筒井真優美監修, 小児看護実習ガイド, 第2版, 照林社, 2017, p.173-188.
6) 神道那実：治療援助技術―輸液管理　末梢静脈内持続点滴, 浅野みどり編, 根拠と事故防止からみた小児看護技術, 第3版, 医学書院, 2020, p.429-441.
7) 登内文乃：CVポートの使用法と指導, 臨床栄養, 137 (7)：976-981, 2020.
8) 曺英樹：CVポート使用上の注意点, 臨床栄養, 126 (6)：866-8711, 2015.

8 輸　　血

学習目標
- 輸血の目的と種類，有害事象を理解する。
- 輸血を安全に提供する方法を理解する。
- 輸血を受ける小児へのケアに必要な知識・技術を理解し，安全に実施できる。

1 輸血の目的

　輸血とは，生命を維持するために必要な血液の補充療法をいう。血液中の赤血球や血小板，凝固因子などの成分が量的に減少，または機能的に低下したときに，その成分を補充することで臨床症状の改善を図ることが主な目的である。

　輸血を必要とする理由は，造血器腫瘍や血小板減少症など疾患に伴うもの，抗がん薬投与による骨髄抑制に伴う汎血球減少，そのほかに大量出血や循環動態の変化，手術に関連した計画的な投与など様々である。

　輸血療法は一定のリスクを伴うため，どのような場合でも，リスクを上回る効果が期待される場合に行われる。

2 輸血の種類と特徴

　最近では，必要な成分のみを輸血する成分輸血が主であり，その主な種類と製剤の特徴を表8-1に示す。

　赤血球と血小板については，それぞれ「照射」や「洗浄」の処理が施されたものや，抗HLA抗体を有するために通常の血小板輸血では効果がみられない場合に対してあらかじめ適合が考慮された製剤，サイトメガロウイルス抗体陰性の濃厚赤血球や血小板濃厚液などがある。なお，輸血用の血液製剤に放射線照射を施す目的は，輸血の重篤な副作用である輸血後移植片対宿主病（graft-versus-host disease：GVHD）の予防である。

3 輸血に関する有害事象

　輸血は様々なリスクを伴う。それは，輸血製剤に関連する副作用のみならず，輸血の際に発生した過誤や手順の逸脱などのインシデントも含む。不適合輸血などは致死的な影響をもたらすため，輸血に伴う有害事象などのリスクに関する知識をもち慎重に取り扱う。

表8-1 主な成分製剤とその特徴

製剤名 (日本赤十字社販売名)	製剤の特徴	有効期限	保管方法
赤血球液-LR「日赤」(RBC-LR)	・ヒト血液(全血)から血漿および白血球層の大部分を除去した赤血球層に、赤血球保存用添加液(MAP液)を混和したもので、200mL全血由来(RBC-LR-1)の容量は約140mL、400mL全血由来(RBC-LR-2)は約280mLである ・濃赤色の液剤であり、静置すると主として赤血球からなる沈層と無色の液層とに分かれる。液層はヘモグロビンによる着色を認めることがある 〈使用時の注意点〉 ・血液バッグ開封後は6時間以内に輸血を完了することが望ましいため、1回量の投与に6時間以上要する場合、使用血液を無菌的に分割して使用し、未使用の分割は使用時まで2〜6℃で保存する(輸血部での保管が望ましい) ・感染面から、開封後の製剤は24時間以内に使用するのが望ましい	採血後21日間	2〜6℃で貯蔵
濃厚血小板-LR「日赤」(PC-LR)	・血漿に浮遊した血小板で、血液成分採血により白血球の大部分を除去して採取した製剤 ・黄色ないし黄褐色の液剤で、脂肪により混濁することがある ・血小板数は、1単位当たり0.2×10^{11}個以上であり、1単位(約20mL)、2単位(約40mL)、5単位(約100mL)、10単位(約200mL)、15単位(約250mL)、20単位(約250mL)の製剤規格がある	採血後4日間	20〜24℃で振とうしながら貯蔵
新鮮凍結血漿-LR「日赤」(FFP-LR)	・ヒト血液から白血球の大部分を除去し分離した新鮮な血漿を凍結したもので、融解すると黄色ないし黄褐色の液剤となり、脂肪により混濁することがある ・約120mL(FFP-LR-120)、240mL(FFP-LR-240)、480mL(FFP-LR480)の規格がある 〈使用時の注意点〉 ・製剤をビニール袋などに入れ、30〜37℃の温湯で融解し、融解後直ちに、あるいは2〜6℃での保存のもと融解後24時間以内に使用する	採血後1年間	−20℃以下で貯蔵

写真提供:日本赤十字社

表8-2 輸血過誤防止のチェックポイント

①患者検体の取り違え防止
②血液型判定・入力ミス防止
③出庫時の血液バッグの取り違え防止
④血液バッグの照合ミス防止
⑤病棟での患者・血液バッグの取り違え防止
⑥手術室での患者・血液バッグの取り違え防止

1）輸血に関連したインシデント

輸血を行う過程には，様々な手順，手続きが必要である．2012年，厚生労働科学研究の医療機関内輸血副作用監視体制に関する研究班より，輸血に関する間違い防止対策の普及や安全性の向上を図るための指針として「安全な輸血療法ガイド」[1]が出されている．

輸血過誤防止のチェックポイントとして，日本輸血・細胞治療学会は**表8-2**を挙げている[2]が，様々な場面で，医師，検査技師，看護師など複数のかかわりがあることがわかる．各

表8-3 輸血に伴う副作用・合併症と観察のポイント

	副作用・合併症	観察のポイント
即時型副作用	溶血反応（血液型不適合に伴うもの） ・開始直後から急激に出現する	1．静脈の熱感，点滴確保・刺入部の痛み，悪寒戦慄 2．バイタルサインの変化（発熱，血圧低下，呼吸困難，頻脈） 3．顔面紅潮，皮膚蒼白，チアノーゼ 4．胸痛，胸腔内苦悶 5．悪心・嘔吐，頭痛，疝痛 6．意識レベル 7．ヘモグロビン尿 8．乏尿，無尿（急性腎不全）
	アナフィラキシー（アレルギー反応）	1．バイタルサインの変化（発熱，血圧低下，頻脈または徐脈） 2．呼吸状態の変化：喘鳴（咽頭浮腫） 3．顔面・全身紅潮，網状チアノーゼ 4．蕁麻疹，発赤，瘙痒感，浮腫 5．意識レベル
	輸血関連循環過負荷 ・急速輸血や大量輸血など循環過負荷に伴う ・輸血後6時間以内に起こることが多い	1．呼吸困難，頻脈，血圧上昇 2．顔色不良 3．喘鳴，チアノーゼ 4．乏尿など心不全症状
	輸血関連急性肺障害 ・輸血後6時間以内（多くは1～2時間以内）に起こる非心原性の肺水腫を伴う呼吸困難	1．呼吸困難 2．低酸素血症（SpO$_2$低下） 3．胸部X線写真上の両側肺水腫 4．発熱，血圧低下
	細菌感染 ・輸血製剤の製造過程，または輸血投与に至るまでの過程で侵入，または汚染したことによる	1．発熱 2．血圧低下など細菌によるエンドトキシンショックの徴候
遅発型副作用	溶血反応 ・輸血後24時間以降，数日経過後からみられる血管外溶血による遅発型溶血性輸血反応	1．発熱 2．ヘモグロビン値低下 3．ビリルビンの上昇
	輸血後移植片対宿主病 ・輸血後7～14日頃～数か月後にみられる	1．発熱，紅斑，下痢，肝機能障害，汎血球減少 ※放射線照射血液製剤の使用により，近年の症例報告はないといわれている
	輸血後肝炎 ・輸血後2～3か月以内に発症	1．輸血後肝炎抗原検査 2．肝機能 3．全身倦怠感，発熱，黄疸など肝炎の症状

HBV：B型肝炎ウイルス，HCV：C型肝炎ウイルス，CMV：サイトメガロウイルス，HIV：ヒト免疫不全ウイルス

施設で輸血療法の管理体制などを整備し共有すること，特に輸血の準備段階では輸血製剤バッグの確認，患者の確認など看護師の直接的関与が高いため，確実な確認作業を行うことが大切である。

そのうえで，輸血実施時には，「正しい患者，正しい薬（血液製剤），正しい目的，正しい用量，正しい用法，正しい時間」の6R確認の原則を怠ってはならない。なお，造血細胞移植を行った患者では，もとの血液型とは異なる型の血液製剤が用いられることがあるため注意する。

2）輸血製剤に関連した副作用

輸血に伴う副作用および合併症には免疫学的機序によるもの，感染性のものなどがあり，それぞれの発症の時期により即時型（あるいは急性型）と遅発型に分けられる（表8-3）。輸血開始時や輸血中のみならず，輸血終了後も副作用や合併症の有無について観察や必要な検査を行うことが必要とされている。なお，輸血後に起こりうる感染症のフォローについては，近年輸血用血液製剤への感染症対策などが講じられており，感染症の発生はまれであることから，輸血後感染症検査が必須でないことについて見解が出されている[3)4)]。

看護技術の実際

A 輸　血

- ● 目　的：血液中の細胞減少やたんぱく質成分の量的減少あるいは機能の低下に対して，必要な成分を補充することで臨床症状の改善を図る
- ● 適　応：輸血の必要な小児
- ● 必要物品：輸血製剤，（輸血専用）点滴ルート，点滴ポンプ，点滴スタンド，消毒綿，手袋，カルテ，輸血同意書，輸血適合表，体温計，血圧計，聴診器，SpO₂モニター，酸素，救急カート

	方　法	留意点と根拠
1	**輸血投与に関する指示を確認する** 1）指示の内容について，患児の氏名・ID・血液型，血液製剤の種類・投与量，使用日時などを確認する 2）輸血同意書の有無を確認し，ない場合は，担当医師に家族（と患児）への説明を依頼し同意書を取得する 3）輸血に伴う事前処置に関する指示の有無などを確認しておく	●（患児や）家族が輸血予定について説明を受け理解をされているかについても合わせて確認する。特に初めての輸血の場合には，不安や疑問などないかについても確認する
2	**輸血投与前の事前準備をする** 1）輸血ルートのない場合はルート確保の準備，輸血前のアレルギー薬の投与などが事前処置として指示された場合は患児の状況を確認しながら薬剤投与の準備を行う 2）輸血製剤および投与方法に合わせて，適切な点滴ルートのセットやポンプ（輸液ポンプ，シリンジポンプ），点滴スタンド，消毒物品などを用意する	●輸血投与中の副反応によって緊急対応を要することがあるため，ベッドサイドに酸素の設置などあらかじめ再確認しておく ●一般的に輸血の投与時には専用ルートが用いられる（図8-1）

方　法	留意点と根拠

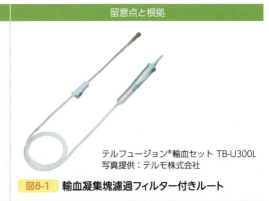

テルフュージョン®輸血セット TB-U300L
写真提供：テルモ株式会社

図8-1 輸血凝集塊濾過フィルター付きルート

3 血液製剤バッグを確認する 輸血製剤の受領時，輸血準備時にそれぞれ他の医療従事者と2人で以下の点を確認する ・患児の氏名・ID・血液型 ・血液製剤の種類・番号・単位数・照射の有無・有効期限	●血液製剤，輸血適合表，カルテの三者にて照合する
4 輸血製剤とルートをセットする 1) 手指消毒後，手袋を装着する 2) 製剤の破損の有無を確認する 3) 製剤バッグを静かに振り，内容物を混和する 4) 製剤バッグの輸血口を露出させ専用輸血セットを接続する	●輸血準備時の製剤の確認終了後，輸血製剤バッグと輸血ルートを接続する ●製剤バッグを破損しないように，製剤バッグを平らな場所に置き，輸血口にプラスチック針を真っすぐ差し込む（図8-2）

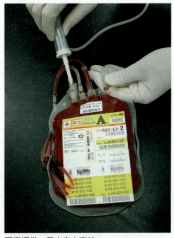

写真提供：日本赤十字社
図8-2 輸血セットの接続手順

5) 輸液と同様の方法で輸血セットの先端までルートを満たしクレンメを閉じておく	●輸血の投与ルートは点滴ラインの側管などが多く，三方活栓の向きなどに留意する．また，ルート接続時は清潔操作とする
5 輸血投与前の最終確認をする 1) 患児と家族に，これから輸血を行うことを説明し，以下の点を確認する ・事前に排泄など済ませておく必要がないか ・血管の点滴ルートが確保されている場合は，刺入部に漏れや腫れがないか	●患児と家族に，輸血に伴い出現が予測される発疹や呼吸困難，気分不快などをわかりやすく説明し，対処法があること，早期の対処が大切であることを伝え，症状が出現した場合は速やかにナースコールなどで伝えるよう説明する

方　法	留意点と根拠
・輸血投与前に必要な薬剤投与が終了しているか ・患児のバイタルサインが安定しているか 2）患児のベッドサイドにて，医療従事者2人で，患児の氏名・ID，輸血製剤の種類・量・製剤番号・照射の有無・有効期限を確認する（→❶） 3）輸血バッグやルートに破損がないか，輸血製剤そのものの色調に変化がないかなどを最終確認する	❶患児の年齢や身体的状況から，自ら名乗れないなど応答することが難しい場合も多い。確認に際しては，リストバンドと製剤を携帯端末などの電子機器を用いて機械的照合を行うことが望ましいこともいわれている。この場合も，必ず照合結果を医療者2人で確認する
6　輸血を開始する 1）指示に基づき，6Rの確認を医療者2人で行い投与を開始する 2）開始後5分間はベッドサイドで観察する（→❷） 3）5分後にバイタルサインを測定し，輸血開始前と変化がないか確認する 4）開始時間，観察項目を記録する 5）輸血開始後15分ほど経過した時点で，再度バイタルサインを測定し，アレルギー反応・即時型の副作用の有無を確認する。その後も輸血の副反応へのリスクがあるため，定期的に観察する	●輸血の投与ルートは点滴ラインの側管などが多く，三方活栓の向きなどに留意する。また，ルート接続時は清潔操作とする ❷開始後5分間はショック症状など急性反応の出現のリスクが高いため ●症状を呈した場合，速やかに輸血を中止し，医師に連絡して指示を仰ぐ ●小児の輸血は輸血速度が遅く投与時間が長くなることも多いため，拘束時間が長い。また，小児は体動が多く，ライントラブルも起こりやすい。刺入部の観察とともに，ルートの管理についても留意する ●輸血を受ける患児が安全・安楽に過ごせるよう遊びの工夫などを考慮する
7　輸血終了時の処置をする 1）輸血製剤の投与が終了したら，患児の全身状態を観察する 2）事前に終了後のルートについて医師に確認しておき，輸血の終了後にルートの抜去が可能な場合は，点滴ルート内を指示された薬剤で流した後に抜針する 3）輸血終了後も点滴ルートの確保が必要な場合は，終了した製剤バッグや輸血ルートを速やかにはずし，ビニール袋などに密閉し処理する（→❸）	❸ルート内や三方活栓への血液の残存は感染源となるため，指示されたルートで薬剤を流し必要に応じて三方活栓を交換・除去する
8　記録する	●終了時に再度，患児の氏名・ID，血液製剤番号を確認し，終了時間，輸血投与量，副作用の有無についてカルテに記録する
9　輸血後も観察を続ける	●終了後にも輸血関連急性肺障害の出現の可能性があるため，呼吸症状に変化がないかなど留意して観察を続ける

文献

1）厚生労働科学研究費補助医薬品・医療機器等レギュラーサイエンス総合研究事業 医療気管内輸血副作用監視体制に関する研究班（研究代表；藤井康彦）：平成23年度 安全な輸血療法ガイド，2012.〈http://www.jstmct.or.jp/jstmct〉（アクセス日：2022/7/22）

2）日本輸血・細胞治療学会：図解 輸血過誤防止のポイント.〈http://www.jstmct.or.jp/jstmct/Document/Guideline/Ref11-3.gif〉（アクセス日：2022/7/27）

3）厚生労働省医薬・生活衛生局血液対策課；輸血療法の実施に関する指針（改訂版）：2005，2020年3月一部改正.〈https://www.pref.ehime.jp/h25300/kenketsu/documents/betten1.pdf〉（アクセス日：2022/7/27）

4）日本血液・細胞治療学会：輸血後感染症検査実施症例の選択について，2022年7月.〈http://twmu-yuketsu.jp/wp-content/uploads/2020/07/60c069c52876085bc15f4f4f1bad9cad-1.pdf〉（アクセス日：2022/7/27）

9 経管栄養

学習目標
- 経管栄養法の目的・適応を理解する。
- 経管栄養法を必要とする小児の発達年齢に合わせた実施方法を理解する。
- 経管栄養法を必要とする小児のケアにおける注意事項を理解する。
- 経管栄養法の看護技術を習得する。
- 経管栄養法を安全・安楽に実施できる。

1 経管栄養とは

　経管栄養は，経口摂取が困難な小児に対して，体外からチューブを用いて栄養物や流動食を消化管に投与する処置である。意識障害や呼吸不全，開口・咀嚼・嚥下運動の障害や消化管の通過障害などがあり，胃腸での消化機能や吸収能力に問題がない場合は，チューブを通じて胃や腸に直接，栄養剤を注入する。

　経管栄養法は，経鼻経管栄養法（胃管，腸管）と経瘻孔法（胃瘻，腸瘻）に分けられる。

2 経管栄養法の種類

1）経鼻経管栄養法（胃管，腸管）

（1）経鼻胃管法

　チューブを鼻から挿入し食道を通過して胃に留置し栄養剤を注入する方法と，チューブを口腔から挿入し食道を通過して胃に留置する方法がある。

（2）経鼻腸管法

　X線透視下で，チューブを鼻から挿入し食道を通過し十二指腸に留置し，栄養剤を注入する方法である。

　チューブを胃内に留置した後，蠕動運動により十二指腸まで自然に入るのを待つ方法とX線透視下でチューブを十二指腸まで挿入する方法がある。

2）経瘻孔法（胃瘻，腸瘻）

　経瘻孔法は，腹壁と胃壁・腸壁の間に胃瘻・腸瘻をつくり，カテーテルを介して栄養剤を胃や腸に注入する方法である。

〈胃瘻カテーテルの種類と特徴〉（図9-1）

　胃瘻の瘻孔を維持するために，体外と体内をつなぐカテーテルを固定する方法が4種類

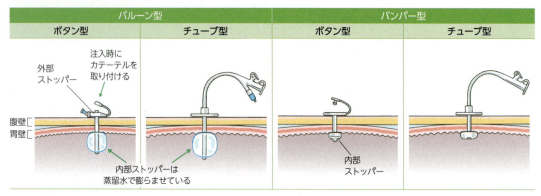

図9-1 胃瘻カテーテルの種類

ある。体内側では，バルーンを膨らませて胃壁・腹壁から抜けないように固定する方法とバンパーで胃瘻・腹壁から抜けないように固定する方法がある。体外側では，ボタン型とチューブ型がある。

①バルーン・ボタン型
・バルーンの収縮によって挿入が簡易に実施できるため，痛みを伴わない。
・栄養剤を注入するたびに，イルリガートルボトルと接続するチューブの開始時の接続と終了後の取りはずしが必要となる。
・栄養剤の注入後には，チューブが接続していない（ボタンのみが体外に露出している）ため，更衣がしやすい。
・バルーンが破裂し，抜けてしまうことがある。

②バルーン・チューブ型
・バルーンの収縮によって挿入が簡易に実施できるため，痛みを伴わない。
・栄養剤を注入するたびに，イルリガートルボトルと接続するチューブの開始時の接続と終了後の取りはずしが不要である。
・栄養剤を注入していない状況であっても，チューブが接続しているため，更衣時に引っかけてしまったり，患児が抜いてしまうことがある。
・バルーンが破裂し，抜けてしまうことがある。

③バンパー・ボタン型
・カテーテルが抜けにくい。
・挿入時に出血や痛みを伴う。
・栄養剤を注入するたびに，イルリガートルボトルと接続するチューブの開始時の接続と終了後の取りはずしが必要となる。
・栄養剤の注入後には，チューブが接続していない（ボタンのみが体外に露出している）ため，更衣がしやすい。

④バンパー・チューブ型
・カテーテルが抜けにくい。
・挿入時に出血や痛みを伴う。

- 栄養剤を注入するたびに，イルリガートルボトルと接続するチューブの開始時の接続と終了後の取りはずしが不要である。
- 栄養剤を注入していない状況であっても，チューブが接続しているため，更衣時に引っかけてしまったり，患児が抜いてしまうことがある。

3 栄養剤の種類と特徴

1）半消化態栄養剤
たんぱく質，脂質，炭水化物（糖質），ビタミン，ミネラルなどの五大栄養素と食物繊維など必要な栄養分はほぼ充足できる。ある程度以上の消化機能が必要である。

2）消化態栄養剤
たんぱく質をアミノ酸とペプチドまで分解している。食物繊維はほとんど含まない。消化機能はほとんど不要である。

3）成分栄養剤
たんぱく質をアミノ酸まで分解している。食物繊維，脂肪はほとんど含まない。消化機能は不要である。

看護技術の実際

A 経鼻経管栄養法

- 目　的：経口栄養では十分な栄養摂取が困難で胃腸での消化機能や吸収能力に問題がない場合，チューブを通じて胃や腸に直接，栄養剤を注入する
- 適　応：表9-1参照
- 必要物品：栄養チューブ，聴診器，メジャー，絆創膏（1日1回貼り替える），注入用注射器，油性ペン，潤滑剤または微温湯，清浄綿，はさみ，ビニーテープ（白），注入管

表9-1　経鼻経管栄養法の適応

経鼻胃管法	①消化管の消化・吸収能力は保たれているが，経口摂取が困難，あるいは経口摂取では十分な栄養摂取が困難な場合 ②経口摂取では誤嚥の危険がある場合 ③食欲不振や術後のために経口摂取を嫌がる場合
経鼻腸管法	①胃食道逆流（GER），下部食道括約筋障害，食道裂孔ヘルニア，胃潰瘍などにより，嘔吐しやすい場合 ②誤嚥性肺炎・喘息様気管支炎の反復，低酸素血症などの呼吸障害を合併しやすい場合 ③やせ，低たんぱく血症などの栄養状態に問題がある場合 ④イレウスなど消化管のトラブルを起こしやすい場合

GER：gastroesophageal reflux

1）経鼻胃管法

	方　法	留意点と根拠
1	準備をする 1）手を洗う 2）清潔なトレイに必要物品を準備する 3）ネームバンド，ベッドネーム，患児・家族への声かけにより患児の氏名を確認する	● 可能な限り，処置室で実施する。他の患児がいる病室で実施する場合は，カーテンやスクリーンを用いてプライバシーに配慮する
2	患児の発達に応じた言葉でチューブ挿入を説明する	● 不安を軽減するために，発達段階に合わせた説明をする 例：年長幼児から学童期の患児には，「お鼻から管を入れるよ」「元気になるご飯を管から入れようね」などと説明する
3	患児を半座位か仰臥位にする（➡❶） 乳幼児や処置への抵抗が強い場合は，タオルを巻いて固定する（図9-2）  図9-2　姿勢	❶頭部を挙上することで，誤嚥を予防する ● 栄養チューブのサイズの目安 ・新生児：3〜4Fr ・乳児：5〜6Fr ・幼児：7〜8Fr ・学童：8〜12Fr ● 誤接続を回避する目的で経腸栄養製品の規格の変更があり，旧規格と新規格の製品が使用されている。旧規格製品と新規格製品を接続するためには，変換コネクタが必要である。取り扱いに十分注意する
4	栄養チューブ挿入の準備をする 1）栄養チューブの挿入の長さを測定し（図9-3），長さが決定したら，油性ペンで印をつけておく 2）栄養チューブのキャップをし，先端を潤滑剤または微温湯につけておく	● 新生児〜幼児の場合は，眉間から剣状突起までの直線距離を挿入する長さとする（図9-3a）。学童〜成人は，鼻孔から耳朶の距離を加えた長さとする（図9-3b，c） ● ショックを起こす可能性があるため，潤滑剤としてキシロカイン®ゼリーなどは使用しない。湯につけすぎると軟らかくなりすぎて挿入しづらくなるので注意する

a  b  c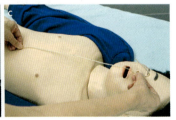

図9-3　栄養チューブの挿入の長さの測定

5	痰や分泌物の貯留があった場合は，手を洗い，声をかけ十分に吸引を行う（➡❷）	❷栄養チューブを挿入する際に，鼻腔が刺激を受け分泌物が増加する可能性がある。呼吸状態を十分に整えて，チューブを挿入する
6	栄養チューブを挿入する 1）患児のあごを引いた状態で頭部を固定し，栄養チューブを挿入する 2）嚥下に合わせながら静かに挿入する。チューブの印が鼻腔まで達したら絆創膏で仮止めをする	● 鼻腔から顔面に直角に入れ約10cmで咽頭部に達すると抵抗がある。そのまま挿入すると出血の可能性があるため，挿入をいったん止める ● 嚥下を促しながら，ゆっくりと挿入する

方法	留意点と根拠
	● 激しい咳き込みやチアノーゼなどがみられた場合は，気管に挿入した可能性があるため，ただちにチューブを抜き，安静を保つ
	● 悪心・嘔吐があった場合は，チューブを抜き顔を横に向かせ吐物を吸引し誤嚥を防ぐ．再挿入のときは清浄綿でチューブを拭いてから行う
7 空気を注入する 1）注入用注射器で空気を5〜10mL入れ聴診器を心窩部（みぞおち）に当て，空気を注入し，胃内留置音（ボコボコ，グーなど）を確認する 2）注射器の内筒をゆっくりと引き，胃内容物の有無を確認する （1）チューブが口腔内に渦巻状になっていないか確認する（図9-4a） （2）胃内留置音が確認できた場合は，注入した空気を注入用注射器で抜く（➡❸） （3）胃内留置音が確認できない場合やはっきりとしない場合は，チューブを抜き清浄綿で拭いてから再挿入する	❸ 胃内容物の吸引だけでは，チューブが胃に留置されたことの確認にはならない．食道内にチューブの先端があった場合に，逆流している胃内容物が吸引されることもあるため，必ずみぞおちあたりの音も確認する（図9-5）

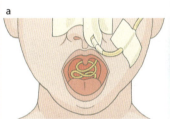
a 口腔内で渦巻状になっていないか確認

b 胃内にチューブが届いているか確認

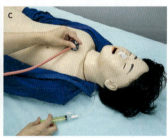
c 食道内でチューブが渦巻状になっている場合の確認

図9-4 栄養チューブの確認

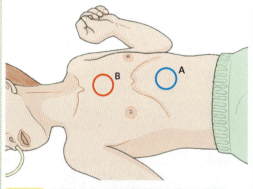
図9-5 空気注入音の確認（聴診器を当てる位置）
空気の注入音がAの部分でしっかり聴こえにくいときは，Bの部分と聴き比べてBの音のほうが大きければ食道か気管にチューブの先端が入っている可能性がある

8 仮止めした絆創膏を貼り直す 1）角を丸くカットし，切れ込みを入れておいた絆創膏の基部を鼻に貼る．切れ込みのテープは，交互にチューブに巻きつける．チューブを頬でも1か所固定する（図9-6）	● 嚥下を促す目的とともに，チューブを留置することによるわずらわしさを回避するため，注入ごとにチューブを挿入し，注入が終了するとチューブを抜去する方法もある ● 皮膚の保護をするために，透明なフィルムドレッシング材を貼付することもある

方　法	留意点と根拠
図9-6　仮止めした絆創膏を貼り直す 2）チューブを留置する場合は，テープの固定場所の皮膚への刺激を軽減するために，ずらしながら1日1回貼り替える 3）1週間に1回程度の割合でチューブを交換し，チューブを挿入する鼻腔は左右交互にする（➡❹）	●絆創膏の頻回な貼り替えによる刺激で皮膚に発赤がみられれば，毎日の交換ではなく，2日に1回などで様子を観察する ❹清潔を保ち，副鼻腔炎や皮膚粘膜の刺激を軽減するため
9　**栄養剤を体温程度に温める**（➡❺）	❺高温すぎると熱傷の危険があり，低温すぎると下痢などを起こす危険がある ●栄養剤は，通常の食品と同じように腐敗すると下痢や嘔吐の原因となるため，バッグ型の栄養剤は容器に移さず使用する ●開缶後や調製後の栄養剤は8時間以内に使用する 〈栄養剤の禁忌〉 ・栄養剤の継ぎ足しをしない ・小分けや作り置き，冷蔵庫での保管はしない ・バッグ型の場合は加熱しない ・残ったものを再利用しない
10　**患児の姿勢を整える** 半座位または右側臥位で上体を挙上する（➡❻）	❻嘔吐や逆流を予防するため
11　**栄養剤を注入する** 1）胃内容物の性状を確認する（➡❼） ・量によっては，注入時間，栄養剤の量を調整する ・胃内容物が透明ならば，胃液である。電解質のバランスを保つために破棄しない ・栄養剤と同色であるならば，消化機能の低下が考えられるため，量と性状によっては，栄養剤を変更する 2）注入管のルートの先端まで栄養剤を満たす 3）胃チューブを接続した後に，クレンメをはずし，速度を調節する 〈速度の目安〉 ・低出生体重児：0.5〜1mL/分 ・乳幼児：3〜4mL/分 　（患児の哺乳時間を目安とする） ・学童・青年期：8〜10mL/分	❼胃チューブ挿入から，時間が経過している際には，チューブが胃内に留置されているかどうかを確認してから実施する ●胃チューブと注入管のルートを接続する際は，胃内容物の逆流を予防するため，胃チューブを指で屈曲させて閉鎖し，接続してから開放する ●注入中は，咳き込み，顔色，腹部膨満，嘔吐などの有無を観察する

方法	留意点と根拠
12 注入終了後の処理をする 1）注入終了後は，微温湯を流した後に，微温湯を流す程度の量でエアを入れる（→❽） ・低出生児：0.5mL（滅菌水を使うことが多い） ・乳幼児：3mL程度 ・学童・青年期：10mL程度 2）チューブを除去する チューブ内の清潔の維持と栄養剤の腐敗・細菌繁殖を予防するため，チューブのキャップを閉めて，呼気に合わせて素早く抜く	❽留置をする場合，チューブ内の微温湯を充填したままにせず，チューブ内の微温湯を流す程度の量でエアを入れ，チューブ内を空気で満たすのは，チューブのふたを開放した際の液だれを予防するためである
13 患児の口腔内の清潔を保つ 1）排気ができる患児には排気させる 2）うがい，歯みがきなどの清潔ケアを経口摂取している小児と同様に実施する（→❾）	❾経口摂取をしていないと，唾液の分泌が少ないため不潔になりやすい。感染予防のため，経口摂取していなくても，歯みがきなどで口腔内の清潔を保持する
14 後片づけをし，記録する 注入した液の種類・量，吸引された胃内容物の量や性状，留置したチューブの長さを記録する	

2）経鼻腸管法

方法	留意点と根拠
1 準備をする 1）手を洗う 2）清潔なトレイに必要物品を準備する	
2 患児をX線室へ誘導し，挿入しやすいように患児の姿勢を整える	●透視台の上に患児を寝かせる。嘔吐などに備えて，口元にはタオルや膿盆を用意しておく
3 栄養チューブ挿入の準備をする 1）医師と介助者はプロテクターを身につける 2）栄養チューブの先端約15cmに潤滑剤を塗布する	●ショックを起こす可能性があるため，潤滑剤としてキシロカイン®ゼリーなどは使用しない
4 栄養チューブを挿入する 1）X線透視下で医師が栄養チューブを胃内まで挿入したら，必要に応じて注射器で空気を注入する（A1）「経鼻胃管法」の「方法7」に準じる） 2）胃内にチューブがあることを聴診で確認する 3）栄養チューブが十二指腸まで挿入されガイドワイヤーが抜かれたら，その長さを確認しその場所にマジックで印を付けテープで頬部に固定する	●挿入中は，顔色・呼吸状態・嘔吐などの有無を観察する ●蠕動運動によって，チューブが入り込みすぎたり，引っ張られて胃内に入り込んだりしていないかを知るため，長さを確認する ●ガイドワイヤー先端部による消化管粘膜の損傷や穿孔の危険があるので観察する
5 栄養剤を準備する	●高温に加熱すると，ビタミンが破壊されるものもあるので，常温管理のものはそのまま注入する
6 患児の姿勢を整える 半座位または右側臥位で挙上して顔を横向きにする（→❶）	❶嘔吐や逆流を予防するため
7 栄養チューブの先端が十二指腸内にあることを挿入の長さで確認する	●経鼻胃管法とは違い吸引しない

方　法	留意点と根拠
8　栄養剤を注入する 　1）栄養剤をボトルからルートの先端まで満たしてポンプにセットし，栄養チューブに接続する 　2）指示された流量にポンプをセットし注入を開始する 　3）定期的な検査により栄養評価を行う	●注入中は，咳き込み・顔色・腹部膨満・嘔吐などの有無を観察する ●経管栄養が長期にわたる場合は，悪心・嘔吐，腹痛，腹部膨満，下痢，脱水，電解質異常などに注意する
9　注入終了後の処理をする 　注入終了後は，栄養チューブ内を微温湯または10倍に希釈した酢水でフラッシュする（→❷）	❷pHを4以下に保つことで細菌の増殖が抑えられ，静菌効果が得られ，カテーテル内の堆積物が予防できる❶
10　患児の口腔内の清潔を保つ 　うがい・歯みがきなどの清潔ケアは，経口摂取している小児と同様に実施する（→❸）	❸経口摂取をしていないと，唾液の分泌が少ないため不潔になりやすい．感染予防のため，経口摂取していなくても，歯みがきなどで口腔内の清潔を保持する
11　後片づけをし，記録する 　注入した液の種類・量，留置したチューブの長さを記録する	

❶長谷美智子：消化管障害（看護），東京都福祉保健局，訪問看護師のための重症心身障害児在宅療育支援マニュアル，第2版，東京都生活文化局広報広聴部都民の声課，2013，p.73．

B 経瘻孔法

- 目　　的：外科的に造られた胃瘻・腸瘻から直接，栄養剤を注入する
- 適　　応：表9-2参照
- 必要物品：接続チューブ，注入用注射器，注入管

表9-2　経瘻孔法の適応

胃　瘻	①胃食道逆流が軽度であり，嚥下障害，誤嚥などで経口摂取が困難な状況が長期間継続している場合 ②呑気症における空気・胃液抜きを目的にする場合 ③噴門形成術時，胃拡張で減圧を目的にする場合
腸　瘻	①胃食道逆流が重度で，嚥下障害，誤嚥などで経口摂取が困難な状況が長期間継続している場合 ②呑気症における空気・胃液抜きを目的にする場合 ③噴門形成術後の再発の場合

方　法	留意点と根拠
1　準備をする 　1）手を洗う 　2）必要物品を準備する	
2　注入管のルートの先端まで栄養剤を満たし，接続管を接続し，液を満たす	
3　患児を半座位か上体を挙上して顔を横向きにする（→❶）	❶嘔吐による誤嚥を予防するため

方 法	留意点と根拠
4　瘻孔を観察する 　1）瘻孔・胃瘻・腸瘻周囲の皮膚に，発赤，皮膚潰瘍，壊死，肉芽などの有無を観察する 　2）少なくとも，1日1回は，瘻孔周囲の皮膚を清潔なタオルやガーゼで清拭し，清潔を維持する	
5　胃瘻ボタンのふたを開け，接続カテーテルを接続する 　1）注入前にカテーテル抜去と脱落の有無を観察する 　2）腸瘻チューブは屈曲や閉塞がないように固定し，挿入の長さが確認できるようにチューブに印をつけておく	●瘻孔を造設した直後は，瘻孔の形やサイズを維持するために，カテーテルが腹壁に対して垂直になるように，接続チューブを接続した際には俵ガーゼなどで挟みこみ，接続チューブが倒れないように保護する ●はずれないようにしっかりと接続する ●更衣後なども忘れず確認する ●油性ペンの印は消える可能性があるので，体外に出ている腸瘻チューブの長さを確認しておくか，糸やテープを結んで印にする ●腸瘻チューブは，蠕動運動によってチューブが腸に入り込むことがあるので，十分注意する
6　医師に指示された速度で栄養剤を注入する	●注入中は，咳き込み・顔色・腹部膨満・嘔吐などの有無を観察する ●下痢や胃食道逆流症状の強い患児は，速度をゆっくりにして注入する
7　注入終了後の処理をする 　1）注入終了後は，接続カテーテルから微温湯をフラッシュする 　2）胃瘻孔・腸瘻孔周囲から漏れていないか観察する	●経鼻チューブと比較すると径が太いため，ミキサー食の注入も可能である。初めての食品を注入する場合は，アレルギーに十分注意する
8　患児の口腔内の清潔を保つ 　うがい，歯みがきなどの清潔ケアを経口摂取している小児と同様に実施する（➡❷）	❷経口摂取をしていないと，唾液の分泌が少ないため不潔になりやすい。感染予防のため，経口摂取していなくても，歯みがきなどで口腔内の清潔を保持する
9　後片づけをし，記録する 　注入した液の種類・量，吸引された胃内容物の量や性状を記録する	

文　献

1）山本恵子監：新訂第2版 写真でわかる小児看護技術アドバンス，インターメディカ，2022，p.155-163.
2）大塚　香・半田浩美監：見てできる臨床ケア図鑑 小児看護ビジュアルナーシング，学研，2020，p.236-242.
3）前田浩利・岡野恵里香編：NICUから始める退院調整在宅ケアガイドブック，メディカ出版，2013，p.139-148.
4）平田美佳・染谷奈々子編：ハローキティの早引き 子どもの看護 与薬・検査・処置，ナツメ社，2015，p.168-171.

10 吸　　入

学習目標
- 吸入療法の目的と吸入機器の種類・特徴を理解する。
- 小児の成長・発達に合った吸入方法を理解する。
- 小児の成長・発達に合わせた安全かつ効果的な吸入の援助ができる。

1 吸入療法とは

　吸入療法とは，気体や霧状にした薬剤を吸気と一緒に吸い込み，気道（主に気管支），あるいは全身に作用させる治療である（本項では，気道への作用を目的とした吸入について述べるため，酸素療法や麻酔に用いる笑気ガスなど全身に作用させる目的をもつ吸入を含めない）。

　吸入療法の目的を**表10-1**に示す。

※酸素療法で加湿を目的として行う吸入療法は，第Ⅴ章12節の「ベンチュリーマスク」p.323を参照。

2 吸入機器の種類と吸入できる薬剤の特徴

　吸入機器には次の種類がある。それぞれ**表10-2**に示すように長所と短所があり，使用できる薬剤にも特徴がある。

1）ジェット式（コンプレッサー式）ネブライザー（図10-1）

　多くの病院で導入されており，家庭で吸入療法を行う際に使用されることが多い。なかには，車のシガーソケットから電源をとれる機種もある。

2）超音波式ネブライザー

　喘息治療用として小型の機種が使用されてきたが，二槽式の問題と霧（ミスト）の小ささ，ブデソニド（パルミコート®）懸濁液が霧化できない問題など使用可能な薬剤の制限から使われることが少なくなり，大手医療機器メーカーでも発売終了となった。病院などでは据え置き型（中型〜大型）の機器が薬剤投与目的ではなく，加湿（一部酸素併用）目的で使用される。

3）メッシュ式ネブライザー（図10-2）

　超音波式ネブライザーに分類はされているが，超音波式ネブライザーがもっていた問題

表10-1 吸入療法の目的

①気道の加湿によって線毛運動を促進する
②下気道の加湿によって分泌物の粘稠度を下げる
③下気道における分泌物の生成を抑制する
④気管支を拡張する
⑤気道の炎症を抑える
⑥気道の炎症による浮腫を改善する
⑦真菌などによる気道感染症の治療(特殊)
⑧インフルエンザの治療

表10-2 吸入機器の長所，短所，使用できる薬剤

吸入機器	長所	短所	使用できる薬剤の特徴
ジェット式(コンプレッサー式)ネブライザー	・耐久性に優れる ・乳幼児に使用可能 ・ネブライザー本体の手入れが比較的容易	・動作音が大きい(使用機種によって差がある) ・交流電源が必要な機種がほとんど	・液体や懸濁液など様々な薬剤に対応している
超音波式ネブライザー	・大量の噴霧が可能 ・動作音が静か ・持続的な気道加湿が可能	・少量の噴霧に不向き ・交流電源が必要 ・ほとんどが大型で高価 ・超音波で薬剤が変性する可能性がある	・小型のものであれば，一部の薬剤の吸入が可能 ・ステロイド懸濁液は霧化できない
メッシュ式ネブライザー	・小型 ・動作音が静か ・電池駆動ができる ・薬剤の変性が起こりにくい	・メッシュの耐久性が低い(現在はディスポーザブルのメッシュが使用できる器種もある) ・吸入時に持つ角度を調整して，メッシュと振動子の部分に薬液がくるようにしないと霧化しない	・ステロイド懸濁液を含め，多くの薬剤を霧化することができる(一部の薬剤は霧化できない)
定量吸入器(MDI)	・小型軽量で携帯が容易 ・短時間で吸入を終えられる ・電源不要	・吸入手技の習得が必要(特にDPI) ・認知発達や運動機能の状況に左右される(pMDIは，吸入手技を習得した介助者がいれば吸入可能)	・吸入器は吸入する薬剤専用で，規定量や規定回数を使い切った場合は破棄し，新しい吸入器と交換する

PARI ボーイ Junior
写真提供：村中医療器株式会社

図10-1 ジェット式(コンプレッサー式)ネブライザー

NE-U100
写真提供：オムロン ヘルスケア株式会社

図10-2 メッシュ式ネブライザー

点を改良したタイプのネブライザーで，薬液を直接振動させて細かいメッシュを通すことで霧状にするものである。電池駆動とAC100V駆動の2電源対応で，小型で動作音が静かなことと，少量の薬液の吸入にも対応している。比較的高価であることと，メッシュの取り

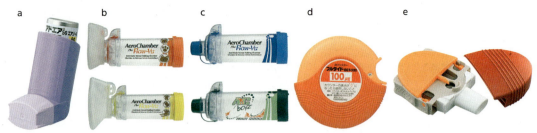

a〜c：加圧噴霧式定量吸入器（pMDI）とスペーサー，d，e：ドライパウダー吸入器（DPI）
写真提供＝a，d，e：グラクソ・スミスクライン株式会社，b，c：株式会社アムコ

図10-3 定量吸入器（MDI）

扱いが難しいという問題点があったが，安価でメッシュ部分がディスポーザブルのものも発売されている。

4）定量吸入器（metered dose inhaler：MDI）（図10-3）

薬液ではなく，吸入用ステロイド薬など専用の治療薬剤を吸入するためのもので，規定回数使用した場合や薬剤が空になった場合は新しいものに取り換える。加圧噴霧式定量吸入器（pressurized metered dose inhaler：pMDI）とドライパウダー吸入器（dry powder inhaler：DPI）の2種類がある。いずれも吸気で薬剤を気管支から肺に吸い込めるだけの吸気流速が必要となる。

pMDIは，マスク付きのスペーサー（吸入補助具）を使用することで吸気流速の遅い乳幼児でも使用することが可能である。マスクが不用で，口でくわえるタイプのスペーサーもある。

DPIは，粉末状薬剤を吸入器に口をつけて肺に吸い込むだけの吸気流速がないと使用できない。一般的には5歳以上では吸入可能である[1]とされているが，吸入器から薬剤をこぼさないような持ち方ができることを確認しておく，または持つときに補助をする必要がある。吸入可能かは，吸入器の種類に応じた吸入練習器で確認できる。

3 小児の成長・発達と吸入方法

1）成長・発達のアセスメント

小児期は年齢の幅が広く，成長・発達は個人差が大きいため，単純に年齢で区切ることはできない。「中学生だからここまでできて当たり前」や「3歳なのでこれはできない」と評価する前に，小児の運動機能（特に微細運動）と認知発達の状況を十分にアセスメントする。

ジェット式ネブライザーやメッシュ式ネブライザーを用いる吸入では，口にくわえて吸入する方法が基本であるが，口にくわえる場合は口から息を吸い込むこと（呼気は鼻でも口でもよい）が条件となる。幼児では，途中で無意識下に鼻呼吸になっている場合もあるため，理解の程度と行動に不安がある場合は鼻と口を覆うことができるマスクの使用を提案することが望ましい。

吸入方法などの説明後に，小児が「わかった」と答えた場合，本人なりに理解しただけで，

正確な手技を理解していないこともある。年少児の理解は成人の理解とは異なっている可能性が高いため，必ずどのように理解したのかを確認する。また，小学校高学年から中学生では，説明を聞いていなくても「わかった」と答える場合があるため，説明中の様子を十分観察したうえで，説明後に本人に説明を求めるなどして再確認する。

説明したとおりに理解していたとしても，一人で実施する場合に，ほかに興味を引く出来事などが起こるとそちらに気をとられ，本来行わなければいけない吸入自体を忘れることや，吸入を始めても適当に終わらせてしまうこともあるので，実施の確認が必要である。しかし，しつこく確認すると，やる気が減退する危険性もあるため，やる気をなくさず次もしっかりやろうという気持ちになるような働きかけが重要となる。

2）家族の理解力と価値観のアセスメント

在宅で吸入する場合はもちろんであるが，入院に家族が付き添っている場合は，家族の理解力と子育てや療養行動に関する価値観についてアセスメントする。吸入薬や吸入機器の管理を小児自身で行えるようになるまでは，母親を主とした家族の援助が欠かせない。よって，家族が吸入薬および吸入手技に関する知識を正しく理解することが可能であるか，吸入を忘れても気にかけなかったり，「子ども自身の問題だから」と家族の援助が十分得られなかったりするマイナス要因の有無と程度など，情報を十分に得る必要がある。

3）吸入の介助が必要な小児への吸入

乳児から幼児期前期のように微細運動が十分発達していない時期，または麻痺がある場合などでは，介助者なしで吸入嘴管や吸入器本体を手で支えたり，吸入器を操作することは困難である。その際は，介助者が吸入機器の操作や吸入嘴管を支えるなどを行う。また，小児が吸入を嫌がったり体動が激しい場合には，介助者のからだで小児のからだを保持しながら吸入の介助を行う。

4）ステロイド薬吸入のうがいの必要性

ステロイド薬を吸入した場合は，吸入直後に必ずうがいをする。うがいは，口腔内に付着（吸入量の80％）したステロイド薬を取り除く働きがある[2) 3)]。うがいをする場合は，口腔内のクチュクチュうがいだけでなく，咽頭部まで洗い流せるガラガラうがいも行う。うがいをせずに放置した場合，口腔や食道のカンジダ症や嗄声を起こすことがある。うがいができない乳幼児や外出先でうがいができない場合は，水分を飲ませるだけでもある程度効果がある。

看護技術の実際

A ジェット式（コンプレッサー式）ネブライザー

- 目　　的：表10-1の①～⑦が該当する
- 適　　応：気管支喘息，気管支炎，肺炎，化学療法中の薬剤吸入の必要な小児
- 必要物品：ネブライザー本体，マスク（必要時），コンプレッサー，接続ホース，ガーグルベースン，ティッシュペーパー，コップと水（ステロイド薬吸入時）

	方　法	留意点と根拠
1	以下の点をアセスメントする 1）小児と家族の吸入に対する理解（目的，方法） 2）小児と家族の関係性（家族が離れると不安になるか） 3）小児の年齢，多動性（じっとしていられるか） 4）小児の興味を引くもの（お気に入り） 5）ネブライザー本体を一人で持っていられるか 6）口呼吸を意識して行えるか（➡❶） 7）患児のからだを固定する（支える）必要性（➡❷）	●初回は，吸入を行う目的や方法について患児の年齢や発達に合わせた内容で患児と家族に説明をしながらアセスメントする（詳細は「3．小児の成長・発達と吸入」p.298を参照） ❶意識して口呼吸ができない場合はマスクを選択し，患児に了解を得る必要がある ❷患児の落ち着きのなさ（じっとしていられるか）から家族や看護師が膝の上などでからだを支える必要があるか判断する
2	使用物品を準備する 1）消毒後の清潔なネブライザー本体 2）マスク（必要時） 3）コンプレッサー 4）医師から指示された吸入薬液	●必ず乾燥させた組み立てたものを使用する ●準備の段階で動作確認を行う
3	処置・処方について確認し，薬液をセットする	●誤薬防止のため，吸入時刻，薬液の内容と小児の氏名を2名でダブルチェックする ●この段階で薬液をネブライザー本体の薬液カップに入れる
4	吸入直前の患児の状況を確認する（➡❸） 1）吸入前の小児の呼吸状態（呼吸音，チアノーゼなど） 2）吸入前の機嫌	❸時間どおりに吸入できるか，吸入を遅らせる必要があるかを判断する材料になる
5	これから吸入を行うことについて，患児の理解力に合わせて説明する	●乳児の場合は家族に説明する ●幼児～学童前期の場合は，患児と一緒に家族にも説明する
6	機器を準備する 1）コンプレッサーを設置する 2）コンプレッサーにつないだホースにネブライザー本体を接続する	●空気の圧力でネブライザー本体との接続がはずれないようにする
7	吸入を実施する 1）小児の姿勢を座位に保つ 2）ネブライザー本体のマウスピースをくわえ，口唇を閉じたのを確認してコンプレッサーのスイッチを入れる（図10-4a）（➡❹）	●じっとしていられなかったり吸入を嫌がる場合は，家族または看護師の膝に座らせて腕で抱えてからだを支える ●吸入に集中できるように動物の顔などを接続することもある（図10-4b） ●マスクの場合も，顔に当ててからスイッチを入れる（➡❹） ❹ミスト（霧）が直接顔にかかるのを嫌がることが多い

方 法	留意点と根拠
 吸入嘴管のノズル部分をくわえ，口唇を閉じる **図10-4** ジェット式ネブライザーの吸入 3) 上手に吸入が行えるように，吸入中は状況を確認して声をかける（➡❺）	●痰の喀出時や唾液がたまった場合はガーグルベースンで受ける ❺吸入終了までに5～10分間かかるため，低年齢児の場合，気を紛わせたり，「うまくできているね」などの集中力を持続させるための声かけが重要である
4) 薬液がなくなったことを確認してスイッチを切り，ネブライザー本体を受け取る	●低年齢児の場合は，ネブライザー本体の薬液カップ内への唾液の流入によって薬液の量が見かけ上増え，いつまでも吸入が終わらないことがあるため，薬液の残量をチェックする
5) 吸入が終わったことを告げ，頑張りを褒める	●次も頑張ろうと思えるように声をかける
8	ステロイド薬の吸入後はうがいをすすめる	詳細は「3．小児の成長・発達と吸入方法」p.298を参照
9	後片づけをし，記録する	●ネブライザー本体は分解して水洗・消毒する

B メッシュ式ネブライザー

- 目　　的：表10-1の①～⑦が該当する
- 適　　応：気管支喘息，気管支炎，肺炎，化学療法中で薬剤吸入の必要な小児
- 必要物品：ネブライザー本体，マウスピースまたはマスク（多くは専用），薬液，ガーグルベースン，ティッシュペーパー，コップと水（ステロイド薬吸入時）

	方 法	留意点と根拠
1	以下の内容をアセスメントする A「ジェット式（コンプレッサー式）ネブライザー」の「方法1」に準じる	
2	使用物品と薬液を準備する 1) ネブライザー本体 2) 薬液ボトル（消毒済のもの） 3) メッシュキャップ（消毒済のもの） 4) マウスピースまたはマスク（消毒済のもの） 5) 電池または専用ACアダプター 6) 医師から指示された吸入薬液	●1)～5)を準備後に組み立て，電源が入るかを確認する ●ディスポーザブルタイプの場合は新しいメッシュ
3	処置・処方について確認し，薬液をセットする	●誤薬防止のため，吸入時刻，薬液の内容と小児の氏名を2名でダブルチェックする ●この段階で薬液をネブライザーの薬液ボトルに入れる

方　法	留意点と根拠
4　吸入直前の患児の状況を確認する 　　A「ジェット式（コンプレッサー式）ネブライザー」の「方法4」に準じる	
5　これから吸入を行うことについて，患児の理解力に合わせて説明する	
6　機器を準備する 　　A「ジェット式（コンプレッサー式）ネブライザー」の「方法6」に準じる（図10-5）	
7　吸入を実施する 　　A「ジェット式（コンプレッサー式）ネブライザー」の「方法7」に準じる	
8　ステロイド薬の吸入後はうがいをすすめる	
9　後片づけをし，記録する	●必要物品の2）〜4）は水洗・消毒をする ●メッシュ部分は流水を直接当てて洗わない（ディスポーザブルのメッシュは捨てる）

図10-5　マスクを使用したメッシュ式ネブライザーの吸入

C　加圧噴霧式定量吸入器（pMDI）

- 目　　的：表10-1の④〜⑥が該当する
- 適　　応：気管支喘息，気管支炎，肺炎の薬剤吸入の必要な患児（ボンベをプッシュする噴霧のタイミングに合わせて大きく息を吸い込むことが難しい患児では，スペーサーを使用する）
- 必要物品：薬剤ボンベ，専用アダプター，マスク付きスペーサー（図10-6）（必要時），コップと水（ステロイド薬吸入時）

図10-6　加圧噴霧式定量吸入器（pMDI）の吸入（スペーサー使用）

方　法	留意点と根拠
1　以下の内容をアセスメントする 　　A「ジェット式（コンプレッサー式）ネブライザー」の「方法1」に準じる	
2　使用物品を準備する 　　1）pMDI（薬剤ボンベ，専用アダプター） 　　2）マスク付きスペーサー（必要時）	●それぞれの製品ごとに指定された方法で薬剤ボンベの残量を確認する ●アダプターにカウンターがある場合は，カウンターが「0」になっていないか確認する ●初回使用前にボンベを振る薬剤の場合は規定の回数振る ●清潔なものを準備する
3　処置・処方について確認する	●誤薬防止のため，吸入時刻，薬液の内容と小児の氏名を2名でダブルチェックする
4　吸入直前の患児の状況を確認する 　　A「ジェット式（コンプレッサー式）ネブライザー」の「方法4」に準じる	●吸入の手順や吸気のスピード，吸入後のうがいについて，患児および家族に確認しながら行う
5　吸入を実施する 　　1）薬剤の吸入は，薬剤の種類に適した方法で，医師の指示回数行う 　　2）マスク付きスペーサーを使用する場合は，患児が嫌がらない程度にからだを固定して，鼻と口をしっかり覆うようにマスクを当てる	●スペーサーは，医師の指示の回数ボンベをプッシュしてから当てる ●発達段階によっては，からだを固定せずに吸入できる場合もある（図10-6）
6　ステロイド薬の吸入後はうがいをすすめる	●うがいが難しい患児の場合は，水を飲ませるだけでも行う
7　後片づけをし，記録する	●マウスピース（口をつける）部分は清拭する ●スペーサーは水洗いと静電処理を行う

D ドライパウダー吸入器（DPI）

- ●目　　的：表10-1の④〜⑥，⑧が該当する
- ●適　　応：気管支喘息，気管支炎，肺炎，インフルエンザ
- ●必要物品：吸入器（薬剤入り），コップと水（ステロイド薬吸入時）

方　法	留意点と根拠
1　以下の点をアセスメントする 　　1）小児と家族の吸入に対する理解（目的，方法） 　　2）吸気の吸入速度 　　3）うがいができるか	●初回は，吸入の目的や方法について小児と家族に詳しく説明をしながらアセスメントする（説明は薬剤師が行うこともある） ●専用の吸入練習器でチェックする ●クチュクチュうがいとガラガラうがいの両方できることが望ましい
2　必使用物品を準備する 　　DPI（パッケージングされているものはパッケージを開ける）	●複数回使用できるものは，カウンターが「0」になっていないか確認する ●患児自身が管理している場合は本人に準備してもらう

	方　法	留意点と根拠
3	処置・処方について確認する	
4	これから吸入を行うことについて，患児の理解力に合わせて説明する	●吸入の手順や吸気のスピード，息とめ，吸入後のうがいについて，小児または家族に確認しながら行う
5	吸入を実施する 　1）薬剤の吸入は，薬剤の種類に適した方法で行う 　2）吸入時は，吸入器を水平に保持できているか確認し，適宜声かけをする（図10-7）（➡❶） 図10-7　ドライパウダー吸入器(DPI)の吸入	❶DPIはマウスピース部分を下に傾けると薬剤がこぼれてしまい，上に向けてしまうと薬剤の規定量が吸入できないことがあるため
6	ステロイド薬の吸入後はうがいをすすめる	
7	後片づけをし，記録する	●複数回使用するタイプの吸入器は，マウスピース（口をつける）部分を清拭する

文　献

1) 足立雄一・他監修，一般社団法人日本小児アレルギー学会作成：小児気管支喘息治療・管理ガイドライン2020，協和企画，2020，p.108.
2) 横田稔・他：吸入ステロイド薬使用後の口腔内付着薬物を除去する含嗽液の検討，耳鼻咽喉科展望，46（補1）：15-19，2003.
3) 有田仁紀・他：ヒアルロン酸配合洗口液含嗽による吸入ステロイド薬使用後の口腔内付着薬物除去，耳鼻咽喉科展望，49（補1）：12-19，2006.

11 吸　　引

学習目標
- 吸引の基礎知識を理解する。
- 吸引に必要なアセスメントと観察のポイントを理解する。
- 小児における吸引について，安全・安楽を考慮した基本的技術を習得する。
- 小児の成長・発達に合わせた吸引の援助方法を理解する。

1 小児の気道の特徴

　小児は，外鼻腔や鼻腔内，気道がもともと成人より狭いうえに，炎症などで気道に肥厚が生じると，気道の狭窄の割合は年少児ほど大きくなり，換気障害が生じやすい。年少児は咳嗽や呼吸筋力が弱く，分泌物の量や粘稠性(ねんちゅう)が増加すると喀出が困難になり，閉塞して呼吸困難を起こしやすい。また，小児の気道粘膜は非常に軟らかく，刺激に対して傷つきやすいので，小児が感染性の疾患を発症すると呼吸器症状や換気障害が生じやすくなる。

2 吸引の目的，種類

　吸引とは，体内にある不必要な異物，分泌物，滲出液，血液，空気などを，吸引器などを利用して排出・除去することをいう。本節では，気道における吸引（気管吸引）と口腔・鼻腔吸引を解説する。

　気管吸引は，気道の分泌物を除去し，気道を確保して正常なガス交換の環境を整え，換気力を保持する目的で行う（図11-1）。対象となる小児は，酸素療法や人工呼吸器を装着している場合も多く，吸引を効果的に行い，低酸素や無気肺，肺炎を生じないように注意する。

　気管吸引には，開放式気管吸引と閉鎖式気管吸引がある。開放式では人工呼吸器の回路をはずして吸引カテーテルを挿入し，閉鎖式では呼吸器の回路の一部に吸引カテーテルを組み込むことにより，呼吸器回路をはずさずに気管吸引が行える。

　口腔吸引・鼻腔吸引は，上気道の分泌物や吐物，血液などを除去し，気道を確保して換気力を保持する目的で行う。小児は鼻腔が狭く容易に閉塞しやすいため呼吸困難を生じやすい。また，意識障害時や麻酔後の口腔・鼻腔内の分泌物を除去し，吐物による窒息や誤嚥性肺炎を防ぐ目的で行う。

　吸引は侵襲的な処置のため，合併症を起こしたり，小児に大きな苦痛を与えることを理解し，苦痛が少なく効果的な基本的技術を習得する必要がある。さらには，患児の状態を

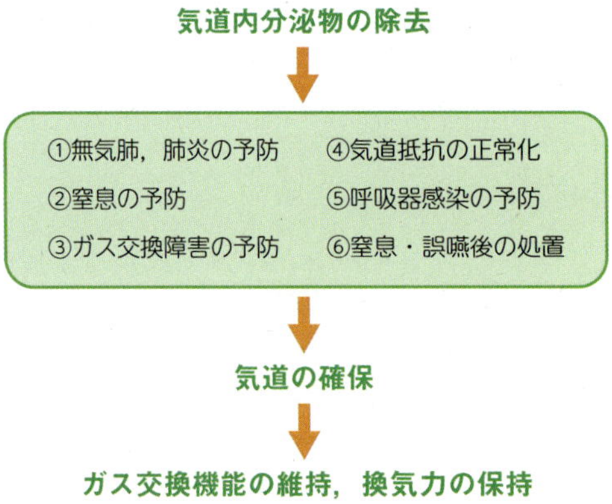

図11-1 気管吸引の目的

的確にアセスメントして吸引の必要性を判断することが求められる。

吸引の適応

感染や異物留置などの刺激がある場合は，正常時に比べて気道内分泌物が増加する。気管および気管支には，線毛運動や咳嗽反射などによって異物を体外へ排出する機能があるが，この機能が障害されると自力での気道内分泌物の喀出が困難となる。これらの状況が生じた場合に吸引が必要となる。以下，吸引の適応を挙げる。

・気道の炎症などが原因で，分泌物の量が増加し，粘稠性が強まっている。
・気管・気管支の線毛運動や呼吸筋力が弱い，あるいは低下している。
・意識低下による分泌物や，吐物の喀出困難がある。
・気管挿管，気管切開で気管カニューレ挿入に伴う異物留置の刺激による分泌物が増加している。
・鎮静により生理的機能が低下している。
・事故などで異物が気道を塞いでいる，あるいは塞ぐ可能性がある。
・喀痰検査のための検体採取をする。

小児の吸引における留意点

1）小児・家族への説明

吸引は侵襲的処置であり苦痛が大きいため，恐怖や不安などを感じやすい。吸引前に，可能であれば患児にわかりやすく説明し，患児自身が吸引の準備ができるように援助する。また，家族に対しても十分説明し，処置の必要性について理解を得る。

吸引中は，処置を嫌がり，激しく動いたり暴れたりすることがあるので，患児の安全を確保し，継続的に声をかけ，ディストラクションを行ったり抱っこをしたりする。

安全確保のために，やむを得ず一時的に動きを抑制する場合は，患児と家族に十分説明をしたうえで実施する。抑制の方法には，タオルでくるむ，抑制帯を使用するなど様々な

方法がある．患児ができるかぎり安心でき，目的に応じた最小限の方法で行う．

吸引終了時には，患児に終わったことを伝えると同時に，我慢できたことや協力してくれたことを褒め，頑張りを認める．また，なぐさめる，乳幼児であれば抱っこするなど安心感を取り戻せるように配慮する．

2）吸引のタイミングと実施時間

患児の状態を観察したうえで，吸引の必要性や実施するタイミングを判断し，不要な負担をかけることがないように努める．また，食事や授乳の前には十分な換気が必要であることや，食事や授乳の直後は吸引により嘔吐を誘発しやすいため（嘔吐反射），緊急でない限り実施しないなど，吸引を実施する時間にも配慮する．

吸引が必要な患児の状態を以下に挙げる．これらを総合的に判断して実施する．

- 努力性呼吸が強くなっている．
- 呼吸音の聴取により，気道内分泌物や呼吸音の減弱がある．
- 気管チューブに分泌物が見える．
- 気道内圧の上昇がみられる．
- 換気量の低下がみられる．
- バッキング（分泌物がたまって生じる咳）がある．
- 血中酸素分圧の低下がある．

3）吸引カテーテルの選択

小児の口腔・鼻腔吸引のカテーテルは，年齢や体格などに応じたものを選択する（表11-1）．

気管吸引のカテーテルは，外径が気管チューブの内径の1/2以下のものを選択する．

計算式：気管チューブのサイズ（mm）×3（1mm＝3Fr）÷2

カテーテルの形状は，材質や吸引孔，先端の形により様々である．

4）吸引圧，吸引時間

吸引圧は，カテーテルを閉塞させたときの圧である．小児の気管吸引は60〜120mmHg（8〜16kPa），口腔・鼻腔吸引は300mmHg（40kPa）以下で行う（表11-2，11-3）．1回の吸引時間は，気管吸引，口腔・鼻腔吸引ともに10秒以内とする．

表11-1 口腔・鼻腔吸引カテーテルサイズの目安

対象	カテーテルサイズ（Fr）	内径（mm）
新生児	5〜7	1.5〜2.5
乳幼児	7〜10	2.5〜3.5
学童	10〜12	3.5〜4.0
成人	12〜14	4.0〜4.5

表11-2 気管吸引の吸引圧の目安

対　象	吸引圧 (mmHg)	吸引圧 (kPa)
新生児	60〜80	8〜10
乳幼児〜学童	80〜120	10〜16
成　人	120〜150	16〜20

表11-3 口腔・鼻腔吸引の吸引圧の目安

対　象	吸引圧 (mmHg)	吸引圧 (kPa)
新生児	80〜90	12
乳幼児	100〜200	13〜26
学　童	200〜300	26〜40
成　人	200〜300	26〜40

5）吸引カテーテル挿入の長さ

気管吸引は，気管チューブの先端からカテーテルが1cm程度出る長さを目安とする。口腔・鼻腔吸引は，咽頭，口蓋部までの長さ（口角から耳朶までの長さ）を目安とし，新生児で8〜10cm，乳幼児で10〜14cm，学童で14〜16cmが挿入の目安となる。

6）吸引による状態変化への注意

気道への刺激は，徐脈や不整脈，気管支けいれん，頭蓋内圧亢進をきたす危険がある。また，吸引による酸素分圧の低下，新生児および未熟児では，吸引刺激が無呼吸発作を引き起こすことがある。吸引中は顔色やバイタルサイン，モニターを観察し，変化に注意しながら行う。

7）安全の確保

年少児で激しい体動が予測される場合や，人工呼吸器をはずして吸引を実施する場合，途中で用手的人工換気や酸素投与が必要な場合は，安全確保のため，できるだけ2人で行う。

8）感染の防御

気道感染や飛沫感染を防ぐために，処置前後に手を洗い，フェイスシールド，マスク，ディスポーザブル手袋，ビニールエプロンを着用する。

5 吸引器の種類

1）中央配管式吸引器
医療施設のコンプレッサーに配管され，吸引器を接続して使用する。吸引圧を高く設定することも可能である。

2）ポータブル式吸引器
電動式で家庭の電源でも使用可能である。充電式もあり，移動時や外出時にも利用できる。吸引圧はあまり高く設定できない。

看護技術の実際

A 気管吸引

- ●目　的：（1）分泌物を除去し，気道の確保や換気の改善をして呼吸を安楽にする
  　　　　（2）無気肺，肺炎を予防する
- ●適　応：（1）気管挿管，気管切開で気管カニューレを挿入している小児
  　　　　（2）自分で効果的な気道内分泌物の喀出ができない小児
- ●必要物品：（1）開放式気管吸引：吸引器（吸引びん，カフ圧計，コネクター，吸引コネクティングチューブ），気管吸引用カテーテル（小児に適したサイズ），カテーテル洗浄用滅菌水と容器，フェイスシールド，マスク，ディスポーザブル手袋（未滅菌），ビニールエプロン，滅菌清浄綿，アンビューバッグ（必要時），ジャクソンリース（酸素使用時），パルスオキシメーターなどのモニター類，聴診器，予備の挿管チューブ，気管カニューレ，抑制用の物品（必要時）
  　　　　（2）閉鎖式気管吸引：吸引器（吸引びん，カフ圧計，コネクター，吸引コネクティングチューブ），閉鎖式気管吸引用カテーテル（小児に適したサイズ），カテーテル洗浄用ウェットパック（ない場合は注射器，生理食塩水），フェイスシールド，マスク，ディスポーザブル手袋（未滅菌），ビニールエプロン，アンビューバッグ（必要時），ジャクソンリース（酸素使用時），パルスオキシメーターなどのモニター類，聴診器，予備の挿管チューブ，抑制用の物品（必要時）

1）吸引前の準備

方　法	留意点と根拠
1 **以下の点から吸引の必要性を総合的に判断する** 1）聴診や観察による分泌物の貯留の程度，部位，粘稠性 2）呼吸状態（呼吸数，努力呼吸の有無，肺のエア入りの減弱，酸素分圧の低下，チアノーゼの出現，X線所見など）	●患児の呼吸状態を把握して吸引の必要性を判断し，吸引を行う場合はタイミング，吸引圧の検討，吸入や呼吸理学療法の併用を検討する（➡❶）

方　法	留意点と根拠
3）呼吸器の設定に適合しているか（気道内圧の上昇，換気量の低下）	❶視覚的に気道内分泌物が確認される場合を除いて，気管吸引は盲目的な操作であり，侵襲の大きい処置であるため，患児の呼吸状態を的確にアセスメントし，吸引の必要性を判断する。また，効果的な吸引が行えるように検討する
2　必要に応じて吸引を行う準備をする（➡❷） 　1）吸入・加湿の準備をする 　2）体位変換，体位ドレナージ，スクイージングなどの呼吸理学療法を行う	❷分泌物の粘稠性を低下させ，吸引力が及ぶ位置，喀出が可能な位置に分泌物を移動させる
3　患児と家族に吸引の必要性と実施方法を説明し，協力を求める（➡❸）	●意識の有無にかかわらず，事前に声をかけ，小児の発達段階に合わせて，わかりやすく説明する ❸苦痛を伴う処置であるため，患児が吸引の必要性について理解し，自分なりに準備ができるよう援助する。また，効果的な吸引，気道粘膜の損傷防止，低酸素による障害の発生防止のために，患児や家族に協力を求める ●可能であれば，吸引中に苦しくなったときの合図を決めておく（➡❹） ❹声が出せないので，苦しいときの合図を決め苦痛を軽減するよう配慮する
4　機器，物品を準備する 　1）吸引器のスイッチを入れる。中央配管式の場合は，圧のダイヤルを回すタイプもある 　2）吸引コネクティングチューブを指で塞ぎ，必要な吸引圧がかかることを確認する 　3）患児に合ったサイズの吸引カテーテルを準備する 　4）アンビューバッグやジャクソンリースを手の届くところに準備する。ジャクソンリースを使用する場合は，酸素につないで，あらかじめバッグが膨らむか確認しておく（➡❼） 　5）緊急時に備えて，予備の挿管チューブや気管カニューレを準備する 　6）パルスオキシメーターや心電図モニターなどで吸引中の状態変化をモニタリングできるように準備する（➡❾）	●安全に作動するか事前に確認しておく。正しく装着されていなかったり，破損部がある場合は吸引圧がかからない（➡❺） ❺必要な吸引圧がかからないと，効果的な吸引ができない ●吸引カテーテルの外径は，挿管チューブ，あるいは気管カニューレの内径の1/2を超えないものを選択する（➡❻） ❻カテーテルが細すぎると，吸引時の抵抗が大きくなり，高い吸引圧が必要となる。カテーテルが太すぎると吸引時間は短くなるが，気道の酸素や周囲の空気の吸引量が増加するため，気道内圧が著しく低下して低酸素状態や無気肺を招きやすくなる ❼必要時，空気や酸素を送気し低酸素状態の悪化を防ぐ ●予備の挿管チューブや気管カニューレは，同じサイズのものとワンサイズ小さいサイズのものを準備する（➡❽） ❽挿管チューブや気管カニューレ挿入に伴う異物留置の刺激によって気管の浮腫が生じる可能性があるため，同じサイズのものを再挿入することが困難になる場合がある ❾吸引中の状態変化の早期発見や，観察のために役立てる
5　患児の体位を整える 　1）患児や家族の協力を得ながら，安全な体位をとる 　2）やむを得ない場合は，患児の頭部や上肢を抑制する	●抑制を行うときは，患児と家族に十分説明したうえで最低限の抑制を確実に短時間で行う。挿管チューブが抜けないよう注意する（➡❿）

方法	留意点と根拠
	❿吸引は苦痛を伴うため,患児が吸引を嫌がり挿管チューブを引っ張ったり,頭部を動かして挿管チューブが抜けたりすることがある
	●乳幼児ではタオルでくるむ,2人で固定するなど,患児に合った抑制方法を選択し,恐怖心をもたないように声をかけながら実施する

2）開放式気管吸引

方法	留意点と根拠
1 吸引実施の準備をする 1）手を洗い,フェイスシールド,マスク,ビニールエプロンを着用する 2）カフが付いている場合は,カフ圧が適切に保持されているか確認する（➡❷） 3）吸引カテーテルの袋を開いて,取り出しやすいようにしておく。カテーテルが周囲に触れて不潔にならないようにテーブルの上などに準備しておく 4）吸引器のスイッチを入れ,吸引圧を調整する（表11-2参照）	●気管吸引を実施する前に,口腔・鼻腔吸引を実施する（➡❶） ❶気管への分泌物の垂れ込みを防ぐ ❷カフが気管の空気漏れや誤嚥を防いでいる状態か確認する ●カフ圧計を用いて20mmHg以下に保たれているか確認する（➡❸） ❸気管粘膜の毛細血管圧は約25mmHg ●カテーテルが袋の内側以外に触れないように注意し,カテーテルの接続する側の口を4～5cm程度開ける（図11-2） ●吸引圧はカテーテルの種類や分泌物の状態で調整する。分泌物が多い場合や粘稠の場合は吸引圧を高めに設定し,出血傾向がある場合は吸引圧を低めに設定するが,過度な吸引圧に注意する（➡❹） ❹吸引中は分泌物だけでなく,気道内の酸素や周囲の空気も同時に吸引しているので,過度な吸引圧は,低酸素状態や肺の虚脱,無気肺を引き起こす可能性がある
2 カテーテルを接続・挿入する 1）手袋を装着する 2）利き手でカテーテルを不潔にならないように袋から取り出す 3）非利き手で吸引器のコネクティングチューブを持ち,利き手に持ったカテーテルをしっかりと接続する（図11-2）	●手袋は未滅菌の清潔な手袋でよい（➡❺） ❺米国呼吸療法学会のガイドラインには,開放式では滅菌手袋を使用するように記載されているが,米国疾病予防管理センター（CDC）のガイドラインでは,患者の気道内分泌物を吸引するときに,未滅菌の清潔な手袋よりも滅菌手袋を着用したほうがよいとする勧告はなく,未解決問題としている。そのため,未滅菌手袋を使用しても構わない ●袋から取り出したカテーテルが周囲に触れて不潔にならないように注意する

図11-2 コネクティングチューブとカテーテルの接続

方　法	留意点と根拠
4）非利き手で洗浄用滅菌水の容器のふたを開け，利き手に持ったカテーテルを滅菌水に入れ，少量を吸引する（➡❻） 5）可能な患児には咳嗽を促す（➡❼） 6）非利き手で挿管チューブや気管カニューレから人工呼吸器の回路（あるいは人工鼻）をはずす（人工呼吸器の場合は，吸引の間，アラームを一時解除する）	❻カテーテルの摩擦を少なくして滑りをよくし，気管粘膜の損傷を防ぐ。また，カテーテルが吸引可能な状態であるか確認する ❼分泌物を移動させ，吸引しやすくする ●人工呼吸器の回路や人工鼻をはずす場合は，挿管チューブや気管カニューレとの接続部位が不潔にならないように注意する ●低酸素状態に陥りやすい患児の場合は，吸引直前に十分な酸素化を行う。方法として，人工呼吸器の酸素濃度を上げる，用手換気装置で行う，酸素療法中の患児では酸素流量を上げるなどの方法がある。一方で，吸引による低酸素や無気肺を防ぐために，アンビューバッグやジャクソンリースを接続して酸素化を付加した過換気や過膨張を行うことは，特別な理由がない限り必要なく，推奨されていない
7）吸引圧をかけない状態（➡❽）（図11-3）で，カテーテルの先端が気管分岐部に当たらない位置まで挿入する  図11-3　カテーテルの挿入	❽気管内の空気を先に吸引しない ●患児に挿入されている挿管チューブや気管カニューレの長さを把握しておく ●カテーテルは，あらかじめ，どのくらい挿入するかを測っておき，その長さを挿入する（➡❾）。ベッドサイドに表示しておく（図11-4） ❾深く挿入しすぎると，気管分岐部の気管壁にぶつかり粘膜を損傷する。また，カテーテルの刺激による肉芽形成を起こし，カテーテル挿入が困難になり，出血を起こす可能性がある ●視覚的に分泌物が確認できる場合は，目的の位置まで挿入せず，分泌物が存在する位置まで挿入する（➡❿） ❿分泌物を気管の奥に押し込んでしまうのを防ぐため

＿＿＿＿＿＿様
・気管チューブの挿入日・交換日：
・気管チューブの種類・太さ：　　　　mm
・気管チューブの挿入長さ：　　　　cm
・吸引カテーテルサイズ・挿入長さ：　Fr　　cm

図11-4　気管チューブ挿入時の表示カード

3　吸引を実施する

方　法	留意点と根拠
1）目的の位置までカテーテルを挿入したら，吸引圧をかけ，ゆっくり引き戻す（図11-5）（➡⓫）  図11-5　カテーテル先端を引き戻す	⓫吸引操作中に指先でこよりをよるようにカテーテルを回転させたり，ピストン運動をさせたりすることで吸引量が増えるというエビデンスはない

方　法	留意点と根拠
2）1回の吸引時間は10秒以内とするが，分泌物が多量に吸引できる部位では，カテーテルを引き戻す操作を短時間止める（→⑫）	⑫分泌物が貯留している部位を効果的に吸引するため ●一度に吸引しきれない場合でも1回の吸引時間を長引かせない（→⑬） ⑬吸引中は，分泌物だけでなく，気道内の酸素や周囲の空気も同時に吸引しているので，吸引時間の延長により低酸素状態や肺の虚脱，無気肺を引き起こす可能性がある
3）吸引中は，呼吸数や呼吸の深さ，リズム，顔色などで呼吸状態を観察する	●装着しているモニター類で心拍数や酸素分圧などを確認しながら行う。合図を決めている場合は，患児の苦痛の合図に注意する
4）吸引しながら分泌物の性状，色，量を確認する	●異常がみられた場合は，ただちに吸引を中止する ●カテーテルやコネクティングチューブなどの透明な部分，吸引びんに入る分泌物の性状や色，量を確認する
5）1回の吸引が終わったら，必要時アンビューバッグやジャクソンリースでモニター類を確認しながら加圧する 6）カテーテルは，先端を滅菌洗浄綿で拭き，滅菌水に入れて吸引する（→⑮）	●患児の呼吸リズムに合わせて加圧する（→⑭） ⑭加圧が呼吸リズムに合わないと，患児の息苦しさが増強する ⑮続けて吸引を実施する場合，吸引した分泌物が再度気管内に入るのを防ぐためと，カテーテル先端に付着した分泌物で容器内の滅菌水が汚染されるのを防ぐため ●清浄綿は1回ごとに破棄する
4　吸引の効果を評価する（→⑯） 1）聴診器を用いて呼吸状態（呼吸音，肺のエア入り状況，呼吸数，リズム，呼吸困難感の有無など）を確認し，換気の状態を判断する 2）顔色，脈拍，血圧などの循環動態 3）酸素分圧などのガス交換所見 4）人工呼吸器のモニター 5）胃部の膨満の有無	⑯分泌物の除去の程度，換気の改善の程度，吸引による副反応の有無を確認する。吸引の効果がなかったと評価した場合には，加湿の管理や体位ドレナージなど，ほかの方法を検討する指標にもなる ●アンビューバッグなどで加圧した場合，リークにより空気が胃内に貯留することがある。可能であれば，吸引後に上体をやや起こして排気ができるようにする ●胃内留置チューブが挿入されている場合は，必要時チューブからの脱気を行う
5　再度，吸引を実施する 分泌物がまだ貯留しており，吸引が必要な場合は，呼吸状態が安定し，酸素分圧が安全な域に達した後に再度吸引を実施する	●必要時，酸素吸入や人工呼吸器にいったん接続する，あるいはアンビューバッグなどで加圧することによって，酸素分圧を上げる
6　吸引終了の処置をする 1）吸引が終了したら，患児に深呼吸を促し，人工鼻を装着する 2）必要な患児には酸素吸入，人工呼吸器を装着する 3）カフ付きの挿管チューブや気管カニューレの場合は，カフ圧を確認する。十分でない場合は適切な圧に調整する 4）吸引の効果を確認する	●人工呼吸器のアラームを一時的に解除している場合は，アラーム設定を忘れないように注意する
7　患児に吸引が終了したことを伝える 1）患児に終了を伝え，抑制している場合は解除する 2）ねぎらいの言葉をかける 3）安全で安楽な状態に整える	
8　後片づけをする 1）カテーテルの先端を清浄綿で拭き取った後，滅菌水を吸引してカテーテル内を洗い流す（→⑰）	⑰カテーテルは廃棄するので滅菌水を吸引しなくてもよいが，コネクティングチューブに残った分泌物を洗浄するため

V-11 吸引

方　法	留意点と根拠
2）カテーテルをコネクティングチューブからはずし，カテーテルの先端が出ないように丸め，手袋の中におさめるようにして手袋をはずし，所定の容器に廃棄する 3）吸引器のスイッチを切る 4）フェイスシールド，ビニールエプロンをはずして所定の容器に廃棄し，手を洗う 5）必要時，吸引びんの中の排液を捨て，びんを洗浄・消毒する。吸引びんがディスポーザブルでない場合は，最低1日1回は消毒済みのものと交換する	●カテーテルは廃棄が原則である ●手袋に包み込んだカテーテルは，感染性廃棄物の扱いとする（施設の取り決めに従う） ●フェイスシールドがディスポーザブルでない場合は，消毒クロスで清拭する ●吸引びんは洗浄しやすいように，事前に少量の水道水を入れておく

3）閉鎖式気管吸引

	方　法	留意点と根拠
1	**吸引実施の準備をする** 1）手を洗い，フェイスシールド，マスク，ビニールエプロンを着用する 2）カフが付いている場合は，カフ圧が適切に保持されているかを確認する 3）吸引器のスイッチを入れ，吸引圧を調整する	●吸引圧は，開放式吸引と同じ圧とする
2	**カテーテルを接続・挿入する**（図11-6） 1）手袋を装着する 2）カテーテルのキャップをはずして吸引コネクティングチューブに接続する 3）接続後，コントロールバルブのロックを解除する（図11-7） 4）コネクター部分を非利き手でしっかりと固定する（→❶） 5）利き手でカテーテルスリーブをたわませながら，カテーテルを必要な深さまで挿入する	❶カテーテルを挿入しやすくし，処置が長引くことで患児に苦痛を与えないようにする ●カテーテルを挿入する長さは，気管チューブのサイズと閉鎖式気管吸引本体の数字を合わせ，そこから0.5〜1cm長い位置が適切な挿入の長さである。あらかじめ，どのくらい挿入するのか，ベッドサイドに表示しておく（図11-4参照）

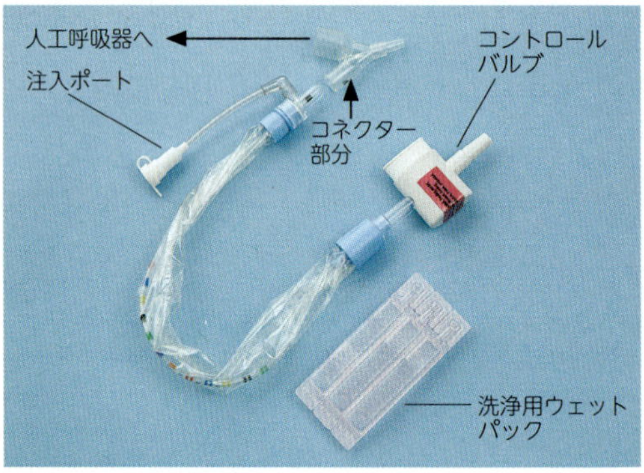

図11-6　閉鎖式吸引

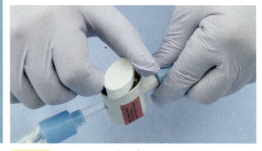

図11-7　コントロールバルブのロックの解除

	方　法	留意点と根拠
3	**吸引を実施する** 1）目的の位置までカテーテルを挿入したら，コントロールバルブを押し，吸引圧をかける 2）コントロールバルブを押したまま，カテーテルを真っすぐに引き戻す（→❷）	●吸引時間は，開放式気管吸引と同じで1回10秒以内とする ●閉鎖式吸引は，コントロールバルブを押してから圧がかかるまでに1〜2秒程度かかるので，1〜2秒待ってからカテーテルを引き戻す ❷カテーテルを回転させることにより，カテーテルスリーブを破損する可能性があるため，真っすぐに引き抜く

方法	留意点と根拠
　図11-8　カテーテルを引き抜く 3）吸引中は，呼吸数や呼吸の深さ，リズム，顔色などで呼吸状態を観察する	●カテーテルを引き抜くときは，気管チューブとコネクター部分を持った手が動かないようにしっかりと固定する（→❸） ❸計画外抜管を防ぐため ●カテーテルは，黒印の部分がドーム内に来るように引き抜く（→❹）（図11-8） ❹カテーテルを引き抜きすぎると，カテーテルの洗浄が適切にできなくなったり，スリーブ内に人工呼吸器回路内の空気が入り込み，乾燥した状態でカテーテルを維持できなくなったりする．逆にカテーテルの引き抜きが十分にできず人工呼吸器回路内にとどまってしまうと，適切な換気ができなくなるので注意する
4　吸引の効果を評価する（→❺） 1）聴診器を用いて呼吸状態（呼吸音，肺のエア入り状況，呼吸数，リズム，呼吸困難感の有無など）を確認し，換気の状態を判断する 2）顔色，脈拍，血圧などの循環動態 3）酸素分圧などのガス交換所見 4）人工呼吸器のモニター	❺分泌物の除去の程度，換気の改善の程度，吸引による副反応の有無を確認する．吸引の効果がなかったと評価した場合には，加湿の管理や体位ドレナージなど，ほかの方法を検討する指標にもなる
5　再度，吸引を実施する 分泌物がまだ貯留しており，吸引が必要な場合は，呼吸状態が安定し，酸素分圧が安全な域に達した後に再度吸引を実施する	
6　吸引終了の処置をする 1）気管吸引が終了したら，注入ポートにウェットパックを取り付け，2〜3mL程度を目安にコントロールバルブを押しながら注入し，カテーテルを洗浄する（図11-9） 　2〜3mL程度を目安にコントロールバルブを押しながら注入する 　図11-9　注入ポートへのウェットパックの取り付け 2）カテーテルを洗浄しながら，分泌物の性状，色，量を確認する 3）洗浄終了後，ウェットパックをはずし，コントロールバルブをロックする（→❻） 4）カテーテルと吸引コネクティングチューブの接続をはずしてキャップをし，手袋をはずして吸引器のスイッチを切る	●コントロールバルブを押さずに注入すると，気管チューブ内に垂れ込む可能性があるため注意する．カテーテルの先端がドームに入っていることを確認してから洗浄する ❻コントロールバルブを誤って押して，不必要な吸引圧がかからないようにする ●カテーテルは1日1回交換する

方　法	留意点と根拠
5）カフ付きの挿管チューブや気管カニューレの場合は，カフ圧を確認する。十分でない場合は適切な圧に調整する 6）吸引の効果を確認する	
7　患児に吸引が終了したことを伝える 1）患児に終了を伝え，抑制している場合は解除する 2）ねぎらいの言葉をかける 3）安全で安楽な状態に整える	
8　後片づけをする 1）フェイスシールド，ビニールエプロンをはずして所定の容器に廃棄し，手を洗う 2）必要時，吸引びんの中の排液を捨て，びんを洗浄・消毒する。吸引びんがディスポーザブルでない場合は，最低1日1回は消毒済みのものと交換する	●フェイスシールドがディスポーザブルでない場合は，消毒クロスで清拭する ●吸引びんは洗浄しやすいように，事前に少量の水道水を入れておく

B 口腔吸引・鼻腔吸引

- ●目　　　的：（1）口腔内の分泌物や吐物を除去することで誤嚥や窒息を防止する
  - （2）口腔・鼻腔内の清潔を保持する
  - （3）分泌物の検体採取をする
- ●適　　　応：（1）喘息や気道の炎症により，分泌物が多い，あるいは自力で分泌物の喀出ができない小児
  - （2）気管・気管支の線毛運動や呼吸筋力が弱い，あるいは低下している小児
  - （3）意識低下や麻酔により，分泌物や吐物の喀出困難がある小児
- ●必要物品：吸引器（吸引びん，コネクター，吸引コネクティングチューブ），吸引用カテーテル（小児に適したサイズ），カテーテル洗浄用水道水と容器，フェイスシールド，マスク，ディスポーザブル手袋（未滅菌），ビニールエプロン，清浄綿，アンビューバッグ（必要時），ジャクソンリース（酸素使用時），パルスオキシメーターなどのモニター類，聴診器，抑制用の物品（必要時）

方　法	留意点と根拠
1	**以下の点から吸引の必要性を総合的に判断する** 1）聴診や観察による分泌物の貯留の程度，部位，粘稠性 2）呼吸状態（呼吸数，努力呼吸の有無，肺のエア入りの減弱，酸素分圧の低下，チアノーゼの出現，X線所見など） 3）呼吸器の設定に適合しているか（気道内圧の上昇，換気量の低下） 4）直前の食事や授乳の時間（➡❷）	●患児の呼吸状態を把握して吸引の必要性を判断し，吸引を行う場合はタイミング，吸引圧の検討，吸入や呼吸理学療法の併用を検討する（➡❶） ❶吸引は侵襲の大きい処置であるため，患児の呼吸状態を的確にアセスメントし，吸引の必要性を判断する。また，効果的な吸引が行えるように検討する ❷食事や授乳直後に吸引を行うと，嘔吐を誘発するため確認する
2	**必要に応じて吸引を行う準備をする（➡❸）** 1）吸入・加湿の準備をする 2）体位変換，体位ドレナージ，スクイージングなどの呼吸理学療法を行う	❸分泌物の粘稠性を低下させ，吸引力が及ぶ位置，喀出が可能な位置に分泌物を移動させる

方 法	留意点と根拠
3 患児と家族に吸引の必要性と実施方法を説明し，協力を求める（➡❹）	●意識の有無にかかわらず，事前に声をかけ，小児の発達段階に合わせて，吸引の必要性，体位や動かないこと，咳嗽や深呼吸についてわかりやすく説明する ❹苦痛を伴う処置であるため，患児が吸引の必要性について理解し，自分なりに準備ができるよう援助する。また，効果的な吸引，気道粘膜の損傷防止，低酸素による障害の発生防止のために，患児や家族に協力を求める
4 機器，物品を準備する 1）吸引器のスイッチを入れる。中央配管式の場合は，圧のダイヤルを回すタイプもある 2）吸引コネクティングチューブを指で塞ぎ，必要な吸引圧がかかることを確認する 3）患児に合ったサイズの吸引カテーテルを準備する（表11-1参照） 4）必要時，酸素吸入が行えるように準備しておく 5）パルスオキシメーターや心電図モニターなどが必要な患児には準備する	●年少児では物品準備を見ていることで恐怖感が助長するので，あらかじめ準備しておく ●安全に作動するか事前に確認しておく。正しく装着されていなかったり，破損部がある場合は吸引圧がかからない（➡❺） ❺必要な吸引圧がかからないと，効果的な吸引ができない ●吸引カテーテルは，年齢や体格などに応じたものを選択する（➡❻） ❻カテーテルが細すぎると，吸引時の抵抗が大きくなり，高い吸引圧が必要となる。カテーテルが太すぎると吸引時間は短くなるが，不必要な気道粘膜の損傷を招いたり，気道を閉塞したり，気道周囲の空気の吸引量が増加するため，低酸素状態や無気肺を招きやすくなる ●出血傾向がある患児には，気道粘膜の損傷を避けるため，細いカテーテルを準備する
5 患児の体位を整える 1）患児や家族の協力を得ながら，安全な体位をとる 2）やむを得ない場合は，患児の頭部や上肢を抑制する（図11-10）	●抑制を行うときは，患児と家族に十分説明したうえで，最低限の抑制を確実に短時間で行う ●激しく啼泣している場合は，少し落ち着くまで待つ（➡❼） ❼患児が暴れることによって，気道粘膜などを損傷するおそれがある ●乳幼児はタオルでくるむ，介助者が患児の頭部と顔を固定する，体幹を固定するなど，患児に合った抑制方法を選択し，恐怖心をもたないように声をかけながら実施する

タオルでくるむ抑制

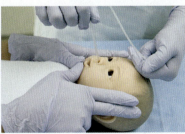
介助者が固定を行う抑制

図11-10 抑制方法

方法	留意点と根拠
6 吸引実施の準備をする 1）手を洗い，フェイスシールド，マスク，ビニールエプロン，未滅菌手袋を着用する 2）吸引カテーテルを袋から取り出し，カテーテルの先端に触れないようにしながらコネクティングチューブに接続する 3）吸引器のスイッチを入れる。中央配管式の場合は，圧のダイヤルを回すタイプもある 4）必要な吸引圧がかかることを確認して吸引圧を調整する（表11-3参照）	●吸引圧はカテーテルの種類や分泌物の状態で調整する。分泌物が多い場合や粘稠の場合は吸引圧を高めに設定し，出血傾向がある場合は吸引圧を低めに設定するが，過度な吸引圧に注意する（➡❽） ❽過度な吸引圧は，不必要な気道粘膜の損傷を招いたり，気道周囲の空気の吸引量が増加するため，低酸素状態や無気肺を引き起こす可能性がある
7 カテーテルを接続・挿入する 1）カテーテルを水道水に入れ，少量を吸引する（➡❾） 2）可能な患児には咳嗽を促す（➡❿） 3）非利き手の母指でカテーテルとコネクティングチューブの接続部を折り曲げて持ち，吸引圧をかけないようにする（➡⓫）（図11-11） 4）カテーテルの先端から挿入の長さよりやや遠い部分を利き手で持ち（➡⓬），吸気に合わせて患児の鼻腔に挿入する 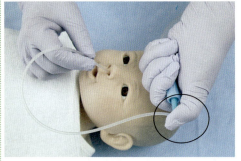 カテーテルとチューブの接続部を折り曲げて持ち，吸引圧をかけない **図11-11 カテーテルの持ち方**	❾カテーテルの摩擦を少なくして滑りをよくし，気道粘膜の損傷を防ぐ。また，カテーテルが吸引可能な状態であるか確認する ❿分泌物を移動させ，吸引しやすくする ⓫気道粘膜への刺激を避け，咽頭刺激による嘔吐の誘発を避けるため，挿入時は吸引圧をかけない ●挿入する長さは，咽頭，口蓋部までとし，鼻腔から耳介までと耳介から咽頭部までを加えた長さであるが，「患児の口角から耳朶までの長さ」を目安とする（図11-12） ⓬咽頭部を越えて気管に入らないようにする 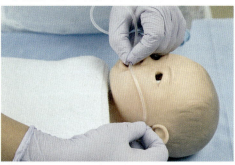 患児の口角から耳朶までの長さとする **図11-12 挿入する長さの目安**
8 吸引を実施する 1）目的の位置までカテーテルをゆっくり挿入したら，非利き手の母指を離して吸引圧をかける 2）カテーテルをゆっくり引き戻す 3）1回の吸引時間は10秒以内とするが，分泌物が多量に吸引できる部位では，カテーテルを引き戻す操作を短時間止める（➡⓮）	●患児にはゆっくりと大きな呼吸をするように声をかける（➡⓭） ⓭低酸素状態を防ぎ，緊張を和らげる ●一か所にカテーテルの先端がとどまらないよう注意する ⓮分泌物が貯留している部位を効果的に吸引するため ●分泌物が著しく多い場合は，上体を下げたり，顔を横に向けたりして実施する（➡⓯） ⓯誤嚥を防ぐため ●一度に吸引しきれない場合でも1回の吸引時間を長引かせない（➡⓰） ⓰吸引中は分泌物だけでなく，気道内の酸素や周囲の空気も同時に吸引しているので，吸引時間の延長により低酸素状態や無気肺を引き起こす可能性がある

方法	留意点と根拠
4）吸引中は，呼吸数や呼吸の深さ，リズム，顔色などで呼吸状態を観察する．必要時，酸素吸入を行う	●装着しているモニター類で心拍数や酸素分圧などを確認しながら行う ●異常がみられた場合は，直ちに吸引を中止する
5）吸引しながら分泌物の性状，色，量を確認する	●カテーテルやコネクティングチューブなどの透明な部分，吸引びんに入る分泌物の性状や色，量を確認する
6）1回の吸引が終了したら，カテーテルの先端を洗浄綿で拭き，水道水に入れ吸引する（→⑰）	⑰カテーテル内の分泌物を流すと同時に，カテーテルの先端に付着した分泌物で容器内の水道水が汚染されるのを防ぐためと，洗浄綿のアルコールを除去するため
9 吸引の効果を評価する（→⑱） 1）聴診器を用いて呼吸状態（呼吸音，肺のエア入り状況，呼吸数，リズム，呼吸困難感の有無など）を確認し，換気の状態を判断する 2）顔色，脈拍，血圧などの循環動態 3）酸素分圧などのガス交換所見	⑱分泌物の除去の程度，換気の改善の程度，吸引による副反応の有無を確認する．吸引の効果がなかったと評価した場合には，吸引を行う時間や体位ドレナージなど，ほかの方法を検討する指標にもなる
10 再度，吸引を実施する 分泌物がまだ貯留しており，吸引が必要な場合は，数回深呼吸をさせて呼吸状態が安定し，酸素分圧が安全な域に達した後に再度吸引を実施する	●酸素の補給が必要な場合は，適宜酸素吸入を行う
11 吸引終了の処置をする 1）吸引が終了したら，患児に深呼吸を促す 2）必要な患児には，酸素吸入を行う 3）吸引の効果を確認する	
12 患児に吸引が終了したことを伝える 1）抑制している場合は解除する 2）ねぎらいの言葉をかける 3）安全で安楽な状態に整える	
13 後片づけをする 1）カテーテルの先端を清浄綿で拭き取り，水道水を吸引してカテーテル内を洗い流す（→⑲） 2）カテーテルをコネクティングチューブからはずし，カテーテルの先端が出ないように丸め，手袋の中におさめるようにして手袋をはずし，所定の容器に廃棄する 3）吸引器のスイッチを切る 4）フェイスシールド，ビニールエプロンをはずして所定の容器に廃棄し，手を洗う 5）必要時，吸引びんの中の排液を捨て，びんを洗浄・消毒する．吸引びんがディスポーザブルでない場合は，最低1日1回は消毒済みのものと交換する	⑲カテーテル内を洗い流すと同時に，コネクティングチューブ内の分泌物を洗浄するため ●手袋に包み込んだカテーテルは，感染性廃棄物の扱いとする（施設の取り決めに従う） ●カテーテルを繰り返し使用する場合は，消毒液に浸漬して保管する（清潔な容器に入れ，乾燥させて保管する場合もある） ●カテーテルを繰り返し使用する場合も，最低1日1回交換し，浸漬用消毒液も一緒に交換する ●フェイスシールドがディスポーザブルでない場合は，消毒クロスで清拭する ●吸引びんは洗浄しやすいように，事前に少量の水道水を入れておく

文献

1）佐藤里織・香西慰枝：検査・処置に伴う技術－吸引，小児看護，30（4）：460-463，2007．
2）犬山知子：人工呼吸療養中の小児のケア－気管内吸引，小児看護，35（9）：1184-1189，2012．
3）石井真：呼吸・循環管理－吸引，浅野みどり編，根拠と事故防止からみた小児看護技術，第3版，医学書院，2020，p.299-306．
4）日本呼吸療法医学会 気管吸引ガイドライン改訂ワーキンググループ：気管吸引ガイドライン2013（成人で人工気道を有する患者のための），人工呼吸，30：75-91，2013．
〈http://square.umin.ac.jp/jrcm/pdf/kikanguideline2013.pdf〉（アクセス日：2022/7/13）

12 酸素療法

学習目標
- 酸素療法の目的を理解する。
- 小児に行われる酸素療法の種類と特徴を理解する。
- 小児に行われる酸素療法の基本技術と観察ポイントを理解し，小児の状態に合わせて安全・安楽を考慮した適切な看護援助が実践できる。

　酸素療法とは，組織への酸素供給が正常にできない小児や，組織の酸素需要が増加して酸素が欠乏した状態にある小児に対して，室内の空気より高い濃度の酸素を投与することで，血液中の酸素分圧や酸素飽和度を維持または上昇させるための治療である。組織への酸素供給を改善するだけでなく，低酸素血症による換気亢進や心拍数増加を改善する。

　小児は，呼吸器系の構造的・機能的特徴により呼吸不全に陥りやすい。からだが小さいほど気管や気管支が狭く，軽度の浮腫や分泌物でも気道が閉塞しやすい。また，胸郭が軟らかく呼吸筋が発達過程であること，ガス交換の予備能力が少ないことなどから，呼吸困難をきたした場合に余力が少なく，急激に重篤な状態に陥りやすい。発達段階によっては息苦しさなどを訴えることができないため，看護師は呼吸状態を十分にアセスメントし，適切な処置を実施する。

　酸素を投与する際には，適切な量を，安全かつ確実に投与しなければならない。酸素の過剰投与や不足は，小児に重大な障害を残す危険性があるため，投与中は十分に観察し評価する。

　小児の酸素療法にはいくつかの方法があり，小児の状態，指示濃度，年齢や理解度などに加え，酸素投与中の不安や不快感が少ない方法を選択する。また，酸素投与は緊急を要することが多いため，必要なときに速やかに実施できるよう日頃から準備しておく。

1 酸素療法の適応

　酸素療法が適応となる病態・状態には，以下のようなものが挙げられる。
①肺疾患，呼吸器感染，気管支喘息の重責発作などによる呼吸困難がある。
②急性心不全，ショックなど，循環動態に異常がある。
③呼吸中枢の異常による呼吸不全。
④貧血，脱水などによる低酸素状態。
⑤動脈血酸素分圧が60mmHg以下。
⑥酸素飽和度が90％以下。

⑦手術など，全身麻酔を使用した後。
⑧検査などで呼吸抑制を伴う鎮静薬を使用している。
⑨チアノーゼなどの低酸素による症状を呈している。

2 酸素投与器具の種類・特徴

　酸素投与器具には，低流量システムと高流量システムがある。この"流量"とは，酸素流量の高低ではなく，小児が必要としている量の酸素を1回換気量で供給しているかどうかを意味している。吸入酸素濃度を正確にコントロールしたい場合は高流量システムを，正確にコントロールしなくてもよい場合は低流量システムを選択する。酸素投与方法別の酸素流量と吸入酸素濃度の目安を表12-1[1)]に示す。

1）低流量システム

　低流量システムは，小児の1回換気量以下の酸素を供給する方法であり，不足分は室内などの空気を吸入することで補う。すなわち，吸入酸素濃度は小児の分時換気量に依存する。同じ酸素流量であっても，1回換気量と呼吸数によって吸入酸素濃度が変化する。吸気時間が同じであっても1回換気量が大きいほど，あるいは1回換気量が同じであっても呼吸が速いほど吸入酸素濃度は低くなる。

表12-1 酸素流量と吸入酸素濃度の推定値

酸素投与方法	酸素流量（L/分）	吸入酸素濃度の推定値（%）
鼻カニューレ	1	24
	2	28
	3	32
	4	36
	5	40
	6	44
簡易酸素マスク	5〜6	40
	6〜7	50
	7〜8	60
開放型酸素マスク	3	40
	5	50
	10	60
リザーバー付き酸素マスク	6	60
	7	70
	8	80
	9	90
	10	90〜

日本呼吸ケア・リハビリテーション学会酸素療法マニュアル作成委員会，日本呼吸器学会肺生理専門編：酸素療法マニュアル（酸素療法ガイドライン改訂版），2006，p.37，39，40，51より転載

(1) 鼻カニューレ（図12-1）

　鼻にカニューレを当てることにより酸素を投与するもので，食事や会話を妨げず，簡便で違和感が少ない方法とされているが，口呼吸をしている場合には効果がない。

　6L/分以上の流量での使用は，鼻粘膜や咽頭の乾燥や痛みを生じるうえにそれ以上の吸入酸素濃度の上昇が期待できないため推奨されない。

(2) 簡易酸素マスク（図12-2）

　鼻と口をマスクで覆い酸素を投与する方法であり，鼻閉が強いときや口呼吸のときでも使用できる。鼻カニューレよりも高濃度の酸素を投与することができるが，圧迫感を感じやすいため，はずしてしまう小児も多い。マスクが密着しにくく，漏れが多くなりがちである。

　マスクが顔に密着しており，低流量であると，呼気がマスク内に貯留し，二酸化炭素が蓄積することがあるため，5L/分以上で使用することが望ましい。低流量で使用する場合は，動脈血ガス分析を適宜行い，二酸化炭素分圧の上昇に注意する。

(3) 開放型酸素マスク（図12-3）

　開放型酸素送流システムで，流体力学から考案されたディフューザーにより，口と鼻の前に酸素を拡散できるよう設計されている。二酸化炭素の再吸入を防ぎ，鼻呼吸，口呼吸の両方に対応できる。マスクの側面と下に穴が開いているため，マスクを装着したままの飲食や吸引・口腔ケアが可能である。

(4) 気管切開用マスク（トラキマスク）（図12-4）

　気管切開が施行されている小児に対して，気管切開部を被覆して直接気管に酸素を投与するマスクである。気管に直接投与するため，ネブライザーなどを用いて十分に加湿することが必要である。人工鼻（図12-5）を併用する場合は加湿の必要はない。

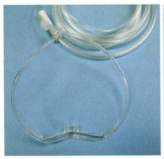
図12-1 鼻カニューレ

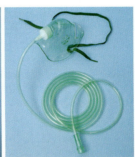
図12-2 簡易酸素マスク

図12-3 開放型酸素マスク

図12-4 気管切開用マスク（トラキマスク）

人工鼻は様々な形があるが，写真のものは人工鼻に直接チューブを接続して酸素を流すことができるタイプのもの
図12-5 人工鼻

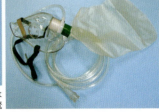
図12-6 リザーバー付き酸素マスク

(5) リザーバー付き酸素マスク（図12-6）

酸素マスクにリザーバーバッグが付いているもので，酸素チューブから流れる酸素と，リザーバーバッグにたまった酸素を吸入するため，高濃度の酸素を吸入できる。マスクと顔の隙間から空気が入り込むと予測した吸入酸素濃度には達しにくい。二酸化炭素の蓄積の防止と，リザーバーバッグ内に十分な酸素をためるために，6 L/分以上の酸素流量が必要である。酸素流量が少ないと，呼気を再吸入する割合が高くなるため，二酸化炭素分圧が上昇する可能性がある。リザーバーバッグが空にならないように酸素流量を調節し，吸気時にリザーバーバッグがしぼむことを必ず確認する。

2）高流量システム

高流量システムは，小児の1回換気量以上の酸素を供給する方法であり，小児の呼吸パターンに左右されず，設定した濃度の酸素を供給することができる。

(1) ベンチュリーマスク

ベンチュリー効果を利用し設計された酸素マスクで，コネクター，ダイヤルにより吸入酸素濃度が正確に調整でき，小児の1回換気量に左右されず24〜50％の安定した吸入酸素濃度で酸素を投与できる。ベンチュリー効果とは，流体の流れる道の断面積を狭くすると流速が増加し，圧力が下がる部分がつくられる現象のことで，これを利用して室内の空気を取り込んで酸素と混ぜて供給することができる。

インスピロンネブライザー®やアクアパックネブライザー®などで加湿することにより高湿度の酸素を投与できる。マスクは酸素や呼気の流出のための大きな穴の開いたものを使用する。これにより呼気が排出されるため二酸化炭素の蓄積が起こりにくい。

マスクが密着できていない場合は期待した酸素濃度が得られないが，密着させると圧迫感を感じやすい。また，流量が多いため騒音が大きく，顔面や気道粘膜への刺激も大きい。

(2) 酸素ボックス（ヘッドボックス）（図12-7）

小児の頭部をボックスの中に収容し酸素を投与する方法で，体動の少ない乳幼児に用いられる。近年，様々な高濃度酸素投与が可能な装置の開発，導入に伴いあまり使用されなくなっている。

高濃度の酸素投与と濃度の調整が可能であり，加湿もできる。吸引の処置などでふたを開閉すると容易に酸素濃度が低下するため，処置が多い場合は，ジャクソンリース（図12-8）などを準備しておく。適宜，酸素濃度計で口元の酸素濃度を確認する。

ボックスの容積が小さく呼気の漏れが少ないと二酸化炭素が蓄積するため，注意が必要である。また，呼気の熱によりボックス内の温度や湿度が上昇しやすいため，温度・湿度調節が必要である。

(3) 酸素テント

全身または上半身をテント内に収容し，酸素を投与する方法である。高濃度の酸素投与が必要な場合や，鼻カニューレや酸素マスクなど，ほかの投与方法の実施が困難な小児に用いられる。近年，様々な高濃度酸素投与が可能な装置の開発，導入に伴いあまり用いられなくなっている。

加湿した高濃度の酸素投与，および濃度の調整が可能である。テントの開閉により容易

図12-7 酸素ボックス（ヘッドボックス）
上面全体がふたになっており，処置の際には開けることができる

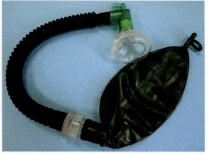

図12-8 ジャクソンリース

に酸素濃度が低下し，回復までに15〜20分程度の時間を要するため，処置は手早く行い，必要時は鼻カニューレや酸素マスクを併用する。酸素フラッシュボタンを押すと，一時的にテント内に酸素が一定量供給され，テント内の酸素濃度を上げることができる。テントの開閉後は十分な酸素フラッシュを行い，適宜，酸素濃度計で口元の酸素濃度を確認する。

酸素ボックス同様，二酸化炭素の蓄積，呼気によるテント内の温度上昇に注意する。テント内であれば体動の制限はほとんどないが，小児は隔離されたように感じるため，成長・発達に合わせた遊びなどの援助が重要となる。加温・加湿された環境となるため，長期間の使用による細菌や真菌の増殖に注意する。

3 加湿の必要性と注意点

成人の場合，鼻カニューレでは3L/分まで，ベンチュリーマスクでは酸素流量に関係なく酸素濃度40％までは加湿をする必要はないとされている。これは，鼻腔粘膜が加湿の役割を果たしていること，低流量では酸素を吸入する割合が低いこと，常温で使用する加湿器の加湿能力が低いこと，加湿器用の蒸留水の細菌汚染が報告されていることなどによる。ベンチュリーマスクの場合，乾燥した酸素が直接鼻腔粘膜を刺激することはないとされているが，小児においては明らかな根拠は示されていないため，発達段階や状況に応じた判断が必要である。

気管切開が施行されている小児や，鼻腔の加湿能力が低い小児においては加湿が必要である。加湿した場合は，細菌や真菌の汚染を防ぐため，定期的に交換・洗浄する。

4 酸素療法の合併症

1) CO_2ナルコーシス

CO_2ナルコーシスとは，高二酸化炭素血症により，重度の呼吸性アシドーシスとなり，意識障害や自発呼吸の減弱などの中枢神経系の異常を呈することである。原因は肺胞低換気である。CO_2ナルコーシスの発生機序に関して，従来は二酸化炭素分圧の中枢神経への直接作用が考えられていたが，最近では，脳脊髄液中のpHと，その低下速度によって意識障

害を起こすという考えが主流となっている。

2）酸素中毒
　酸素中毒とは，高濃度の酸素を長期間吸入することで起こる肺機能障害である。これは，活性酸素による細胞や組織障害が主因と考えられている。

3）先天性心疾患児の循環不全
　高濃度の酸素は動脈管を収縮させる作用がある。動脈管を介して肺血流を維持している肺動脈閉鎖や狭窄を伴う心疾患児に高酸素を投与すると，動脈管の収縮や閉鎖をきたし，循環不全に陥る。また，肺血流の増加を伴う先天性心疾患児は，酸素投与により肺血管抵抗が低下し，さらなる肺高血流状態を招くため，高濃度の酸素は禁忌である。

5 看護のポイント

1）酸素療法中の小児の観察ポイント
①疾患・病態。
②全身状態（バイタルサイン，意識レベル，活気や機嫌など）。
③呼吸状態（呼吸回数，呼吸音，呼吸パターン，胸郭の動き，喘鳴・呻吟・努力呼吸・異常呼吸の有無），チアノーゼの有無。
④血液ガスデータやパルスオキシメーターなどの値。
⑤分泌物の貯留の有無と性状。
⑥自覚症状。
⑦酸素マスクや鼻カニューレが適切に装着されているか。
⑧酸素マスクや鼻カニューレが当たっている部位の皮膚トラブルの有無。
⑨酸素流量計，ベンチュリーマスクのダイヤルを確認し，指示の流量・濃度の酸素が供給されているか。
⑩酸素ボックスや酸素テントを使用する場合は，酸素濃度計により小児の口元の酸素濃度を測定し，適切な濃度の酸素が投与されているか確認する。
⑪接続部のはずれやチューブの屈曲の有無。
⑫加湿をしている場合，蒸留水の残量，蛇腹やウォータートラップ内に水がたまっていないか。
⑬酸素療法の合併症の有無。

2）安全・確実な酸素投与のポイント
①分泌物を除去し，気道を確保するため，口・鼻腔内の吸引を十分に行う。
②体位を工夫し，確実かつ安楽に投与できる方法を工夫する。特に年少児の場合は，マスクやカニューレを嫌がり，すぐにはずすことがある。抱っこなど，安楽な体位を整えることにより，有効な呼吸が行え，確実に酸素が投与できる。
③発達段階，理解度，反応などと，疾患・呼吸状態を総合的にアセスメントしたうえで適

切な酸素投与方法を選択する。
④酸素は発火や引火の危険性があるため，火気厳禁である。小児および家族には，火気厳禁であることを必ず伝える。
⑤酸素ボンベからの供給の場合は，酸素残量を確認する。
⑥気道の刺激・乾燥を防ぐため，酸素を高流量で投与する場合は必ず加湿して投与する。
⑦加湿により，チューブや蛇腹に水がたまると，酸素の供給が妨げられるため，適宜排水する。
⑧加湿による細菌汚染を防ぐため，使用するマスクやチューブ，器具類は定期的に交換・消毒する。
⑨鼻カニューレ・酸素マスクを使用する際は，毎日皮膚を観察する。チューブやマスクの圧迫や摩擦による皮膚トラブルを防ぐため，必要時はドレッシング材を使用する。

3）小児と家族の苦痛・不安の軽減

（1）小児の苦痛を理解する

酸素投与は苦痛が大きい処置である。顔にマスクやカニューレを装着したり，酸素が顔に吹きかかってくることは，不快な体験である。また，酸素は独特のにおいがあり，マスクやチューブなどの製品からもゴムなどのにおいがすることから，顔に近づけることを拒む小児が多い。酸素を投与する必要のある小児は，呼吸の苦しさや，手術による創部の痛みなど，身体的な苦痛を伴っている場合が多く，そのような状況で不快な処置に取り組むことは困難である。

酸素ボックスや酸素テントは顔への直接の不快な刺激はないものの，周囲の音が聞こえにくく，周りも見えにくい状況となり，小児は周囲から隔離されたように感じる。また，酸素ボックスやテントへの衝撃は中に響くため，振動や雑音により恐怖や不快を感じる。

呼吸困難による苦痛や酸素投与に伴う不安は恐怖感を強めるため，小児がどのような体験をしているのか，苦痛を理解したうえで，不安の軽減に努める。

（2）小児への説明

小児の発達段階や体調に応じて，理解できる言葉を使って酸素療法の方法や必要性について説明する。手術前など，体調のよいときにあらかじめ説明できる場合は，実際に使用するマスクを見せたり，人形に装着したりしながら何が起こるのか小児の体験する視点から説明し，心の準備ができるようにかかわる（図12-9）。酸素投与により呼吸が楽になること，遊びや学習ができることを説明し，不安の軽減に努める。

（3）苦痛を軽減するためのケア

恐怖・不安の増強や啼泣は，呼吸状態の悪化につながるため，恐怖や不安の緩和は心理面だけでなく，身体的な苦痛の軽減にもつながる。酸素療法を行いながら，小児の発達段階に適した遊びや学習ができるように工夫する。特に，酸素ボックスや酸素テントの使用中は，周囲から隔離された感覚をもちやすく，孤独感や恐怖感を抱きやすい。観察の妨げにならない場所に小児の好きなキャラクターなどの絵や写真を貼るなどの工夫をしたり，本の読み聞かせなどによりかかわりを多くし，できるだけ安楽に治療が受けられるよう支援する。

図12-9 小児への説明用ツール

オキシマスク™を装着したくまのぬいぐるみ。小児が装着するものと同じものを人形に装着し，何を使ってどのようなことをするのかについて，視覚的な理解と心の準備を促す。実際に触れたり，遊んだりすることも効果的である。

においに対する不快感がある場合は，マスクに小児の好むにおいをつけることも効果的である。マスクやカニューレを顔に密着することに不快感が強い場合は，小児が安心できるよう家族に抱っこしてもらったり，そばにいてもらいながら遊びを提供する。顔に密着させることが困難な場合は，顔から少し離した場所から口元に酸素を吹き流すなど，臨機応変な対応も必要である。

家族も強い不安を感じている。酸素療法の目的や効果を十分に説明し，治療や小児の状態により，酸素療法中も遊びや学習ができることを家族に伝え，家族と共に小児に適した援助を検討する。

加湿する場合は，小児の衣類や寝具が湿ると体温の喪失や不快感を増強させるため，マスクに付着した水滴は定期的に除去し，ぬれた場合は速やかに更衣やシーツ交換を行う。酸素ボックス，酸素テントを使用する際には，温度の上昇に注意する。

看護技術の実際

A 鼻カニューレ・酸素マスクによる酸素投与

- 目　　的：呼吸困難・低酸素状態の改善
- 適　　応：呼吸困難・低酸素状態にある小児
- 必要物品：酸素流量計，酸素ボンベまたは中央配管，鼻カニューレまたは酸素マスク（小児に適切なサイズのもの），医療用テープ，ドレッシング材，パルスオキシメーター，（加湿する場合）アクアパック，ヒーター（必要時），蛇腹とウォータートラップ（必要時）

方　法	留意点と根拠
1　患児・家族へ説明する 　1）患児の発達段階に合わせて，何をするかのみ説明するのか，必要性についても説明するのか判断する	●発達段階に合わせて，理解できる表現で説明する ●患児・家族の不安や恐怖を軽減するよう配慮する

方　法	留意点と根拠
2）家族に対して，酸素投与の方法・必要性，火気厳禁であることなどを説明する	
2　患児にパルスオキシメーターを装着する	● 呼吸管理の必要な患児は必ずパルスオキシメーターを使用する ● 長時間同じ場所で使用すると皮膚トラブルの原因となるため，4時間程度でプローブの巻き替え，装着部位の変更を行う（➡❶） ❶ プローブを長時間装着することにより低温熱傷による皮膚の発赤や水疱形成を起こす[1]
3　必要物品を準備する 　1）加湿する場合は，アクアパック（必要時，ヒーター）と酸素流量計をセットする 　2）酸素流量計を中央配管または酸素ボンベに接続する 　3）酸素流量計と鼻カニューレや酸素マスク（必要時，蛇腹とウォータートラップ，図12-10）を接続し，指示量の酸素を流す	● 患児が移動可能な場合は酸素ボンベを使用する ● 酸素ボンベを使用するときは，使用時間分の酸素が十分に残っているか確認する ● 酸素が出ていることを必ず確認する ● 流量確認時は，浮きが球状の場合は球の真ん中を，コマ状の場合はコマの一番上のラインを水平から見て確認する（図12-11） ● 鼻カニューレでは3L/分以下，ベンチュリーマスクでは酸素濃度40％以下での酸素投与の場合は加湿は不要（➡❷）であるが，患児に合わせて使用を判断する ❷ 本節「3　加湿の必要性と注意点」p.324参照

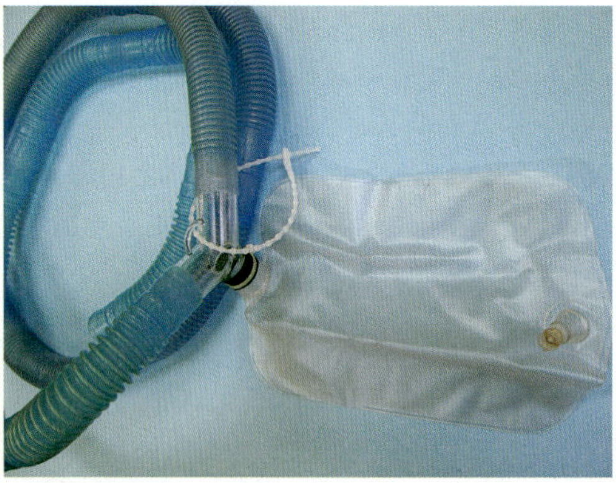

図12-10　蛇腹とウォータートラップ

図12-11　酸素流量計
写真は浮が球状のタイプ。流したい流量ラインの真ん中に球が来るように合わせる

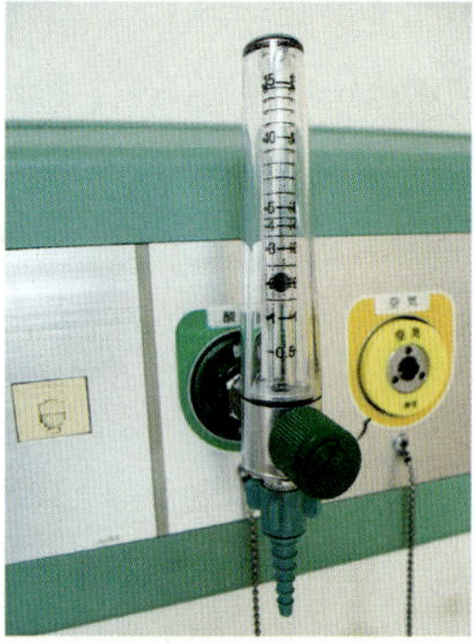

方　法	留意点と根拠
4　気道を確保する 　1）患児の体位を整える。患児の状態に応じて肩枕を使用する 　2）分泌物が多い場合は，口・鼻腔吸引により分泌物を除去する	● 気道が確保され，呼吸が安楽にできるようにする
5　患児に鼻カニューレまたは酸素マスクを装着し，酸素を投与する（図12-12，12-13）	● 患児に適したサイズを選択する。すき間が多いと有効な吸入酸素濃度が得られない ● 患児の皮膚の状態に合わせ，必要時はドレッシング材を使用する ● 鼻カニューレによる鼻腔内の刺激で皮膚損傷リスクの高い患児は，鼻腔のサイズに合わせて鼻腔内に挿入する部分をカットする

方 法	留意点と根拠
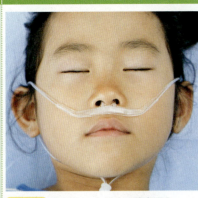 図12-12 鼻カニューレによる酸素吸入	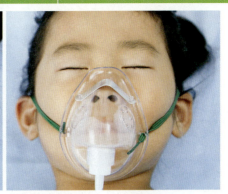 図12-13 酸素マスクによる酸素吸入
6　定期的に全身状態，呼吸状態を観察し，酸素療法の効果を評価する	● 鼻カニューレやマスクの圧迫や摩擦による皮膚障害に注意する ● 患児が移動可能な場合は酸素ボンベを使用し，プレイルームなどで遊べるように工夫する

❶伊藤舞美：酸素飽和度，小児看護，37（3）：375-379，2014．

文　献

1) 日本呼吸ケア・リハビリテーション学会酸素療法マニュアル作成委員会，日本呼吸器学会肺生理専門委員会編：酸素療法マニュアル（酸素療法ガイドライン改訂版），メディカルレビュー社，2017．
2) 宮本顕二：酸素療法－病態に適した治療を行うために必要な知識，Clinical Engineering，25（6）：515-521，2014．
3) 今中秀光：ネーザルハイフローシステム，Clinical Engineering，25（6）：522，2014．
4) 伊藤紀代・佐藤洋子：酸素療法，小児看護，30(4)：469-473，2007．
5) 道又元裕監，呉屋朝幸・青鹿由紀編：見てわかる呼吸器ケア―看護手順と疾患ガイド，照林社，2013，p.2-10．

13 人工呼吸療法

学習目標
- 小児の人工呼吸療法の目的と特徴を理解する。
- 小児で使用される人工呼吸療法の種類と特徴を理解する。
- 小児の人工呼吸療法の基本技術と観察ポイントを理解し，安全・安楽を考慮した適切な看護援助が実施できる。
- 人工呼吸療法を受ける小児と家族に対する援助方法を理解する。

　人工呼吸療法とは，生理的な呼吸機能では生命を維持できない場合に，人工的に呼吸を補助する治療の1つであり，酸素化の改善，換気の維持，呼吸仕事量の軽減，救急蘇生や術後などの全身管理を目的として行われる。人工呼吸療法には，気管挿管や気管切開を行う人工気道（気管チューブ，気管切開チューブ）による間欠的陽圧換気（intermittent positive pressure ventilation：IPPV）と，鼻マスクなどのインターフェイスを用いた非侵襲的陽圧換気（non-invasive positive pressure ventilation：NPPV）がある。

　小児，特に新生児や乳児は，成人と比べ体重当たりの酸素消費量が大きく，1回換気量が少ないなどの呼吸機能の予備力が小さいことから，急激に状態が悪化しやすく，呼吸器系の基礎疾患がなくても容易に呼吸不全に陥ることがある。そのため，人工呼吸療法は決して特殊な治療ではないといえる。近年，人工呼吸器に関連する医療技術が進歩し，小児科領域においても医療的ケア児などの在宅で人工呼吸管理を行う患者が増えている。小児にかかわる看護師は，人工呼吸療法についての知識・技術を理解する必要がある。

1 呼吸不全と人工呼吸療法の適応

　小児は，予備機能の乏しさから急激にかつ短時間で呼吸不全に陥り，呼吸管理が必要となることが多い。自分から息苦しさなどを訴えることが困難な年齢の小児に対しては，呼吸不全の前駆症状である呼吸窮迫状態を早期に認識し対応する。また，人工呼吸管理が必要となる場合に備えて，経過を観察しながら気管挿管，人工呼吸器の準備をしておく。表13-1に呼吸窮迫と呼吸不全の定義，表13-2[1]にその徴候を示す。

　乳幼児の呼吸不全の診断基準を表13-3[2]に，人工呼吸の適応を表13-4[3]に示す。

表13-1 呼吸窮迫と呼吸不全の定義

呼吸窮迫	酸素や人工呼吸の介入が必要でないもの,呼吸仕事量,呼吸努力の増加した状態
呼吸不全	呼吸仕事量が増加し,呼吸数の増加で代償しようとしているが,代償機能の破綻をきたし酸素化や換気が不十分な状態

表13-2 呼吸窮迫,呼吸不全の徴候

呼吸窮迫	呼吸不全
・鼻翼呼吸 ・吸気時陥没 ・頻呼吸 ・吸気時深呼吸（過呼吸） ・首振り呼吸 ・奇異呼吸（腹式呼吸） ・不機嫌 ・頻脈 ・呻吟 ・喘鳴 ・腹部膨満 ・発汗	・チアノーゼ ・呼吸音の減弱 ・意識状態の低下,反応性の低下 ・四肢筋力低下 ・呼吸数低下,呼吸努力,胸の動き低下 ・頻脈 ・呼吸補助筋の使用 ・あえぎ,死戦期呼吸 ・まだら膜様皮膚

Aehlert B著,宮坂勝之訳・編:日本版PALSスタディガイド－小児二次救命処置の基礎と実践,改訂版,エルゼビア・ジャパン,2013,p.40.より転載

表13-3 乳幼児の呼吸不全の診断基準

臨床症状	・吸気性呼吸音の低下あるいは消失 ・高度陥没呼吸 ・チアノーゼ（$F_IO_2=0.4$） ・意識レベルおよび痛覚反応の低下 ・筋緊張の低下
ガス分析値	・$PaCO_2 \geq 75mmHg$ ・$PaO_2 \leq 100mmHg$（$F_IO_2=1.0$）

F_IO_2:吸入酸素濃度,$PaCO_2$:動脈血炭酸ガス分圧,PaO_2:動脈血酸素分圧
橋本悟・佐和貞治監修:小児ICUマニュアル,改訂第7版,永井書店,2017,p.74.より転載

表13-4 人工呼吸の適応

1.絶対適応	1）不適正な肺胞換気 ・無呼吸 ・$PaCO_2>50〜55mmHg$（慢性高炭酸ガス血症を除く） ・切迫した換気状態　$PaCO_2$の上昇 　　vital capacity（肺活量）$<15mL/kg$ 　　$V_D/V_T>0.6$ 2）動脈血の不十分な酸素化 ・チアノーゼ（F_IO_2 0.6以上にて） ・$PaO_2<70mmHg$（F_IO_2 0.6以上にて） ・その他の酸素化能障害の指標　$A-aDO_2>300mmHg$（$F_IO_2=1.0$） 　　　　　　　　　　　　　　　$Q_S/Q_T>15〜20\%$
2.相対適応	1）換気パターン,機能の保持 ・頭蓋内圧亢進 ・循環不全 2）呼吸による代謝消費量を減らす ・慢性呼吸不全 ・循環不全

$PaCO_2$:動脈血炭酸ガス分圧,V_D/V_T:死腔換気率,F_IO_2:吸入酸素濃度,PaO_2:動脈血酸素分圧,$A-aDO_2$:肺胞気－動脈血酸素分圧較差,Q_S/Q_T:静脈血混合比
橋本悟・佐和貞治監修:小児ICUマニュアル,改訂第7版,永井書店,2017,p.94.より転載

2 気道確保

1）気管挿管

気管挿管は気道確保の一手段であり,直接気管に人工気道である気管チューブを挿入す

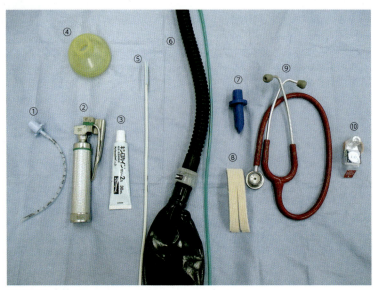

①気管チューブ，②喉頭鏡，③潤滑剤，④マスク，⑤スタイレット，⑥ジャクソンリース（必要に応じアンビューバッグ），⑦バイトブロック，⑧医療用テープ，⑨聴診器，⑩呼気炭酸ガス検知器

図13-1　気管挿管に必要な物品

る最も確実な気道確保の方法である．気管挿管は，その経路により経口と経鼻に分けられる．気管挿管に必要な物品を図13-1に示す．

　気管挿管の際には，事前に小児の年齢や体重から適切なサイズの物品を準備する．また，挿管困難な場合に対応するために各種サイズのマスク，ジャクソンリースなどの準備も忘れてはならない．

　気管チューブは，小児ではカフなしチューブを選択することが多い．これは，小児の気道は脆弱であり，カフによる気道損傷，浮腫や狭窄を生じやすいからである．しかし，カフがないことによりチューブの固定が不安定となるため，計画外抜管に十分に注意しなければならない．また，小児は体幹に比べて頭部が大きいという特徴から，頭部が前屈しやすく，頸部の角度によって，チューブ先端の位置にずれが生じやすい[4]．清潔ケアやX線撮影時などで頭部や頸部を動かす場合は，正中位を保ちながら行うよう注意する．

　気管チューブの固定方法を図13-2に示す．小児の気管チューブは細く，屈曲やねじれが生じやすいため，呼吸器回路の配置に注意する．また，引っ張られることで容易に計画外抜管となるので，体位変換時には回路をはずして行うか，気管チューブをしっかり把持して行う．

2）気管切開

　気管切開とは，気管を外科的に切開し気管カニューレを挿入して気道を確保することである．気管切開の適応となる病態は，①気道閉塞に対する気道確保，②長期の気道確保，人工呼吸管理，③気道内分泌物の吸引管理[5]の3つに大きく分けられる．

　医療の向上に伴い，重篤な疾患であっても，気管切開などの医療的ケアを行いながら自宅で生活する医療的ケア児が増えている．また，気管切開後の吸引や気管切開孔の処置などの医療ケアは最終的には家族が実施することがほとんどである．そのため，気管切開を

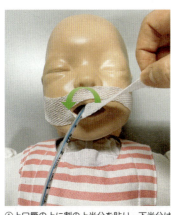
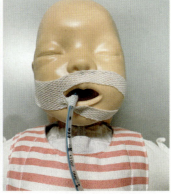

①上口唇の上に割の上半分を貼り，下半分はチューブに下から巻きつけ，下口唇の下に固定する

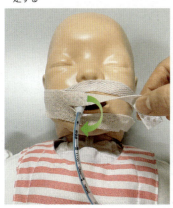
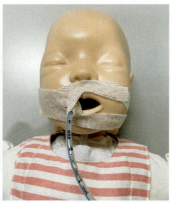

②下口唇の下に割の下半分を貼り，上半分はチューブに上から巻きつけ，上口唇の上に固定する

図13-2 挿管チューブの固定方法（一例）

施行する前には，在宅でのケアが可能かどうかの判断を含めて適応を考慮する。

3 気道のケア

1）気管吸引

気管吸引は，呼吸機能の予備力が少ない小児にとっては侵襲的なケアとなるため，必要性をアセスメントし，低酸素状態にならないようモニターを装着した状態で実施する（気管吸引については，本章11「吸引」p.309参照）。

2）呼吸理学療法

呼吸理学療法は，呼吸器合併症の予防や呼吸仕事量の軽減，酸素化の改善，換気とガス交換の改善，気道クリアランスの改善などを目的として行われる。実施する際は，計画外抜管に注意し，十分なモニタリングを行い，小児の全身状態を観察しながら行う。小児では，年齢によっては呼吸理学療法の協力を得ることが難しいが，効果的に実施するためにも年齢に応じた説明を行い，遊びなどを取り入れた説明をするなど工夫する。

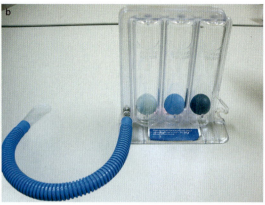

イージーパップ（EzPAP®）　　　　　　　　　　トリフロー（TriFlo®）

図13-3　呼吸理学療法で使用される器具

（1）徒手的な排痰法

手技による排痰法には，体位変換，排痰体位など姿勢と体位に関する方法と，呼気胸郭圧迫法（スクイージング）などがある。

（2）器具による排痰法

バイブレーターを用いる方法や，イージーパップ（EzPAP®）（持続的気道陽圧がかけられる装置）などの器具を用いる排痰法は，近年使用が増加している（図13-3a）。コミュニケーションがとれ，自発呼吸が不良でない場合は，トリフロー（TriFlo®）（呼吸練習用の器具）なども有効である（図13-3b）。

（3）排痰体位とスクイージングとの組み合わせ

排痰体位とスクイージングとを組み合わせた呼吸理学療法は，効果的な気道クリアランスを改善することに有効であるが熟練した技術が求められる。

人工呼吸器からのウィーニング

1）ウィーニングの条件

人工呼吸から自発呼吸へ移行する過程をウィーニング（離脱）といい，機械的呼吸が完全に自発呼吸になった時期，もしくは気管チューブを抜去した時期がウィーニングの終了となる。

人工呼吸器からのウィーニングの条件を表13-5[6]に示す。長期に人工呼吸管理をしていると人工呼吸器関連肺炎（ventilator-associated pneumonia：VAP）などのリスクが上昇し，小児ではさらに運動機能や発達に影響を及ぼすことが予測される。このため，早期に人工呼吸器からのウィーニングが行われることが望ましい。しかし，長期に人工呼吸管理を行っていたり肺機能が低いと，ウィーニング困難となることがある。ウィーニング困難な小児に対しては，NPPVが用いられることもある。

表13-5 小児のERT (extubation readiness test) におけるウィーニングの条件

- 原因疾患の改善
- 自発呼吸の出現
- $SpO_2≧95\%$ ($PaO_2≧60Torr$) /$F_IO_2≦0.6$
- $PEEP≦8cmH_2O$
- 吸気プラトー圧 $20cmH_2O$
- pH 7.32～7.47
- 覚醒，意識レベルが適切（GCS 13以上）
- 体温≦38.5℃
- ヘモグロビン 10g/dL以上で循環が安定している
- 担当医が適切と判断している
- 過去24時間以内に人工呼吸器設定の後退がない
- 次の12時間以内に新たな鎮静を要する処置がない

SpO_2：酸素飽和度，PaO_2：動脈血酸素分圧，F_IO_2：吸入酸素濃度，PEEP：最大呼気終末圧，GCS：グラスゴー・コーマ・スケール
「中田諭：人工呼吸療法と気道管理，小児クリティカルケア看護 基本と実践（中田諭編），p.130，2011，南江堂」より許諾を得て転載．

2）ウィーニングの方法

ウィーニングには，段階的に換気回数やサポート圧を減らして自発呼吸に移行する方法と，人工呼吸器をはずして自発呼吸の時間を徐々に増やす自発呼吸トライアル法がある。いずれの方法でも，不穏や呼吸数の顕著な増加，脈拍の増加，血圧上昇，尿量低下，冷汗などを認めた場合にはウィーニングを中止する。これらの早期発見のためにも十分なモニタリングは不可欠である。

5 非侵襲的陽圧換気（NPPV）

NPPVは，成人の在宅人工呼吸療法で発展した呼吸療法であるが，現在では小児にも応用されている。NPPVは，侵襲的な処置となる気管挿管を行わず，鼻マスクやフルフェイスマスクなどを用いて陽圧換気を行うものである。図13-4にNPPVの例を，表13-6[7]に利点

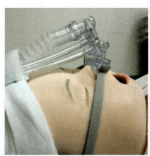

インファントフローシステム (n-DPAP)
写真提供：エア・ウォーター 株式会社

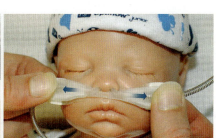

NHF（nasal high flow）
写真提供：フィッシャー＆パイケル ヘルスケア株式会社

ヘルメット型マスク（StarMed 社）
写真提供：株式会社東機貿

tkb Pneu-Moist®DPAP システム
写真提供：株式会社東機貿

図13-4 非侵襲的陽圧換気（NPPV）の種類

表13-6	非侵襲的陽圧換気（NPPV）の利点・欠点
利点	・人工呼吸器関連肺炎（VAP）の発生率が減少する ・離脱がスムーズに行えるため，呼吸管理期間が短い ・マスクの付けはずしが行えるので，患者のQOLが向上する ・気管挿管時に起こる循環動態の不安定さ，低酸素血症を回避できる ・鎮静薬の投与が不要で，座位を継続しながら換気が可能である ・経口摂取や会話が可能である
欠点	・使用時は気管吸引が困難で，気道と食道を分離できないため誤嚥の可能性がある ・高い吸引圧がかけられないために，重症な場合は十分な換気が困難である ・マスクによるびらんや潰瘍を起こしやすい ・患者の理解と協力が必要であり，特に小児では重要となる。使用する医療者側にも熟練した技術が必要である ・気道確保されていないため，有効な換気を行いにくいことにあわせ，蘇生も容易には行えない ・小児に適したインターフェイスが少ない

「松井晃：非侵襲的陽圧換気療法（NPPV），小児クリティカルケア看護，改訂第2版，p.141，2011，南江堂」より許諾を得て改変し転載．

と欠点を示す。

在宅人工呼吸療法

　在宅人工呼吸療法は，24時間または夜間の数時間，自宅で人工呼吸器を装着する療法である。周産期医療や小児医療の向上，在宅への移行政策により，人工呼吸器装着などの医療的ケアを必要とする医療的ケア児の在宅療養への移行は増加している。在宅人工呼吸療法を用いて，これまで病院などの施設内で長期の入院生活を余儀なくされてきた小児が，自宅で家族と共に過ごし，生活の場を拡大することが可能になった。

　在宅人工呼吸療法の導入にあたっては，まず，家族が合意していることが最も重要である。導入が決定したら，患児の身体状態だけでなく，成長・発達，住居の構造，コストを含めた情報を家族と共有する。そして，家族が習得しなければならない手技を理解・獲得し，環境を整備できるように指導のスケジュールを組む。その際，1日の生活パターンについて，小児だけでなく，両親やほかのきょうだいとの関係も含めて把握する。

　在宅支援に向けては，院内での多職種によるチーム連携，自宅のある地域との連携を進め，訪問看護の導入，レスパイトなどの社会資源の活用を考慮する。

　人工呼吸器は生命維持装置であるため，自宅で起こりうるトラブルとトラブル時のサポート体制を具体的に考えておくことが重要である。さらに，災害時の対応としてバッテリーの確保，緊急連絡先との連携を確認する（図13-5）。

人工呼吸療法を受ける小児と家族に対する看護援助

　小児は成長・発達過程にあり，解剖・生理学的に未熟であるため，小児特有の問題点に留意しながら看護援助をする。人工呼吸療法を受ける小児と家族に対する看護援助を，①人工呼吸器の適切な管理，②呼吸状態の観察とアセスメント，③VAPの予防，④日常生活

救急車を呼ぶときは119番に電話!
(できれば固定電話☎から)

住所 ＿＿＿＿＿＿＿＿＿＿
保護者の名まえ ＿＿＿＿＿＿＿＿＿＿

在宅療育中の

こどもの名まえ ＿＿＿＿＿＿＿＿＿＿ です。
生年月日は　　年　　月　　日 です。

＊ 状況を説明する
例えば □サチュレーションが急に下がりました。
□息をしていません。
□心臓が止まっています。 など

＊ 今行っている処置を説明する
例えば □心臓マッサージをしています。
□アンビューバッグで換気しています。 など

第1救急搬送病院は ＿＿＿＿＿＿＿＿＿＿ です。
☎(　　　)　－
第2救急搬送病院は ＿＿＿＿＿＿＿＿＿＿ です。
☎(　　　)　－

※緊急度によっては記載していない近隣の病院に搬送されることもあります。

救急情報提供カード

こどもの名前 ＿＿＿＿＿＿＿＿＿＿
保護者の名前 ＿＿＿＿＿＿＿＿＿＿
住　　所 〒
電 話 番 号 (　　　)　－

疾病名

手術歴

普段飲んでいる薬

気管切開　あり ・ なし
喉頭気管分離　している ・ していない
胃ろう　あり ・ なし

特記事項　普段急変した時におこなっている処置　その他
例 けいれん発作時の薬と量・吸引チューブの太さと深さなど

さらに詳しい情報は　　病院　　科
☎(　　　)　－　　に問い合わせを
次回内容更新　　年　　月

図13-5 緊急連絡先カード

長野県立こども病院地域連携室作成

のケア，⑤家族に対する援助の点から解説する。

1）人工呼吸器の適切な管理

(1) 人工呼吸器の準備

人工呼吸器は様々な機種，換気方法があるため，各施設で使用する機種と回路について十分理解しておく。始業点検を行い，人工呼吸器が安全に作動し，小児に適した管理が行われるように準備する。人工呼吸器の使用手順を以下に示す。

①回路の組み立て。
②電源，ガス源(酸素，圧縮空気)を接続する。加温加湿器を加温する。
③テストラングをつないでテスト換気を行い，リークのないことを確認する。
④指示条件に設定し，各種アラームの上限・下限値を設定する。
⑤患児に接続し，呼吸音，胸郭の動き，気道内圧などを観察する。小児の状態をアセスメントし，必要であれば条件を変更する。

(2) アラームへの対応

人工呼吸器は生命維持装置であり，トラブルは重大な結果を招くおそれがある。そのため，人工呼吸管理中は，十分なリスクマネジメントを行い，組み立てや点検，回路交換などは臨床工学技士と協力して行い，チェックリストなどを用いて確認する。

日常のケアでは，人工呼吸器の電源や，各種アラームをオフにすることがないよう習慣づけることが重要である。また，アラームを適切に設定し，誤アラームが頻繁に鳴らないようにする。アラームが鳴ったら必ずベッドサイドに行き，アラームの内容を確認し，小児の状態の観察を行うとともに，必要に応じバッグバルブマスクなどの手動式換気を行いながら原因を検索する。アラームに慣れて対応を怠ると重大な事故を起こす危険性があることを認識する。

2）呼吸状態の観察とアセスメント

呼吸状態の観察ポイントを以下に示す。特に急性期においては，呼吸状態および全身状態の悪化を早期に発見・対応できるように，これらの変化を経時的に記録する。また，呼吸器の設定条件も記録しておく。

- 呼吸状態：呼吸数，努力呼吸の有無，自発呼吸の有無と回数，呼吸音（左右差，異常音の有無），胸郭の動き（左右差の有無，上がり具合），SpO_2（酸素飽和度）値，E_TCO_2（呼気終末二酸化炭素濃度）値，チューブの位置など。
- 循環状態：心拍数，血圧，末梢冷感，チアノーゼ，尿量など。
- 気道内分泌物：色，性状，量，吸引回数など。
- その他：表情（苦悶様，啼泣，不穏など），体動，発汗，腹部膨満，尿量，水分出納，胸部X線写真，血液ガス値など。

3）人工呼吸器関連肺炎（VAP）の予防

VAPは，人工呼吸器装着後48時間以上経過して発生した肺炎を指す。症状は，発熱，呼吸状態の悪化，吸引痰の変化（膿性気道内分泌物），胸部X線での異常陰影などである。原因として，気管内操作などによる細菌の侵入，胃からの逆流などによる誤嚥に起因するものなどがある。このため，人工呼吸管理中の体位は，上体を30〜45度挙上した体位が望ましい。小児，特に新生児や乳児は抵抗力が弱く，感染症を発症すると重篤な状態に陥りやすいため，十分な予防対策が必要である。

VAPの予防として，①手洗いの徹底，②口腔ケア，③呼吸器回路の適切な管理，④経管栄養に伴う誤嚥防止を行う。また，必要以上の人工呼吸管理を避けることも予防策の1つである。

（1）手洗いの徹底

吸引などの処置前後には，衛生学的手洗いを実施し感染対策に努める。

（2）口腔ケア

小児は唾液腺が未発達なため，気管挿管中は乾燥や口腔内の自浄作用の低下により，舌苔，口内炎などを起こしやすい。口腔内の状態を観察し，各勤務で1〜2回の口腔ケアを実施する。

気管挿管中の口腔ケアは原則として2人で実施する。小児の生活のスケジュールを考えケアすることが望ましいが，VAP予防のために定期的に行う。

また小児は，カフなしの気管チューブを使用することが多いため，下気道への分泌物の垂れ込みが生じやすい。口腔ケアでは，垂れ込みを生じない体位を工夫する，洗浄は吸引しながら実施する，洗口剤（バイオティーン®）などを使用した清拭をする，が推奨される。

唾液の垂れ込み予防は，VAP予防のために重要であるため，顔の位置や向きの工夫によるドレナージ，口腔内の低圧持続吸引を行うことも考慮する。

（3）呼吸器回路の適切な管理

CDC（米国疾病予防管理センター）は，48時間以内の回路交換を推奨しておらず，回路交換は，明らかに汚染がある場合，もしくは回路のトラブルがあるときのみとしている。したがって，日常ケアでは回路の汚染の有無について確認し，汚染がある際は交換する。また，

回路交換に伴う汚染もVAPの原因となることを理解しておく。

凝結水（呼吸器回路内の水分貯留）は，口腔内の細菌によって汚染される。汚染した凝結水が小児の気道内に入ると肺炎のリスクが上昇するため，回路を小児より低い位置に配置し，ウォータートラップの水は定期的に排水する。

（4）経管栄養に伴う誤嚥防止

経管栄養を行っている場合は，誤嚥防止に努めることが重要である。経管栄養中は胃内容の逆流による誤嚥が起こりやすいため，体位を整え，注入中のモニタリング，観察に努め，必要時はすぐに吸引できるようにしておく。

小児は腹部膨満により容易に嘔吐を起こすため，腹部状態をアセスメントし，必要であれば浣腸やガス抜きなどの処置を行う。

4）日常生活のケア

小児の呼吸および循環を含めた全身状態を評価し，安全に十分に留意したうえで日常生活のケアを行う。

（1）清潔ケア

呼吸や循環が安定していることを確認し，可能であれば清拭よりも沐浴などの入浴を行う。入浴を行う際は2人以上で介助し，頭部後屈などによるチューブの位置のずれ，計画外抜管に十分に留意する。小児の状態が不安定で入浴することが困難であれば，清拭や部分浴，洗髪などを組み合わせて実施し清潔を保持する。

（2）腹部膨満へのケア

人工呼吸管理中は，胃部の膨満により横隔膜が挙上することで，容易に換気量が減少し呼吸困難を生じる。また，胃内容の逆流により誤嚥の危険性が増強する。胃チューブを挿入し自然開放にする，もしくは用手吸引により胃内容の減圧を図る。

（3）成長・発達への援助

人工呼吸管理中であっても，小児の成長・発達段階に適した環境を整え，成長・発達を促す援助を行う。挿管により言葉を発することが困難になるため，幼児期以上では文字盤やカードなどを用いてコミュニケーションをとり，状態に応じてバギーへの移動や，抱っこなどの機会をつくる。日中は，保育士などの協力を得て，ベッド上での遊びを工夫し，遊びの時間を確保する。また，夜間の照明を暗くして，睡眠・覚醒リズムを調整する。

5）家族に対する援助

急激に状態が悪化し，人工呼吸管理となった小児の家族は，身体的・精神的に危機的な状況に陥る。看護師は家族の思いに寄り添い，家族機能が維持できるよう支援する。また，家族の思いを受け止めるだけでなく，現在の治療の経過，今後の見通しなど，家族が必要としている情報を提供し，家族が小児の状況や治療について理解できるよう援助する。

日常生活ケアなどは，人工呼吸管理になっても家族が小児にかかわることができるよう配慮が必要である。乳幼児では抱っこによるスキンシップ，遊びの提供など，可能なケアは家族にも積極的に参加してもらう。また，家族情報をスタッフ間で共有し，統一した援助ができるように調整する。

看護技術の実際

A 気管カニューレの交換

- 目　　　的：気管カニューレの閉塞予防
- 適　　　応：気管カニューレの汚染がみられた場合
- 必要物品：滅菌済み気管カニューレ，固定用紐，潤滑剤，肩枕，Yガーゼ，綿棒，はさみ，吸引器，吸引に必要な物品，ジャクソンリースまたはアンビューバッグ，マスク

	方　　法	留意点と根拠
1	カニューレ交換を行う前に，患児の呼吸・全身状態が安定していることを確認する	●カニューレ交換は原則として2人で行う ●初回交換は医師が行う
2	衛生学的手洗いを行う	
3	カニューレ交換の実施を患児の年齢に応じて説明する	
4	必要物品を確認・準備する 1）気管カニューレ，Yガーゼをすぐに使用できるよう開封しておく 2）新しいカニューレの先端に，潤滑剤を塗布する	●清潔操作で行う ●新しく挿入するカニューレを医師と確認する
5	患児の準備を行う 1）吸引を行う（➡❶） 2）患児をベッドに寝かせ，モニターを装着する 3）肩枕を挿入し頸部を伸展する 4）首ひもの固定をはずし，Yガーゼをはずす	❶VAPの予防のために必ず行う ●モニターを装着し，異常の有無を確認する ●介助者はカニューレが抜けないよう把持する ●はさみを使用する場合は，患児の皮膚に刃が接触しないよう注意する
6	人工呼吸器をはずし，古いカニューレを抜去する 気管切開孔周囲の発赤，出血の有無，肉芽の発生などの皮膚の状態を観察する（➡❷）	●カフ付きのものはエアを抜いて抜去する ❷気管切開孔周囲の肉芽は，分泌物やカニューレの刺激や感染によって起こるため，気管切開孔の観察は重要である
7	新しいカニューレを気管切開孔に挿入する	●気管切開孔の角度に合わせて挿入する ●必要であれば適宜吸引を行う
8	固定用の紐を結ぶ 1）頸部を清拭する（➡❸） 　気管切開孔を綿棒などで清拭し，Yガーゼをはさむ 2）肩枕をはずして，固定用の紐を指が1本入る程度の余裕をもたせて結ぶ（➡❹） 3）カフ付きのカニューレは，カフ圧計を用いて必要な圧までカフに空気を入れる	❸特に乳児や重症心身障害児は，流涎により頸部が汚れやすい ●固定用の紐の圧迫による頸部の皮膚の発赤，亀裂に注意する ❹固定がゆるすぎると，計画外抜去や気管粘膜を傷つける原因となる
9	人工呼吸器に接続する 1）ジャクソンリースまたはアンビューバッグで換気する（➡❺） 2）人工呼吸器に接続する	●胸郭の動きを観察し聴診により換気されていることを確認する ❺カニューレ交換が刺激となり，気道内分泌物が一時的に増加したり，呼吸状態が不安定になることもあるため，換気により患児が落ち着いた後に人工呼吸器に接続する

B 挿管中の口腔ケア

- **目　　的**：口腔内の感染源の除去，誤嚥性肺炎・VAPの予防
- **適　　応**：人工呼吸器装着中の小児（治療上，禁忌のある場合は除く）
- **必要物品**（図13-6）：吸引スワブ（吸引器付き口腔ケアスポンジ）または吸引ブラシ（吸引器付き歯ブラシ），口腔ケアスポンジ，洗口液，保湿ジェル，紙コップ，歯ブラシ（本人用を使用の場合），吸引器，吸引に必要な物品，舌圧子，ペンライト

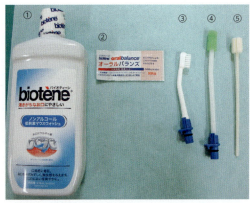

①洗口液，②保湿ジェル，③吸引ブラシ，④吸引スワブ，⑤口腔ケアスポンジ

図13-6 口腔ケアの必要物品

	方　法	留意点と根拠
1	衛生学的手洗いを行う	
2	口腔ケアを患児の年齢に応じて説明する	
3	必要物品を確認・準備する 気管チューブの位置が正しいこと，カフ圧を確認する	
4	患児の準備を行う 1）口腔・鼻腔・気管内（必要時）の吸引を行う（➡❶） 2）側臥位で顔は横向きにする（➡❷）	❶VAP予防のために必ず行う ❷唾液や洗口液などの気道への垂れ込みを予防するため，頸部を横に向ける ●回路の重みで挿管チューブが抜けないよう，挿管チューブを把持しながら行う
5	口腔内を観察する（➡❸） 頰粘膜，舌の乾燥・汚れの程度，出血の有無・部位，発赤，口内炎の有無，口唇の乾燥の有無	❸挿管により口腔内の自浄作用が低下するため，舌苔・口内炎が起こりやすい ●異常がある場合は評価のために必ず記録しておく
6	口腔ケアを行う 1）洗口液をつけた吸引ブラシまたは口腔ケアスポンジを使用して，口腔内を奥から手前に清拭する（➡❹） 2）口腔内の吸引を行う 3）保湿剤を「頰粘膜→口蓋→舌」の順に塗布する	●気道への垂れ込みに注意し，口腔内を吸引しながら行う ●歯のはえていない患児はスポンジのみでよい ●ブラシを使用する際には，口腔粘膜を傷つけないようペングリップで握り，垂直に歯面に当て小刻みに動かしながらブラッシングする ❹小児の気管チューブにはカフがないことが多く，垂れ込みの危険性があるため，口腔内洗浄よりも清拭のほうが安全である ●気管チューブにブラシが引っかかると，計画外抜管が起こるため注意する ●口唇の乾燥があれば口唇にも塗布する
7	気管チューブの固定位置，固定にゆるみがないか確認する	●必要であれば，再固定する

文 献

1) Aehlert B著,宮坂勝之訳・編:日本版PALSスタディガイド－小児二次救命処置の基礎と実践,改訂版,エルゼビア・ジャパン,2013,p.27.
2) 橋本悟・佐和貞治監修:小児ICUマニュアル,改訂第7版,永井書店,2017,p.74.
3) 前掲書2),p.94.
4) 前掲書1),p.148.
5) 小森広嗣:気管切開の適応,小児看護,37(10):1238-1242,2014.
6) 中田諭編:小児クリティカルケア看護－基本と実践,南江堂,2011,p.130.
7) 前掲書6),p.141.
8) 道又元裕・小谷透・神津玲編:人工呼吸管理実践ガイド,照林社,2009.
9) 道又元裕編著:根拠でわかる人工呼吸ベスト・プラクティス,照林社,2008.

14 罨 法

学習目標
- 罨法による生体への影響を理解する。
- 小児の体温調節機能の特徴とともに小児に行われる罨法の意義を理解する。
- 小児に罨法が必要な場合，対象の年齢や状況に合わせて方法を選択し，安全・安楽に援助できる。
- 家庭で罨法が必要な場合，対象や家族の状況に合わせた指導が行える。

1 罨法の意義

　罨法とは，身体の一部に温熱刺激や寒冷刺激を与えることにより，循環系，筋肉系，神経系に作用させる技術である。

　治療として消炎や鎮痛などの目的で医師の指示のもとで行われる場合と，安静や安楽，リラクセーションなどを目的に看護師独自の判断で行う場合がある。罨法が生体に及ぼす様々な作用を理解し，根拠をもって目的・対象に合わせた方法の選択などを行っていく必要がある。特に小児では年齢や身体的発達，認知的発達など様々な側面を考慮に入れて効果的に安全に行うことが重要である。

2 罨法の種類と効果

　罨法には温罨法と冷罨法があり，それぞれに乾性と湿性の方法がある（表14-1）。
　湿性は，乾性に比べて水分を含んでいることで熱伝導が高く（熱を伝えやすい），皮膚表面への温かさや冷たさが伝わりやすい。一方で気化熱が多く奪われるため，高温では冷めやすく，冷温ではより冷たく感じる。

1）温罨法

　温罨法の温熱刺激により血管が拡張し，加温された血液が循環することで身体に保温効果が生じる。また，血液やリンパ液の循環を促進させ，新陳代謝が盛んになる。筋緊張の緩和による筋肉痛や関節痛など慢性疼痛の緩和といった作用もある。さらに血流の増加により酸素が供給されやすくなるため，急性期を過ぎた炎症部分では治癒促進の効果があるとされている。しかし，炎症に対する温熱刺激は急性期には用いないことが原則であり，部位や病態により用い方が異なるので医師の判断により行う。

　安楽を目的とした温罨法では，心地よい温熱刺激によりリラックスすることで副交感神

表14-1 罨法の種類

種類		適応
温罨法	乾性：湯たんぽ 電気あんか 電気毛布 ホットパック 湿性：温湿布 メンタ	・慢性疼痛の緩和 ・皮膚温・体温の上昇（病床の保温，悪寒の軽減） ・入眠促進，リラクセーション，鎮静（入浴，足浴） ・血腫や薬液の吸収促進 ・腸蠕動運動の促進（腹部・腰背部の保温），排尿促進（仙骨部の保温） ・血管穿刺を容易にする
冷罨法	乾性：氷枕，氷頸，氷嚢 　　　CMC製品，冷却パック 湿性：冷湿布，パップ剤	・体温下降（動脈血の冷却による） ・安楽（頭痛・体熱感の緩和：頭部・額部の冷却） ・入眠促進，鎮静・鎮痛，薬液の吸収抑制 ・急性疼痛・炎症の緩和 ・止血 ・かゆみの緩和

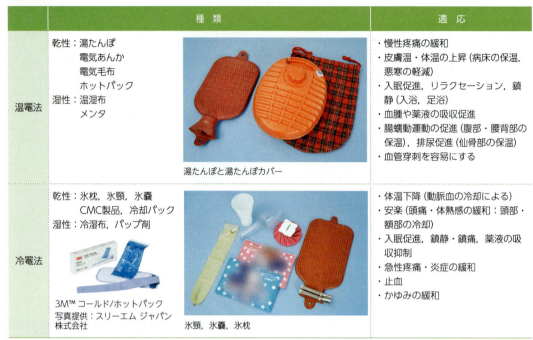

湯たんぽと湯たんぽカバー

3M™ コールド/ホットパック
写真提供：スリーエム ジャパン株式会社

氷頸，氷嚢，氷枕

CMC：カルボキシメチルセルロース

経が優位に働き，腸蠕動運動による排便，排ガスが促進されたり，入眠促進や精神的興奮の鎮静などの効果もある。小児では，体温上昇時の悪寒に伴う不快感の緩和や低体温時の皮膚温の上昇などを目的に行うことが多い。

2）冷罨法

冷罨法の寒冷刺激により血液が冷やされ，うつ熱や熱中症などに対する解熱や熱感の軽減などの効果がある。こうした解熱効果を目的とする場合は，表在の太い動脈（頸動脈，腋窩動脈，大腿動脈）を冷却することが効果的である。また，血管収縮や血流抑制により局所的な止血効果がある。代謝への作用としては，組織温度の低下により免疫細胞の代謝を低下させ，急性炎症による腫脹や疼痛を緩和するとされている。また，末梢の知覚神経の活動を抑えることで，急性疼痛に対する閾値が上昇し，疼痛が緩和される効果がある。小児では，発熱時の不快緩和などの安楽を目的に行うことが多い。頭部や額部の冷却は，解熱効果はないが発熱による不快や頭痛などの症状を緩和する効果は大きい。小児期は，発熱を伴う感染症に罹患することが多く，家庭でも多く行われる看護技術である。最近よく使用される冷却ジェルシートは高水分ジェルで皮膚への密着性がよく，乳幼児の発熱時に使用されることが多いが，その目的は発熱による不快感の緩和とされている。しかし，家族は解熱を目的に使用していることも多く，直接皮膚に使用するために皮膚トラブルが生じたり，乳幼児では誤飲などの事故の危険もある。発熱時の安楽への効果を目的として，貼用部位を考え，上手に安全に活用するための家族への指導が必要である。

3 小児の体温調節機能

　人間は，視床下部にある体温調整中枢での熱産生と熱放散のバランスによって生きていくために必要な細胞活動や物質代謝を効果的にする酵素反応を維持するために一定の体温を保っている。体温には，深部温と皮膚温があり，深部温は大人も子どもも38℃前後である。深部温は様々な組織や皮膚の細胞を通り，皮膚の表面では低くなる。子どもは皮膚が薄いため内部の熱が伝わりやすく皮膚温が成人より高めとなる。

　熱産生は，基礎代謝や運動などによる熱産生，震えなど筋肉による熱産生が主なものである。急に高熱が出る際の「悪寒戦慄」は，体温調節中枢の設定が感染症などにより高くなり，体温を上げる際に必要な熱産生のために筋肉が収縮・弛緩するものである。一方熱放散は，①輻射，②伝導，③対流，④蒸発の４つの物理的な機序による。熱放散は，主に皮膚の血流コントロールと発汗によって行われる。熱放散が必要なときは，末梢血管の拡張や心拍数の増加により皮膚の血流を増やして皮膚からの熱放散を増やす。この熱放散は体表面積と関係しており，小児の場合は体重あたりの体表面積が成人より広いことから熱放散が高く，体温が変動しやすい。また，体表面積が広いことで環境温が皮膚温より高い場合には熱が身体に入ってきやすくさらに汗腺機能の発達が未熟で容易に高体温になる。体温調節には悪寒戦慄や汗をかくなどの自律性体温調節と寒いときには上着を着る，クーラーをつけるなどの行動性体温調節があるが，小児では行動性体温調節を自主的に行うことが十分にできないことからも体温調節機能が未熟であるとされている。

　体温が高くなった状態（高体温）には，発熱とうつ熱がある。発熱は，体温調節中枢の設定温度が高くなったために起こる。うつ熱は，体温調節中枢の設定温度は変わらないが，熱産生（あるいは高い環境温度）と放散のバランスが崩れて高体温になったものである。

　発熱は，感染などにより細菌やウィルスなどの外因性発熱物質が免疫細胞を刺激し，内因性発熱物質を介して体温調節中枢の設定温度が変化するために生じる。体温の上昇は人体に有利に作用する面と不利益に作用する両面性がある。体温の上昇により免疫細胞の産生や白血球は活動性を高め，抗体産生が促進される。一方で代謝亢進により体力の消耗，不感蒸泄の増加による脱水傾向，心拍数の増加などの呼吸器系・循環系への負担が増加する。

　発熱している小児への罨法を行う際は，目的や影響を十分に理解したうえで，適切な方法で実施する。

4 小児に罨法を行ううえでの注意点

　小児に罨法を行ううえでの注意点としては，以下の点が挙げられる。
①小児は体温調節機能が未熟であり，罨法による局所や全身への影響が大きいため，疾病と症状の関連性を十分に理解し，目的に合わせて適切な方法を選択し実施する。
②人の温度感覚，快適と感じる温度には個人差があるため，罨法を行う際は必ず小児へ確認する。小児の場合，年齢によっては自らの感覚や，快・不快を適切に伝えることが難

しい。可能な限り本人に確認するとともに児の表情やバイタルサイン，家族からの情報も得て児の快適な温度を探る。
③小児は，身体症状の変化，不快感や苦痛を的確に表現できない。小児の体動により熱傷の危険性が生じることや，罨法が効果的に行われないことも考えられるため，小児の体動や活動範囲を考慮して使用する場所を工夫し，頻繁な観察が必要である。
④小児の皮膚は成人に比べて脆弱であり，容易に深部まで損傷する。罨法を行う際は皮膚の状態を観察し，発赤や痛みがみられた場合には直ちに中止する。

看護技術の実際

温罨法

- ●目　　的：感染症による体温上昇時の悪寒戦慄による不快感を緩和する
- ●適　　応：悪寒戦慄の強い小児
- ●必要物品（図14-1）：湯たんぽ（ゴム製），水温計，湯たんぽカバー，ピッチャー，温湯

湯たんぽ（ゴム製），湯たんぽカバー，水温計，ピッチャー
図14-1 温罨法の必要物品

方法	留意点と根拠
1　**小児の状態を観察し，湯たんぽの使用が適切かアセスメントする** 1）バイタルサインを測定する 2）小児の状態を観察する ・皮膚色 ・四肢冷感の有無 ・小児や家族の訴え	●発熱時の温罨法は，悪寒戦慄がある時期のみ行う
2　**必要物品を準備・点検する** 1）破損がないか点検する ・栓の確認（パッキンの摩耗状態） ・湯たんぽの破損 ・カバーの素材 ・湯たんぽに少量の湯を入れて栓を閉め，逆さまに振って漏れがないか（➡❶） 2）湯をピッチャーに入れて温度を調整する ・ゴム製を使用する場合は湯の温度は55〜60℃にし，温度管理に注意する（➡❷） ・プラスチック製は70〜80℃，金属製は80℃とする	●栓のゴムパッキンが摩耗していると漏れることがある ●水で確認作業を行うと湯を入れたときに湯たんぽの温度が冷めやすくなる ❶ゴムのパッキンは見た目だけでは判断できないため，湯を入れて再確認する ❷ゴム製の場合は60℃以上の湯を入れるとゴムを傷める。また，60℃以上の湯を入れた湯たんぽのカバーをかけた表面の温度は，43℃くらいになり，熱傷の危険がある

方法	留意点と根拠
3 湯を湯たんぽに入れる 1) 湯たんぽを平らな所に置き，片方の手で口元の部分を立てて入れる（➡❸） 2) 湯の量は2/3程度とする（➡❹） 3) 湯たんぽの口を上に向け，空気を抜く（図14-2）（➡❺） **図14-2 湯たんぽの空気を抜く** 4) 湯たんぽの口元から温湯の漏れがないことを確認する　栓が閉まって漏れがないか確認する（➡❻）	❸安定した場所で準備することで準備の際の事故を防ぐ ❹少なすぎると湯が冷めやすく，多すぎると湯たんぽの安定性が悪い ❺空気が入っていると熱伝導の効率が悪く，効果が十分に得られにくい ❻湯の漏れにより熱傷が生じたり，冷めた湯で悪寒を増強させる可能性がある
4 湯たんぽにカバーをかける（➡❼）	❼カバーをかけることで保温効果を高める ●カバーはネル生地などの厚手で袋状のものがよい（➡❽） ❽薄手の生地は，表面温度が高くなり熱傷の危険が高くなる。厚手の生地は，熱伝導率が低く湯の温度が低下しにくい
5 小児と家族に湯たんぽを実施する目的と注意点を説明する（➡❾） 家族が付き添っている場合は，湯たんぽを直接当てることによる低温熱傷の危険性や注意点を説明する	❾小児では，家族もケアに参加することが多いため
6 小児の足元から10cm以上離して使用する（➡❿）	❿体動により，直接触れて低温熱傷を起こす危険があるため ●小児によって体動の範囲が違うことを考慮に入れて使用する位置を決める。体動が激しい場合は，カバーを二重にする，観察回数を増やすなどの工夫をする ●小児の皮膚は脆弱であり，低温熱傷を起こす危険が高く，十分な注意が必要である
7 湯たんぽ使用時は30分ごとに観察する 1) 以下の点を観察する ・湯たんぽの位置 ・皮膚の状態 ・体温 ・小児や家族の訴え ・四肢冷感の有無 2) 悪寒戦慄が消失した場合や小児が嫌がる場合には使用を中止する（➡⓫）	●小児は不快感や苦痛などを的確に訴えられないため，身体状況を観察し，小児および家族の訴えを総合して温罨法の効果を判断する ●乳幼児では，40℃前後の温熱刺激が長時間加わることで組織細胞のタンパク質が変性し，熱傷を起こすことがある ●小児が嫌がる場合には，嫌がる原因が何かを探り，罨法の効果を判断する ⓫悪寒戦慄消失後も温罨法を続けると，不感蒸泄の増加による脱水や体内に熱がこもることによるうつ熱を引き起こす可能性がある

	方　法	留意点と根拠
8	後片づけをする 1）使用後は，湯たんぽの湯を捨てる 2）湯たんぽを逆さまにつるして陰干しし十分に乾燥させる（➡⑫） 3）保管時は，吸湿性がよく空気層をつくるものに入れる	⑫ゴム製品は熱と湿気に弱く，変質しやすい 〈消　毒〉 ●ゴム製品は消毒が難しく，感染源となる可能性もあるので取り扱いに注意する ●最近では，感染防止のためにこれまでの湯たんぽよりもCMC製品（ホットパックなど）の使用が勧められている

B 冷罨法

- 目　　的：発熱による不快感を緩和する
- 適　　応：発熱のある小児
- 必要物品（図14-3）：氷枕，氷枕カバー，留め金2個，氷，氷すくい，ざる，アイスピック，ピッチャー，水

図14-3　冷罨法の必要物品

	方　法	留意点と根拠
1	小児の状態を観察し，氷枕の使用が適切かアセスメントする（➡❶） 1）バイタルサインを測定する 2）小児の状態を観察する ・皮膚色 ・四肢冷感の有無 ・小児や家族の訴え	❶発熱時でも悪寒戦慄がある時期の冷罨法は不快感が強い ●発熱があっても，悪寒戦慄があるときに冷罨法を行うことにより症状が悪化する可能性もあるので注意する
2	必要物品を準備・点検する 1）破損がないか点検する ・氷枕の破損 ・留め金の破損 ・氷枕に少量の水を入れて漏れがないか（➡❷） 2）氷を準備する （1）氷をアイスピックで小さくする（➡❸） （2）氷をざるに入れて水をかける（➡❹）	●ゴムが摩耗していると亀裂から漏れることがある ❷ゴムの摩耗は見た目だけでは判断できないため，水を入れて確認する ❸からだに当てたときの使用感をよくする ●氷の大きさはクルミ大くらいとする。クラッシュアイスの場合は必要ない ❹氷の角をとり，からだに当てたときの使用感をよくする
3	氷枕に氷と水を入れ，留め金で止める 1）氷枕に氷を数個入れる（➡❺） 2）ピッチャーで氷枕に水を1/2〜2/3ほど入れる 3）氷枕の口を上に向け，空気を抜く（➡❻） 4）留め金2本を左右交互にはさんで止める（➡❼） 5）氷枕の口元から水の漏れがないことを確認する（➡❽）	❺小児は体温調節機能が未熟なため，低体温になることも考えられる。乳児では氷の量を少なくする ❻空気が入っていると熱伝導の効率が悪く，効果が十分に得られにくい。また空気を抜くことで頭部に貼用する際の安定性がよくなる ❼留め金の確実性を増すため ❽水の漏れによりからだがぬれて不快感を増強させる可能性がある

方　法	留意点と根拠
4 氷枕にカバーをかける 氷枕の地肌が露出しないように氷枕全体を覆うカバーをかける（➡❾）	❾氷枕が長時間同じ部位に直接当たると凍傷を起こすおそれがある ●留め金の部分が直接小児に当たらないようにする
5 小児と家族に氷枕を実施する目的と注意点を説明する（➡❿）	❿小児では，家族もケアに参加することが多いため
6 氷枕の中央に小児の頭が来るように当てる 冷たさや氷枕の高さ，安定性を確認する	
7 氷枕使用時は30分ごとに観察する 1）以下の点を観察する ・体温 ・全身の皮膚色や末梢の状態 ・四肢冷感 ・頭部の皮膚の状態 ・氷枕の冷たさ ・寝具や寝衣がぬれていないか ・小児や家族からの訴え 2）37.5℃以下になるか，四肢冷感が出現したらすぐに中止する	●小児は不快感や苦痛などを的確に訴えられないため，身体状況を観察し，小児および家族の訴えを総合して冷罨法の効果を判断する ●冷たすぎると不快感や痛みを伴うので，小児の反応や家族からの訴えを確認しながら判断する ●小児が嫌がる場合には，嫌がる原因が何かを探り，罨法の効果を判断する ●効果が十分みられたらすぐに除去する
8 後片づけをする 1）使用後は，氷枕の水を捨てる 2）氷枕を逆さまにつるして陰干しし十分に乾燥させる（➡⓫） 3）保管時は，吸湿性がよく空気層をつくるものに入れる	⓫ゴム製品は熱と湿気に弱く，変質しやすい 〈消　毒〉 ●ゴム製品は消毒が難しく，感染源となる可能性もあるので取り扱いに注意する ●最近では，感染防止のためにこれまでの氷枕よりもCMC製品（アイスノンなど）の使用が勧められている

文　献

1）浅野みどり編：根拠と事故防止からみた小児看護技術，第3版，医学書院，2020，p.331-333.
2）坪井良子・他編：考える基礎看護技術Ⅱ，ヌーヴェルヒロカワ，2005，p.303-309.
3）橋本政樹：発熱を正しく恐れよう，小児看護，45(4)：394-398，2022.
4）野中淳子監編：子どもの看護技術，へるす出版，2007，p.180-184.

15 ギプス

学習目標
- 小児におけるギプス固定に関する基礎知識を習得する。
- ギプス固定中の小児に必要な基礎知識を習得する。
- ギプス固定時，ギプス固定中に必要な知識・技術を習得する。

1 ギプス固定の目的

先天性股関節脱臼などに代表される脱臼や，骨折の整復後の固定と局所の安静，手術後の罹患部の安静と良肢位の保持，変形の矯正・予防を目的に用いられる。

2 ギプス固定の種類

ギプス固定は，強固な固定が必要な場合に用いられる。目的，固定部位，手術方法などにより，様々な種類がある（表15-1，図15-1）。ほかに，シーネやギプスシャーレがある。

表15-1 ギプスの種類と固定部位，圧迫されやすい部位と特徴

種類	固定部位	圧迫されやすい部位と特徴
短上肢ギプス（前腕〜手）	手関節部 手根骨部	橈骨・尺骨の茎状突起
長上肢ギプス（上腕〜手）	肘関節 前腕部	肘頭，内外上果 ※尺骨神経圧迫に注意
短下肢ギプス（下腿〜足先）	足関節 足根骨部	踵部，果部，腓骨小頭部 ※腓骨神経圧迫に注意
長下肢ギプス（大腿〜足先） シリンダーギプス（大腿〜足関節上部）	膝関節 下腿部	踵部，果部，腓骨小頭部 ※腓骨神経圧迫に注意 ※シリンダーギプスはギプス近縁によるアキレス腱部の皮膚損傷に注意
ヒップスパイカギプス（下部体幹〜足）	股関節部 大腿部	仙骨部，腸骨部，膝 ※座位をとることができない
体幹ギプス（ギプスコルセット）	脊椎	胸骨，脊椎，恥骨 ※腹圧上昇を避けるために腹部を開窓する（ボディキャスト症候群の防止）

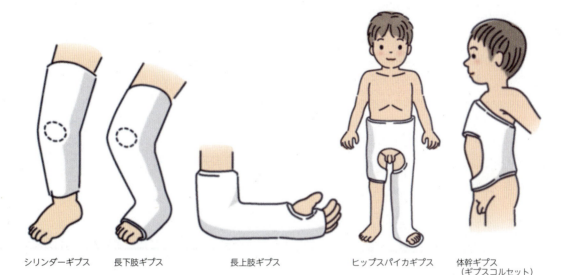

図15-1　小児によくみられる疾患とギプス固定

1）ギプスシーネ，ギプスシャーレ

ギプスシーネは，ギプスの素材を用いたシーネで，患部の安静を目的に骨折など急性期の腫脹が著しい場合や，頻回に創部の処置が必要な場合に用いられる[1]。ギプスシャーレは，ある程度骨折部の固定性が得られている場合に，ギプスを皿状に半分にカットし使用する。ギプスは患部を全周性に固定するため取りはずしできないが，ギプスシーネ，ギプスシャーレは半周固定のため取りはずしが可能で，弾性包帯により固定する。弾性包帯のゆるみや固定部位のズレがないか十分に確認する。

2）ギプス

ギプスは患部の状態が比較的安定し，創部のチェックが不要で，かつ確実な固定が必要とされる場合に用いられる[1]。ギプスには石膏ギプスとプラスティックギプス（水硬性樹脂ギプス）の2種類がある。石膏ギプスは安価で形状を自由に変形でき，取扱いも容易である

が，重くて水で軟化しやすい，硬化に時間がかかる，X線を通しにくいなどの欠点がある。プラスティックギプスは，X線透過性が良く水硬化性であるため，プラスティックギプスが主流となっている。

ギプス固定時の看護

ギプス固定時は，良肢位を保ち動かないで固定する。固定後は，固定部位をはさむ2関節の固定とギプスの重さなどで行動が制限され，これまでできていた遊びや活動，日常生活動作が難しくなる。

そのため，ギプス固定の前には，小児にプレパレーションを行う。小児の発達に合わせ，人形や絵，パンフレットなどを用いた説明とギプス固定中の生活を想定した日常生活動作の練習などを行い，ギプス固定中の生活を具体的にイメージできるように支援する。

小児への説明は，小児が体験することをイメージできるように，また見通しをもってギプス療法を頑張れるように，小児の発達段階に合わせわかりやすく伝える（表15-2）。

ギプス固定は医師が行うが，看護師は処置中に小児が良肢位を保持できるように声をかけ，ディストラクションを行うなど，小児が頑張れるように援助する。

処置終了後は，ギプスの辺縁の皮膚の損傷や発赤を予防し，ギプスの破損防止のために，テーピングなどでギプス辺縁を保護する。

ギプス固定中の看護

1）固定の維持

良好な患部の固定を保ち，ギプスによる二次障害を予防するには，ギプス固定した部位の良肢位と良い姿勢を保つことが必要である。具体的には，ベッド上や車椅子上で足台や枕などを使用して，肢位および姿勢を整える。

表15-2 小児への説明の例

小児への説明項目の例	具体的な内容
ギプス固定の目的	・なぜ，何のために必要なのか
方法	・いつ，どこで，誰が，どうやって行うのか ・どこを固定するのか ・ギプスを巻くときの体位と所要時間
ギプスを巻くときの感覚的情報	・熱くなる ・固まる ・痛くない
ギプス固定の期間	・骨がどうなったらギプスがはずせるのか ・いつギプスがとれるのか
ギプス固定中の生活	・ギプスが重く，バランスを崩しやすい ・移動・清潔・排泄の方法 ・遊び・学習の方法

2）安全への配慮

固定やギプスの重みにより身体のバランスが崩れやすくなり，転倒・転落のリスクが高くなる。車椅子への移乗，車椅子での自走，松葉杖や歩行器での歩行は，理学療法士と共に，小児が安全な方法を獲得できるように援助する。また，行動制限を最小限にして学習や遊びを継続し，小児のストレス緩和と成長・発達を促す。

3）日常生活援助

固定部位により様々な日常生活動作が制限され，介助が必要になる。できる限り小児が自分でできるように工夫する。

（1）食　事

活動が制限されることによってエネルギー消費が少なくなり，食事・水分の摂取不足になりやすい。固定部位によってはベッド上で排泄することになり，便秘になりやすい。食事や水分を摂りやすい体位を工夫する。

（2）排　泄

ヒップスパイカギプスでは，排泄物によりギプスが汚染されやすい。ギプスの汚染が予想される部分に被覆材などを使用して保護や，おむつをギプス内に入れ込む[2]などの工夫をして清潔を保てるように工夫する。

（3）衣　服

着脱しやすいように袖や裾にゆとりがあり，伸縮性のある素材を選択する。ギプスの種類・部位によって，衣服の端を切りスナップボタンを付け着脱しやすくするなどの改良を行う。

（4）清　潔

医師の許可があれば，固定部位をビニールで覆い，ギプス内に水が浸入しないよう留意してシャワー浴を行う。体幹ギプスやヒップスパイカギプスの場合には，清拭を行う。ギプス内が湿潤すると，皮膚障害や褥瘡の発生，手術創部の感染を起こす要因となるため，十分に注意する。

5　ギプス固定中の二次障害の予防と観察のポイント

1）循環障害

手術後や骨折の場合，患部の出血や腫脹のため，ギプス内が圧迫され循環障害が生じることがある。特にギプス固定後24時間は注意して観察する。

循環障害の観察は，疼痛の有無，ギプス固定部より末梢側の皮膚色・爪床色，冷感の有無，脈拍の有無，手指の知覚障害の有無，運動障害の有無，腫脹の有無・程度などの血管閉塞徴候について，健側と比較し十分に観察する。異常がみられた場合はすぐに医師に報告し，減圧のためにギプスに割を入れるなどの処置が必要になる場合もある。

（1）フォルクマン拘縮

小児に多い上腕骨顆上骨折後に起こりやすい。上腕動脈が圧迫や損傷を受けて血行が障害されると前腕屈筋群が壊死し，同部の神経が傷害され，前腕屈側の萎縮・硬化，手関節・

手指関節の不可逆的な拘縮が生じる。

(2) コンパートメント症候群
　四肢の外傷や循環障害によって筋膜と骨とで仕切られた区画（コンパートメント）のなかの組織圧が上昇し，筋肉の阻血性壊死と神経麻痺を生じる。早期に対処しなければ不可逆的な拘縮を生じる。前腕と下腿に生じやすい。

2) 神経障害
　ギプス・シーネによる神経走行部位の直接的な圧迫や患部の腫脹などによる二次的な圧迫が原因となり生じる[3]。上肢では橈骨神経・正中神経・尺骨神経麻痺，下肢では腓骨小頭部の圧迫による腓骨神経麻痺に注意する。

　ギプス装着中は，放散する痛み，知覚鈍麻やしびれなどの神経障害，運動障害などの観察を健側と比較して行う。異常を確認したらただちに医師に報告し，圧迫部位の開窓やギプスの除去を行う。足台や枕などを利用して，良肢位を保持することが大切である。

3) 皮膚障害と褥瘡
　骨の突出部やギプス辺縁部などによって圧迫を受けると，皮膚障害や褥瘡が生じる。

　圧迫部の痛み，皮膚の発赤，表皮剝離，しびれ，瘙痒感，分泌液，悪臭，発熱の有無，栄養状態の観察・アセスメントを行う。圧迫が続くと圧迫部位の壊死に陥ることもあるため，こまめに皮膚状態を観察する。

　皮膚障害や褥瘡を予防するために，ギプス固定の際に綿包帯などで皮膚を保護し，ギプスの辺縁が皮膚に当たらないようにギプス辺縁を布テープで保護する。シーネの場合は皮膚を観察し，綿包帯を皮膚とシーネの間に入れて除圧，被覆材で皮膚を保護することで圧迫を予防する。

4) その他
(1) キャスト症候群
　キャストとはギプスのことで，体幹ギプス後2週間以内に，上腸間膜動脈の圧迫により悪心・嘔吐，腹部膨満感，便秘などのイレウス症状が出現する。体幹ギプスの腹部を開窓し，腹部を圧迫する姿勢を避けるよう注意する。
(2) 筋力低下
　患肢の筋を使用しないため，筋力低下が生じる。筋力保持のため，床上リハビリテーションを理学療法士と共に実施する。
(3) 瘙痒感
　ギプス固定で不感蒸泄が妨げられるため，瘙痒感が生じやすい。瘙痒感が持続すると大きなストレスとなるが，ギプス内に棒などを挿入してかくことは皮膚を傷つける可能性があり危険である。ギプスの上から冷罨法を実施したり，ギプス周囲を清拭するなどして，瘙痒感の軽減を図る。

6 家庭でのケア，退院後の生活への支援

1）ギプスによる二次障害とその観察方法

小児は発達段階によっては症状を訴えることができないため，観察方法を家族に伝える必要がある。学童期や思春期の小児の場合には，注意してほしいことを小児にも伝え，自分自身で異常がわかるようにセルフケア能力を高めるよう援助する。

2）ギプスの取り扱いと安全面への配慮

ぬらすこと，ぶつけて破損することがないように説明する。ギプスの重みと行動が制限されることでバランスを崩し転倒しやすいため十分に注意することを説明する。

ギプスをしたまま登園・登校する場合には，事前に学校などと調整を行う。下肢のギプス固定で松葉杖や車椅子を使用しなければいけない場合には，エレベーターの使用，靴の脱着時の椅子の使用などについて，相談・調整することが必要である。

3）日常生活援助

シャワー浴の方法，排泄の介助方法，おむつの当て方，移動時の介助方法など，入院中から家族が体験できるよう配慮し，ケアの方法を習得できるように援助する。

7 ギプスカット時の看護

ギプスカット時は，皮膚に切創が生じることはないが，摩擦熱で損傷を起こすことがあるため，動かずに行うことが重要である。

ギプス固定時と同様に，プレパレーションを実施し，具体的な方法，からだに感じる感覚，痛くないこと，音，体位を説明する。ギプスカッター（図15-2）とその音に恐怖を感じやすいため，ギプスカッターを事前に見る，音を体験するなど，具体的なイメージをもって臨めるようにする。

写真提供：株式会社 YDM

図15-2　ギプスカッター

看護技術の実際

A ギプス巻き時の介助

- 目　的：脱臼の整復後の固定，手術後の罹患部の安静・良肢位の保持，変形予防・矯正
- 適　応：先天性内反足，上肢・下肢の長管骨骨幹部骨折，上腕骨顆上骨折，先天性股関節脱臼の臼蓋形成術後など
- 必要物品：ギプス包帯（医師に確認し，固定部位に合わせたサイズと本数を用意），下巻き用綿包

帯（オルテックス®），下巻き用綿チューブ包帯（ストッキネット®），手袋，バケツ，水，新聞紙，はさみ，ギプス刀，保護用布テープ

	方　法	留意点と根拠
1	患児にプレパレーションを行う 事前に実施場所を見学したり，実際の物品を見せたりする（➡❶）	●患児への説明は**表15-2**を参照。プレパレーションは，小児の発達に応じた方法で，患児に合わせたタイミングで行う ❶ ③「ギプス固定時の看護」p.352参照
2	必要物品をギプス室または処置室に準備する 1）床に新聞紙などを敷いておく（➡❷） 2）室温を調整し，患児の保温に留意する（➡❸） 3）患児の好きな音楽を流す，好きなおもちゃを持参してもらうなど，リラックスして頑張れる環境を整える（➡❹）	❷こぼれた水による床の汚染・転倒を予防する ❸ギプスの範囲によっては身体の露出が多い。またぬれたギプスにより気化熱が奪われやすい ❹ギプス固定中の緊張緩和，ディストラクションを行う
3	ギプス室（処置室）へ誘導する 1）排泄を済ませるよう伝える 2）ギプス室（処置室）へ誘導する 3）ギプス固定部位を清拭する	
4	患児の体位を整える 1）処置台に処置用シーツを敷き，患児に処置台に乗ってもらう 2）衣服を脱ぎ，ギプス固定する部位を露出してもらう 3）患肢を固定する	●ギプス装着部位に創などがないか確認する。あれば，創の被覆を行う ●ギプス装着部位以外の露出部は，タオルなどをかけ保温する ●患児の姿勢を整え，動かないように介助する。適宜患児に声をかけ，実施内容や協力してほしいことを伝える
5	ギプスを巻く介助をする 1）医師，看護師は手袋を装着する（➡❺） 2）ストッキネットをギプス固定部位より長めに切っておく（➡❻） 3）医師が患肢にストッキネットを被せ，その上から下巻き用綿包帯（オルテックス®）を巻く（図15-3）（➡❼）。下巻き用綿包帯は，ギプス端部，骨突出や神経が皮膚表層部を走行している部位は厚めに巻く（➡❽） 4）看護師がギプス包帯を開封し，両手で持つ 5）ギプス包帯を水中に入れ水分を含ませる 図15-3　下巻き用綿包帯の巻き方 6）ギプス包帯の両端を軽く持ち，軽く余分な水分を取り除く（➡⓫） 7）ギプス包帯のロールの端を引き伸ばして先端部を持ち，医師に渡す	❺プラスチックキャストが直接皮膚に触れると皮膚炎を起こすことがある ❻ストッキネットは皮膚表面を保護し，ギプスの両端で折り返せるようにする ●しわやたるみがないことを確認する ❼綿包帯は表層を走行している血管や神経の圧迫予防の目的で巻く ❽ギプスによる二次障害を予防する。ギプス端部が薄いと硬化した際に鋭くなり，皮膚が圧迫されやすくなる❶ ●水は常温（20〜24℃）を用いる（➡❾） ❾水温が高いと硬化時の発熱温度が高くなり，硬化速度が速くなる ●ギプスを巻く直前に1巻ずつ行う。複数本使用する場合には，巻き終わりと同時にギプス包帯を医師に渡せるようにする（➡❿） ❿ギプスは水に浸すと約5分で硬化が始まる ●水中に浸ける時間は気泡が出なくなるまでを目安とする ⓫ギプス包帯は水中でもむと硬化の速度が速くなる。採型まで十分な時間が確保できるように，水が滴り落ちない程度に軽く絞る。絞りすぎると硬化が急激に促進される

方法	留意点と根拠
8) 別の介助者が患児の固定を行い，ギプス面を手掌全体で支える（➡⓬） 9) 医師がギプス包帯を転がすように末梢から中枢へモールディングしながら巻く（図15-4） 10) 看護師は患児が良肢位を保持できるように援助する	⓬介助の際に手指でギプスを強く押し，くぼみができると，部分的に変形し皮膚や神経の圧迫につながる 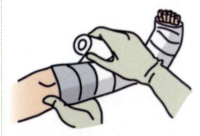 図15-4 ギプス包帯の巻き方
6　ギプスの圧迫部をチェックし，辺縁部を整える（図15-5） 1) ギプスが当たっていないか，締め付けられるような痛みやしびれなどの神経障害がないか，患児に確認し，必要時辺縁部をカットする（➡⓭） 2) ギプス辺縁にストッキネットを折り返し，テープ固定する	⓭ギプスの辺縁部による皮膚の損傷を予防する  図15-5 辺縁部の処理
7　患児に終了を伝える 1) 頑張ったことをねぎらう 2) ギプスの乾燥までの時間と熱くなることなどを説明する	
8　ギプス固定後は患肢を挙上し，注意深く観察する 1) 上肢ギプスの場合は，三角巾で固定する（図15-6） 2) ヒップスパイカギプスの場合は，陰部・殿部付近のギプスの汚染を防止する（❹「ギプス中の看護」の（2）排泄，p.353参照）	● 循環障害・神経障害・皮膚障害の有無について，ギプス固定後24時間は特に注意して観察する  図15-6 上肢ギプスの三角巾による固定

❶島田雅子・金子綾子・富井千波：上肢のギプス・シーネ固定中の看護，整形外科看護，17（11）：1076-1083, 2012.

文献

1) 鈴木浩司・中瀬尚長：ギプスとシーネって何が違うの？，整形外科看護，16（11）：1105-1106, 2011.
2) 岩瀬大：子どもの股関節の看護，整形外科看護，23（8）：58-59, 2018.
3) 島田雅子・金塚綾子・富井千波：上肢のギプス・シーネ固定中の看護，整形外科看護，17（11）：1076-1083, 2012.
4) 浅野みどり編，杉浦太一著：根拠と事故防止からみた小児看護学技術，第3版，医学書院，2020, p.475-482.

16 牽引

学習目標
- 牽引療法の目的，方法を理解する。
- 小児の牽引療法に伴う身体的・精神的苦痛および発達面への影響を理解する。
- 小児の牽引療法により起こりやすい二次障害を理解する。
- 小児が牽引を継続して効果的に行うための看護援助を習得する。

1 牽引療法とは

　牽引療法は，四肢や体幹に持続的に牽引力を加え，治療する保存的治療法の1つである。治療目的としては，骨折や脱臼の整復，除圧・免荷，肢位の矯正，骨の延長などが挙げられる。治療効果を得るために，肢位や体位を治療目的に沿って整えるポジショニング[1]が重要となる。患肢に長軸方向へ持続的に引っ張る力を加えることで漸次整復位にしていく一方，筋や骨膜も引っ張ることで副子の役割をさせることができる[2]。

2 小児の骨の特徴

　胎生期における骨格の形成は，受精の約6週間後頃に始まる[3]。胎生期や生後の発育期に間葉細胞や軟骨が骨に置き換わることを骨化とよぶ。特に，成長軟骨は，思春期から青年期前までに骨化し，最終的に身長の伸びが停止する。

　小児期に牽引療法を必要とする疾患には，先天性股関節脱臼や先天性股関節炎，臼蓋形成不全などの先天的素因に基づく疾患や，骨折や関節炎，ペルテス病（小児の大腿骨頭に起こる虚血性壊死）などの後天的素因に基づく小児期特有の疾患がある。

　小児の骨は弾力性に富んでおり，骨膜は大人と比較して厚く強靭であり血行に富んでいる。また，骨の成熟が完成するまでは旺盛な骨癒合能力を有する。小児は，骨折しても成長とともに自家矯正・再造成させていく能力がある[4]。この能力は，骨折や脱臼などで骨の移動（転移）が生じた場合でも優れた矯正作用を有し，軽度ないし中等度の屈曲変形もよく修正される[5]。このため，小児の骨折のほとんどで，保存的治療である牽引療法が行われる。一方，骨端部骨折で骨が移動している場合や，関節内骨折で整復されない場合は，正確な解剖学的整復が必要なため外科的治療を要する[6]。

3 小児の牽引療法

1）牽引の目的
①骨折・脱臼などの骨の移動（転位）と変形を矯正して整復し固定する。
②斜頸などの術後で、切離した筋の短縮を防ぐ。
③関節の安静、拘縮による変形の予防、術後の安静・固定など。

2）牽引方法

骨に直接牽引をかける直達牽引（図16-1）と皮膚を介して牽引を行う介達牽引（図16-2〜16-6）がある。また、牽引を24時間継続して行う持続牽引と夜間のみや食事や排泄以外の時間に継続して行う間欠的牽引がある。

重錘の重さは、受傷部位、患児の体重、年齢、受傷部位周辺の筋群の程度により決定する。重錘が重すぎると骨折の場合、骨折部の離開や癒合を妨げることになり、軽すぎると骨折部の短縮による変形、骨折部の不安定性、痛みの継続などが起こる[7]。

いずれの牽引方法を選択する場合も、安全・確実に実施できるよう小児の生活を整えることが重要である。

小児に行われる主な牽引の種類を以下に挙げる。

- 上腕骨顆上骨折：垂直牽引法（図16-2）
- 大腿骨骨幹部骨折
  5歳以下：垂直（ブライアント）牽引法（図16-3）
  5〜6歳以上：鋼線牽引を用いた90度−90度牽引法（図16-1）
- 斜頸：グリソン牽引法（図16-4）
- 先天性股関節脱臼：水平牽引、垂直牽引、オーバーヘッド牽引、外転（開排）牽引の4段階の保存的治療を行う（図16-5）
- 骨折、ペルテス病の保存的治療、股関節脱臼の観血的整復術後：スピードトラック牽引（図16-6）

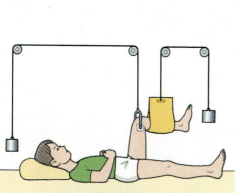

図16-1　直達牽引：大腿骨骨幹部骨折に対する90度−90度牽引法（5〜6歳以上）

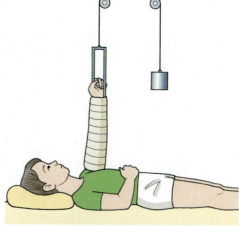

図16-2　介達牽引：上腕骨顆上骨折に対する垂直牽引法

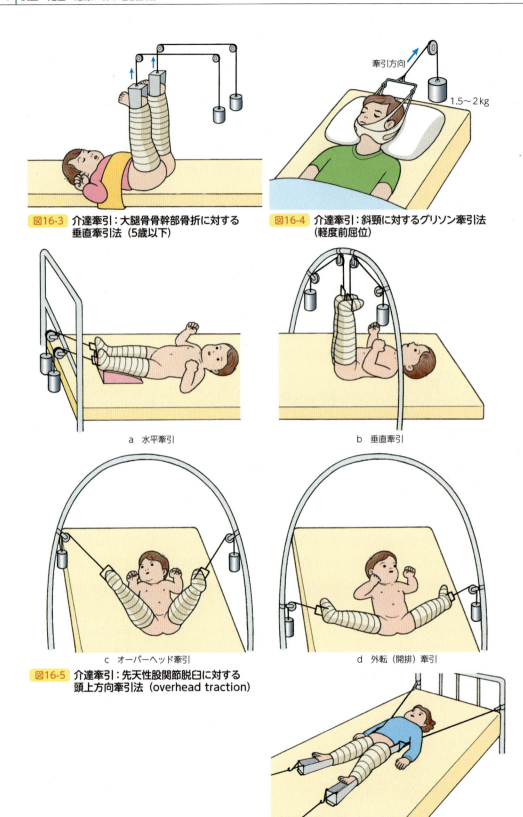

図16-3 介達牽引:大腿骨骨幹部骨折に対する垂直牽引法(5歳以下)

図16-4 介達牽引:斜頸に対するグリソン牽引法(軽度前屈位)

a 水平牽引

b 垂直牽引

c オーバーヘッド牽引

d 外転(開排)牽引

図16-5 介達牽引:先天性股関節脱臼に対する頭上方向牽引法(overhead traction)

図16-6 介達牽引:スピードトラック牽引

表16-1 介達牽引に伴う二次障害の観察

循環障害	末梢部の皮膚の色調変化，疼痛・しびれ感・冷感・浮腫の有無
神経麻痺	しびれ感・知覚鈍麻・運動異常の有無 ※下肢が外旋位になることで，腓骨神経麻痺を起こしやすいので注意する
皮膚障害	発赤・腫脹・湿疹・水疱・皮膚剥離・びらんの有無
疼痛	痛みの原因を探り，原因の除去や適切な鎮痛薬を使用する
精神状態	いらつき，抑うつ状態，食欲，睡眠状況，遊びの様子などから観察する
便秘	食欲，排便回数，便性
尿路感染	哺乳量，水分摂取，排尿回数，尿の性状

表16-2 介達牽引中の観察ポイント

- 正しい肢位の保持はできているか
- 牽引方向は適切か
- 指示どおりの重さの重錘で，床についたりしていないか
- 牽引ロープが正しく設置され，ベッド柵や布団などに接触していないか

3) 牽引療法により起こりやすい二次障害

　直達牽引では，鋼線刺入部の感染の危険があり，細菌の侵入は骨髄炎を引き起こすおそれがある。

　介達牽引は，循環障害，神経障害のほか，皮膚障害などが起こる危険性がある（表16-1）。異常な所見を自ら伝えることができない小児の場合は，十分に観察し，二次障害を早期に発見する（表16-2）。

4 牽引中の患児の看護

1) 牽引による患児と家族への影響

　乳児期では，粗大運動の発達が著しい時期に牽引療法が開始となるため，運動機能獲得に影響を及ぼす。さらに，入院治療に伴う母子分離により精神的影響も受けやすい。

　幼児期では，疾患に伴う疼痛や跛行などの症状出現時，骨折などの受傷に伴い牽引が行われることが多く，牽引開始時期は痛みによる苦痛や恐怖心が強い。さらに，牽引による体動制限や，長期間の安静臥床を強いられるうえに，効果的に牽引を行うために，安静ジャケットなどを着用することで身体的・精神的苦痛が大きい。特に，幼児期後期は，これまでに獲得していた生活習慣が行えなくなることに苦痛を感じ，退行現象がみられるなど大きな影響を及ぼすことがある。

　学童期は，臥床での生活によって学習や日常生活への支障が生じる。牽引の必要性や見通しなどが十分に理解できないことで，自ら牽引をはずしてしまう患児もいる。

　小児期は，全般的に理解力や認知的能力が未熟なため，牽引療法の受け入れが難しい時期である。また，牽引に伴う二次障害においても，患児自身が異常に気づかない場合や，言葉で的確に訴えられないために異常を早期発見することができず，回復や予後に影響を

及ぼす可能性がある。安全で効果的に牽引を行い，牽引に伴う二次障害を防ぐには，患児が自分の身体の状況と牽引の必要性を理解し，納得して牽引が実施できるような看護援助が求められる。

家族にとっても，牽引療法は不安や戸惑いが大きい治療である。突然の受傷や先天性の疾患の治療のために行われる牽引療法の必要性は理解しても，患児の示す苦痛や恐怖心に困惑し，効果的な牽引への協力ができない家族もいる。家族が牽引の必要性を十分に理解し，患児へのケア能力を獲得していくための援助が必要となる。

2）看護のポイント
（1）全身状態の把握，アセスメント
牽引前に患児の全身状態を把握するために，バイタルサインや患部の状態（創部の状態，出血・腫脹・疼痛の性質・程度），機嫌，活気などを観察する。

牽引開始後は，効果的な牽引が行えているか，牽引部や体幹の位置，牽引の器具を確認する。特に，牽引に伴う障害が起こっていないかを定期的に注意深く観察する（表16-1参照）。

幼児期後期以降では，しびれや痛みを感じたときは，速やかに看護師に伝えるように説明する。

（2）患児への理解の促し
小児の発達段階により理解の程度は様々であるが，自分の身体に起こっていること，牽引がなぜ必要なのか，治療することで何ができるようになるのか，いつ頃牽引が終わるのかなどの見通しも含めて，わかりやすく説明する。さらに，牽引中にできることとできないことを説明し，できない場合にどのように代用するとよいのかを患児と相談して決める。

言葉による説明だけで理解が得られにくい場合は，模型や人形，絵や写真などを用いて，具体的にイメージできるように説明を工夫する。患児は，牽引が自分にとって重要なことであると理解できると，主体的に治療に参加できるようになる。

家族が，牽引の必要性や効果的な牽引方法を十分に理解していない場合は，患児への説明の際にできるだけ参加してもらい，家族からも患児に効果的な牽引を促せるよう支援する。

（3）環境整備，物品の準備
牽引中に他者が牽引装具に接触する，あるいは引っ張るなどの外圧がかかることで，患部の仮骨形成に影響が生じる。重錘に他者が直接触れないように，重錘を壁側に向けるなど，ベッドの向きや配置を調整する。

また，牽引中に患肢が正しい向きで牽引されていないと，腓骨神経などが圧迫され，神経麻痺を起こす危険性がある。クッションなどを用いて良肢位を保ち，注意深く観察する。

（4）食　事
持続牽引の場合は，臥床したままの姿勢で食事をすることになる。活動制限により食欲が低下することもあるため，配膳された食事を見てもらい，好きなおかずを尋ねるなど食欲が増すように働きかける。

また，臥床したままの咀嚼・嚥下は苦痛となることがある。ベッドのギャッチアップが何度まで可能か医師に確認し，頭部を挙上する。頭部の挙上が難しい場合は，指示の範囲内でクッションなどを用いて食べやすい姿勢を保持する。

食事は，食べやすいように一口サイズにし，フォークやスプーンに一口分すくい，自分で口まで運ぶように促す。主食のごはんは，ラップに包んでおにぎりにするなど，自分のペースで食べられるように工夫する。

水分は，ストローなどを使用し，患児が主体的に摂取できるようにする。

(5) 清　潔

牽引中は，手軽に手洗いやうがいが行えないため，清潔保持が困難となる。

新陳代謝の活発な小児は，発汗などで皮膚が汚れやすく，寝たきりにより背部や踵部などに皮膚トラブルを引き起こす危険性が高い。

牽引中の清潔ケアについて，いつもと異なる環境や方法でも安心して気持ちよくケアが受けられることを説明し，準備を万全にして最善の方法で実施する。

また，清拭や体位変換時は，安全に行うために必ず複数の看護師で行う。

直達牽引の際は，医師が重錘と同じ程度の力で徒手牽引を行い，患部の安静を保持しながら清拭を行う。触れることで起こる痛みを最小限にするため，患肢は最後に清拭し，そのまま着衣することで，短時間で済むよう配慮する。

(6) 排　泄

牽引中は，ベッド上で臥床したままの排泄となる。

幼児期前期はおむつを使用していることが多い。頻繁におむつを交換し，清潔保持に努める。

トイレットトレーニングを開始していた患児の場合，排尿・排便の訴えを確認し，ベッド上で尿器を用いて排尿できるよう働きかける。

幼児期後期は，健足で体重を支えて殿部を持ち上げてもらい，おむつや尿器，便器を使用して排泄できるよう援助する。排尿時は，尿が飛び散らないように，尿器入口にトイレットペーパーなどを丸めて入れ，尿を吸収させる。排便後は，速やかに片づける。

排泄が自立している幼児では，おむつは夜間のみ使用し，日中は下着に替えるなど，生活にメリハリをつける。下着は，マジックテープなどを縫い付け，着脱が容易にできるようにする。

牽引中は，活動制限に伴う食欲低下，腸蠕動運動や腹筋力の低下により腹圧がかかりにくく便秘になりやすい。食事・水分摂取をすすめ，腹部のマッサージや，必要時，緩下剤を使用するなど，排便コントロールを行う。排便習慣について患児に理解してもらい，便意があるときは，タイミングを逃さないように指導する。

(7) 遊び，学習

牽引の持続は，ベッド上での限られた生活を強いるため，他者との交流をもつ機会が減少する。また，探索活動などの活動性や，体験できることが減少し，自己を表現することや様々な刺激を受けることが少なくなり，ストレスが増大し，劣等感を抱く可能性もある。

乳幼児期の患児には，保育士の協力を得て遊びの時間が十分に確保できるよう調整し，遊びの内容を検討し，動かせる部位での遊びを取り入れる。また，季節の変化が感じられるように，行事を取り入れたり，飾り付けを工夫する。

学童期以降の患児は，1日の生活予定表などを自分で作成し，スケジュールを決めて主体的に生活ができるように見守る。また，院内学級などで学習できるよう調整し，同学年

の子どもとの交流がもてる機会を増やす。

（8）評価のポイント

以下の点を観察しアセスメントする。

・生理的機能が維持できているか。
・自分の身体で起きていることを理解し，牽引に主体的に取り組んでいるか。
・患児や家族が今後の見通しをもって取り組んでいるか。
・限られた生活のなかでも工夫して遊びや学習に取り組んでいるか。

看護技術の実際

A 直達牽引の介助

- 目　　的：骨に釘や鋼線などを直接刺入し固定したうえで，鋼線を介して骨折の整復を保持し，仮骨の形成を待つ（図16-1参照）
- 適　　応：6～13歳で，大腿骨骨折により，牽引療法が必要な小児
- 必要物品：馬蹄型緊張弓，キルシュナー鋼線，電動ドリル，ガーゼ，切り込み入りガーゼ，皮膚消毒薬，滅菌手袋，局所麻酔用品（滅菌されたもの）

	方　法	留意点と根拠
1	**全身状態を把握しアセスメントする** バイタルサイン，患部の状態（創の状態，出血・腫脹・疼痛の有無），機嫌，活気などを観察する	
2	**必要物品を準備・消毒する** 1）周囲の環境を整理し，清潔野を確保して，物品を準備する 2）キルシュナー鋼線などを消毒する	●刺入および装具装着は，無菌的操作で行う
3	**患児に以下の点を説明し，不安の緩和に努める** 1）牽引の目的，方法 2）安静度 3）局所麻酔で行うため痛みが緩和されること 4）電動ドリルの使用時に大きな音がすること	●自分の身体を鋼線が貫くことはショッキングなことであり，牽引期間が長くなる場合は精神的苦痛も大きい。患児の発達段階や理解度に合わせて十分に説明する ●幼児期後期以降の患児には，しびれや痛みを感じたときは，速やかに看護師に伝えるように説明する
4	**消毒・麻酔をする** 1）医師が，鋼線刺入部位の消毒と局所麻酔を行う 2）看護師が刺入部を消毒し，馬蹄形緊張弓を付け，ガーゼで覆う（→❶）	●医師，看護師共に無菌的操作で実施する ●鋼線の鋭利な両先端は，そのままでは危険なため，ゴム栓などで保護する ❶外部からの汚染を防ぐ
5	**キルシュナー鋼線を刺入する** 1）介助者以外の看護師が体幹や患肢を支える 2）刺入時は医師と共に患児に声をかける（→❷） 3）鋼線刺入中は，患児の顔色，呼吸状態，反応を観察する	❷刺入時は，電動ドリルの音と振動により，患児の緊張感と恐怖心が増すため，適宜声をかけ，リラックスできるよう援助する

方法	留意点と根拠
4) 刺入後，馬蹄型緊張弓が皮膚に触れていないことを確認する（図16-7）（➡❸）	❸馬蹄型緊張弓や留金が皮膚に接触していると，褥瘡や傷の原因になる

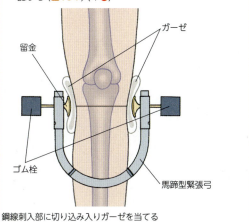

鋼線刺入部に切り込み入りガーゼを当てる

図16-7 キルシュナー鋼線刺入部の保護

方法	留意点と根拠
6　固定する 1) 牽引患部の安静保持のため，砂のうで固定する（➡❹） 2) 保温に留意する（➡❺）	❹牽引部が引っ張られるなどの外力が加わると，鋼線刺入部に負荷がかかり，刺入部の損傷を招く ❺外気が患肢に直接触れると体温を奪われやすい
7　牽引後の看護ケアを行う 1) 下肢牽引時は，特に排泄後の刺入部の汚染や体動時の牽引のずれなどに注意して観察する（➡❻） 2) 鋼線刺入部は，消毒と切り込み入りガーゼを毎日交換し清潔を保つ（➡❼） 3) ガーゼ汚染の有無（滲出液の色，量，においなど）を観察し，異常があればただちに医師に報告する	❻肢位を変えるなどで重錘をはずす場合は，必ず徒手牽引して肢位を保持する ❼細菌の侵入によって骨髄炎を引き起こすおそれがある

B 介達牽引（スピードトラック牽引，絆創膏牽引）の介助

- **目　的**：（1）骨折，脱臼などの転移を整復し固定する，または整復を容易にするための準備
  　　　　　（2）関節の安静，拘縮による変形の防止，術後の安静・固定など
- **適　応**：（1）乳児期の先天性股関節脱臼
  　　　　　（2）学童期のペルテス病により介達牽引が必要な小児
- **必要物品**：重錘，重錘架，弾性包帯（エラスコット弾力包帯），スピードトラック用牽引バンド，スポンジ，滑車用ロープ，滑車，スプレッダーバー

方法	留意点と根拠
1　全身状態を把握しアセスメントする バイタルサイン，患肢の皮膚の状態（発赤・腫脹・湿疹・水疱の有無），機嫌，活気などを観察する	
2　患児に以下の点を説明し，不安の緩和に努める 1) 牽引の目的，方法 2) 安静度	●患児の発達段階や理解度に合わせて十分に説明する

方　法	留意点と根拠
3 弾性包帯を巻く 1）スピードトラック用牽引バンド（以下，バンド）を2つに折り，輪になるほうを先端にして，患肢の両側面に付けて巻く（図16-8） 皮膚の色，温かみ，腫脹を観察する　　弾性包帯 腓骨神経麻痺に注意　　　　　　牽引方向 スポンジ面　　スピードトラックバンド **図16-8 弾性包帯の巻き方** 2）弾性包帯を末梢から中枢に向かって巻く。足首の巻き始めは，環行帯で2回巻いてから，らせんに巻いていく 3）折り返し部分まで巻いたら，バンドを折り返し，上から弾性包帯を巻く	●かぶれやすい場合は，ガーゼなどで患肢を覆う ●バンドのスポンジ面を内側にして皮膚を保護する ●弾性包帯は，引っ張らずに皮膚に沿わせるようにして巻く（➡❶） ❶引っ張りながら巻くと，牽引時，皮膚に負荷がかかり，循環障害を起こす可能性がある ●腓骨小頭下部まで巻いたら，バンドを折り返して，その上から弾性包帯を巻くことで，牽引がはずれないようにする（➡❷） ❷腓骨小頭を圧迫しないように保護することで，腓骨神経麻痺を予防する
4 牽引を開始する 1）牽引金具をバンドの輪の部分に掛け，重錘につながった牽引用ロープと接続する（図16-6参照） 2）接続した後は，ゆっくり手を放して牽引状態を確認する	
5 牽引後の看護ケアを行う 1）腓骨小頭の側面や踵部にスポンジを巻く（➡❸） 2）毎日，バンドをはずして観察，清拭，巻き替えを行う	❸下肢の外旋による腓骨頭の圧迫や踵部の圧迫を防ぐ

文　献

1) 箭野育子：骨・関節・脊椎に疾患をもつ人への看護＜ナーシングレクチャー＞，中央法規出版，1998，p.56.
2) 加藤公：骨折・脱臼・捻挫の治療の進め方，内田淳正・加藤公編，カラー写真でみる！骨折・脱臼・捻挫〈ビジュアル基本手技2〉，羊土社，2005，p.24.
3) Martini F, Timmons MJ, Mckinley MP著，井上貴央監訳：カラー人体解剖学—構造と機能 ミクロからマクロまで，西村書店，2003，p.90.
4) 笹益雄・青木治人：小児骨折の特異性—その臨床像・分類と予後，小児看護，23（11）：1474，2000.
5) McRae R著，小野啓郎監訳：図解 骨折治療の進め方，医学書院，1984，p.58.
6) 前掲書4），p.1477.
7) 光野佳代：牽引時の看護，整形外科看護，17（11）：1098-1103，2012.
8) 山元恵子監：新訂版 写真でわかる整形外科看護アドバンス，インターメディカ，2021，p.47-64.
9) 塩田直史編：まるごと骨折これ1冊—決定版！もう苦手とは言わせない，整形外科看護2018年春季増刊，メディカ出版，2018，p.59-62.

17 ストーマケア

学習目標
- 小児期にストーマを造設する疾患について理解する。
- 小児の発達段階によるストーマケアの特徴を理解する。
- ストーマをもつ小児とその家族への援助技術を習得する。
- 退院に向けて，小児と家族にストーマのセルフケアの指導ができる。

1 小児期にストーマを造設する疾患

　ストーマとは，消化器や尿路を人為的に体外に誘導して造設した開放口であり，前者を消化管ストーマ，後者を尿路ストーマという。尿路ストーマケアでは総排泄腔などの疾患に対して尿路経路の確保のために，腎ろう，膀胱ろうの造設が行われている。そのほか気管切開口などもストーマに含まれる。

　小児期のストーマ造設の特徴は，成人とは原疾患がまったく異なっていることと，成人に比べ永久的な造設が少なく，根治術前の一時的な造設が多いことである。消化管ストーマでは，成人は炎症性腸疾患や悪性腫瘍，小児は消化管の先天性の機能的あるいは器質的通過障害によりストーマが造設される場合が多い。主な疾患として，ヒルシュスプルング病，鎖肛（高位，中間位），小腸閉鎖症があり，新生児期や乳児期にストーマが造設されることが多い。一方，永続的なストーマ造設となる疾患として，先天性疾患では総排泄腔が代表的であり，骨盤内悪性腫瘍のような後天性疾患や事故など外傷による通過障害，潰瘍性大腸炎やクローン病などの炎症性腸疾患がある。

　本節では，小児における小腸および下部消化管を中心に説明する。

2 小児のストーマケアの特徴

1）小児の発達段階によるストーマケア
（1）新生児期
　小児のストーマは，新生児期に造設される場合が多い。新生児は便性がゆるく頻回であり，皮膚の感染に対する防御力が低く機械的刺激に対して脆弱であるため，ストーマケアにおいてはより注意が必要である。また，ストーマケアに対して家族の不安が大きいため，家族への精神的なケアと知識の提供，ケア技術の獲得のための指導が重要である。

（2）乳児期
　母乳やミルクから離乳食へと食事形態の変化から軟便や水様便になりやすく，腹臥位の

姿勢をとることが多いため，便の漏れなどが生じやすい。また，発熱することや発汗，排ガスも多いため，ストーマ周囲の皮膚炎を起こしやすい。乳児は，成長とともに仰臥位から座位，立位へと体勢が変化するので，適切な装具を選択し装着方法を工夫する。家族へは，小児の発達や活動状況，食事，排便などを確認したうえで，個別的な指導を行う。

（3）幼児期

幼児期には便がやや軟便になり，2～3歳になると装具への便の貯留が伝えられるようになる。幼児期後期では貯留した便の排除をケア提供者と一緒に行うことができるようになるので，保育所や幼稚園の職員の協力が得られるように連携が必要となる。基本的な生活習慣を確立する時期でもあるので，清潔観念やにおいへの配慮など，社会生活でのマナーを教えていくことも大切である。幼児期の目標は，装具からの漏れを早期に認識でき，装具から排泄物を出せるようになることである。

（4）学童期

入学時には装具に貯留した便の排除が1人で行えることが，就学までの目標となる。そのためには，家族と相談しながら，疾患の理解や排便の仕組みなどを小児にわかる言葉で伝え，理解が進むようにする。そのうえで，小児のできることを増やし，自身ができることと支援が必要なことを学校側に伝える。

小学3，4年生頃には，ケア提供者と一緒に装具の交換や皮膚のケアなどができるようになる。学校という集団生活のなかで，便の排除の場所や方法，体育（特にプール），修学旅行など，学校の教員や養護教諭と連携し，対応を考える。他児との違いから劣等感をもったり，いじめの対象になったりし，不登校とならないようにきめ細かな援助が必要である。活動量が多くなり発汗量も増え，装具がはずれやすくなるため，小児に合った装具を選択し，自分で対処できるよう指導する。また，ストーマ部位を圧迫せず，便の排除がしやすい洋服の選択や工夫が必要である。

（5）思春期

思春期では，家族や医療者の支援のもとで，排便調節を含めたストーマのセルフケアができるようになる。しかし，小児まかせにせず，体調を見守り，心のケアができるように支援する。そして，小児自身が社会資源の活用やサポートシステムを拡大していけるよう援助する。

2）合併症への対応

ストーマ造設に伴う合併症として，ストーマ造設時の合併症とその後に発生する皮膚炎が挙げられる（表17-1）。ストーマ造設時の合併症は，造設時の状況や造設技術に由来するが，皮膚炎はその後のケアが原因になる。

小児の特徴として，皮膚の脆弱性やセルフコントロールの未熟さがある。乳児期では軟便や排便回数の多さ，疾患の特性から，ストーマが回腸や結腸に造設されることが多いため，消化・吸収に問題などが生じやすい。新生児・乳児期にストーマを造設し，その後閉鎖した場合，通常のトイレットトレーニングだけでは排便調節が困難なことがある。日々の根気強いケアが必要となるため，家族に小児の成長・発達を踏まえたケアの方法を指導する。

表17-1 消化器ストーマ造設術時の合併症

合併症	症　状
ストーマ部感染・ストーマ周囲膿瘍	ストーマ周囲皮膚の発赤・熱感・膨隆などが出現し，その後皮下に膿瘍を形成する
ストーマ瘻孔の形成	ストーマ開口部以外の側面から腸内容が流出する
ストーマ脱出	腸粘膜が腸重積状に脱出する。啼泣などによる腹圧の上昇から脱出しやすい
ストーマ壊死・陥没	ストーマの粘膜が黒変し，粘膜脱落，腸管軟化を起こし，粘膜皮膚離開やストーマ陥没を生じる
傍ストーマヘルニア	ストーマ周囲に直接生じる腹壁瘢痕ヘルニアから脱出した腸管で皮下が膨張する

日本小児ストーマ・排泄・創傷管理研究会学術委員会：小児　創傷・オストミー・失禁管理の実際，東京医学社，2019，p.30. より抜粋

3 ストーマケアの実際

1）消化管ストーマの種類

　消化管ストーマは，造設する部位により小腸ストーマ，結腸ストーマなどのストーマに分類される（図17-1）。開口部の数により，単孔式ストーマと双孔式ストーマがあり，いずれも腸管口側端を人工肛門に，肛門側は粘液瘻にしている（図17-2）。小児では，双孔式ストーマが主に用いられる。

2）ストーマ装具の種類

　ストーマ装具は，ストーマに装着し，排泄物を採取・貯留する用具のことであり，皮膚に直接貼る皮膚保護剤（以下，面板）と便をためるストーマ袋からなる。面板とストーマ袋

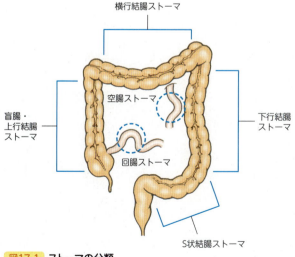

図17-1　ストーマの分類

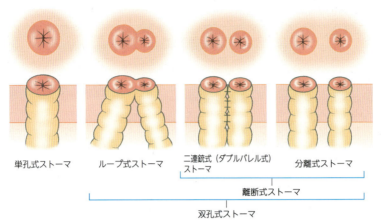

図17-2 単孔式ストーマと双孔式ストーマ

が一体化しているワンピース型（図17-3a）と，ストーマ袋と分離しているツーピース型（図17-3b）がある。

　小児の場合，装具の交換時期について自分で適切な判断ができないため，家族に判断の目安について説明しておく。

3）面板の交換時期

　面板は，体温や発汗，排泄物の付着などで徐々に溶解する。交換時期の判断を誤ると，

未熟児用パウチ

新生児用パウチ

子ども用パウチ

小児用パウチ

写真提供：株式会社ホリスター
a. 小児用ワンピース型

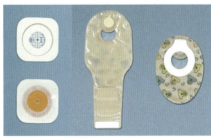
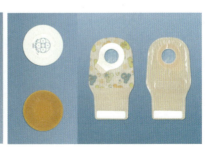

資料提供：コンバテック ジャパン株式会社
b. 小児用ツーピース型

図17-3 ストーマ装具の種類

ストーマ周囲の皮膚炎の原因となる。

(1) 交換の目安
・面板の溶解が7〜8mmの範囲になる。
・便や分泌物が漏れている，あるいは漏れそうである。
・疼痛や瘙痒感がある。

(2) 交換の間隔
・便の性状や回数によって異なる。
・小児の場合は，成長・発達に合わせ，体格や便の性状，回数，生活行動範囲によって個人差がある。
・装具の種類により交換目安は1〜4日と様々であるが，（1）の目安に従って交換する。

4) ストーマ周囲のスキンケア

ストーマのある小児の場合，ストーマ周囲の皮膚炎の予防が重要である。小児の皮膚は，表皮，真皮，皮下組織がいずれも成人より薄く，構造的に脆弱である。ストーマ周囲の皮膚は，「排泄物で汚染しやすい」「剝離刺激が繰り返される」「常にストーマ装具を密着させている」などから皮膚炎を起こしやすいため，スキンケアを的確に行う[1]。

ストーマ周囲の皮膚は，①ストーマ近接部，②皮膚保護剤貼付部，③皮膚保護剤外部（図17-4）によって状況が異なるため，対処法を表17-2に示す。

5) ストーマ袋内の便の除去

ストーマ装具にはワンピース型とツーピース型があるが，それぞれストーマ袋内の便の除去方法が異なる。また，退院後の生活を考慮して，便を除去する回数が1日4回程度になるように袋の大きさを調整する。

(1) ワンピース型の手順
①ストーマ袋の排除口の閉鎖具をとり，便器に便を流す。可能なら，トイレで行う。
②排除口をトイレットペーパーで拭く。
③ストーマ袋内の空気を抜き，排除口を閉鎖具か付属のキャップで閉じる。

(2) ツーピース型の手順
ワンピース型と同様の方法で行う。あるいは，以下の手順で行う。
①ストーマ袋を面板から取りはずし，ストーマ袋の便を除去する。
②ストーマ周囲をティッシュペーパーで軽く拭き取る。この際，便漏れの原因になるので，便やティッシュペーパーがはさまっていないか確認する。
③ストーマ袋を取り付け，ストーマ袋内の空気を抜き，排除口を閉鎖具か付属のキャップで閉じる。このとき，ストーマ袋を貼る方向を間違えないように注意する。乳児は，寝ていることが多く便が側腹部に流れるので，ストーマ袋を横向きに貼る。立位がとれるようになってから縦向きに貼る。

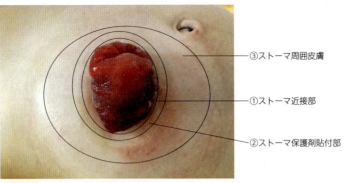

図17-4 ストーマ周囲の皮膚部位

表17-2 ストーマ周囲の皮膚の状況と対処法

	状　況	対　処
①ストーマ近接部	・皮膚保護剤の溶解や排泄物の科学的刺激を受ける ・発赤やびらん、潰瘍などが生じやすい	・損傷部位に粉状皮膚保護剤を散布し装具を装着する
②皮膚保護剤貼付部	・皮膚保護剤による影響や剥離による物質的刺激を受ける ・発赤、表皮剥離、色素沈着などが生じやすい	・はがすときに愛護的に丁寧にはがす ・小児の発汗の程度や面板の粘着力をよく吟味して小児に合った装具を使用し、適切な交換時期を守る ・皮膚保護剤の適切な利用、粘着力や装具交換間隔が適切であるかを確認する
③皮膚保護剤外部	・皮膚保護剤の辺縁部などの機械的刺激を受けやすい ・発汗などで濡れたストーマ袋が長時間皮膚に接触し皮膚障害が生じやすい	・面板は同じ部位に接触しないように形状や貼付面積を工夫する ・テープかぶれの場合はテープの交換をする ・ストーマ袋による皮膚障害の場合はパウチカバーなどで覆う

4 退院指導

　退院後、安心して在宅療養生活を送るには、小児の成長・発達を踏まえたうえで、生活全般にわたる個別的な指導を行う必要がある。以下に退院指導のポイントを挙げる。

・家族の疾患の理解やストーマの受け止めを把握したうえで、ストーマケアの指導を進める。
・ストーマを有する小児でも、離乳食や食事に制限はない。ただし、食事内容による便の観察は通常どおり行うように指導する。
・衣服は、ストーマ部位を圧迫せず腹部に余裕があるものを選択する。
・抱っこや腹臥位に対して不安をもつ家族には、安全な方法を教えて発達を妨げないように指導する。
・入浴については、装具をはずした場合も装着した場合も行うことができる。ストーマを湯につけることに対して不安をもつ家族には、問題ないことを伝える。
・外出に関しては、オストメイト対応のトイレも増えているが、トイレの場所などを事前に

調べることを勧める。
- 災害時の備えについては，2週間分のストーマ装具，アルコールを含まないウェットティッシュ，ごみ袋などを準備するように伝える。
- 成長・発達に伴い，ストーマ装具のサイズが変わる可能性がある。購入については，外来看護師などと相談しながら，2～3か月分を目安に購入する。
- 成長に伴う装具の変更や購入方法，ストーマ袋の廃棄方法（各市町村の規約に準じる）について説明する。
- 退院後の相談窓口として，外来への定期的な受診を促す。

看護技術の実際

A ストーマ装具の交換

- ● 目　　的：ストーマ装具の交換を適切に行い，ストーマ周囲の皮膚をケアする
- ● 適　　応：ストーマのある小児
- ● 必要物品：ストーマ装具，微温湯，洗浄ボトル（またはピッチャー），弱酸性石けん，ティッシュペーパー，処置用シーツ，膿盆，バスタオル，はさみ，ペン，定規，剥離剤（必要時）

	方　法	留意点と根拠
1	ストーマ装具を選択する 1）患児の年齢，性別，発達段階，ストーマ造設の時期，通常の便の性状を確認する 2）ストーマケアの頻度，前回のケアの時間と方法を確認する	● 小児の発達に伴う活動や体位，便性，ストーマ周囲の状況から，患児に合ったタイプとサイズの装具を選択する
2	必要物品を準備する	
3	患児と家族に交換することを伝える	
4	プライバシーを保つことができる場所を確保する	● 多数室の場合は個室や処置室に移動する ● ストーマの露出や臭気に配慮する
5	患児の体位を整える 1）患児を仰臥位にする 2）処置用シーツを背部から殿部の下に敷く 3）着衣を汚染しないように，ストーマ部位を十分開放する 4）小児の活動状況に応じて，両足をバスタオルなどで包み固定するか，家族に抑えてもらう（➡❶）	● ストーマの部位によっては，背部に薄い枕を当て肛門部側を低い位置にし，洗浄や清拭時に洗浄水が流れやすいようにする ❶ストーマケアを安全に行うため
6	ストーマ装具を除去する 1）患児の好きな玩具を持たせる，音楽をかけるなどして気持ちをそらす（➡❷） 2）ストーマ袋内の便の貯留の有無を観察し，必要時，便を除去する（図17-5）	● 患児がストーマや便，装具に触れないように注意して除去する ❷患児がストーマケアを不快なものと感じないようにする

方 法	留意点と根拠
3) 接着面の周囲を湯で絞ったガーゼでぬらし，面板を引っ張らず，皮膚を押さえてゆっくり装具をはがす（→❸） 4) 除去した面板を観察し，装着方法と交換の時期を評価する（図17-6）	❸無理にはがすとストーマ周囲の皮膚を損傷する ● はがしにくいときは剥離剤を使用する（→❹） ❹小児は表皮，真皮，皮下組織が成人よりも薄く，表皮剥離しやすい ● 面板の溶解の程度と便の付着を観察する ● 膿盆を用いて，周囲を汚染しないように配慮する

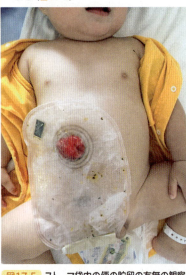

図17-5 ストーマ袋内の便の貯留の有無の観察　図17-6 面板の観察

7　ストーマ周囲の皮膚を洗浄する 1) 手で石けんを泡立て，便や汚れを取り除く 2) 微温湯で洗い流す。シャワーや浴槽で流してもよい 3) ストーマ周囲の皮膚の水分を乾いたガーゼで拭き取り乾燥させる	● 皮膚を摩擦しないように，優しく丁寧に洗う（→❺） ❺小児の皮膚はセラミドや皮脂の量が少なく，皮膚バリア機能が弱い ● 短時間でも空気浴をするとよい ● 石けん成分が残らないように注意する ● できるだけ排便の少ない時間帯に行い，ストーマ周囲の皮膚に便や腸液が付着するのを防ぐ（→❻） ❻便や腸液による汚染で皮膚のバリア機能を損傷しないようにする ● 持続的に便が流出する場合は，作業中，ガーゼをのせて吸収させる
8　ストーマと周囲の皮膚を観察する（図17-7）	

図17-7　皮膚の観察

方法	留意点と根拠
1）ストーマの大きさ，高さ，形，色 2）皮膚に発赤などの変色，熱感がないか 3）患児の体動の特徴，発汗量，便性が面板の特徴と合っているか	● ストーマは粘膜であるため傷つきやすい。傷ついている場合は面板の端が当たっている可能性があるため，面板の穴の形や大きさを検討する。傷ついていても多量の出血でなければ自然に治癒する
9　ストーマの型紙を作る 1）ストーマの上にストーマ作成用の厚紙を置き，その形を写し取る 2）写し取った厚紙を切り取り，ストーマの型紙を作る 3）型取りしたストーマ型紙より2mm（目安として）大きくはさみで切り抜く	● 前回の型紙があれば，使用できるよう準備しておく ● ストーマゲージを用いる場合もある ● 装具の準備中に便や腸液で周囲の皮膚が汚染されていないか確認し，余分な水分があれば押さえるようにして拭き取る
10　ストーマ装具を装着する 1）面板の裏紙をはがし，ストーマの周囲の皮膚に密着させる （1）ストーマ近接部から2mm外側に貼る （2）最初にストーマの根元の部分を30秒〜1分間なでつけるように軽く圧迫しながらなじませる（➡❼） 2）ストーマ袋の空気を抜き，装具を貼る方向を決める（図17-8） 3）ストーマ袋を面板の上に取り付ける（図17-9）	● 面板が皮膚からはがれないように注意深く行う ❼ストーマ近接部の部分が密着していないと，便が面板の下に侵入してはがれ，皮膚の炎症につながる ● 乳児は寝ていることが多く腹部側面に便が流れるので体幹に対して垂直に貼る（➡❽）。発達に伴い，立位は縦向き，仰臥位は横向きなど，患児の日常的な体勢によって貼る方向を決める ❽面板の付着部分に便が停滞するとはがれやすくなるため，重力で水分が流れる方向を考えて向きを決定する ● 患児の協力が得られない場合は，装着がずれたり密着性が弱くなりやすいので，患児をあやしながら行う

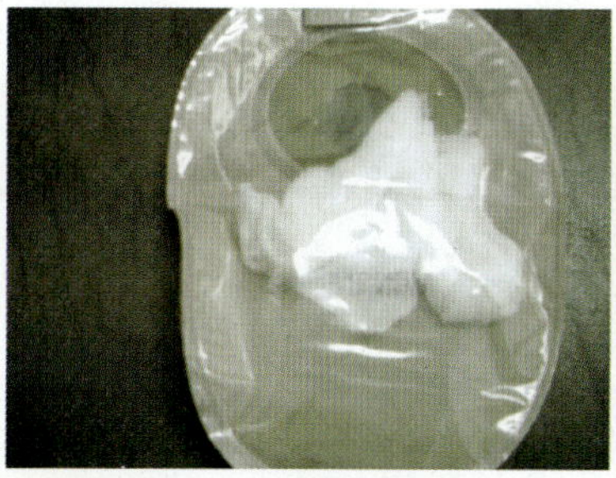

図17-8　ストーマ袋の空気を抜く 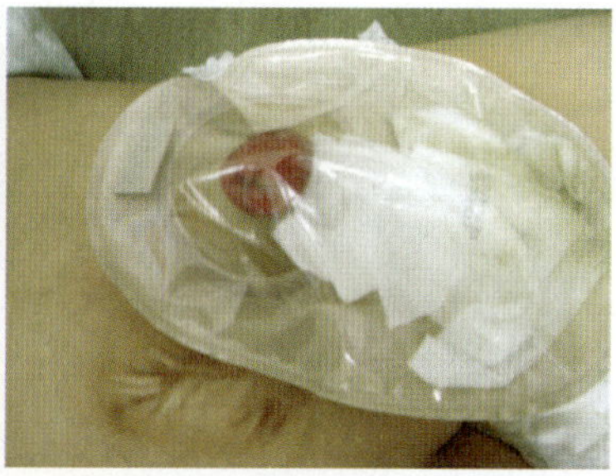　　図17-9　ストーマ袋を面板の上に取り付ける

4）面板とストーマ袋の装着を確認する 5）ストーマ袋が開放型の場合，ストーマ袋内の空気を抜いて，排除口を閉鎖具で閉じる	
11　ストーマ袋が直接皮膚に触れないように，下着と衣類を整える	● ストーマ袋カバー，腹帯，ポケットなどを使用する場合もある
12　患児と家族に終了を伝え，ねぎらいの言葉をかける	
13　後片づけをする 1）排泄物は所定の場所で処理する 2）交換した装具は処分する 3）使用した物品は，洗浄し，元の場所に戻す	
14　記録する	● 時間，ストーマと皮膚の状態，排泄物の量と性状，腹部膨満の有無，使用したストーマ装具の種類，患児と家族の様子などを記録する

文 献

1）日本小児ストーマ・排泄管研究会学術委員会：小児創傷・オストミー・失禁管理の実際，東京医学社，2019．
2）国立成育医療研究センター看護部監，村松恵責任編集：小児の状態別スキンケア・ビジュアルガイド，中山書店，2012．
3）日本ストーマ・排泄リハビリテーション学会・日本大腸肛門病学会編：消化管ストーマ造設の手引き，文光堂，2014．
4）山高篤行・下高原昭廣編：小児外科看護の知識と実際，メディカ出版，2010．
5）西村かおる：新・排泄ケアワークブック－課題発見とスキルアップのための70講，中央法規出版，2013．
6）杉山正彦：小児在宅医療－医療的ケアと医行為を学ぶ 医療的ケアの実際－排泄に関する医療的ケア ストマケア，小児内科，50(11)：1854-1857，2018．

18 救急蘇生法

学習目標
- 救急蘇生法を理解する。
- 救命の連鎖を理解する。
- 小児の緊急時の評価方法を理解する。
- 小児の心肺蘇生法（小児1次救命処置，小児2次救命処置）が実施できる。

1 救急蘇生法とは

　日本救急医療財団は『救急蘇生法の指針2020 医療従事者用（改訂6版）』において，救急蘇生法とは「急性の疾病や外傷により生命の危機に瀕している，もしくはその可能性のある傷病者や患者に対して行われる手当，処置，治療などを意味する」[1]としている。救急蘇生法は，心停止や気道閉塞などに対してただちに行う一次救命処置（basic life support：BLS）と，応援の人と必要な器材がそろってから行う二次救命処置（advanced life support：ALS），および生命の危機にある急性の疾病などへの応急処置・救急治療とで構成される。

　一般市民が小児に対して心肺蘇生（cardiopulmonary resuscitation：CPR）を行う場合は，成人と同じ一次救命処置ガイドラインに従う。医療従事者が小児の心肺蘇生を行う場合は，小児一次救命処置（pediatric basic life support：PBLS），小児二次救命処置（pediatric advanced life support：PALS）に従う。本項では，医療現場におけるPBLSおよびPALSについて解説する[*1]。

[*1] 小児・乳児の定義：救急蘇生法では，1歳未満を乳児，1歳から思春期以前（目安は中学生くらいまで）を小児としている。ただし，主に成人を対象とする施設においては，思春期以前の小児であっても体格に応じて成人と同様に対応してよい。また，病院前救護や小児集中治療部門においては，生後28日までの新生児の対応についても乳児と同様にしてよい。

2 救命の連鎖（図18-1）

　「救命の連鎖」は蘇生にかかわる概念で，①心停止の予防，②早期認識と通報，③一次救命処置（心肺蘇生とAED），④二次救命処置と集中治療からなる。

1）心停止の予防

　「救命の連鎖」の第1の輪は，不慮の事故による傷害の防止をはじめとし，疾病予防，疾

第1の輪：心停止の予防　　第2の輪：早期認識と通報　　第3の輪：一次救命処置（心肺蘇生とAED）　　第4の輪：二次救命処置と集中治療

図18-1　救命の連鎖
日本救急医療財団心肺蘇生法委員会監：救急蘇生法の指針2020 医療従事者用，改訂6版，へるす出版，p.10．を参考に作成

病警告サインの認識（異常の早期発見）による心停止予防までを含めた概念である。

　小児の死因の第1位は，外傷，溺水，窒息などの不慮の事故によるものが多くを占めている。事故の多くは防止可能であり，これによる心停止を未然に防ぐことは重要である。また，小児は呼吸停止に引き続いて心停止となることが多いので，心停止に至る前に治療を開始することが重要とされている。

2）早期認識と通報

　第2の輪は，心停止の早期認識，救急医療システムへの通報，院内での救急医療チームの始動を含めた概念である。

　心停止の早期認識とは，突然倒れた人や反応のない人を見つけたら，ただちに心停止を疑うということである。心停止の可能性に気づいたら，病院外であれば大声で叫んで応援を呼び，119番通報を行う。病院内であれば，ナースコールを用いて応援を呼んだり，院内緊急コールなどで応援を要請したりする。

　小児・乳児の心停止では，心停止が1次的な原因になること（心原性心停止）は少なく，呼吸停止に引き続いて心停止となること（呼吸原性心停止）が多い。一度心停止になった小児・乳児の予後は不良であるが，呼吸停止だけの状態で発見され，速やかに治療が開始された場合の救命率は70％以上とされている。小児・乳児の心停止につながる呼吸障害とショックを早期に認識し，速やかに対応することが救命率の改善に欠かせない。

3）一次救命処置

　第3の輪である一次救命処置は，心肺蘇生（CPR）と自動体外式除細動器（automated external defibrillator：AED），気道異物除去を包括した概念である。

4）二次救命処置と心拍再開後の集中治療

　第4の輪は，二次救命処置と心拍再開後の集中治療とを包括した概念である。

　医療従事者は，BLSと並行して，準備ができ次第，薬剤や気道確保器材などを使用した二次救命処置を行わなくてはならない。蘇生の到達目標は良好な脳機能を残すことである。心拍再開後から集中治療を円滑に行うことが重要である。

3 小児の死亡原因と心停止の予防

わが国における小児の死亡原因の上位を多く占めるのは，不慮の事故である。不慮の事故の多くは防止可能であるとされている。これは，事故は思いがけない出来事ではあるが避けられないことではなく（accident），予防可能な傷害（injury）であるという考え方からきている。そのため，乳幼児の窒息予防や自動車乗車時のチャイルドシートの装着，浴槽に水をためたままにしない（溺水予防）などの具体的な予防策を啓発することが重要である。

また，小児・乳児の心停止の原因は，呼吸原性が多いとされている。何らかの原因で呼吸障害が起こると，呼吸窮迫状態から呼吸不全に陥り，さらに呼吸不全が進行すると心肺機能不全，心停止に至る（図18-2）。いわゆる成人に多い心原性心停止は少ないとされている。小児は，いったん心停止に陥ると，最適なCPRを行っても，予後は大変厳しいものとなる。そのため，生命の危機的状態である呼吸窮迫や代償性ショック状態を早期に認識し，適切な介入をすることにより心停止を防ぐことが重要である。

4 呼吸障害とショック

小児の呼吸障害やショック状態を早期に認識するには，恒常性と代償機序を理解する必要がある。さらに呼吸障害およびショック状態の症状やタイプ分類（表18-1），重症度の判定（図18-3，表18-2）を理解しておく。

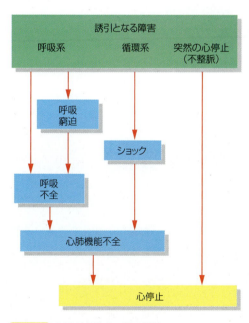

図18-2 小児が心停止に至る経路
American Heart Association：PALS プロバイダーマニュアル AHAガイドライン2020準拠，シナジー，2021．より引用

表18-1 小児の障害のタイプと重症度

	タイプ	重症度
呼吸障害	・上気道閉塞 ・下気道閉塞 ・肺組織病変 ・呼吸調節の障害	・呼吸窮迫 ・呼吸不全
循環障害	・循環血液量減少性ショック ・血液分布異常性ショック ・心原性ショック ・閉塞性ショック	・代償性ショック ・低血圧性ショック
心肺機能不全		
心停止		

American Heart Association：PALS プロバイダーマニュアル AHAガイドライン2020準拠，シナジー，2021．を参考に作成

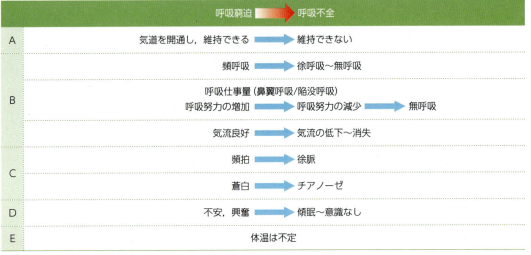

図18-3 呼吸障害の徴候と呼吸障害の重症度の判定

American Heart Association：PALS Pediatric advanced life support provider manual，2010．より引用

1）恒常性と代償機序

　恒常性とは，生体の環境（内部環境）に何らかの変化が起こった際に，変化を改善する機能が働き，元の状態に戻していく機能である。代償機序とは，生体の恒常性を維持する機能である。

2）呼吸障害（呼吸窮迫，呼吸不全）

　呼吸窮迫は「呻吟，多呼吸，陥没呼吸，鼻翼呼吸など呼吸障害・呼吸努力が認められるものの，酸素化や換気が正常，またはそれに近く保たれている状態」[2]，呼吸不全は「呼吸窮

表18-2 ショックの認識フローチャート

臨床的徴候		循環血液量減少性ショック	血液分布異常性ショック	心原性ショック	閉塞性ショック
気道 (Airway)	開通性	気道は開通しており，維持できる／維持できない			
呼吸 (Breathing)	呼吸数	増加			
	呼吸努力	正常〜増加		非常に強い	
	呼吸音	正常	正常 (±ラ音)	ラ音，呻吟	
循環 (Circulation)	収縮期血圧	治療を行わないと，代償性ショックは低血圧性ショックへ進行する可能性がある			
	脈圧	低下	さまざま	減少	
	心拍数	増加			
	末梢の脈拍の質	微弱	反跳または微弱	微弱	
	皮膚	蒼白で冷たい	温かい，または冷たい	蒼白で冷たい	
	毛細血管再充満時間	遅延	さまざま	遅延	
	尿量	減少			
神経学的評価 (Disability)	意識レベル	早期は易刺激的，晩期は嗜眠			
身体診察 (Exposure)	体温	状況によって異なる			

American Heart Association：PALS プロバイダーマニュアル AHAガイドライン2020準拠，シナジー，2021，p.188. より引用

迫の状態がさらに進行し，酸素化や換気が正常に保たれない程度まで悪化している状態」[2]と定義されているが，両者に明確な区分があるわけではない。呼吸窮迫と呼吸不全の症状について以下に示す。

- **呼吸窮迫の症状**：頻呼吸，呼吸努力の増加（鼻翼呼吸，陥没呼吸など），呼吸努力の減少（低換気，徐呼吸など），異常気道音（吸気性喘鳴，呼気性喘鳴，呻吟など），頻拍，蒼白，皮膚冷感，意識状態の変化など。
- **呼吸不全の症状**：著しい徐呼吸（早期），徐呼吸，無呼吸（晩期），呼吸努力の増加や減少または消失，肺末梢への気流の低下や消失，頻拍（早期），徐脈（晩期），チアノーゼ，昏迷，昏睡（晩期）など。

呼吸仕事量が増加している症状には，呼吸数の増加（頻呼吸）と呼吸努力の出現（陥没呼吸，鼻翼呼吸，呼吸補助筋の使用）がある。これらは低酸素に対する生体の恒常性を維持するための機能であり，これが代償機序である。

3）呼吸障害のタイプ分類

危機的な呼吸障害患者の状態悪化を防ぎ，適切な介入方法を判定・実施するために，呼吸障害をタイプ別に分類することが重要である。呼吸障害は，上気道閉塞，下気道閉塞，肺組織病変，呼吸調節の障害の4つに分類される。

小児では年齢が低くなるほど酸素消費量が増加するのに対して、乳幼児では絶対的および相対的に肺胞面積が小さく呼吸（酸素化能）の予備能が少ないため、呼吸障害時は十分な酸素投与が必要となる。
　以下に呼吸障害のタイプ分類別にみられる症状や疾患、一般的な介入方法を示す。

（1）上気道閉塞
　頻呼吸、吸気努力の増加、吸気性喘鳴、嗄声などが症状として挙げられる。考えられる疾患には、気道異物、感染性疾患、クループ、急性喉頭蓋炎、喉頭軟化などがある。
　一般的な介入方法は、酸素投与、閉塞物の除去、鼻腔・口腔内吸引、アドレナリン吸入、エアウェイ挿入、気管挿管などである。

（2）下気道閉塞
　頻呼吸、呼気性喘鳴、呼気努力の増加（呼気延長）などが症状として挙げられる。考えられる疾患には、気管支喘息、急性細気管支炎、気管・気管支軟化などがある。
　一般的な介入方法は、酸素投与、鼻腔・口腔内吸引、気管支拡張薬吸入、陽圧換気（気管・気管支軟化に対して）である。

（3）肺組織病変
　頻呼吸、呻吟、ラ音の聴取、呼吸音の減弱などが症状として挙げられる。考えられる疾患には、肺炎や心原性肺水腫、無気肺、胸水などがある。
　一般的な介入方法は、酸素投与、鼻腔・口腔内吸引などである。

（4）呼吸調節の障害
　変動する、または不規則な呼吸数や努力呼吸、浅い呼吸、中枢性無呼吸といった呼吸調節に問題があるといった場合にこのような症状が出現する。考えられる疾患には、頭蓋内病変や外傷、脳腫瘍、水頭症や内因性の中枢神経系疾患および薬物中毒などがある。
　一般的な介入方法は、酸素投与、陽圧換気補助、気管挿管である。

4）ショック
　ショックとは、「組織灌流障害により組織の代謝需要と比較して酸素と栄養が十分に供給されないことにより、細胞の酸素不足、代謝性アシドーシスなどが進行し、生命維持に危機が迫った急性全身性の病的状態」[2]と定義されている。ショックは全身への酸素供給が不足している状態であり、ショックによる不十分な組織灌流が持続すると、生体は重要臓器（脳、心臓など）への酸素供給を維持するために代償機序を働かせる。その結果、酸素を運搬する血液量が減少し、組織への酸素供給量が減少する。組織への酸素供給量が減少すると、生体の反応として、皮膚や骨格筋、消化管、腎臓などの血流の、重要臓器（脳、心臓）への再分配が行われる（図18-4）。この再分配は、血管収縮によって生じる。結果として、末梢冷感や毛細血管再充満時間（capillary refilling time：CRT）[*2]の遅延、末梢脈拍の減弱、消化管機能低下、腎臓への血流障害による尿量の低下などが症状として出現する。代償機序が破綻し、細胞や臓器に不可逆的な障害が生じると心肺機能不全を起こし、心停止に至る。

*2 毛細血管再充満時間：爪や指の腹側を数秒〜5秒程度、圧迫して手を離した後に、皮膚色が元の色に戻るまでの時間を評価する。2秒以内が正常で、5秒以上の場合はショックの症状である。

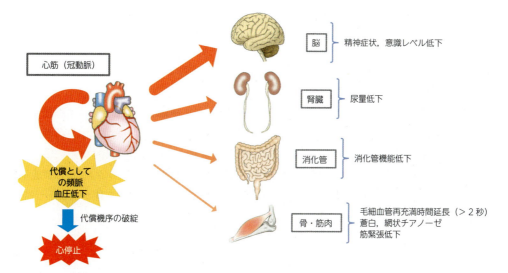

図18-4 重要臓器への血流配分の優先順位と血流低下に伴い出現する症状

（1）代償性ショック

　代償性ショックとは，「心室からの1回拍出量が低下していても，心拍数増加による心拍出量増加や，末梢血管収縮による体血管抵抗上昇などの代償機転により，血圧が各年齢における許容下限値以上に保たれている状態」[2]と定義されている。症状としては，心拍数の増加，末梢冷感やCRTの遅延などがみられる。この時期は，これらの代償機序により血圧は維持されている。

（2）低血圧性ショック

　低血圧性ショックとは，「代償性ショックの状態からさらに悪化し，生体の代償機転の限界を超え，血圧が各年齢における許容下限値以下の低血圧になってしまった状態」[2]と定義されている。症状としては，中枢の脈拍の減弱，意識レベルの低下，血圧低下（表18-3）がみられる。代償機序の破綻による血圧低下は，心肺機能不全に続く心停止が切迫している危険な状態である。

表18-3 収縮期血圧と年齢による低血圧の定義

年　齢	収縮期血圧 (mmHg)
満期産の新生児（0〜28日）	<60
乳児（1〜12か月）	<70
1〜10歳の小児（5パーセンタイル値）	<（70＋年齢×2）
10歳を超える小児	<90

American Heart Association：PALS プロバイダーマニュアル AHAガイドライン 2020 準拠，シナジー，2021．より引用

5）ショックのタイプ分類

（1）循環血液量減少性ショック

出血や下痢，嘔吐によって体内の水分が喪失されることで起こるショック状態のことである。症状は，頻拍，末梢冷感，末梢の脈拍の減弱などである。

（2）血液分布異常性ショック

敗血症性ショック，アナフィラキシーショック，神経原性ショック（頭部損傷，脊椎損傷など）をいい，臓器や組織の灌流不全を伴う循環血液量の分布異常（前負荷減少，後負荷減少）に伴うショックである。他のショックと区別するための特異的な症状は，末梢の反跳脈，CRTが正常または遅延，末梢が温かく紅潮した皮膚（温ショック）または血管収縮を伴った蒼白でまだら模様の皮膚（冷ショック），脈圧増大または減少を伴う低血圧（冷ショック）などである。

（3）心原性ショック

先天性心疾患，心筋炎，不整脈などが病因で，心機能障害，主に心収縮力低下による心拍出量減少の状態である。症状として，頻呼吸や呼吸努力の増加，頻拍，末梢の脈拍が微弱，CRTの遅延，肺水腫・肝腫大・頸静脈怒張（うっ血性心不全の症状），皮膚の冷感，蒼白などがある。

（4）閉塞性ショック

緊張性気胸，心タンポナーデなどが病因で，物理的な血流の障害による心拍出量減少の状態である。特異的な症状として，緊張性気胸では患側の共鳴音の亢進，過膨張，呼吸音減弱が認められ，心タンポナーデでは末梢循環不良，心音の減弱，奇脈などがみられる。

5 小児の緊急時の評価方法

小児の心停止を防ぐには，呼吸窮迫や呼吸不全，ショックの症状を早期に認識し，評価・介入を実施することが重要である。小児の緊急時に評価・介入を効率的に実施するために，体系的にアプローチしていく（図18-5）。体系的なアプローチは，第一印象，CPR適応の有無，評価，判定，介入から構成されている。

1）初期評価（外観，呼吸仕事量，循環）

第一印象は，緊急度を判定する最初の過程である。小児の見た目から直感的に生命維持に必要な意識，呼吸，皮膚色（循環）の3つに着目し，状態が良いのか悪いのか，CPRが必要なのかを判定する（図18-6）。最初の2，3秒で血圧計や心電図モニター，経皮的酸素飽和度モニターなどを使用せず，視診と聴診で評価する。

意識レベルは，意識なし，易刺激性，意識清明といった状態に着目して評価する。意識レベルは，生体の酸素化や脳血流の循環，神経学的所見を反映している。

呼吸は，呼吸の有無や呼吸パターンの異常，呼吸努力や聴診器なしで聴こえる異常な呼吸音などに着目して評価する。

皮膚色（循環）は，皮膚の状態の蒼白，チアノーゼ，まだら模様といった症状に着目して評価する。皮膚の色は心拍出量や組織への血液供給を反映している。

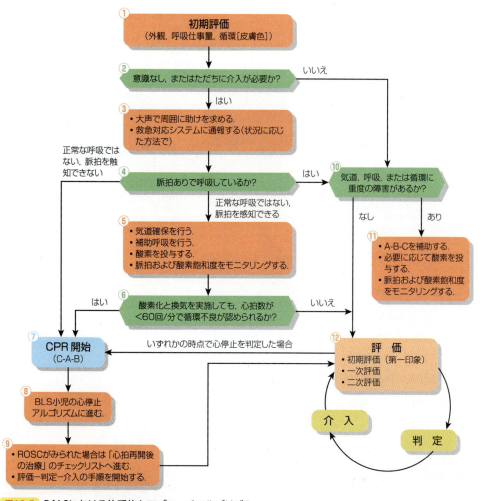

図18-5 PALSにおける体系的なアプローチアルゴリズム

American Heart Association：PALS プロバイダーマニュアル AHAガイドライン 2020準拠，シナジー，2021，p.38．より引用

　以上の症状があった場合は状態が悪いと判定し，高流量酸素投与，心電図モニター，経皮的酸素飽和度モニターを装着しながら図18-5の右側の「いいえ」に進み一次評価に移る。

　また，第一印象の評価で声かけに対して反応がなく，呼吸をしていない，あるいは死戦期呼吸があれば心停止と判定する。その場合は図18-5の左側「はい」に進み，小児一次救命処置のアルゴリズムに従う。

2）一次評価の方法

　一次評価では，気道（Airway），呼吸（Breathing），循環（Circulation），神経学的評価（Disability），全身観察（Exposure）といった項目を順番に評価して重症度を判定する。評価項目には，バイタルサインおよび経皮的酸素飽和度モニター値も含まれる。

　評価の際に生命の危機的状態（表18-4）を認識した場合は，評価を中止して迅速に介入する。

呼吸の観察ポイント
・呼吸仕事量の増加（鼻翼呼吸，陥没呼吸）
・体位
・胸郭や腹部の動き
・呼吸数
・呼吸努力
・聴診器なしで聴こえる呼吸音

＊意識がなく，呼吸がない，または死戦期呼吸のみか？
＊はい：体系的なアプローチアルゴリズムの左側に移り，応援や資機材要請
＊いいえ：体系的なアプローチアルゴリズムの右側へ移り，一次評価へ

皮膚色（循環）の観察ポイント
・チアノーゼ
・蒼白
・まだら模様などの皮膚色の異常

呼吸：気道，酸素化，換気の適切さを反映

皮膚色（循環）：心拍出量，主要臓器への灌流の適切さを反映

意識：酸素化，換気，脳循環，安定性，中枢神経機能の適切さを反映

小児患者に対面したときから第一印象の評価を開始する
目的として，患児の状態を最初の2，3秒で観察し，具合が悪いのか悪くないのか，一般的な生理学的な異常の有無，迅速な介入が必要か否かを判定する

意識の観察ポイント：見た目
・筋緊張（ぐったりしているか，動かさない）
・意識状態（周囲への反応，反応の低下）
・機嫌（保護者があやしても泣き止まない）
・視線（追視，目を閉じている，刺激で開眼）
・発語・啼泣

 図18-6 第一印象の観察ポイント

American Heart Association：PALSプロバイダーマニュアル－AHAガイドライン2010準拠，シナジー，2013，p.10．を参考に作成

表18-4 致死的な障害の徴候

気道（Airway）	完全な気道閉塞または重度の気道閉塞
呼吸（Breathing）	無呼吸，著明な呼吸仕事量増加，徐呼吸
循環（Circulation）	脈拍触知不能，循環不良，低血圧，徐脈
神経学的評価（Disability）	意識なし，意識レベルの低下
全身観察（Exposure）	重度の低体温症，重大出血，敗血症性ショックに一致する点状出血または紫斑

American Heart Association：PALS Pediatric advanced life support provider manual，2010．

図18-7 頭部後屈あご先挙上法

(1) A：気道の評価

呼吸音を聴診し，胸郭の動きを評価することで気道が開通しているか否かを判定する。開通を維持できない場合は，頭部後屈あご先挙上法（図18-7）を行う。開通を維持できれば次の呼吸の評価へ移る。頭部後屈あご先挙上法で気道が開通できない場合は，二次救命処置を行う。

(2) B：呼吸の評価

呼吸数，呼吸努力の有無，胸郭の拡張や肺音，経皮的酸素飽和度モニター値を評価する。徐呼吸や不規則な呼吸は心停止を示唆する症状であり，評価を中止して呼吸補助（バッグバルブマスク〈bag valve mask：BVM〉など）の介入を行う。

表18-5 AVPU小児反応スケール

意識清明 (Alert)	小児が覚醒しており，活動的で，親や周囲の刺激に対して適切に反応する。「適切な反応」とは，小児の年齢やおかれた状況に応じて予想される応答という観点から評価される
声 (Voice)	小児が声（呼名，大声での呼びかけなど）に反応する
痛み (Painful)	小児が爪床をつねるなどの痛み刺激だけに反応する
意識なし (Unresponsive)	小児がどのような刺激にも反応しない

American Heart Association : PALS Pediatric advanced life support provider manual, 2010. より引用

(3) C：循環の評価

心拍数，リズム，末梢や中枢の脈拍（脈の触れの強弱），CRT，皮膚色および皮膚の温度（冷感），血圧値を評価する。小児で心拍数60回/分未満で循環不全の症状（チアノーゼや皮膚蒼白，末梢冷感，低血圧など）がある場合は，酸素投与とBVMによる人工呼吸を実施する。人工呼吸で心拍数や循環不全の症状が改善しない場合はCPRを開始する。

(4) D：神経学的評価

意識レベル，筋緊張の有無，けいれんの有無，瞳孔所見を評価する。これは，脳への酸素供給不足，脳炎，髄膜炎，低血糖，薬物中毒，低酸素血症，高炭酸ガス血症などが原因として考えられる。大脳皮質機能を迅速に評価するスケールにAVPU小児反応スケール（表18-5）がある。これは，小児の意識レベルを評価するスケールであり，意識清明（Alert），声（Voice），痛み（Painful），意識なし（Unresponsive）の4段階で評価する。

(5) E：全身観察

全身観察では，可能な限り衣服を脱がせ，顔面，頭部，体幹，四肢，皮膚，深部体温を評価する。出血や熱傷，不自然な外傷，点状出血や紫斑，四肢の変形などの有無を観察し評価する。

3) 評価-判定-介入のサイクル

小児は予備力が乏しいため，状態が急速に悪化する場合がある。生体の代償機序が維持できる時間は数時間であるため，介入後の評価はきわめて重要である。介入後の状態（良くなっているのか悪くなっているのか）を評価し，収集した情報に基づき判定し，評価-判定-介入のサイクルを繰り返すことで異常の早期発見に努める。

6 小児一次救命処置

『JRC蘇生ガイドライン2020』では，反応がなく，呼吸停止あるいは死戦期呼吸（わからないときは胸骨圧迫を開始する）があれば心停止と判断する。大声で応援（病院内ではナースコールを押して要請する）および資機材を要請する。要請後は，脈拍の有無を確認，ない場合あるいは判断に迷う場合は胸骨圧迫から開始する。人工呼吸が実施できる状況ならバッグバルブマスク（BVM）で人工呼吸を行う。図18-8にBLSアルゴリズムを示す。

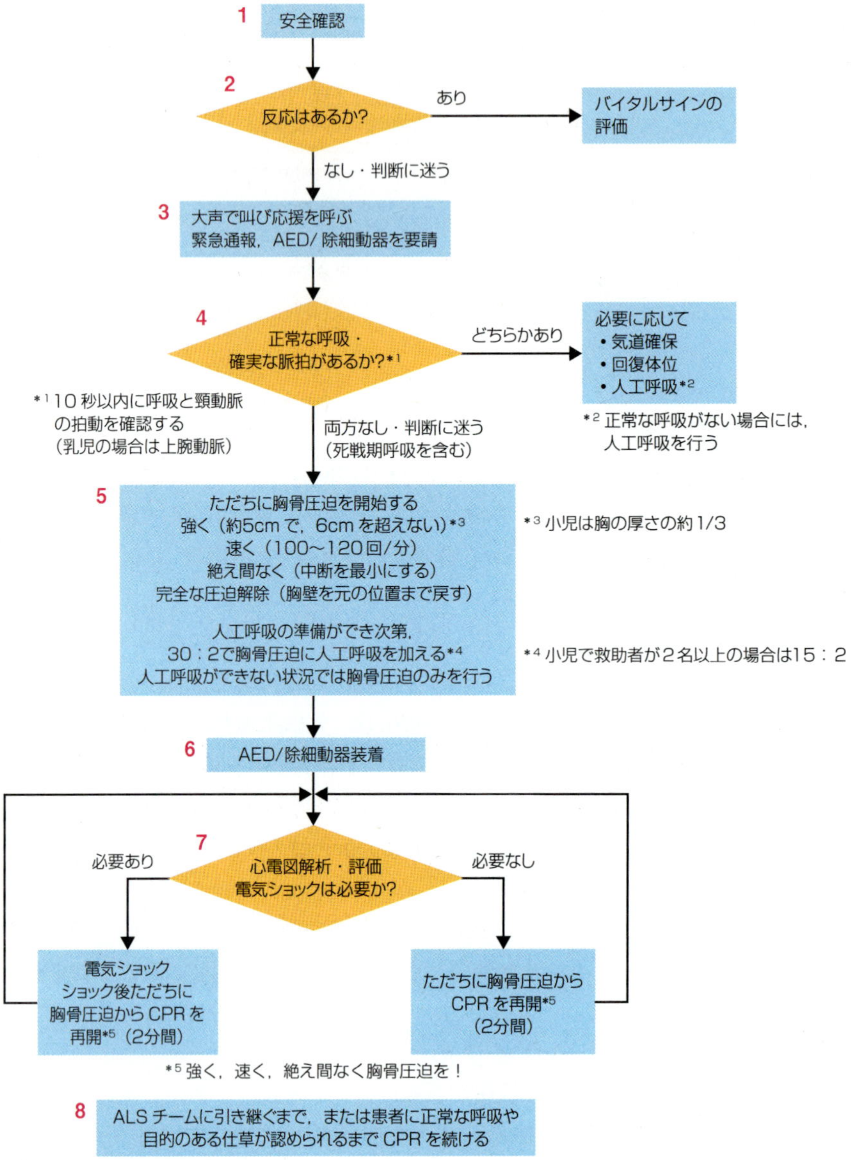

医療用BLSアルゴリズム

1. 安全確認
2. 反応はあるか？
   - あり → バイタルサインの評価
   - なし・判断に迷う ↓
3. 大声で叫び応援を呼ぶ
   緊急通報，AED/除細動器を要請
4. 正常な呼吸・確実な脈拍があるか？*¹
   - どちらかあり → 必要に応じて
     - 気道確保
     - 回復体位
     - 人工呼吸*²
   - 両方なし・判断に迷う（死戦期呼吸を含む） ↓

*¹ 10秒以内に呼吸と頸動脈の拍動を確認する（乳児の場合は上腕動脈）

*² 正常な呼吸がない場合には，人工呼吸を行う

5. ただちに胸骨圧迫を開始する
   強く（約5cmで，6cmを超えない）*³
   速く（100〜120回/分）
   絶え間なく（中断を最小にする）
   完全な圧迫解除（胸壁を元の位置まで戻す）

   人工呼吸の準備ができ次第，
   30：2で胸骨圧迫に人工呼吸を加える*⁴
   人工呼吸ができない状況では胸骨圧迫のみを行う

*³ 小児は胸の厚さの約1/3

*⁴ 小児で救助者が2名以上の場合は15：2

6. AED/除細動器装着
7. 心電図解析・評価 電気ショックは必要か？
   - 必要あり → 電気ショック ショック後ただちに胸骨圧迫からCPRを再開*⁵（2分間）
   - 必要なし → ただちに胸骨圧迫からCPRを再開*⁵（2分間）

*⁵ 強く，速く，絶え間なく胸骨圧迫を！

8. ALSチームに引き継ぐまで，または患者に正常な呼吸や目的のある仕草が認められるまでCPRを続ける

図18-8 医療用BLSアルゴリズム

日本蘇生協議会監修：JRC蘇生ガイドライン2020，医学書院，2021，p.159．より転載

1）PBLSアルゴリズム

（1）胸骨圧迫

A「小児・乳児の胸骨圧迫」p.394参照。

（2）気道確保

気道確保の方法は，頭部後屈あご先挙上法（図18-7参照）を用いる。小児，特に乳児は頭部が大きく，通常の仰臥位では頭部が前屈して気道が閉塞しやすく，頭部を後屈させすぎると（過度の進展）気道が閉塞することに注意する。適切な気道確保は，外耳道と肩の高さ

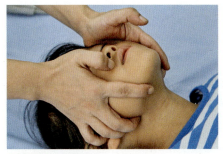

図18-9 下顎挙上法

が水平線上にくるように行う。また，頸椎損傷が疑われる場合に頭部後屈あご先挙上法を用いると頸髄損傷を引き起こす可能性があるため，訓練を受けた人は必要に応じて下顎挙上法（図18-9）試みてもよいとされている。しかし，下顎挙上法で気道が確保できない場合は，頭部後屈あご先挙上法を用いて気道確保を実施する。

（3）人工呼吸

B「バッグバルブマスク（BVM）による人工呼吸」p.396参照。

（4）胸骨圧迫と人工呼吸の比率

1分間に100～120回のテンポで実施する。1人で行う場合は「胸骨圧迫：人工呼吸＝30：2」の比率で行う。2人で行う場合は「胸骨圧迫：人工呼吸＝15：2」の比率で行う。

（5）自動体外式除細動器（AED）

AEDの使用に関して『JRC蘇生ガイドライン2020』では，就学前（およそ6歳まで）は未就学児用パッド，小学校以上では成人用パッドを使用するとされている。また，AEDによっては未就学児用にモードを切り替える機種もある。

〈AEDの使用手順〉
①電源を入れる（自動で電源が入る機種もある）。
②AED本体の音声指示に従う。
③CPRをできるだけ継続しながらパッドを装着する。
④AEDが心電図の解析を始めたらCPRを中止して，からだから離れる。
⑤除細動が必要といった音声指示がながれれば，周囲の人に「離れて」と注意喚起する。
⑥安全確認後，ショックボタンを押す。
⑦実施後は，音声指示を待つことなくCPRを再開する。

〈AEDを使用する際の注意点〉
・すき間ができないようにパッドをからだに密着させる。
・パッドを貼る際に皮膚が水などでぬれている場合はタオルなどで拭き取る。
・パッドを貼る位置に貼付薬があるときははがす。
・ペースメーカーが植え込まれている（皮膚がペースメーカーで硬く膨らんでいる）場合は，膨らみを避けてパッドを貼る。
・小児用パッドがないなどやむを得ない場合は成人用パッドを代用し，パッド同士が重なり合わないようにする。

小児の腹部突き上げ法

乳児の背部叩打法

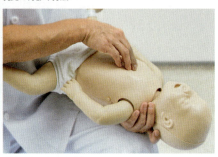
乳児の胸部突き上げ法

図18-10 気道異物除去法

・小学生以上では，小児用パッドを使用するとAEDのエネルギーが低く除細動の成功率が低下するため使用しない。

2）小児・乳児の気道異物による窒息解除（気道異物除去法）

　気道異物除去法には，腹部突き上げ法や背部叩打法，胸部突き上げ法がある（図18-10）。これらの方法を試みても異物が除去されず意識がなくなった場合には，ただちにCPRを行う。胸骨圧迫を行うと，腹部突き上げ法と同様の効果があるため，窒息時のCPRは人工呼吸の際に口腔内を確認する。その際に見える異物は指でつまみ出す。異物が見えない場合は，異物を押し込む可能性があるので口腔内に指を入れてはいけない。

〈気道異物による窒息が疑われる小児・乳児を発見した場合の手順〉

①大声で応援を要請する。
②意思の疎通ができる小児に対しては，「これからのどに詰まったものを取る」と伝える。
③咳をしている場合，強い咳き込みで異物が除去できる可能性があるので，自発的に咳ができる小児に対しては咳を促す。
④咳ができなくなれば，小児には背部叩打法，腹部突き上げ法，胸部突き上げ法を用いる。乳児には，頭部を下げて背部叩打法と胸部突き上げ法を交互に行い，異物が除去されるまで行う。

7 小児二次救命処置（PALS）

　小児・乳児の心停止時に行う処置の手順を図18-11に示す。適切な器材と薬剤を使用して初期対応を開始し，治療と評価を繰り返して病態を安定させる。

1）気道確保と呼吸管理
（1）酸素投与
　心肺蘇生時は，原則として100％酸素を用いる（酸素投与については，本章12「酸素療法」p.320参照）。
（2）エアウェイ
　舌根沈下をきたし，気道が狭窄あるいは閉塞する場合に用いられる。口腔エアウェイと鼻咽頭エアウェイがある。

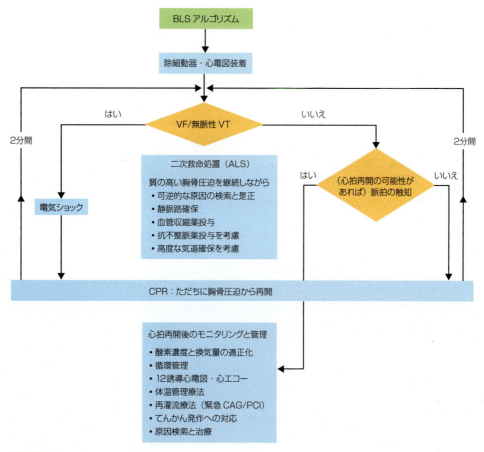

図18-11 小児心停止アルゴリズム
日本蘇生協議会監修：JRC蘇生ガイドライン2020，医学書院，2021，p.168．より転載

口腔エアウェイは，意識障害による舌根沈下のため気道確保を必要とする場合に使用する。咳や咽頭反射がある場合は，鼻咽頭エアウェイを選択する。
　鼻咽頭エアウェイは，咽頭反射が残っている，あるいは意識のある場合に使用する。頭蓋底骨折が疑われる場合は，頭蓋骨内に挿入する可能性があるため使用してはいけない。

(3) 気管挿管

　気管挿管を行う場合は，胸骨圧迫の中断が10秒を超えないようにする。BVM換気が有効に実施されていれば，気管挿管を急ぐ必要はない（気管挿管については，本章13「人工呼吸療法」p.331参照）。

2）薬剤投与

(1) 薬剤投与経路

①静脈内投与

　薬剤投与の際は，末梢静脈路確保を必要とするが，小児の場合は末梢静脈が細く，静脈路確保に苦慮することも多い。緊急時には静脈路確保に時間をかけるべきではなく，迅速に確保できない，もしくは困難が予測されれば，早めに骨髄路を確保する（静脈内投与については，本章7「輸液」p.265，8「輸血」p.281参照）。

②骨髄内投与

　静脈内投与ができる薬剤は，すべて骨髄路からも投与できる。投与する量は静脈内投与と同じである。効果も静脈内投与と比べて劣らない。

③気管内投与

　緊急時に静脈路も骨髄路も確保できず，気管挿管が行われている場合，アドレナリン，リドカイン，アトロピン，ナロキソンなど脂溶性薬物の投与が可能である。

(2) 蘇生に用いられる薬剤

　小児の心停止，不整脈に用いられる薬剤を表18-6に示す。蘇生時の輸液は，生理食塩水や乳酸リンゲル液など，糖を含まない等張性輸液を選択する。

3）除細動

　乳児（およそ体重10kg未満を目安）には乳児用パドル（図18-12a，b）を用いるが，パドル間を約3cm離して使用できる最大のパドルを選ぶ。エネルギー量を設定し充電した後，パドルを右上前胸部（第2・第3肋間）と左下側胸部（心尖部）（図18-12c）に押し付け通電する。通電時は，全員が患者から離れる。

表18-6 小児の心停止，不整脈に用いられる薬剤

薬剤	用量	適応/作用，注意点
ATP	初回0.1mg/kg IV/IO （最大1回投与量10mg） 2回目以降0.2 mg/kg IV/IO （最大1回投与量10mg）	上室頻脈（SVT） 後押し（2シリンジテクニックによる急速静脈内投与）
アトロピン	0.02mg/kg IV/IO （最小1回投与量0.1mg） （最大1回投与量0.5mg） （総投与量1mgまで）	迷走神経刺激による徐脈の治療と予防 房室ブロックによる徐脈 最小投与量以下では徐脈の誘発に注意
アドレナリン	0.01mg/kg IV/IO （0.1mL/kg 1：10,000） 0.01～1μg/kg/分	心停止，CPRで改善しない徐脈 4分ごとに投与可 心筋収縮力増強作用と血管収縮作用 アナフィラキシーに用いる場合は0.01mg/kg筋注
アミオダロン	2.5～5.0mg/kg （最大300mg）	VF/無脈性VT，SVT，VT QT時間を延長させる薬剤と併用不可
グルコン酸カルシウム	60～100mg/kg IV/IO 緩徐に静脈内投与 （8.5％製剤として0.7～1.2mL/kg）	症候性低カルシウム血症，高カリウム血症，カルシウム拮抗薬過剰投与 徐脈，心停止に注意
塩化カルシウム	20mg/kg IV/IO 緩徐に静脈内投与 （2％製剤として1mL/kg）	
ドパミン	2～20μg/kg/分	心筋収縮力増強作用 低用量でβ作用優位，高用量でα作用優位
ドブタミン	2～20μg/kg/分	心筋収縮力増強作用 血管拡張作用
ニトロプルシド	0.5～5μg/kg/分	強力な血管拡張作用 メトヘモグロビン血症，シアン中毒に注意
ノルアドレナリン	0.1～1μg/kg/分	強力な血管収縮作用
プロカインアミド	15mg/kg IV/IO （30～60分かけて緩徐に投与）	SVT，VT 心電図・血圧を監視し，QT時間延長に注意 小児循環器医など専門医への相談
マグネシウム	25～50mg/kg IV/IO （最大1回投与量2g） （10～30分かけて緩徐に投与，ただし心停止時にはより速く投与）	torsades de pointes 症候性低マグネシウム血症
ミルリノン	50μg/kg IV/IO （10～60分かけて緩徐に投与） 0.25～0.75μg/kg/分	心筋拡張機能改善・血管拡張作用 ローディングの際の低血圧に注意 腎不全の場合の用量に注意
リドカイン	1mg/kg IV/IO （最大3mg/kgまで） 20～50μg/kg/分	VF/無脈性VT 中枢神経系副作用（痙攣など）に注意
炭酸水素ナトリウム	1mEq/kg IV/IO BE値×体重（kg）×0.3mEqの半量投与とする方法もある	CPR中のルーチンとしては使用しない 動脈血ガスデータをもとに投与考慮
ブドウ糖液	0.5～1g/kg IV/IO	

ATP：アデノシン三リン酸，IV：静脈内投与，IO：骨髄内投与，SVT：上室性頻拍，CPR：心肺蘇生法，VF：心室細動，VT：心室頻拍
日本救急医療財団心肺蘇生法委員会監：救急蘇生法の指針2020 医療従事者用，改訂6版，へるす出版，2022，p.149．より転載

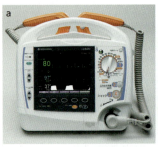

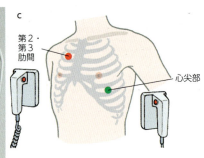

デフィブリレータ TEC-5600 シリーズ カルジオライフ
a, b 写真提供：日本光電工業株式会社

使い捨てパッド P-700 シリーズ P-711

パドルの圧着位置

図18-12 除細動器（乳児用パドル）

看護技術の実際

A 小児・乳児の胸骨圧迫

- **目　　的**：心肺停止状態と判断した小児・乳児に対して，手で胸骨下半分を圧迫・解除することで，血液に残存している酸素を重要臓器へ供給すること
- **適　　応**：心肺停止状態の小児・乳児

方　法	留意点と根拠
1　胸骨圧迫部位を選択する 　胸骨の下半分，目安として胸の真ん中あたりを選択する（図18-13）	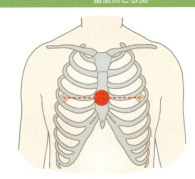 **図18-13 胸骨圧迫部位**
2　胸骨圧迫の実施方法を選択する 　1）適切な胸骨圧迫の深さを確保できるように，手掌基部を用いて（図18-14），両手もしくは片手で圧迫する（図18-15a，b）（➡❶） 　2）乳児では，2本指もしくは片手で圧迫する（図18-15c） 　3）乳児2人法は，胸郭包み込み両母指圧迫法を用いる（図18-15d）（➡❷）	❶両手で胸骨圧迫を行うとより質の高い胸骨圧迫が行える ❷冠動脈により高い灌流圧がかかり，適切な深度・強度の圧迫が一定して行える。また，より高い収縮期圧と拡張期圧を維持できる

方 法	留意点と根拠

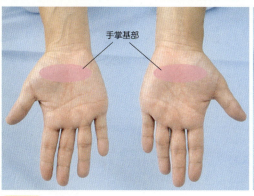 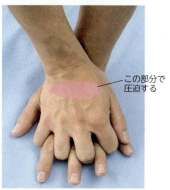

図18-14 手掌基部

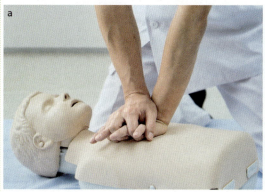 

a 両手法　　　　　　　　　　　　　b 片手法

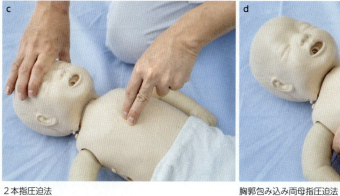 

c 2本指圧迫法　　　　　　　　　　d 胸郭包み込み両母指圧迫法

図18-15 胸骨圧迫の方法

3 **胸骨圧迫を行う**
1) 胸の厚さの約1/3程度（➡❸）までしっかり圧迫する

2) 圧迫した後は，胸壁が完全に元の位置に戻るまでしっかり戻す（➡❹）

3) 1分間に100〜120回のテンポで実施する（➡❺）

❸胸の厚さの1/3の深さは，胸腔内臓器に損傷を与えない深さである

❹冠動脈の血流は，心臓の収縮期に減少し，拡張期に流れる性質がある。胸壁を戻すことで心臓は拡張期状態となり，冠動脈に血液が流入する

❺100〜120回/分のテンポで胸骨圧迫を行うと最適な血流が得られる

方法	留意点と根拠
（1）1人法では「胸骨圧迫：人工呼吸＝30：2」の比率で行う （2）2人法では「胸骨圧迫：人工呼吸＝15：2」の比率で行う（→❻）	❻呼吸原性心停止の多い小児にとっては，換気が重要である
4 胸骨圧迫を継続する 1）強く，速く，絶え間ない胸骨圧迫を正常な呼吸や目的ある動作が認められるまで人工呼吸と組み合わせて続ける 2）交代要員がいれば1〜2分間ごとに交代する 3）胸骨圧迫の中断は最小限にする（→❼）	❼冠動脈灌流圧は胸骨圧迫とともに上昇し，人工呼吸などの中断ですぐに低下するため，強く，速く，絶え間なく行うことが自己心拍再開につながる

B バッグバルブマスク（BVM）による人工呼吸

- **目　　的**：呼吸障害時（呼吸窮迫，呼吸不全，呼吸停止）の補助呼吸として酸素を送り込み低酸素状態を防ぐ
- **適　　応**：呼吸障害時（呼吸窮迫，呼吸不全）における酸素投与で改善しない低酸素状態や呼吸調節障害での換気不全状態，呼吸停止状態の小児・乳児
- **必要物品**：BVM（図18-16），適したサイズのマスク，高濃度の酸素投与が必要な場合は酸素供給源（中央配管，酸素ボンベ）

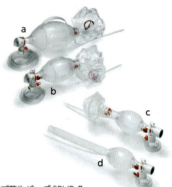

アンブ蘇生バッグ SPUR Ⅱ
a：成人用，b：小児用，c：新生児用（酸素リザーバーバッグ付き），d：新生児用（酸素リザーバーチューブ付き）
写真提供：アイ・エム・アイ株式会社

図18-16 バッグバルブマスク

方法	留意点と根拠
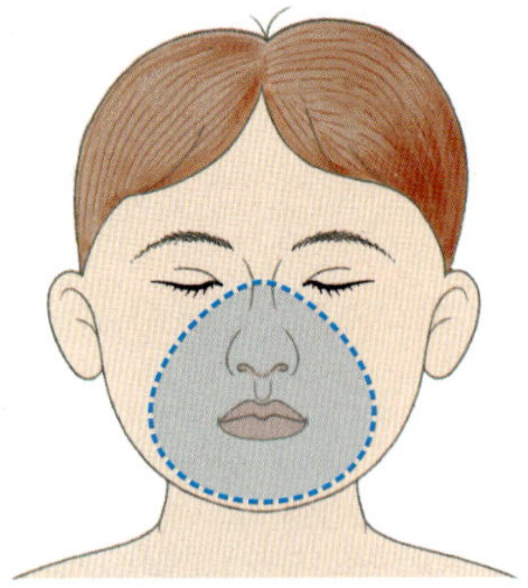 **1 マスクを選択する** 鼻梁から下顎までをカバーし（→❶），フィットするものを選択する（図18-17）	❶大きすぎると眼瞼部を圧迫する。下顎を越えると換気した際にマスクから空気が漏れ，有効な換気が行えない

図18-17 適切なサイズのマスク

方　法	留意点と根拠
2 気道を確保しマスクを保持する ECクランプ法（図18-18）を用いて気道を確保し，マスクを保持する（➡❷）  片手の第1指と第2指でマスクを固定しながら，残りの第3〜5指であごを持ち上げる **図18-18** ECクランプ法	❷ECクランプ法を用いることで，マスクの保持および気道確保が同時に行える
3 人工呼吸を開始する 1）バッグを押して空気を送り込む（図18-19） 2）1回換気量の目安は，軽く胸壁が上がる程度（➡❸）とし，1回当たり1秒（➡❹）かけて送気し，2回実施する	❸通常より少ない換気量で酸素化・換気が維持できる ❹人工呼吸による胸骨圧迫の中断を考慮すると，短時間であるほうがよい ●過換気とならないよう注意する（➡❺） ❺過換気は胸腔内圧を上昇させ冠動脈灌流圧を低下させることにより死亡率を増加させる

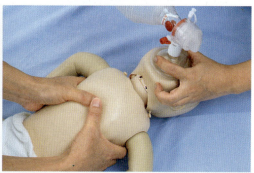

図18-19 バッグバルブマスクによる換気

C 口腔エアウェイの挿入

- 目　　的：舌根沈下を予防し気道を確保する
- 適　　応：意識障害による舌根沈下のため，気道確保を必要とする小児
- 必要物品：口腔エアウェイ

方　法	留意点と根拠
1 サイズを選択する 口腔エアウェイを小児の頬に当て，口角から下顎角までの距離のものを選択する（図18-20）（➡❶）	❶短すぎると先端が舌を押し込んでしまい，長すぎると喉頭蓋を下方へ圧排して気道を閉塞させる

方法	留意点と根拠
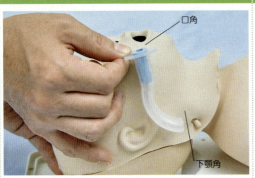 図18-20 口腔エアウェイのサイズ選択	
2 **口腔エアウェイを挿入する** はじめはあご側が凸になるように挿入し、半分ほど挿入できたら、180度回転させながら挿入する（図18-21） 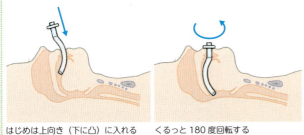 はじめは上向き（下に凸）に入れる　　くるっと180度回転する 図18-21 口腔エアウェイの挿入	

D 鼻咽頭エアウェイの挿入

- 目　　的：舌根沈下を予防し気道を確保する
- 適　　応：（1）舌根沈下のため、気道確保を必要とする小児
  　　　　　（2）咽頭反射が残っている、あるいは意識のある小児
- 必要物品：鼻咽頭エアウェイ（気管挿管チューブでも代用可能）、キシロカイン®ゼリー、医療用テープ

方法	留意点と根拠
1 **サイズを選択する** 鼻咽頭エアウェイを小児の頬に当て、鼻の先端から耳珠までの距離のものを選択する（図18-22）	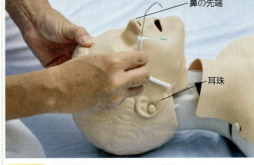 図18-22 鼻咽頭エアウェイのサイズ選択

方　法	留意点と根拠
2　鼻咽頭エアウェイを挿入する 　1）鼻咽頭エアウェイの先端にキシロカイン®ゼリーを塗布する 　2）はじめは真っすぐ立てて上向きに挿入し、半分ほど挿入できたら、180度回転させながら挿入する（図18-23）（➡❶） 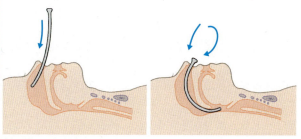 真っすぐ立ててはじめは上向きに入れる　　くるっと180度回転させながら奥に進む **図18-23　鼻咽頭エアウェイの挿入**	❶鼻の穴は最初は上向き、進んでいくと下向きになるため
3　鼻に固定する	

文　献

1）日本救急医療財団心肺蘇生法委員会監：救急蘇生法の指針2020 医療従事者用，改訂6版，へるす出版，2022，p.2.
2）一般社団法人 日本蘇生協議会：JRC蘇生ガイドライン2020，医学書院，2021.
3）American Heart Association：PALSプロバイダーマニュアル AHAガイドライン2020準拠，シナジー，2021.

19 モニタリング

学習目標
- 小児看護におけるモニタリングの意義・目的を理解する。
- モニタリングで得られた情報は，治療や看護実践をしていくうえで重要なデータになることを理解する。
- 心電図モニター，パルスオキシメーターを正しく使用し，モニタリングを実践するための知識・技術を習得する。
- モニタリングで得られた情報からアセスメントをするための基礎知識を理解する。

1 小児看護におけるモニタリングの意義・目的

　モニタリングとは，何らかの変化が生じていないか確かめるために人または状態を定期的に，観察・点検することである。モニタリングには，人が得意とする意識レベルの確認や心音・呼吸音の聴取などのモニタリングと，モニター機器が得意とする心拍数や酸素飽和度などのモニタリングがある。小児のベッドサイドモニターの基本は，心電図モニター，パルスオキシメーターであり，これらは循環・呼吸の状態をリアルタイムで観察するための重要なモニターである。心電図モニターとパルスオキシメーターには，設置型，携帯型，多くの測定機能を備えたマルチパラメーターがある。

　小児におけるモニタリングの目的は，①小児の日常の状態とその変化を把握する，②呼吸循環などが不安定な患児の危機的状況をいち早く察知し，身体的状況を正しく判定する手がかりにすることである。成長・発達段階の途上である小児は，呼吸・循環ともに未熟である。また，自ら状態の悪さを表現することができない小児にとって，モニタリングで得られたデータは，具合の良し悪しを医療者に伝える「声」となる。また，アラームの設定が適切でなければ，小児の深刻な変化に気づくことができない。モニター機器を正しく使用し，得られた情報と看護師自身が得た小児の一般状態を鑑み，総合的に評価する。モニター機器を使用してモニタリングしているから大丈夫と，決して過信してはならない。

2 心電図モニター

　心筋には，収縮・弛緩に関係する固有心筋以外に，発生した電気的刺激（興奮）を心臓各部に速やかに伝えるための特殊心筋細胞がある。これが刺激伝導系とよび，「洞結節→房室結節→ヒス束→左脚・右脚→プルキンエ線維」で構成される（図19-1）。

　心電図は，心筋細胞が収縮・弛緩するときに発生する活動電位を体表面からとらえて波

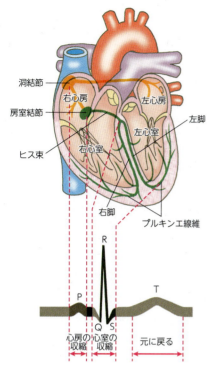

図19-1 刺激伝導系

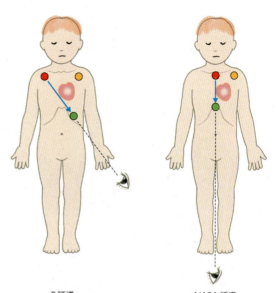

図19-3 Ⅱ誘導とNASA誘導

赤・黄色の電極は左右の鎖骨下付近に，緑は左胸部下に貼る（Ⅱ誘導）。うまく，P波，QRS波が出ない場合は，赤・緑の電極を正中上，胸骨上端と下端（剣状突起上）に付ける方法もある（NASA誘導）

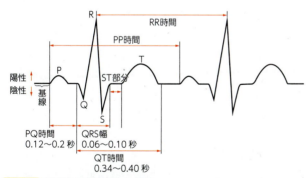

図19-2 正常心電図波形と正常値

形で記録したものである。心臓の部位により活動電位が異なるため，記録される波形も異なる。これらの波形は，アルファベットのP，Q，R，S，Tで表される（図19-2）。

心房と心室の収縮を明確にするために，P波とQRS波の関係を調べる必要がある。P波およびR波が最も大きく記録されるのはⅡ誘導であり，標準設定として用いる（図19-3）。

心電図モニターでは，心拍数および心拍数の変化，リズム不整の有無，P波，QRS波，ST部分を確認する。小児の場合，全身状態が急変することが多く，心電図の変化が迅速な対応の指標となる。心臓疾患の発見や病状の把握，治療効果の有無，心臓の収縮・拡張が正常に行われているか，心筋に異常がないかなどを読み取る。心疾患患児に限らず，呼吸

第Ⅴ章 検査・処置・治療に伴う看護技術

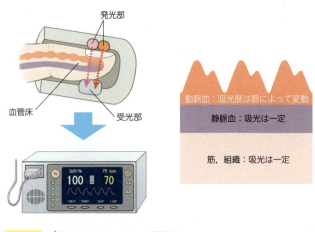

図19-4 パルスオキシメーターの仕組み

器疾患や急変の可能性がある患児に装着し，状態の変化を非侵襲的かつ連続的にモニタリングできる。また，心電図電極で，胸壁が動くことによる体表面のインピーダンス（交流電流における電圧と電流の比）の変化を測定して，呼吸曲線や呼吸数で算出している。

3 パルスオキシメーター

パルスオキシメーターは，プローブを装着することで非侵襲的に動脈血酸素飽和度を連続的に測定する装置である。準備，操作が容易であることも特徴の一つである。測定した値はSpO_2（経皮的酸素飽和度）として表示される（単位は％）。また，同時に脈拍数も測定でき，徐脈，頻脈の判定が容易にできる。

パルスオキシメーターのプローブには発光部と受光部があり，波長の違う2つの光（赤色光と赤外光）を利用して，ヘモグロビンの色（血液の赤み加減）を見ている（図19-4）。ヘモグロビンは酸素と結合していないときは赤色を吸収し，酸素と結合しているときは赤色をあまり吸収しない。この性質を利用して，動脈血の酸素飽和度を測定する。

正常範囲は$SpO_2$95％以上であり，$SpO_2$85％以下ではチアノーゼを起こすおそれがある。小児には，先天性心疾患を有する子どもがおり，もともとSpO_2値が低い場合もある。パルスオキシメーターのデータだけで呼吸の評価はできない。呼吸のリズムや速さ，努力呼吸の有無などの症状や訴えが重要である。

看護技術の実際

A 心電図モニター

- ●目　的：モニタリングすることにより心拍数，不整脈，その他の異常を早期に発見する
- ●適　応：（1）救急搬送時の他，不整脈，人工呼吸管理中，循環・呼吸状態が不安定な患児，重

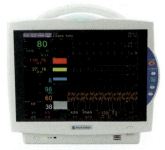
ベッドサイドモニタ BSM-6701
写真提供：日本光電工業株式会社

図19-5 心電図モニター

ディスポオキシプローブ TL-272T　ディスポ電極 V ビトロード V-120S3
写真提供：日本光電工業株式会社

送信機 ZS-630P

図19-6 プローブ，電極，送信機

症患児，新生児
（2）手術後や侵襲の大きい検査，処置時（血管造影，胸腔・腹腔穿刺など）
- 必要物品：心電図モニター本体（図19-5），送信機・リード線付き電極（図19-6），電池，記録用紙，必要時アルコール綿

方　法	留意点と根拠
1　必要物品を準備する	●モニターの電源が入るか，送信機の電池は切れていないか，モニターに記録用紙は入っているかなど，緊急の場合に備える
2　子どもと家族に説明する	●子どもの年齢に応じた説明を行い，モニター装着の必要性，期間，方法について理解を得る
3　電極を貼る 1）水分や汗，汚れを拭き取る（➡❶） 2）電極を貼る 3）はがれないようにテープなどで皮膚に固定する	❶年齢や疾患により発汗量が多い場合は，電極の粘着力が低下する。また，皮膚が汚れている場合は，アルコール綿で拭き取る。使用することで発赤がみられたりしないか，情報を得るようにする ●電極位置は，a. P波が明瞭，b. QRS波が十分に描出，c. 子どもの動きに影響されず，動きを制限しない部位に貼付する（Ⅱ誘導が用いられることが多い）。骨の上に電極を貼ることで，筋電図が混入することを防ぐことができる ●電極は1日1回を目安に貼付部位を変える（➡❷） ❷電極の剝離刺激による皮膚損傷と皮膚かぶれの予防 ●電極の粘着力がなくなれば，そのつど電極を貼り替える ●電極の誤食・誤飲を予防する（➡❸） ❸誤飲すると粘着ゲルが膨張し，胃に滞留する。誤飲防止用に苦味成分が配合された電極や糊の部分の膨張が少ないタイプの電極もある
4　送信機にリード線付き電極を接続する	●赤・黄・緑の色を合わせる ●通常Ⅱ誘導が用いられる
5　波形が確実に出ていることを確認する 1）波形が確実に出ていないときは，電極や誘導コードのチップ先に汚れがないかを確認する 2）電池が切れていないか確認する	●交流障害を予防する ●ナースステーションなどに心電図を送信している場合は，そちらの画面も確認する

方　法	留意点と根拠
6　アラームを設定する 　1）装着する子どもにあったアラームを設定する（➡❹） 　2）ペースメーカーが装着されている場合は，必ずペースメーカー検出をONに設定する（➡❺）	❹異常の早期発見のため，年齢や病態に合ったアラーム設定にする ❺正しくペーシングされているときは，ペーシング波形が出る。フェラーの早期発見のために設定する
7　心電図波形の記録をする 　不整脈出現時には記録する（➡❻）	❻不整脈の診断のため
8　子どもが動いて，リード線が絡まったりしないように，一つにまとめる 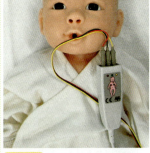 図19-7　口に入れたリード線 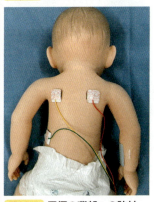 図19-8　電極の背部への貼付　　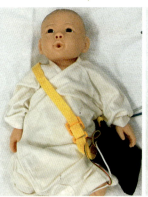　図19-9　電極やコードを見えないように工夫	●リード線に手や足が絡まると，血行が阻害されるという事故にもつながる。また，リード線を引っ張り，はずれた電極を誤食する可能性がある ●訪室ごとに観察することも大切である ●子どもの発達段階によっては，電極やコードを口の中に入れてしまうことがある（図19-7） ●子どもの関心が電極やコードに向かないように，背中に電極を貼付したり（図19-8），ポシェットやタオルで隠すなどの工夫をすることで（図19-9），誤食・誤飲の予防ができる

B　パルスオキシメーター

- 目　　的：SpO₂値の変動から病態の変動を早期に察知する
- 適　　応：（1）人工呼吸管理中，循環・呼吸器疾患の患児，重症患児
　　　　　　（2）侵襲の大きい検査や処置時（血管造影など）
- 必要物品：SpO₂モニター本体（図19-10，19-11），プローブ（リユーザブル，ディスポーザブル），接続ケーブル，テープ

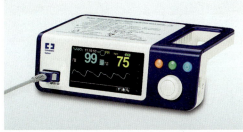
ベッドサイド SpO₂ ペイシェントモニタリングシステム N-BSJ
写真提供：コヴィディエン ジャパン株式会社
図19-10 SpO₂モニター本体

ポータブル SpO₂ モニタ PM10N
写真提供：コヴィディエン ジャパン株式会社
図19-11 携帯用SpO₂モニター

	方　法	留意点と根拠
1	必要物品を準備する	●電池式，充電式のものがあるので，作動するか確かめる。赤色光の点灯を確認する
2	子どもと家族に目的・方法などについて説明する	●子どもの年齢に応じた説明を行い，モニター装着の必要性について理解を得る
3	プローブを装着する 1）患児の年齢や体格，装着部位に合ったプローブと装着部位を選択する 2）プローブを装着する（図19-12） 写真提供：コヴィディエン ジャパン株式会社 図19-12 センサー装着例	●プローブは通常6〜18mm厚の部位に発光部と受光部が平行になるように，挟み込むようにして装着する ●幼児，新生児へのプローブ装着は，足親指（第1指），足の甲で測定する場合は薬指（第4指）の付け根付近に装着することで，比較的脈動成分を大きく得やすい ●プローブはコードが身体に沿うように装着し，コードを身体に固定し，体動の影響を減らすようにする ●連続して測定する場合は，装着部位を2〜3時間ごとに変更する ●プローブを緩すぎたり，締めすぎたりしないように注意する。緩すぎる場合，体動による影響が大きく，脱落やズレが起こりやすい。締めすぎる場合，血管圧迫で安定した測定ができなかったり，組織圧迫で低温熱傷や圧迫壊死などの皮膚障害が起こりやすくなる ●プローブの剥離刺激による皮膚の損傷と圧迫による局所循環障害の予防に留意する
4	本体，電源コード，プローブを接続し，電源を入れる 1）プローブ内が赤く発光しているか，装着部位に汚れやマニキュアなどがないか確認する 2）プローブが皮膚に密着するように粘着テープを貼る（➡❶）	❶正確なSpO₂を表示するためである
5	脈拍が正しく感知されているか，音や脈波で確認する 1）適切な値が表示されているか確認する（➡❷） 2）異常がないか（➡❸） 3）酸素療法や人工呼吸管理中の治療効果の判定を行う	●パルスオキシメーターは，動脈血の脈波を認識して脈拍数を測定しているため，心拍数と等しいことが確認されると，信頼性が高くなる ●室内の蛍光灯の干渉があるため，測定部位を布団や毛布で覆う ❷プローブの装着部位や疾患によりSpO₂の値が異なる ❸激しい体動や末梢循環不全，心肺蘇生処置をしているなどの場合は，正しく測定できない可能性が高い

方 法	留意点と根拠
6 **アラームを設定する** 　1) 装着する子どもに合ったアラームを設定する（➡❹）	❹異常の早期発見のため，年齢や病態に合ったアラーム設定にする
7 **測定値を記載する**	
8 **モニターとして使用する場合は連続装着にする**	
9 **子どもが動いて，コードが絡まったりしないように，一つにまとめる**	● コードに手や足が絡まると，血行が阻害されるという事故にもつながる。また，リード線を引っ張り，はずれたセンサーを誤食する可能性がある ● 訪室ごとに観察することも大切である ● 子どもの発達段階によっては，動きによってコードが足に絡まったり，コードを手に持ったりする（図19-13）ことがある **図19-13** コード類の事故リスク ● 子どもの関心がコードやプローブに向かないよう，靴下を履かせたり，コードをタオルで隠すなどの工夫（図19-14）をすることで，事故防止ができる **図19-14** 事故防止の工夫

文　献

1) 竹内一郎編：ナース研修医のための救急・ICUで使うME機器，メディカ出版，2021，p.10-17.
2) 中田 諭編：小児クリティカルケア看護　基本と実践，南江堂，2011，p.294-299.
3) 加納 隆・廣瀬 稔編：ナースのためのME機器マニュアル，医学書院，2021，p20-26, 41-46.
4) 大槻勝明編：ICUのモニタリング，総合医学社，2015，p.3-11.
5) 道又元裕編：人工呼吸ケア「なぜ・何」大百科，照林社，2011，p.434-441.

20 特殊な保育環境（保育器）

学習目標
- 特殊な保育環境が必要な低出生体重児の特徴を理解する。
- 保育器の機能と仕組みを理解し，保育器を適切に管理できる。
- 保育器に収容されている低出生体重児への看護技術を習得する。

1 保育器収容の意義と適応

　新生児を保育する特殊な環境の一つに保育器がある。低出生体重児は，子宮外で生活するには機能が未熟である場合が多い。環境に左右されやすいため，体温を保持する環境を整え，感染予防に努めることが大切である。

　保育器は一般的に閉鎖型保育器を指すが，そのほかに開放型保育器がある。それぞれの特徴を理解して，児に適した機種を選択する。

　低出生体重児は，以下のような分類と定義がされている。
- 低出生体重児：出生体重2,500g未満の新生児。
- 極低出生体重児：低出生体重児のなかでも出生体重1,500g未満の新生児。
- 超低出生体重児：低出生体重児のなかでも出生体重1,000g未満の新生児。

　保育器収容の適応は以下のような場合である。
① 低出生体重児や在胎週数37週未満の早産児。
② 体温調節ができず，低体温に陥りやすい新生児。
③ 呼吸障害，循環器障害，黄疸などで保育器内での治療が必要な新生児。
④ 感染防止が必要な新生児。
⑤ 感染症で隔離が必要な新生児（施設により基準は異なる）。

2 低出生体重児の特徴

1）体温調節機能の未熟

（1）体温維持の困難

　新生児の熱産生の特徴として，寒さにさらされても筋肉の不随意な運動（ふるえ熱産生）により熱産生が起こらず，褐色脂肪組織での熱産生が中心となる。また，在胎週数が浅いほど，皮膚の角質化が進んでいないため不感蒸泄が大きい。以上を視野に入れて体温の管理に努める。

（2）熱喪失の経路

体重に比べて体表面積の割合が大きく，その程度は体重が小さければ小さいほど大きい。また，皮下脂肪が少ないため，熱の喪失が大きい。熱喪失には，輻射，対流，伝導，蒸散の4つの経路があり（図20-1），熱喪失の経路別具体例を表20-1に示す。

（3）至適環境温度の維持

新生児は体温調整可能温度域が狭く，成人や年長の小児に比べて環境温度の変化によって容易に低体温や高体温となる。その程度は小さい新生児ほど，また未熟な新生児ほど大きい。そのため，出生時体重・日齢に応じた調節が重要となる。新生児を取り巻く適正な温度を至適環境温度とよび，このうち最小の酸素消費量で正常な体温を保つことができる温度を中性温度環境とよぶ。

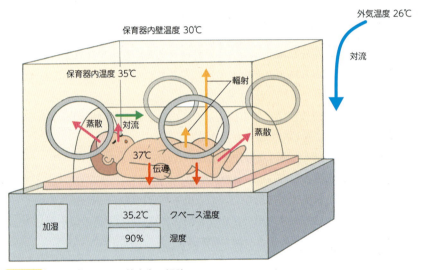

図20-1 保育器内における熱喪失の経路
古川秀子：なぜ体温管理が必要なのか？，ネオネイタルケア，16（3）：200-204, 2003. を参考に作成

表20-1 新生児の熱喪失の経路別の具体例と対策

経路		具体例	対策
輻射	皮膚温とその周りの環境の温度差により熱が周囲に移行（放射）すること	屋外に面している窓側への保育器の配置（特に冬季）	・ダブルウォールの保育器を使用する ・保育器の配置を配慮する
対流	新生児の周囲の空気の流れ	空調の付近への保育器の配置	・閉鎖型保育器を使用する ・掛け物をかける ・保育器の手窓の開閉は最小限にする
伝導	皮膚に直接触れているものとの熱交換	冷たいリネン，ぬれたおむつ	・温めたリネンを使用する ・ぬれたおむつを交換する
蒸散	新生児の皮膚や粘膜から水分が失われること	出生直後の羊水の放置，清拭後の皮膚の湿潤	・出生後や，清拭後はからだに付着している水分を温めたタオルなどで拭き取る

2）免疫能・抗体生産能の低下
①母体の免疫グロブリンG(immunoglobulin G：IgG)は，妊娠後期に胎児へと移行するため，抗体の保有が少ない。
②白血球の貪食能や運動機能が低い。
③胎盤通過性のない免疫グロブリンA(IgA)およびM(IgM)が欠損している。
④母体由来の免疫抑制物質の影響を受ける。

3）ガス交換障害
①肺組織や呼吸筋の発達が未熟なため，換気能力が不十分である。
②呼吸中枢が未熟であり，無呼吸を起こしやすい。
③サーファクタント(肺表面活性物質)が欠損または不足している。

4）その他の特徴
①心機能・血管が未熟である。
②腎機能が未熟である。
③消化・吸収機能と消化管機能が未熟である。
④肝機能が未熟で高ビリルビン血症を発症しやすい。
⑤在胎週数がより短いほど脳室内出血を起こしやすい。

3 保育器の機能と使用方法

1）保育器の機能・種類・しくみ・特徴
保育器には表20-2に示すように，閉鎖型保育器（図20-2），開放型保育器（図20-3）と，閉鎖型としても開放型としても使用できる閉鎖型開放型両用保育器がある。使用に際しては，それぞれの機能や特徴を踏まえて選択し，注意点に配慮したケアを行う。

2）閉鎖型保育器の一般的な使用方法
(1) 使用法
閉鎖型保育器の一般的な使用法を以下に示す。
①保育器の前面に向かって左側が頭，右側が足になるように児を収容する。
②児は裸のまま，おむつのみ着用する（状態の安定した児は，着衣して収容する場合もある）。
③保育器の手入れ窓は，清潔側と不潔側を区別する。児の頭側の窓を清潔側，足側を不潔側として扱うのが一般的である。
④処置を行う場合は，一般的に前壁側の手入れ窓から手を差し込む。介助者は後壁側の窓を使用する。
⑤保育器内の温度・湿度は，児の週数・体重を基準に設定する。

〈温度設定の目安〉
・保育器内の温度は，出生体重・日齢を目安に設定する（表20-3）。

表20-2 保育器の種類

	閉鎖型保育器	開放型保育器
機能	・適温の環境を与える ・湿度の調整ができる ・外界を遮断することで感染を防止できる ・酸素を効果的に供給できる	・適温の環境を与える
仕組み	・フィルターで濾過した空気をヒーターで温めてファンで循環させ，器内温度を調整する。空気の一部は加湿層を通過する際に加湿される ・マニュアルコントロール：器内温度を設定し調整する ・サーボコントロール：児に体温プローブを装着し，児の体温が一定に保たれるように保育器の温度を自動的に調整する	・臥床部が開放型で上部の赤外線ヒーターによる輻射熱で児を保温する ・閉鎖型保育器同様に，マニュアルコントロールとサーボコントロールがある
特徴	・温度・湿度の保持や隔離性に優れている ・酸素投与がしやすい ・家族と壁面で隔たりがある	・蘇生や処置が行いやすい ・隔離性はない ・対流や蒸散による影響によって不感蒸泄が増加する ・壁面がないため家族と距離が近い
注意点	・手窓開窓時に対流ができる ・加湿層の水が不足すると湿度が低下する ・サーボコントロール使用時のプローブの逸脱や，尿などによる汚染での測定値異常が起こり，器内温度が上昇する ・手窓の閉め忘れによる児の落下	・サーボコントロール使用時のプローブの逸脱や，尿などによる汚染での測定値異常が起こり，器内温度が上昇する ・処置後のベビーガードの上げ忘れによる児の落下 ・空調などによる対流が多い場所での使用に注意する

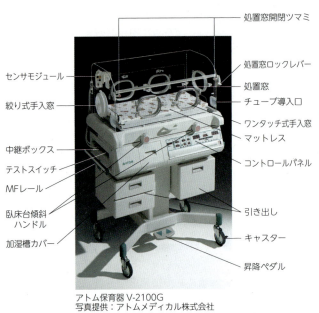

アトム保育器 V-2100G
写真提供：アトムメディカル株式会社

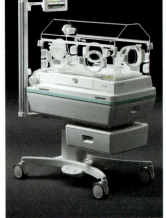

インキュi

図20-2 閉鎖型保育器各部の名称

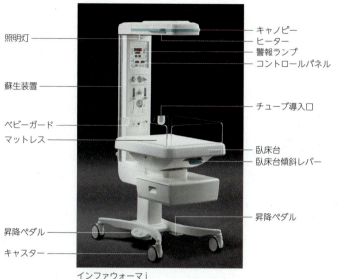

図20-3 開放型保育器と各部の名称

表20-3 閉鎖型保育器内の温度設定

日齢 \ 出生体重	1,000g未満（℃）	1,000〜1,500g（℃）	1,500〜2,000g（℃）
0	36.0	35.0±0.5	34.0±0.5
10	36.0	34.5±0.5	33.5±0.5
20	35.5±0.5	34.0±0.5	33.5±0.5
30	35.5±0.5	34.0±0.5	33.0±0.5
40	35.0±0.5	33.5±0.5	

奥山和男監：新生児の診療と検査，東京医学社，1980，p.57. より転載（一部改変）

〈湿度設定の目安〉
・湿度は一般的に50〜60％にする。
・出生時は60〜70％と高値で設定し，蒸散による体温低下を抑える。
・超低出生体重児では，90％以上の高湿度が必要な場合もある（施設により異なる）。

（2）使用中の保守管理
・毎日，保育器内と外を清掃する（使用物品は施設基準に基づく）。
・加湿層は滅菌蒸留水を使用し，不足時補充する。
・保育器は定期的に交換する（交換頻度は施設基準に基づく）。
・塵埃や細菌を濾過するマイクロフィルターは，3か月ごとに交換する（機種およびメーカーの基準に基づく）。
・定期的に保育器の点検を行う。

閉鎖型保育器内での看護援助

1) バイタルサインの測定

保育器内の温度，湿度，酸素濃度（酸素を使用している場合）を定期的にチェックし，調整する。同時に児の体温を定期的に測定する。設定を調整した後は，臨時で体温を測定する。

保育器の外から呼吸数，呼吸状態を観察する。その後，手入れ窓から両手を入れて，心拍，体温を測定する。必要時，血圧も測定する。

2) 身体の測定

身長はフードの内側に印字されている身長計またはメジャーで計測する。
①保育器に内蔵されている体重測定機能により保育内で計測する。
②保育器用吊り下げ式体重計を保育器の上に乗せ，フックをフードの上壁の穴から差し込み，新生児を入れたハンモックをフックに吊り下げて計測する。
③保育器のそばに体重計を準備して，保育器の外で体重を計測する。

3) 身体の清潔

温湯に浸した綿花・ガーゼや，場合によっては清浄クリームなどで清拭する，摩擦刺激で皮膚を傷つけないように押さえ拭きし，付着物はつまみ取るなど配慮する。清拭後は手早く乾燥させる。

児の状態によっては保育器内や保育器のそばで沐浴を行うこともある。また，安静保持を優先し，部分的に行う，または行わないこともある。

4) 授　乳

(1) 経管栄養の場合（児の状態に応じた方法により実施する）
①保育器外のポールなどから，紐で内筒をはずした注射器を吊るして（新生児との高さを利用する），注射器と栄養チューブを延長チューブでつなぎ，準備した母乳または人工乳を自然圧で注入する。
②児の栄養チューブに接続した注射器をシリンジポンプにセッティングし，設定した速度・時間で注入する。
③注射器を用手でゆっくり加圧し注入する。

(2) 哺乳びんの場合

授乳を行うときは，清潔側の手入れ窓から哺乳びんを入れる。看護師の左手で新生児の頭・首を支え，上半身を挙上して哺乳させる。哺乳後は，看護師の右手側に児の上半身を前屈させるようにした座位をとらせ，左手で背中をさすり排気させる。

5) ポジショニング（図20-4）

低出生体重児は筋緊張が弱いため，自力での良肢位保持が難しい。そこで，大小のタオ

仰臥位

腹臥位

図20-4 低出生体重児のポジショニング

ルやポジショニング専用用具を使用してポジショニングを実施する。
　ポジショニングは児の精神的な安定化と発達促進の効果があるといわれている。
　自力での体位変換が困難であるため，定期的に体位変換を行う。

6）環境調整
（1）光
　強い光環境は，早産児の成長や神経発達に影響を及ぼす可能性がある。安全を確保しつつ，病室内の光環境の調整や，保育器に遮光用のカバーをかけるなど工夫する。昼夜のリズムも意識して照度を調整する。

（2）音
　環境音や騒音は，低出生体重児にとってエネルギー消耗や睡眠の妨げになるため，周囲の環境音や騒音に配慮する。
・職員同士は静かな声で会話する。
・手窓の開閉時の音に配慮する。
・モニターのアラーム・同期音などの音量を調整する。

7）感染防止
　標準予防策を遵守し，状況に応じて感染経路別予防策をとる。
・聴診器・体温計などの使用物品は児ごとの個別使用とし，必要に応じて滅菌のものを使用する。
・母乳を積極的に摂取させ，IgAやラクトフェリン，常在細菌叢の獲得を目指す。
・家族のタッチングによる常在細菌叢の獲得を目指す。

5　新生児用ベッド（コット）への移床

　新生児の体重が増加し，状態が安定して保育器外で体温が維持できるようになれば保育器からコットへ移す準備を始める。

〈移床の目安〉
条件は施設により異なる。
①体重1,300g以上。
②保育器内温度が室内温度に近くなっている。
③呼吸状態が安定し，酸素を必要としない，または経鼻酸素で酸素化が保持できている。

看護技術の実際

A 閉鎖式保育器収容中の新生児の体重測定

- 目　的：（1）成長発達，栄養状態を評価する
  　　　　（2）前日との体重と比較し必要な水分出納・栄養を調整する
- 適　応：閉鎖式保育器収容中の新生児
- 必要物品：新生児を包み込むためのシーツ・おむつ

	方　法	留意点と根拠
1	前日の体重を確認する（➡❶）	●前日の体重と比較したときの増減がすぐにわかるようにしておく。シーネなどを使用している場合は重さを確認する ❶新生児の特徴として3～10％の生理的体重減少があるが，その範囲内であるか否かの確認が必要である
2	新生児の覚醒状態を確認する	●新生児の睡眠覚醒状態に配慮する。覚醒レベルが深睡眠でない状態で実施する（➡❷） ❷新生児の成長や精神的安定の促進ため睡眠や休息の時間を中断させないようにする
3	新生児の準備をする 1）おむつを交換する 2）新生児をシーツで包み込む 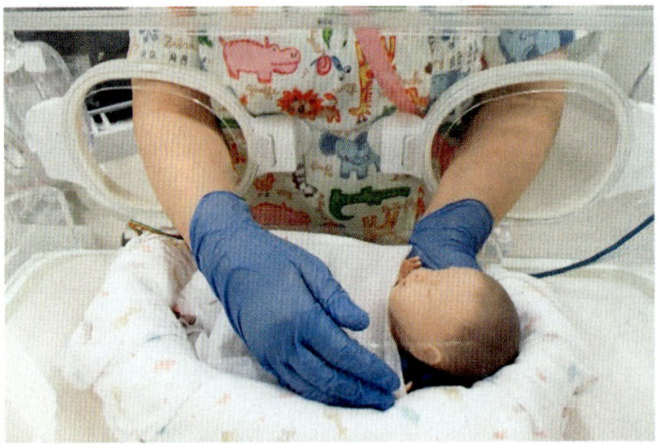 図20-5　ホールディング	●児を包み込むためのシーツは重さを測っておく ●新生児のストレスを最小限にするためにタオルでくるみ，新生児の安定化を図る ●新生児のストレスを誘発しないように，必要時ホールディングを行う（図20-5）
4	体重測定の準備をする タッチパネルを操作し，風袋引きを行い，0になるように設定する（図20-6）	●正確な体重を測定するため，保育器内にある余分な物品は保育器外に出しておく

方法	留意点と根拠
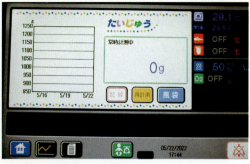 図20-6　風袋引きとゼロ設定	
5　タッチパネルを操作し，パネルの指示に従い，モニターや点滴類のラインと共に新生児を包み込んだまま持ち上げる	●モニターや点滴のラインが引っ張られたりしないよう注意する ●新生児のストレスにならないように，図20-7の①②③の順でゆっくり行う
 図20-7　体重測定前のタッチパネルの操作	
6　タッチパネルの合図とともに新生児をベッドに下ろし，ライン類のみ持ち上げ体重を測定する（図20-8）	●ライン類が引っ張られないように注意する ●児のストレスにならないようにゆっくり降ろす ●児の循環状態などの変動を最小限にするため，急いで児の上げ下ろしをしないように配慮する
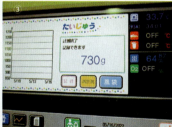  図20-8　体重測定時のタッチパネル操作	●測定で表示された数値から，おむつと包み込み用シーツの重さを引いて，記録する

方　法	留意点と根拠
7　必要があれば，再度ライン類を持ち上げ，再計測を行う	● 低出生体重児は通常10〜20ｇ前後の増加であるため，体重が前日と大きく増減するようなら再度計測する（図20-9） 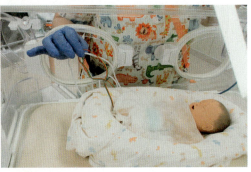 図20-9　再計測
8　終了後，新生児を包み込んでいるシーツをはずし，体位を整える	● 新生児のストレスを最小限にするため，体位変換しながらポジショニングシーツをゆっくりはずす（図20-10） 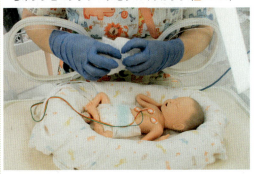 図20-10　ポジショニングシーツをはずす ● 体重測定は児に大きなストレスを与えるため，終了後は児のポジショニングを整え，ホールディングを実施し（図20-11），児の安定化を図る 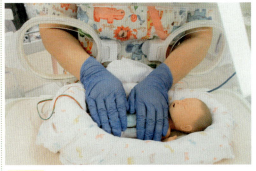 図20-11　ホールディングを行う ● 終了後は手窓を開けているため，体温が下がっている可能性があるため，体温変動に注意する

文 献

1) 仁志田博司：新生児学入門；第5版，医学書院，2018.
2) 日本ディベロップメンタルケア（DC）研究会編：標準ディベロップメンタルケア，第2版，メディカ出版，2018.
3) 神山寿成：保育器，周産期医学，51 (10)：1493-1498，2021.
4) 佐藤眞由美編：はじめてのNICU看護"なぜ"からわかるずっと使える，メディカ出版，2022，p.105-109.
5) 菅野さやか編著：看護の現場ですぐに役立つ新生児看護のキホン―あかちゃんのいのちを守る技術が身に付く，秀和システム，2020，p.113-114.
6) 豊島万希子・中野幸子・古都美智子編：先輩ナースの視点がわかる新生児ケアのきほん―まず押さえたい20のポイント，メディカ出版，2019，p.75-79.

索引 index

[欧文]

1回尿 202
5S 53
6つのR 252
24時間採尿 202
AED 389
ALS 377
AVPU評価スケール 65
BLS 377
BMI 75
BVM 396
CO_2ナルコーシス 324
CPR 377
CRT 66, 382
DPI 298, 303
FLACCスケール 69
GVHD 281
IPPV 330
MDI 298
NPPV 330, 335
NRS 69
PALS 377, 391
PAT 64
PBLS 377
　——アルゴリズム 388
pMDI 298, 302
RCA 54
SpO_2 402
teamSTEPPS 55
TICLS 65
VAP 334, 338
VAS 69
Wong-Baker FACES® Pain Rating Scale 69

[和文]

遊び 26, 189
　——の環境調整 193
アネロイド血圧計 95
安静 237
安静ジャケット 242
　——を用いた運動抑制 244
安全 237

罨法 343

胃管 287
異常呼吸 94
　——音 66
衣生活 179
痛み 68
　——の行動スケール 69
一次救命処置 377
一般的採尿法 201
移動 149
　——の介助 154
衣服の交換 184
医療事故 45
医療事故調査制度 45
医療用BLSアルゴリズム 388
胃瘻 287
　——カテーテル 288
陰圧式固定具 243
インシデントレポート 54
咽頭ぬぐい液 205
インフォームドアセント 35
インフォームドコンセント 35
陰部洗浄 115

ウィーニング 334
　——の条件 335
動く機能 149
うつ熱 345
運動発達 150
運動抑制 238

エアウェイ 391
栄養摂取 120
腋窩温 89
エリクソン 2
エントレインメント 21

おくるみ 242
おまる 141
　——による援助 145
おむつ 141
　——交換 143
オレム 3
温罨法 343, 346

加圧噴霧式定量吸入器 298, 302
外観のチェックポイント 65
概日リズム 159, 160
介達牽引 359
　——の介助 365
開放型酸素マスク 322
開放式気管吸引 311
外用薬 250
　——の塗布 264
カウプ指数 75
ガウン 168
　——の着脱 176
学習 190
　——の環境調整 194
喀痰 205
隔離 172
過呼吸 94
家族の付き添い 190
家族の発達段階と発達課題 57
簡易酸素マスク 322
環境の調整 186
間欠的導尿法 216
間欠的陽圧換気 330
間欠熱 91
看護技術 6
看護職の倫理綱領 46
間食 130
感染 166
感染経路 166
浣腸 221
陥没呼吸 94

気管カニューレの交換 340
気管吸引 305, 309, 333
気管切開 332
　——用マスク 322
気管挿管 331, 392

419

気管チューブ　332
気管内投与　392
寄生虫卵検査　204
気道異物除去法　390
気道確保　388
ギプス　350
ギプスシーネ　351
ギプスシャーレ　351
逆隔離　172
キャスト症候群　354
吸引　305
　　――圧　307
　　――時間　307
吸入　296
　　――療法　296
救命の連鎖　377
胸囲　74
　　――測定　85
胸骨圧迫　388, 389, 394
胸式呼吸　93
蟯虫卵検査　204
胸腹式呼吸　93
胸部突き上げ法　390
筋肉内注射　251, 261

空気感染　167, 170
空腹のサイン　125
グリセリン浣腸　221, 222
車椅子　156

経管栄養　287
経口薬　250
経口与薬　254
経鼻胃管法　287
経鼻経管栄養法　289
経鼻腸管法　287, 293
経皮的酸素飽和度　402
稽留熱　91
経瘻孔法　287, 294
血圧　95
　　――測定　101
血液分布異常性ショック　384
下痢　139
牽引療法　358
減呼吸　94
言語的コミュニケーション　20
検体採取　198

口腔エアウェイ　397
口腔吸引　305, 316
口腔ケア　117, 338
高血圧　96
高体温　91
行動性体温調節　345
ゴーグル　168
呼吸　93
　　――障害　379
　　――数　94
　　――測定　100
呼吸原性心停止　378
呼吸性不整脈　92
呼吸理学療法　333
極低出生体重児　407
個室隔離　172
個人防護具　168
　　――の着脱　175
骨髄穿刺　227, 230
骨髄内投与　392
コット　413
こどもセルフケア看護理論　4, 11
子どものセルフケア　3
コミュニケーション　20
コロトコフ音　103
コンパートメント症候群　354
根本原因分析　54

サーカディアンリズム　160
採血　199
在宅人工呼吸療法　336
採尿　201, 210
採便　203, 212
砂嚢　243
坐薬　250, 259
酸素中毒　325
酸素テント　323
酸素投与　327, 391
酸素ボックス　323
酸素療法　320

シーソー呼吸　94
シーネ固定　243
ジェット式ネブライザー　296, 300

視覚アナログ尺度　69
視診　67
姿勢の異常　66
弛張熱　91
至適環境温度　408
自動体外式除細動器　389
児童の権利条約　35
シャワー浴　109
集団隔離　172
手指衛生　168, 173
授乳　124, 134
授乳・離乳の支援ガイド　122
手浴　116
循環血液量減少性ショック　384
消化管ストーマ　367
消化態栄養剤　289
少呼吸　94
小泉門　74
小児アセスメントトライアングル　64
小児一次救命処置　377, 387
小児看護技術　7
小児看護の目的　5
小児心停止アルゴリズム　391
小児二次救命処置　377, 391
静脈血採血　199
　　――法　206
静脈内投与　392
食育　131
食事摂取基準　120
触診　67
　　――部位　92
徐呼吸　94
除細動　392
ショック　382
自律性体温調節　345
シリンジポンプ　267
心音　100
呻吟　94
心原性ショック　384
心原性心停止　378
人工栄養　127
人工呼吸　389
人工呼吸器関連肺炎　334, 338
人工呼吸療法　330
新生児胆道閉鎖症スクリーニングカラーチャート　204
新生児用ベッド　413
身体拘束　237
　　――ゼロへの手引き　237

──の3原則　237
身体拘束予防ガイドライン　238
身体測定　73
身長　73
　──測定　79
心電図　400
　──モニター　401
心肺蘇生　377
心拍　92
　──出量　95
　──測定　99

随時尿　202
推定エネルギー必要量　120
睡眠　158
　──への援助　164
スクラビング法　118
ストーマ　367
ストーマ装具　369
　──の交換　373
スピードトラック牽引　365

生活空間　188
　──における環境調整　191
清潔　106
清潔間欠自己導尿の援助　220
成長　73
成長ホルモン　159
成分栄養剤　289
咳エチケット　168
石膏ギプス　351
接触感染　167, 170
セルフケア　3
　──能力　15
穿刺　227
洗浄剤　107
全身清拭　113
全身の観察　69
洗髪　113
浅表性呼吸　94

挿管中の口腔ケア　341
相互同期性　21
早朝尿　202

足浴　116
速乾性擦式消毒薬　174

体温　89
　──測定　97
　──調節　345
体温計　90
体重　73
　──測定　81
代償性ショック　383
大泉門　74
　──の測定　84
体内時計　160
唾液法　205
多呼吸　94
打診　68
抱っこ　151
食べる力　132

チェーン・ストークス呼吸　94
チャイルドライフスペシャリスト　29
チャイルドライフプログラム　34
注意転換法　39
中央配管式吸引器　309
中間排尿法　202
注射　261
注射薬　250
中心静脈　265
中心静脈ポートを用いた中心静脈栄養　277
中性温度環境　408
超音波式ネブライザー　296
腸管　287
聴診　68
超低出生体重児　407
調乳　133
腸瘻　287
直達牽引　359
　──の介助　364
直腸温　90

低血圧性ショック　383
低出生体重児　407

ディストラクション　39
定量吸入器　298
手袋　168
　──の着脱　175
点眼　256
点眼薬　250
点耳　258
点耳薬　250
転倒・転落アセスメントシート　53
点鼻　257
点鼻薬　250
殿部洗浄　115

トイレットトレーニング　139, 147, 215
頭囲　74
　──の測定　84
導尿　214
動脈血採血　199
特殊ミルク　127
ドライパウダー吸入器　298, 303
トラキマスク　322
トレーニングパンツ　141

ナイチンゲール　4

二次救命処置　377
二次的障害　241
日本人の食事摂取基準　120
乳児身体発育曲線　76
乳児の衣服　182
乳児用液体ミルク　127
乳児用調整液状乳　127
乳児用調製粉乳　127
乳幼児用体重計　82
入浴　109
尿検査　201
尿路ストーマ　367

熱産生　345
熱放散　345

ノンレム睡眠　159

パーセンタイル値　75
排泄　136
バイタルサイン　88
排痰法　334
排尿回数　137
背部叩打法　390
排便回数　138
波状熱　91
バッグバルブマスク　396
発達　73
　──課題　2
発熱　91，345
鼻カニューレ　322
パルスオキシメーター　402，404
半消化態栄養剤　289
絆創膏牽引　365

ひ

ヒールカット採血　208
鼻咽頭エアウェイ　398
鼻咽頭ぬぐい液　205
鼻咽頭の検体採取　205，212
ビオー呼吸　94
皮下注射　251，261
鼻腔吸引　305，316
鼻腔吸引液　205
非言語的コミュニケーション　21
膝関節帯　243
肘関節帯　243
非侵襲的陽圧換気　330，335
皮内注射　251，261
飛沫感染　167，170
肥満度　76
ヒヤリ・ハット　54
ヒューマンエラー　46
標準体重　77
標準予防策　167
鼻翼呼吸　94
頻呼吸　94

フェイスシールド　168
フォルクマン拘縮　353

腹囲　74
　──測定　86
副雑音　94
腹式呼吸　93
腹部突き上げ法　390
普遍的セルフケア要件　12
プラスティックギプス　351
ブリストル便形状スケール　204
不慮の事故　150
プレイルーム　27，172，189
プレパレーション　33
糞便検査　203

閉鎖型保育器　409
閉鎖式気管吸引　314
閉塞性ショック　384
ヘッドボックス　323
ベビーカー　154
ベンチュリーマスク　323
便秘　139

保育器　407
膀胱留置カテーテル法　216
ポータブル式吸引器　309
保湿剤　107
哺乳　124
母乳栄養　126

マスク　168
　──の着脱　177
末梢静脈　265
末梢静脈内持続点滴　269
マンシェット　96

ミトン　243
脈拍　92
　──測定　99

無菌的間欠導尿　219
無菌的採尿法　202

メッシュ式ネブライザー　296，301
メラトニン　159，161
面板　370
面会　190

毛細血管採血　199，208
毛細血管再充満時間　66，382
沐浴　110
モニタリング　400
問診　66

薬剤投与　392
薬物動態　248
夜尿症　138

輸液　265
　──セット　266
　──速度　266
　──ポンプ　267
　──量　266
輸血　281，284
輸血過誤防止　282
輸血後移植片対宿主病　281

幼児の衣服　183
腰椎穿刺　227，233
与薬　248

リザーバー付き酸素マスク　323
離乳　127
離乳食　127
　──の進め方　128

冷罨法　344，348
レム睡眠　159

看護実践のための根拠がわかる　小児看護技術　第3版

2008年10月10日　第1版第1刷発行	定価（本体3,900円＋税）
2016年 1 月25日　第2版第1刷発行	
2022年12月28日　第3版第1刷発行	
2025年 3 月17日　第3版第4刷発行	

編　著　　添田啓子・鈴木千衣・三宅玉恵・田村佳士枝© 　　　　　　＜検印省略＞

発行者　　亀井　淳

発行所　　株式会社 メヂカルフレンド社

〒102-0073　東京都千代田区九段北3丁目2番4号
麹町郵便局私書箱48号　電話（03）3264-6611　振替00100-0-114708
https://www.medical-friend.jp

Printed in Japan　　落丁・乱丁本はお取り替えいたします　　　印刷・製本／日本ハイコム(株)
ISBN978-4-8392-1695-5　C3347　　　　　　　　　　　　　　　　　　　　　　107125-112

- 本書に掲載する著作物の著作権の一切〔複製権・上映権・翻訳権・譲渡権・公衆送信権（送信可能化権を含む）など〕は，すべて株式会社メヂカルフレンド社に帰属します。
- 本書および掲載する著作物の一部あるいは全部を無断で転載したり，インターネットなどへ掲載したりすることは，株式会社メヂカルフレンド社の上記著作権を侵害することになりますので，行わないようお願いいたします。
- また，本書を無断で複製する行為（コピー，スキャン，デジタルデータ化など）および公衆送信する行為（ホームページの掲載やSNSへの投稿など）も，著作権を侵害する行為となります。
- 学校教育上においても，著作権者である弊社の許可なく著作権法第35条（学校その他の教育機関における複製等）で必要と認められる範囲を超えた複製や公衆送信は，著作権法に違反することになりますので，行わないようお願いいたします。
- 複写される場合はそのつど事前に弊社（編集部直通 TEL03-3264-6615）の許諾を得てください。

看護実践のための**根拠**がわかる シリーズラインナップ

基礎看護技術
● 編著：角濱春美・梶谷佳子

成人看護技術―急性・クリティカルケア看護
● 編著：山勢博彰・山勢善江

成人看護技術―慢性看護
● 編著：宮脇郁子・籏持知恵子

成人看護技術―リハビリテーション看護
● 編著：粟生田友子・石川ふみよ

成人看護技術―がん・ターミナルケア
● 編著：神田清子・二渡玉江

老年看護技術
● 編著：泉キヨ子・小山幸代

母性看護技術
● 編著：北川眞理子・谷口千絵・藏本直子・田中泉香

小児看護技術
● 編著：添田啓子・鈴木千衣・三宅玉恵・田村佳士枝

精神看護技術
● 編著：山本勝則・守村洋

在宅看護技術
● 編著：正野逸子・本田彰子